AUTRES PARTIES DU MONDE

+2038   Point coté
⋈   Col, passe
2560   Bathymétrie
  Champ de glace, glacier
  Marais
183   Lac (avec l'altitude du plan d'eau)
  Lac salé
  Rivière
  Oued
  Rivière avec chute et rapides
  Barrage, lac de barrage
  Canal
  Récif corallien
  Autoroute
  Autoroute en projet
⊢→←⊣   Tunnel routier
  Chemin de fer
⊢→←⊣   Tunnel ferroviaire

  Parc national
⊕   Aéroport
+   Aérodrome
▲   Bâtiment remarquable
∴   Ruine

  Limites internationales

  Limites internationales controversées

  Limites provinciales

Les données statistiques les plus récentes ne sont disponibles qu'au niveau des anciennes entités avant leur partition pour l'Union Soviétique, la Yougoslavie, la Tchécoslovaquie et l'Éthiopie. Par contre, les frontières représentées sont celles des pays actuels.

Córdoba   ville de 500 000 à 1 million d'habitants
● Geelong   ville de 100 000 à 500 000 habitants
○ Bizerte   ville de 50 000 à 100 000 habitants
• Tobrouk   ville ou village de moins de 50 000 habitants

Lorsqu'il existe, pour une partie du monde, une carte politique et une carte physique, les localités de cette dernière ne sont pas classées par importance. Dans certains cas, les capitales nationales sont soulignées deux fois et celles des provinces ou régions une fois. Dans les autres cas, seules les capitales nationales sont soulignées.

CARTES THÉMATIQUES

Énergie
★   Uranium
■   Charbon
  Bassin charbonnier
■   Lignite
  Bassin de lignite
◆   Pétrole
  Champ pétrolier
◆   Gaz naturel
  Exploitation de gaz
⚡   Centrale thermique
⚡   Centrale hydro-électrique
⚡   Centrale nucléaire
⚡   Centrale géothermique
  Oléoduc
  Gazoduc
■   Port pétrolier
■   Port méthanier
⇒   Importation de pétrole
⇒   Importation de gaz naturel

Industrie
  Région industrielle
★   Ports principaux
●   Sidérurgie
○   Construction métallique
  Construction navale
  Construction automobile
  Construction aéronautique
Ⓐ   Production d'aluminium
●   Autre métallurgie
▮   Raffinage pétrolier
  Industrie chimique
●   Industrie alimentaire
●   Industrie textile
○   Industrie du papier
●   Industrie du bois
♈   Industrie du verre
⚡   Industrie électrotechnique

Mines

Extraction de minerais
◇   Minerai de fer
Ⓟ   Pyrite
Ⓐ   Antimoine
Ⓒ   Chrome
Ⓒₒ   Cobalt
Ⓜₐ   Manganèse   ⎫
Ⓜₒ   Molybdène   ⎬ Métaux pour alliages
Ⓝ   Nickel
Ⓥ   Vanadium
Ⓦ   Wolfram (tungstène)   ⎭
Ⓒ   Cuivre   ⎫
◇   Plomb et zinc   ⎬ Métaux non-ferreux
Ⓔ   Étain   ⎭
Ⓟ   Platine
◇   Or   ⎫
Ⓐ   Argent   ⎬ Métaux précieux
Ⓜ   Mercure   ⎭
Ⓑ   Bauxite   ⎫ Métaux légers
Ⓜ   Magnésite   ⎭

Autres mines
Ph   Phosphate
Po   Potasse
Sa   Salpêtre
S   Sel gemme
Sm   Sel marin
So   Soufre
A   Asbeste (Amiante)
D   Diamant
Ca   Calcaire
Ka   Kaolin
M   Marbre

Densité de la population
◯   Agglomération ou ville de 5 M d'habitants ou plus
◯   Agglomération de 1 M à 5 M d'habitants
○   Ville de 500 000 à 1 M d'habitants
○   Ville de 100 000 à 500 000 habitants

Utilisation du sol
  Inculte
  Forêts
  Élevage intensif
  Élevage extensif
  Cultures et élevage
  Culture des céréales
  Riz
  Autre culture
  Agriculture
  Légumes, fruits
  Région industrielle
♦   Betterave sucrière
▌   Canne à sucre
∴   Tabac
●   Café
◐   Cacao
♀   Thé
◆   Houblon
⚘   Vignes
⚭   Pommes (cidre)
☽   Bananes
⊕   Agrumes
○   Olives
  Dattes (oasis)
♈   Épices
○   Palmier à huile, arachide
⊤   Tournesols
✻   Cultures de roses
♀   Coton
0   Mûrier (élevage du ver à soie)
✚   Sisal
○   Chêne-liège
⚓   Principaux ports de pêche

Le grand Atlas

avec la collaboration de

J. Charlier
(Université Catholique de Louvain)

D. Charlier-Vanderschraege
(Haute École Galilée à Bruxelles)

R. De Koninck
(Université Laval à Québec)

NOUVELLE ÉDITION
actualisée et augmentée

De Boeck Wesmael

Préface

Avertissement à la 9e édition

Par rapport à la précédente, qui avait été profondément refondue dans son ensemble et sensiblement augmentée au niveau de l'Asie et des Amériques, la présente édition a fait l'objet d'une nouvelle actualisation sur de nombreux points et comprend huit planches originales supplémentaires. D'une part, deux nouvelles cartes d'ensemble ont été ajoutées à propos du tourisme et de l'environnement en Europe (44-45). D'autre part, six cartes sont venues renforcer sensiblement la partie africaine du grand Atlas. Elles portent sur le Maroc (112-113), l'Afrique du Nord et de l'Ouest (114-115), ainsi que sur la République Démocratique du Congo (117-118). L'index a été enrichi corrélativement et l'ouvrage compte désormais quelque 200 pages !

Un outil pédagogique

L'enseignement de la géographie évolue parce qu'il est vivant à l'instar de notre monde et de la perception que nous en avons. Or, les moyens modernes de communication ont, au cours de ces dernières années, autant influencé notre vision du monde qu'ils ont diffusé des quantités de plus en plus considérables d'informations. Dès lors, quoi de plus naturel que la démarche du professeur de géographie tienne compte de ces évolutions?

L'atlas est devenu un outil de travail privilégié dans la démarche géographique. La lecture de la carte ne peut plus consister en une simple localisation de réalités ponctuelles. Elle se doit plutôt d'être une mise en ordre, une structuration personnelle à partir d'un flot ininterrompu d'informations.

Les diverses cartes thématiques constituent autant de points de départ de recherches ou d'exercices spécifiques portant sur la question géographique fondamentale *Pourquoi là?*

Elles permettent de jouer sur différents registres : l'**analyse détaillée** avec des cartes à grande échelle représentant, par exemple, des paysages-types marqués par l'activité humaine ou avec des documents permettant la présentation pluridimensionnelle d'un espace donné; la **comparaison raisonnée**, sur base de cartes mono-thématiques ou encore la **synthèse** avec la présentation simultanée de cartes sur la population, les paysages agraires, l'industrie, l'urbanisation.

Qu'il s'agisse de la Belgique, des différents pays et continents ou du monde dans son ensemble, de nombreuses données quantitatives complètent les cartes. Que le professeur garde cependant à l'esprit qu'il ne suffit pas d'avancer des dimensions ou des tonnages pour rendre plus concrète l'approche d'un phénomène par ses élèves; il peut, dans chaque cas, donner un sens à ces chiffres en faisant des graphiques le complément concret et dynamique des cartes. L'atlas varie à dessein les diverses formes de représentation des données, de manière à familiariser l'utilisateur à la lecture et à l'interprétation de graphiques variés.

Composition de l'atlas

Le grand Atlas propose d'abord une légende générale suivie de la page de titre et de la présente préface. Viennent ensuite la table chorographique permettant de repérer rapidement la (ou les) carte(s) recherchée(s) et l'ensemble cartographique proprement dit, composé comme suit :
- les principaux fondements 4 - 7
- la Belgique 8 - 31
- l'Europe et la Russie 32 - 81
- l'Asie 82 - 103
- l'Afrique 104 -119
- l'Amérique 120 - 145
- l'Océanie 146 - 149
- le Monde 150 - 179
- les régions polaires 180

Recherche d'un renseignement

Pour trouver rapidement les données souhaitées, l'atlas fournit trois moyens:
- le signet en troisième page de couverture,
- la table chorographique en page 3,
- l'index des noms géographiques aux pages 181 à 196.

- Le **signet** constitue le moyen le plus simple pour rechercher un lieu. Sa double page reprend toutes les parties du monde et indique par des cadres rectangulaires sur quelle carte de l'atlas figure le lieu en question. Pour plus de clarté, la Belgique est représentée à part et à une échelle supérieure sur la plage de gauche du signet.

- Toutes les cartes générales et les cartes thématiques relatives à certaines régions ou grandes agglomérations sont mentionnées dans la **table chorographique** dans l'ordre de leur présentation dans l'atlas. Dans les parties consacrées à la Belgique et aux différents pays ou continents, la répartition des cartes analytiques a un caractère systématique, des faits physiques majeurs aux principaux traits humains et économiques.

- L'**index** est destiné à faciliter la recherche des éléments de la nomenclature géographique (pays, régions, localités, cours d'eau, montagnes, etc.). Les noms y sont classés par ordre alphabétique et sont suivis du numéro de la carte ou du carton où ils figurent. Les cartes générales et un certain nombre de cartons présentent des subdivisions déterminées par les méridiens et les parallèles; ces subdivisions sont identifiées par des lettres et des chiffres indiqués en rouge en bordure du cadre, lesquels sont repris dans l'index après le numéro de la carte correspondante.

Les auteurs
Juin 1998

© Wolters-Noordhoff bv, Atlas Productions, Groningen, The Netherlands, 1998
© De Boeck & Larcier s.a., 1998
   Rue des Minimes 39 - B-1000 Bruxelles

   9e édition

Images satellitaires (sauf Belgique): © Worldsat International Inc. Published under licence by Robas bv, The Netherlands, 1996.

Printed in Belgium
D 1998/0074/149

ISBN 2-8041-2987-X

Table chorographique (pays, régions)

TERRE ET UNIVERS I

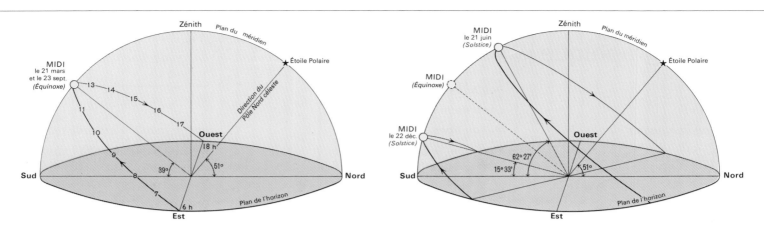

1 **MOUVEMENT APPARENT DU SOLEIL À L'ÉQUINOXE ET AUX SOLSTICES SOUS NOS LATITUDES (51°)**

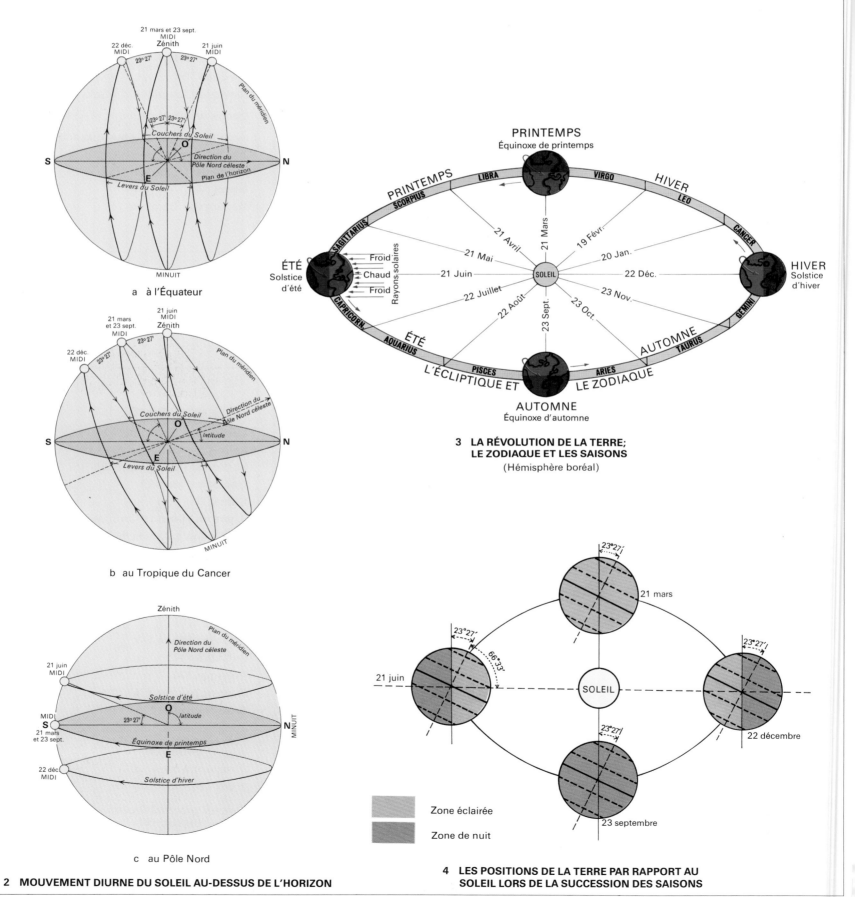

a à l'Équateur

b au Tropique du Cancer

c au Pôle Nord

2 **MOUVEMENT DIURNE DU SOLEIL AU-DESSUS DE L'HORIZON**

PRINTEMPS
Équinoxe de printemps

ÉTÉ
Solstice d'été

HIVER
Solstice d'hiver

AUTOMNE
Équinoxe d'automne

L'ÉCLIPTIQUE ET LE ZODIAQUE

3 **LA RÉVOLUTION DE LA TERRE;
LE ZODIAQUE ET LES SAISONS**
(Hémisphère boréal)

Zone éclairée

Zone de nuit

4 **LES POSITIONS DE LA TERRE PAR RAPPORT AU
SOLEIL LORS DE LA SUCCESSION DES SAISONS**

TERRE ET UNIVERS II

5

5. LE SYSTÈME SOLAIRE

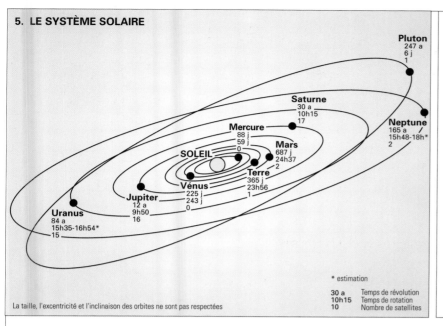

Pluton
247 a
6 j
1

Saturne
30 a
10h15
17

Neptune
165 a
15h48-18h*
2

Mercure
88 j
59 j
0

Mars
687 j
24h37
2

SOLEIL

Terre
365 j
23h56
1

Vénus
225 j
243 j
0

Jupiter
12 a
9h50
16

Uranus
84 a
15h35-16h54*
15

* estimation

30 a — Temps de révolution
10h15 — Temps de rotation
10 — Nombre de satellites

La taille, l'excentricité et l'inclinaison des orbites ne sont pas respectées

6. LES PHASES DE LA LUNE

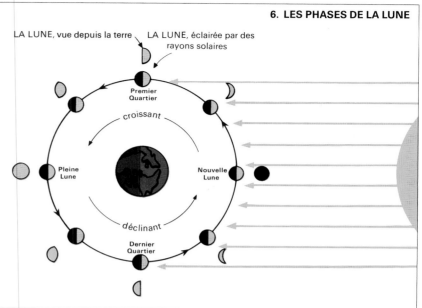

LA LUNE, vue depuis la terre — LA LUNE, éclairée par des rayons solaires

Premier Quartier

croissant

Pleine Lune

Nouvelle Lune

Dernier Quartier

déclinant

A. PRINCIPE DES ÉCLIPSES

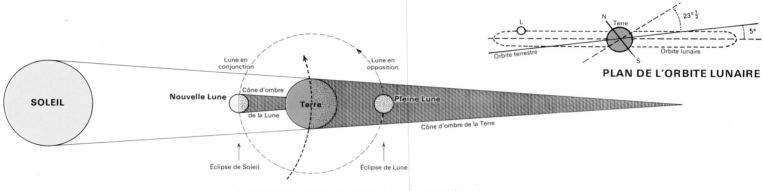

SOLEIL

Lune en conjonction

Nouvelle Lune

Cône d'ombre de la Lune

Terre

Pleine Lune

Cône d'ombre de la Terre

Lune en opposition

Éclipse de Soleil

Éclipse de Lune

PLAN DE L'ORBITE LUNAIRE

B. NŒUDS DE L'ORBITE LUNAIRE ET POSSIBILITÉS D'ÉCLIPSE

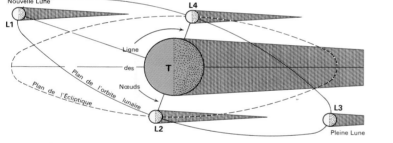

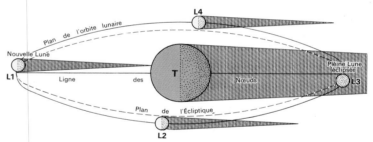

La ligne des nœuds n'est pas dirigée vers le Soleil: il ne peut y avoir éclipse.

La ligne des nœuds est dirigée vers le Soleil: il peut y avoir éclipse.

C. ÉCLIPSES DE LUNE
(Mesures en rayons terrestres)

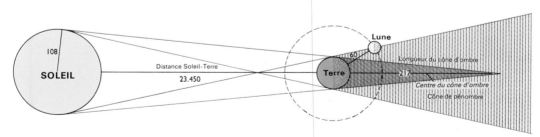

108

SOLEIL

Distance Soleil-Terre
23.450

Terre

60

Lune

217

Longueur du cône d'ombre

Centre du cône d'ombre

Cône de pénombre

D. ÉCLIPSES DE SOLEIL

1 Annulaire

2 Partielle

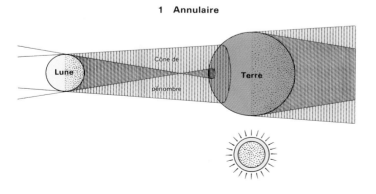

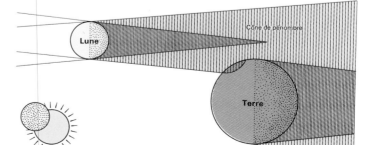

7. LES ÉCLIPSES

© WN Atlas Productions

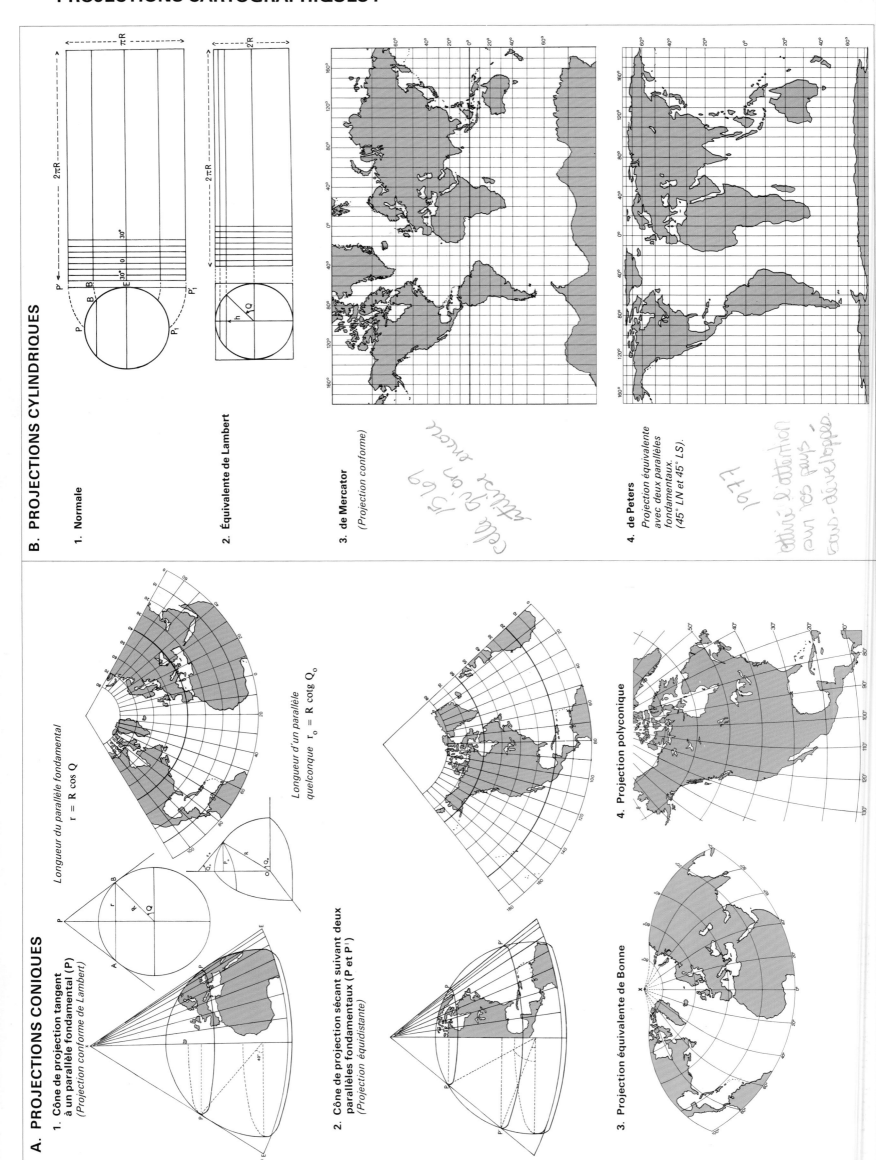

A. PROJECTIONS CONIQUES

1. Cône de projection tangent à un parallèle fondamental (P)
(Projection conforme de Lambert)

Longueur du parallèle fondamental
$r = R \cos Q$

Longueur d'un parallèle quelconque $r_0 = R \cot g\, Q_0$

2. Cône de projection sécant suivant deux parallèles fondamentaux (P et P¹)
(Projection équidistante)

3. Projection équivalente de Bonne

4. Projection polyconique

B. PROJECTIONS CYLINDRIQUES

1. Normale

2. Équivalente de Lambert

3. de Mercator
(Projection conforme)

4. de Peters
Projection équivalente avec deux parallèles fondamentaux.
(45° LN et 45° LS).

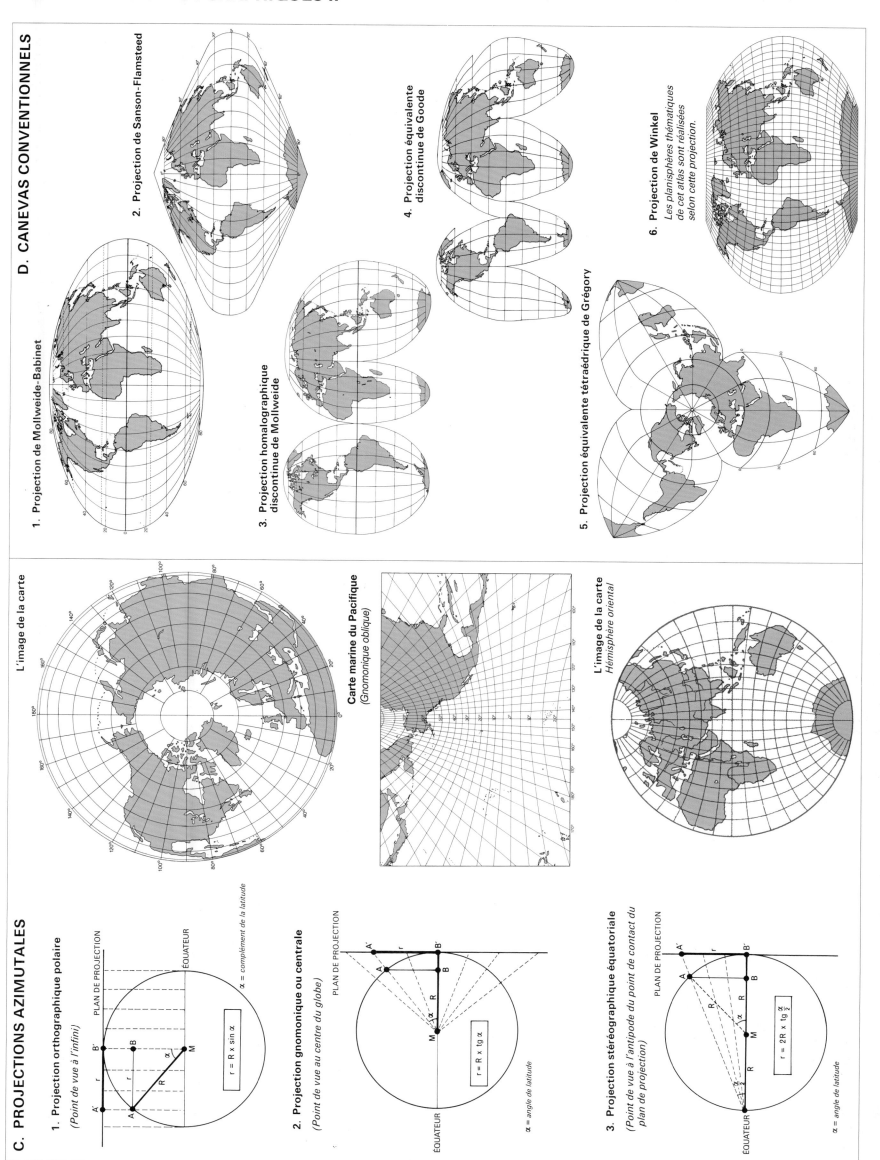

D. CANEVAS CONVENTIONNELS

1. Projection de Mollweide-Babinet

2. Projection de Sanson-Flamsteed

3. Projection homalographique discontinue de Mollweide

4. Projection équivalente discontinue de Goode

5. Projection équivalente tétraédrique de Grégory

6. Projection de Winkel
Les planisphères thématiques de cet atlas sont réalisées selon cette projection.

C. PROJECTIONS AZIMUTALES

1. Projection orthographique polaire
(Point de vue à l'infini)

L'image de la carte

$r = R \times \sin \alpha$

$\alpha = complément\ de\ la\ latitude$

2. Projection gnomonique ou centrale
(Point de vue au centre du globe)

Carte marine du Pacifique
(Gnomonique oblique)

$r = R \times tg\ \alpha$

$\alpha = angle\ de\ latitude$

3. Projection stéréographique équatoriale
(Point de vue à l'antipode du point de contact du plan de projection)

L'image de la carte
Hémisphère oriental

$r = 2R \times tg\ \dfrac{\alpha}{2}$

$\alpha = angle\ de\ latitude$

PLAN DE PROJECTION

ÉQUATEUR

© WN Atlas Productions

CARTES TOPOGRAPHIQUES Belgique fondamentale

A. PROFONDEVILLE
1 : 25 000

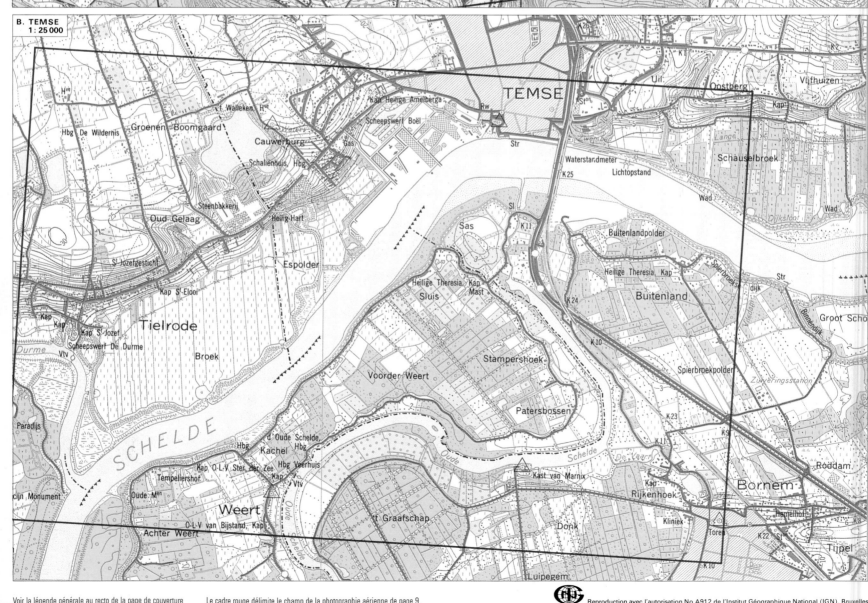

B. TEMSE
1 : 25 000

PHOTOGRAPHIES AÉRIENNES

A. PROFONDEVILLE
± 1 : 19 000

B. TEMSE
± 1 : 21 000

EUROSENSE ®

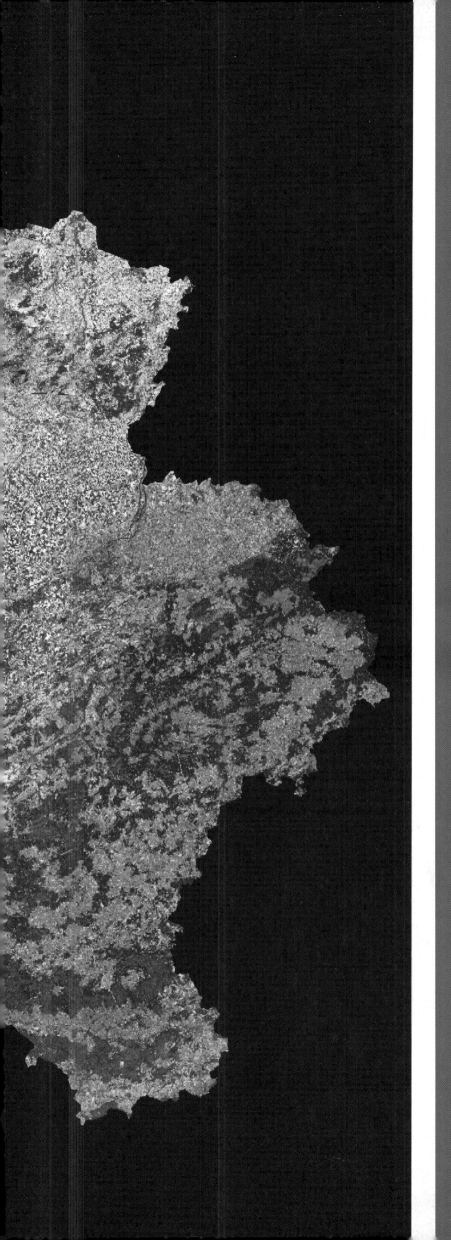

BELGIQUE

BELGIQUE ET LUXEMBOURG

12

au-dessous du niveau de la mer

A. RÉGIONS GÉOGRAPHIQUES
1 : 2 000 000

Dunes
Polders
Flandre sablonneuse
Flandre sablo-limoneuse
Campine
Régions intermédiaires
1 Petit Brabant
2 Campine brabançonne
3 Hageland
4 Hesbaye humide
Région limoneuse hennuyère
Région brabançonne
Hesbaye

Condroz
Ardenne condrusienne
Fagne-Famenne
Pays de Herve
Ardenne centrale
Ardenne du Nord-Est
Lorraine belge
Zones urbaines et industrielles

La surface occupée par les agglomérations de plus de 50 000 hab. est représentée

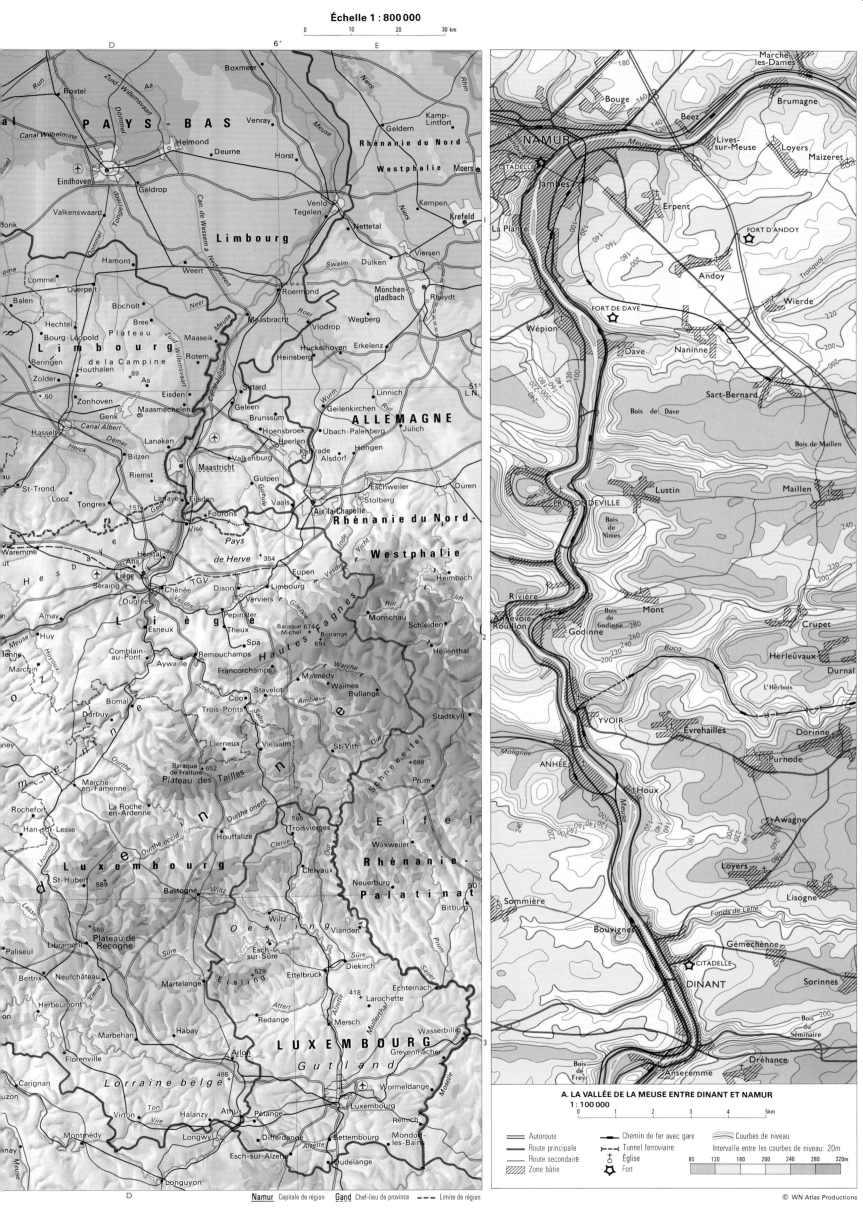

Échelle 1 : 800 000

A. LA VALLÉE DE LA MEUSE ENTRE DINANT ET NAMUR
1 : 100 000

Autoroute — Chemin de fer avec gare — Courbes de niveau
Route principale — Tunnel ferroviaire — Intervalle entre les courbes de niveau: 20m
Route secondaire — Église
Zone bâtie — Fort

Namur Capitale de région   Gand Chef-lieu de province   - - - Limite de région

© WN Atlas Productions

BELGIQUE CLIMAT

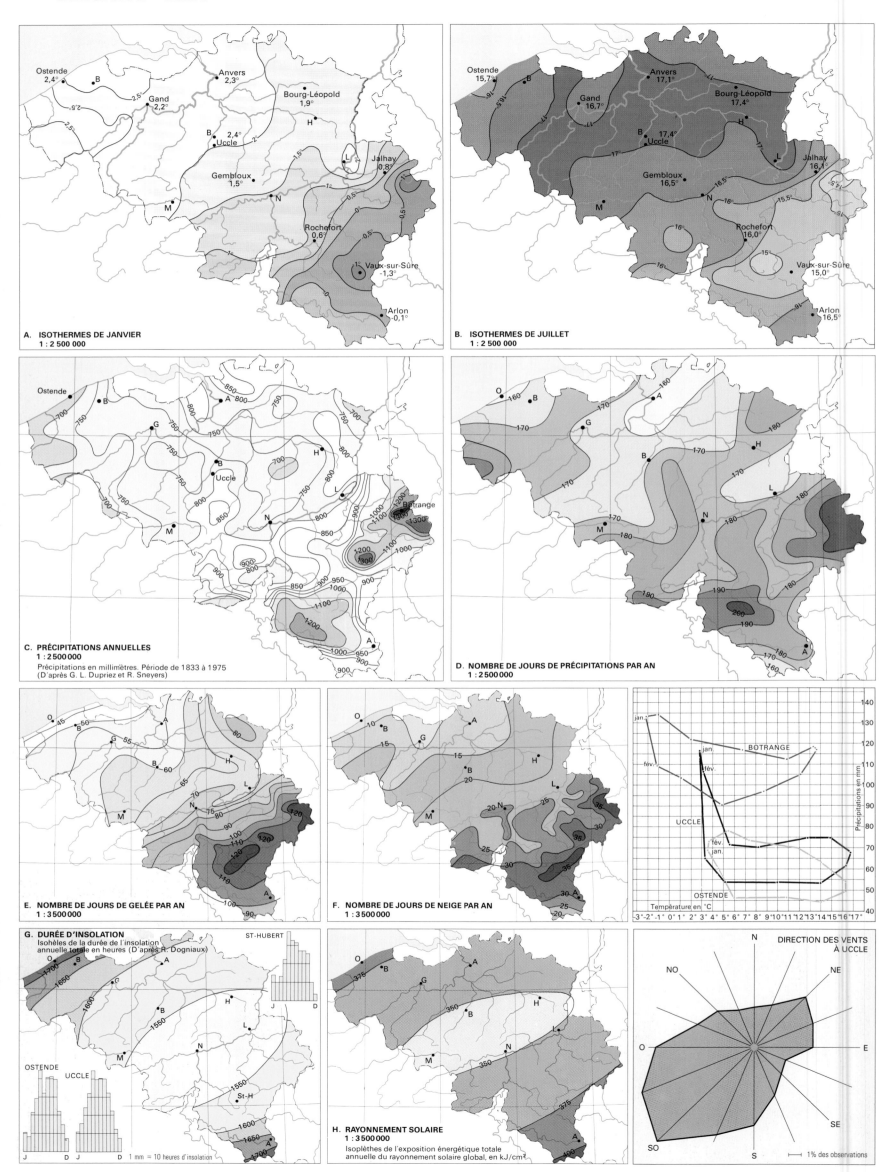

A. ISOTHERMES DE JANVIER
1 : 2 500 000

B. ISOTHERMES DE JUILLET
1 : 2 500 000

C. PRÉCIPITATIONS ANNUELLES
1 : 2 500 000
Précipitations en millimètres. Période de 1833 à 1975
(D'après G. L. Dupriez et R. Sneyers)

D. NOMBRE DE JOURS DE PRÉCIPITATIONS PAR AN
1 : 2 500 000

E. NOMBRE DE JOURS DE GELÉE PAR AN
1 : 3 500 000

F. NOMBRE DE JOURS DE NEIGE PAR AN
1 : 3 500 000

G. DURÉE D'INSOLATION
Isohèles de la durée de l'insolation
annuelle totale en heures (D'après R. Dogniaux)

1 mm = 10 heures d'insolation

H. RAYONNEMENT SOLAIRE
1 : 3 500 000
Isoplèthes de l'exposition énergétique totale
annuelle du rayonnement solaire global, en kJ/cm²

DIRECTION DES VENTS
À UCCLE

1% des observations

BELGIQUE CLIMAT

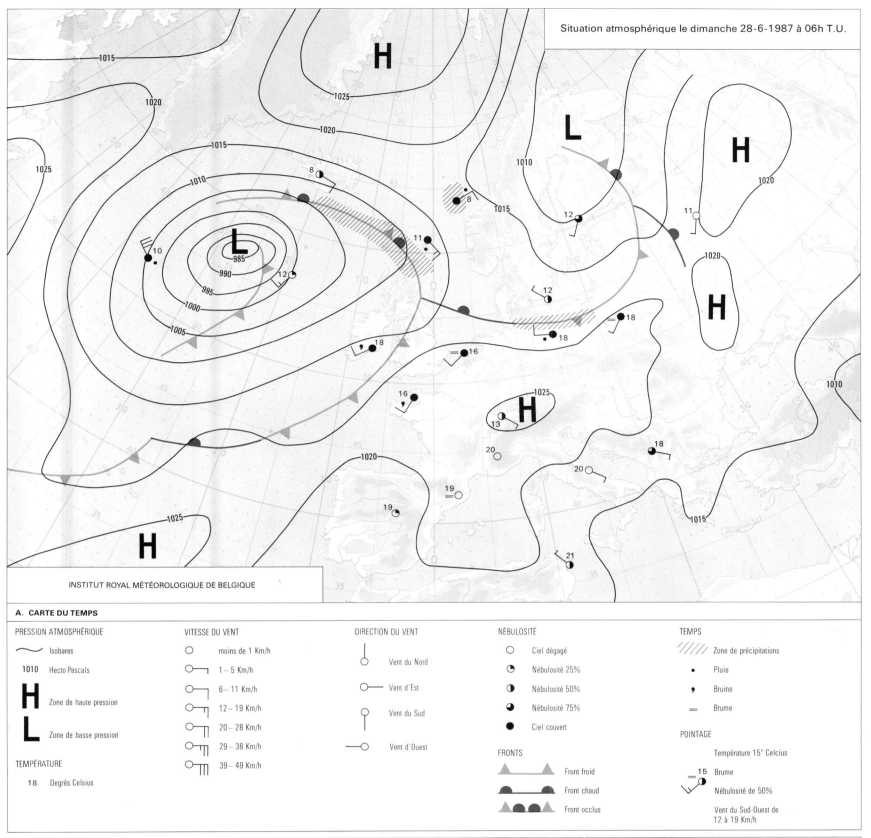

INSTITUT ROYAL MÉTÉOROLOGIQUE DE BELGIQUE

A. CARTE DU TEMPS

PRESSION ATMOSPHÉRIQUE

~ Isobares

1010 Hecto Pascals

H Zone de haute pression

L Zone de basse pression

TEMPÉRATURE

18 Degrés Celsius

VITESSE DU VENT

○ moins de 1 Km/h

1 – 5 Km/h

6 – 11 Km/h

12 – 19 Km/h

20 – 28 Km/h

29 – 38 Km/h

39 – 49 Km/h

DIRECTION DU VENT

Vent du Nord

Vent d'Est

Vent du Sud

Vent d'Ouest

NÉBULOSITÉ

○ Ciel dégagé

◗ Nébulosité 25%

◑ Nébulosité 50%

◕ Nébulosité 75%

● Ciel couvert

FRONTS

Front froid

Front chaud

Front occlus

TEMPS

///// Zone de précipitations

• Pluie

, Bruine

= Brume

POINTAGE

Température 15° Celcius

Brume

Nébulosité de 50%

Vent du Sud-Ouest de 12 à 19 Km/h

B. PHOTO MÉTÉOSAT

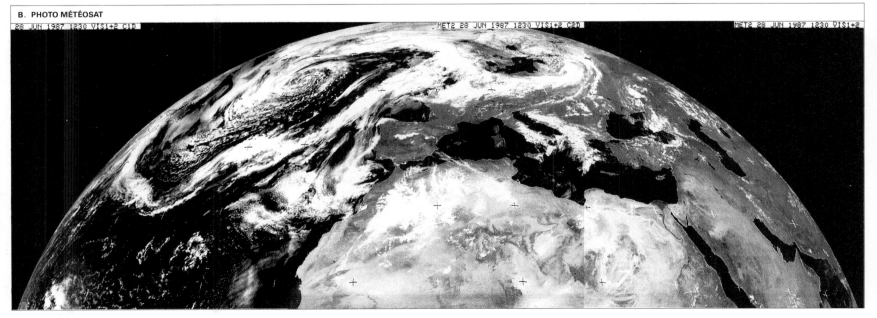

28 JUN 1987 1230 VISI+2 CID   MET2 28 JUN 1987 1230 VISI+2 C2D   MET2 28 JUN 1987 1230 VISI+2

BELGIQUE STRATIGRAPHIE

Échelle 1 : 1 000 000

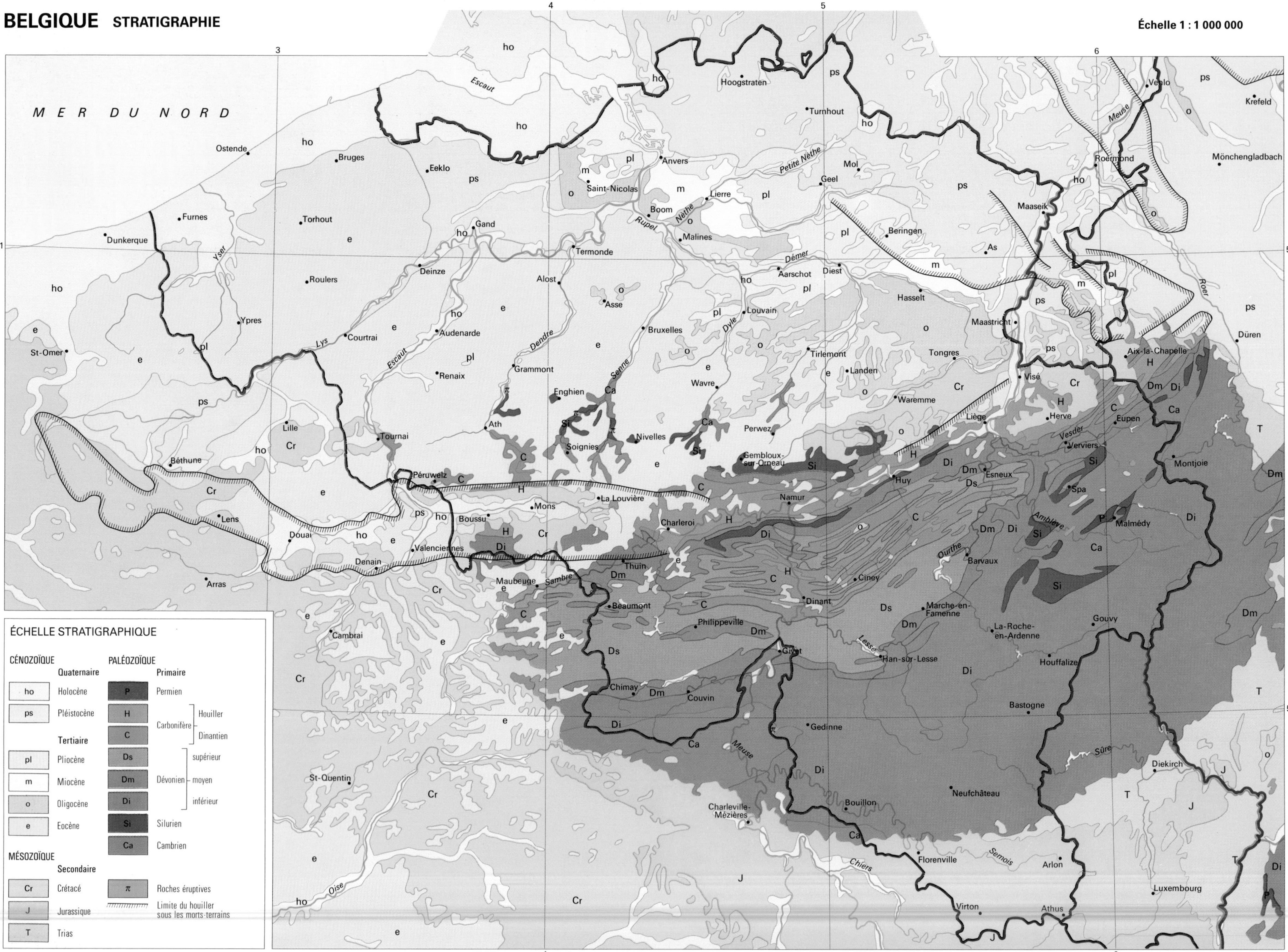

MER DU NORD

ÉCHELLE STRATIGRAPHIQUE

CÉNOZOÏQUE

Quaternaire
- ho Holocène
- ps Pléistocène

Tertiaire
- pl Pliocène
- m Miocène
- o Oligocène
- e Éocène

MÉSOZOÏQUE

Secondaire
- Cr Crétacé
- J Jurassique
- T Trias

PALÉOZOÏQUE

Primaire
- P Permien
- H Houiller — Carbonifère
- C Dinantien — Carbonifère
- Ds Dévonien-moyen supérieur
- Dm Dévonien-moyen
- Di inférieur
- Si Silurien
- Ca Cambrien

- π Roches éruptives

Limite du houiller sous les morts terrains

© WN Atlas Productions

BELGIQUE LITHOLOGIE

A. LITHOLOGIE 1:1 000 000

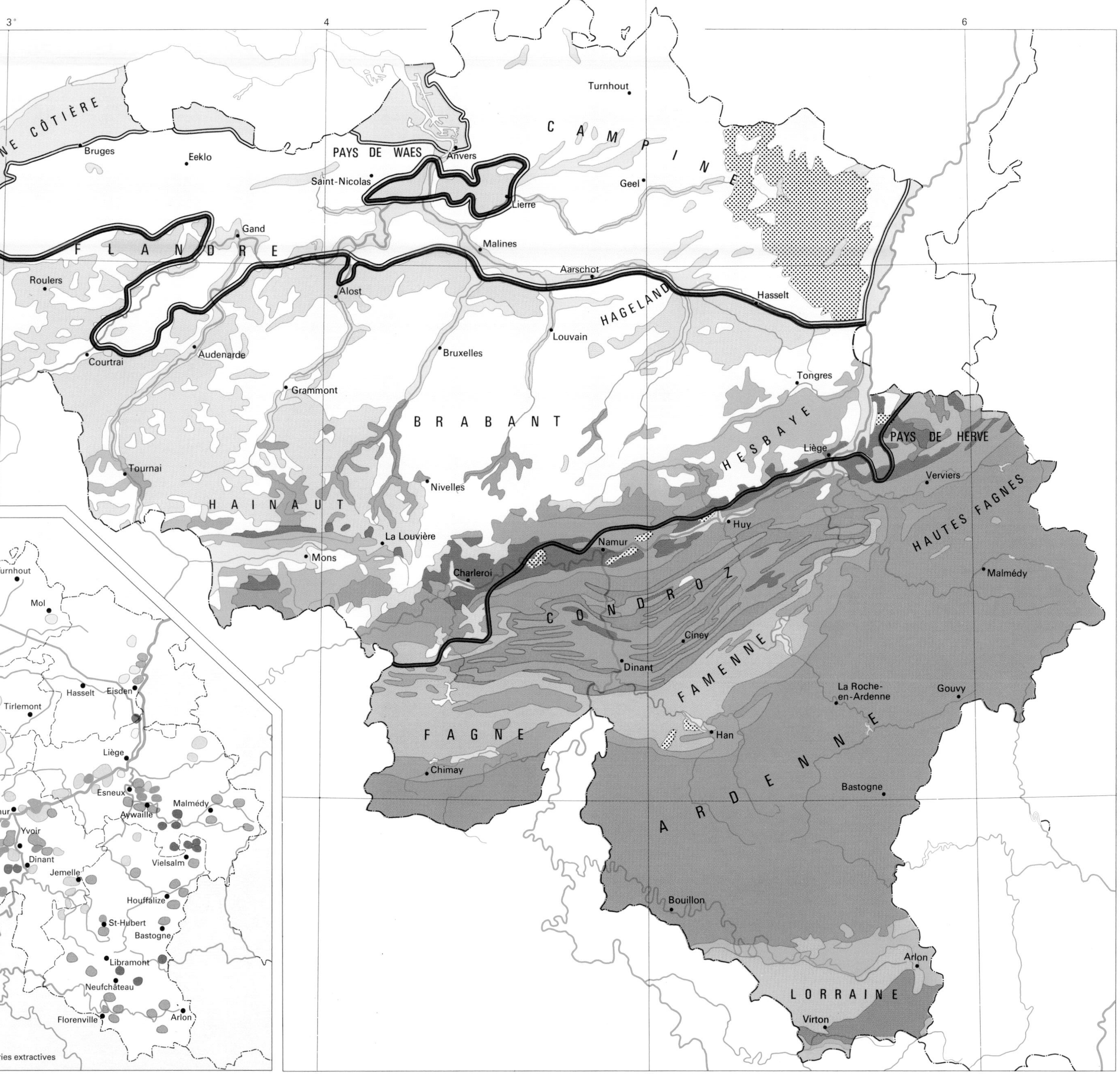

Légende:
- Limite du limon
- Limite des sables de couverture
- Argile des polders et alluvions des rivières
- Dépôts de graviers
- Sables dunaires
- Sables tertiaires et pléistocènes
- Sables et grès secondaires
- Grès du Dévonien supérieur
- Argiles tertiaires
- Marnes secondaires et tertiaires
- Argiles et marnes secondaires
- Schistes du Dévonien supérieur
- Craies et tuffeaux secondaires
- Calcaires primaires
- Calcaires jurassiques
- Grès et schistes houillers
- Quartzites et phyllades

Labels on map A:
PLAINE CÔTIÈRE — Ostende — Furnes — Bruges — Eeklo — Ypres — Roulers — Courtrai — Gand — FLANDRE — Audenarde — Grammont — Alost — Saint-Nicolas — PAYS DE WAES — Anvers — Lierre — Malines — Aarschot — HAGELAND — CAMPINE — Turnhout — Geel — Hasselt — Tongres — HESBAYE — Louvain — Bruxelles — BRABANT — Nivelles — La Louvière — HAINAUT — Mons — Tournai — PAYS DE HERVE — Liège — Verviers — HAUTES FAGNES — Malmédy — Huy — Namur — CONDROZ — Ciney — Dinant — Han — FAMENNE — La Roche-en-Ardenne — Gouvy — Bastogne — ARDENNE — FAGNE — Chimay — Charleroi — Bouillon — LORRAINE — Arlon — Virton

B. CARRIÈRES: SITES D'EXPLOITATION 1:2 000 000

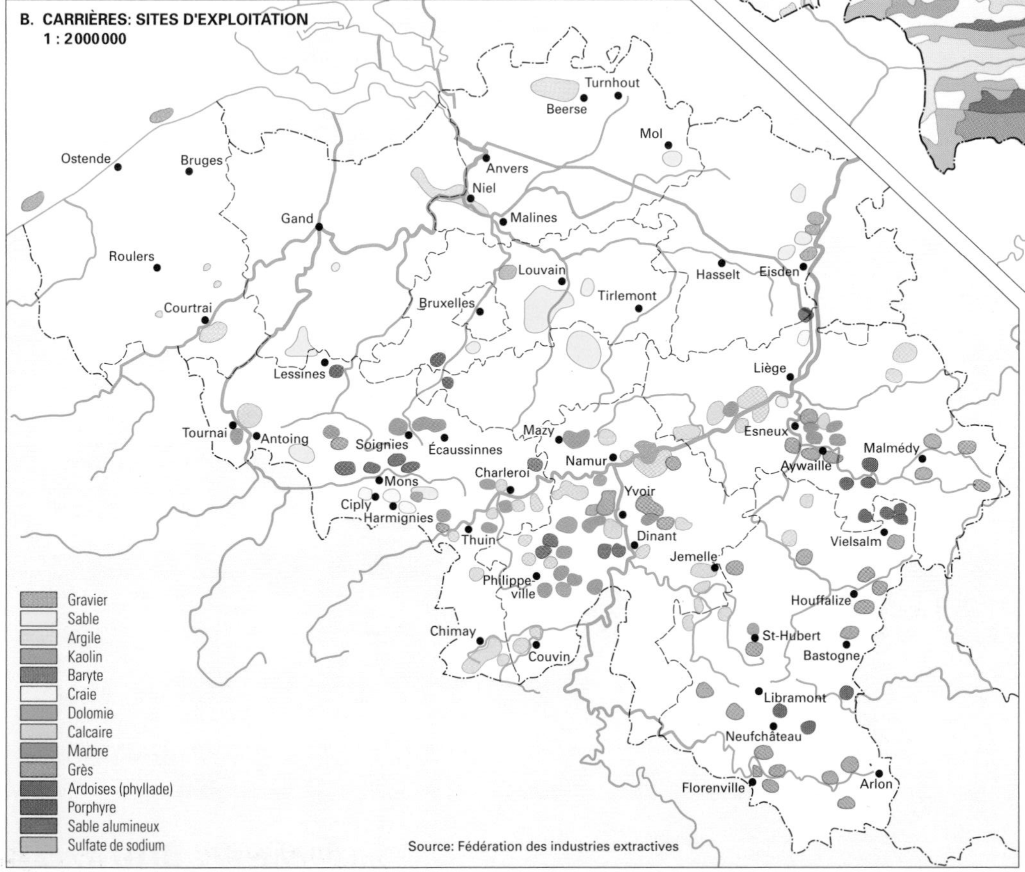

Légende:
- Gravier
- Sable
- Argile
- Kaolin
- Baryte
- Craie
- Dolomie
- Calcaire
- Marbre
- Grès
- Ardoises (phyllade)
- Porphyre
- Sable alumineux
- Sulfate de sodium

Labels on map B:
Ostende — Bruges — Roulers — Courtrai — Tournai — Antoing — Lessines — Écaussinnes — Soignies — Mons — Harmignies — Ciply — Chimay — Thuin — Philippeville — Couvin — Charleroi — Yvoir — Mazy — Namur — Dinant — Jemelle — Liège — Esneux — Aywaille — Vielsalm — Houffalize — St-Hubert — Bastogne — Libramont — Neufchâteau — Florenville — Arlon — Malmédy — Eisden — Hasselt — Tirlemont — Louvain — Bruxelles — Malines — Niel — Anvers — Mol — Beerse — Turnhout — Gand

Source: Fédération des industries extractives

© WN Atlas Productions

BELGIQUE GÉOLOGIE

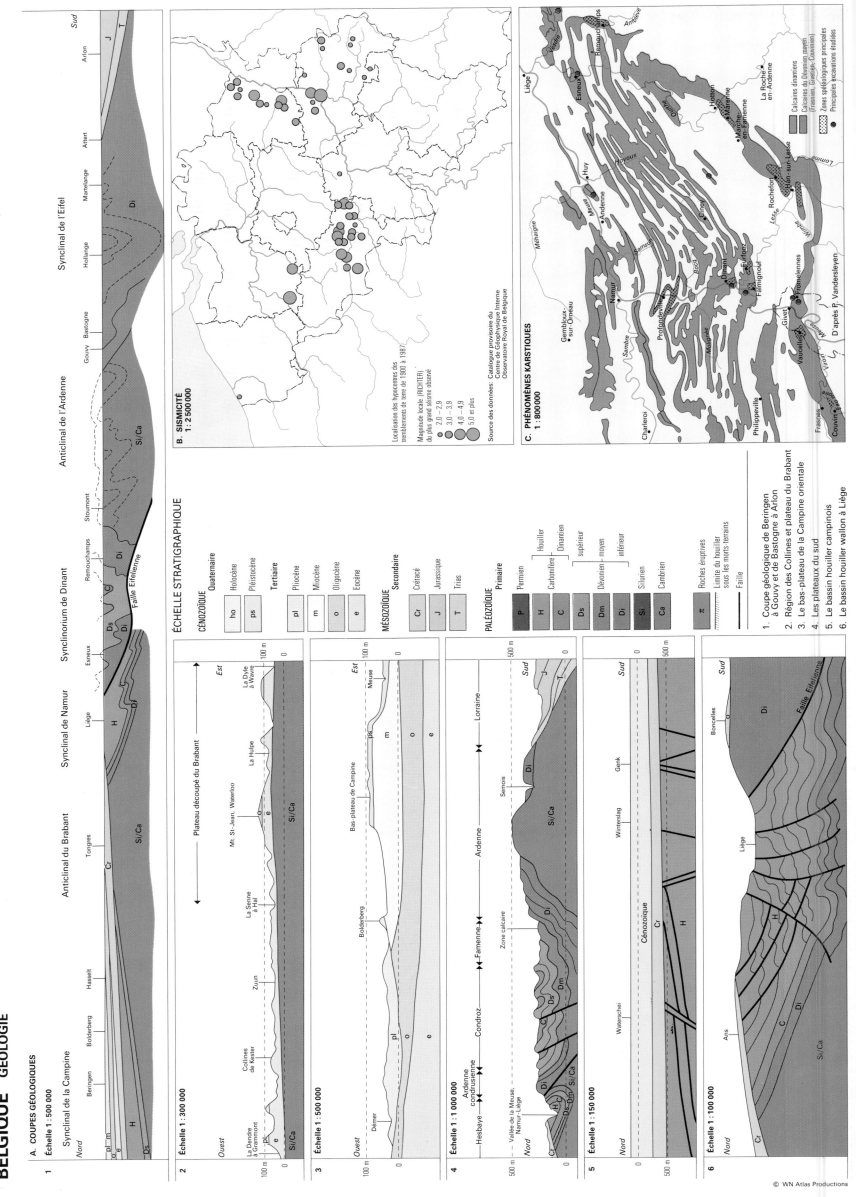

A. COUPES GÉOLOGIQUES

1 Échelle 1 : 500 000

Synclinal de la Campine — Anticlinal du Brabant — Synclinal de Namur — Synclinorium de Dinant — Anticlinal de l'Ardenne — Synclinal de l'Eifel

2 Échelle 1 : 300 000

3 Échelle 1 : 500 000

4 Échelle 1 : 1 000 000

5 Échelle 1 : 150 000

6 Échelle 1 : 100 000

B. SISMICITÉ 1 : 2 500 000

Localisation des hypocentres des tremblements de terre de 1900 à 1987

Magnitude locale (RICHTER) du plus grand séisme observé
- 2,0 – 2,9
- 3,0 – 3,9
- 4,0 – 4,9
- 5,0 et plus

Source des données: Catalogue provisoire du Centre de Géophysique Interne, Observatoire Royal de Belgique

C. PHÉNOMÈNES KARSTIQUES 1 : 800 000

Calcaires dinantiens

Calcaires du Dévonien moyen (Frasnien, Givetien, Couvinien)

Zones spéléologiques principales

Principales excavations étudiées

D'après P. Vanderschleyen

ÉCHELLE STRATIGRAPHIQUE

CÉNOZOÏQUE

Quaternaire
- ho Holocène
- ps Pléistocène

Tertiaire
- pl Pliocène
- m Miocène
- o Oligocène
- e Éocène

MÉSOZOÏQUE

Secondaire
- Cr Crétacé
- J Jurassique
- T Trias

PALÉOZOÏQUE

Primaire
- P Permien
- H Carbonifère — Houiller
- C Carbonifère — Dinantien
- Ds Dévonien — supérieur
- Dm Dévonien — moyen
- Di Dévonien — inférieur
- Si Silurien
- Ca Cambrien
- π Roches éruptives

Limite du houiller sous les morts terrains

Faille

1. Coupe géologique de Beringen à Gouvy et de Bastogne à Arlon
2. Région des Collines et plateau du Brabant
3. Le bas-plateau de la Campine orientale
4. Les plateaux du sud
5. Le bassin houiller campinois
6. Le bassin houiller wallon à Liège

© WN Atlas Productions

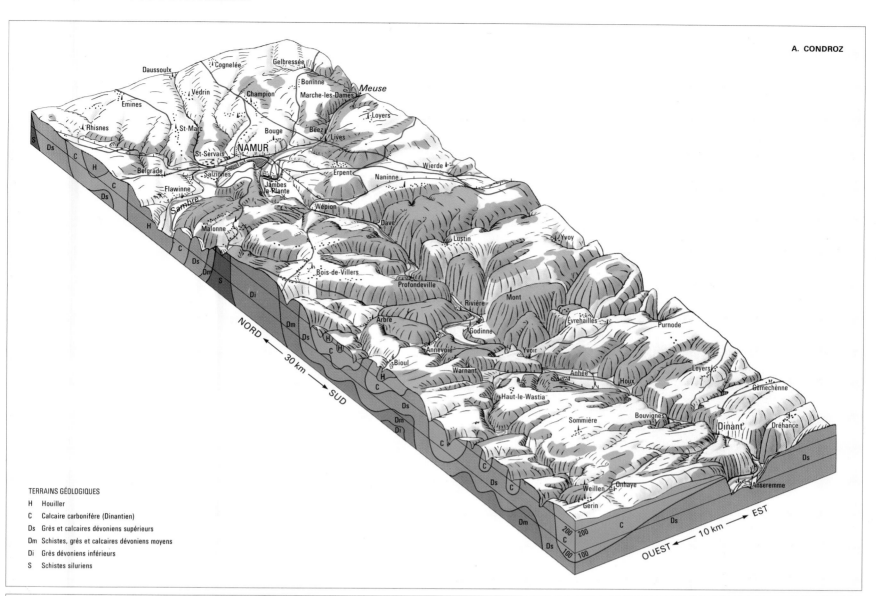

A. CONDROZ

TERRAINS GÉOLOGIQUES

H   Houiller
C   Calcaire carbonifère (Dinantien)
Ds Grès et calcaires dévoniens supérieurs
Dm Schistes, grès et calcaires dévoniens moyens
Di Grès dévoniens inférieurs
S   Schistes siluriens

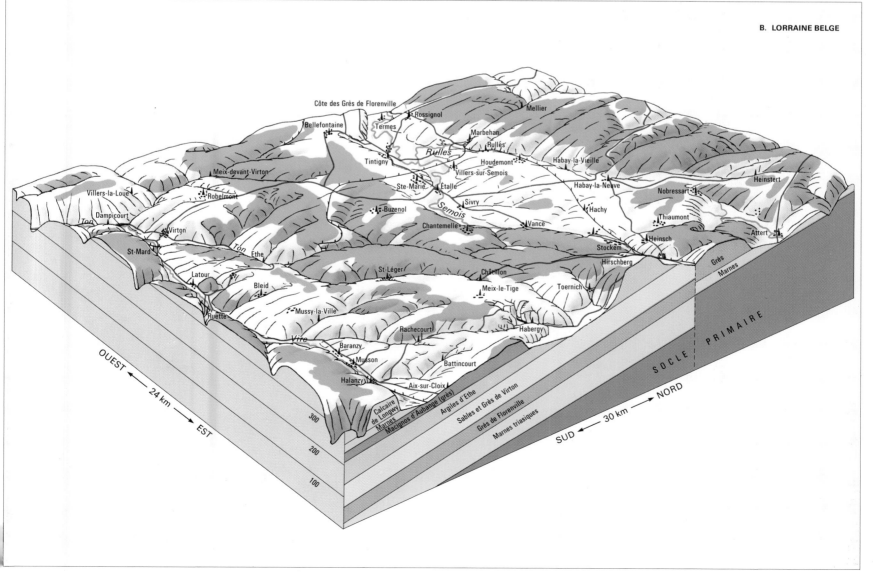

B. LORRAINE BELGE

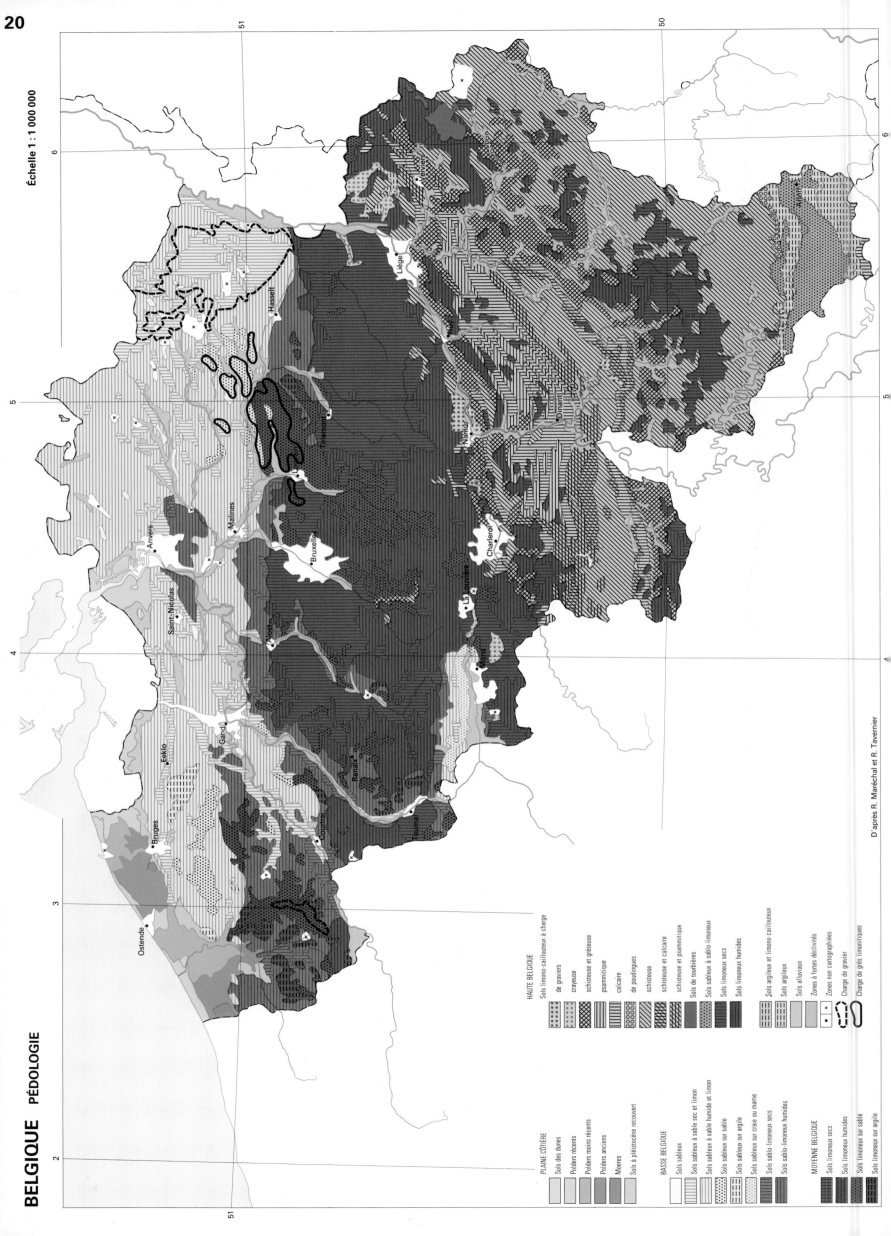

BELGIQUE PÉDOLOGIE

20

Échelle 1 : 1 000 000

D'après R. Maréchal et R. Tavernier

PLAINE CÔTIÈRE
- Sols des dunes
- Polders récents
- Polders moins récents
- Polders anciens
- Moeres
- Sols à pléistocène recouvert

BASSE BELGIQUE
- Sols sableux
- Sols sableux à sable sec et limon
- Sols sableux à sable humide et limon
- Sols sableux sur sable
- Sols sableux sur argile
- Sols sableux sur craie ou marne
- Sols sablo-limoneux secs
- Sols sablo-limoneux humides

MOYENNE BELGIQUE
- Sols limoneux secs
- Sols limoneux humides
- Sols limoneux sur sable
- Sols limoneux sur argile

HAUTE BELGIQUE

Sols limono-caillouteux à charge
- de graviers
- crayeuse
- schisteuse et gréseuse
- psammitique
- calcaire
- de poudingues
- schisteuse
- schisteuse et calcaire
- schisteuse et psammitique
- Sols de tourbières
- Sols sableux à sablo-limoneux
- Sols limoneux secs
- Sols limoneux humides
- Sols argileux et limono-caillouteux
- Sols argileux
- Sols alluviaux
- Zones à fortes déclivités
- Zones non cartographiées
- Charge de gravier
- Charge de grès limonitiques

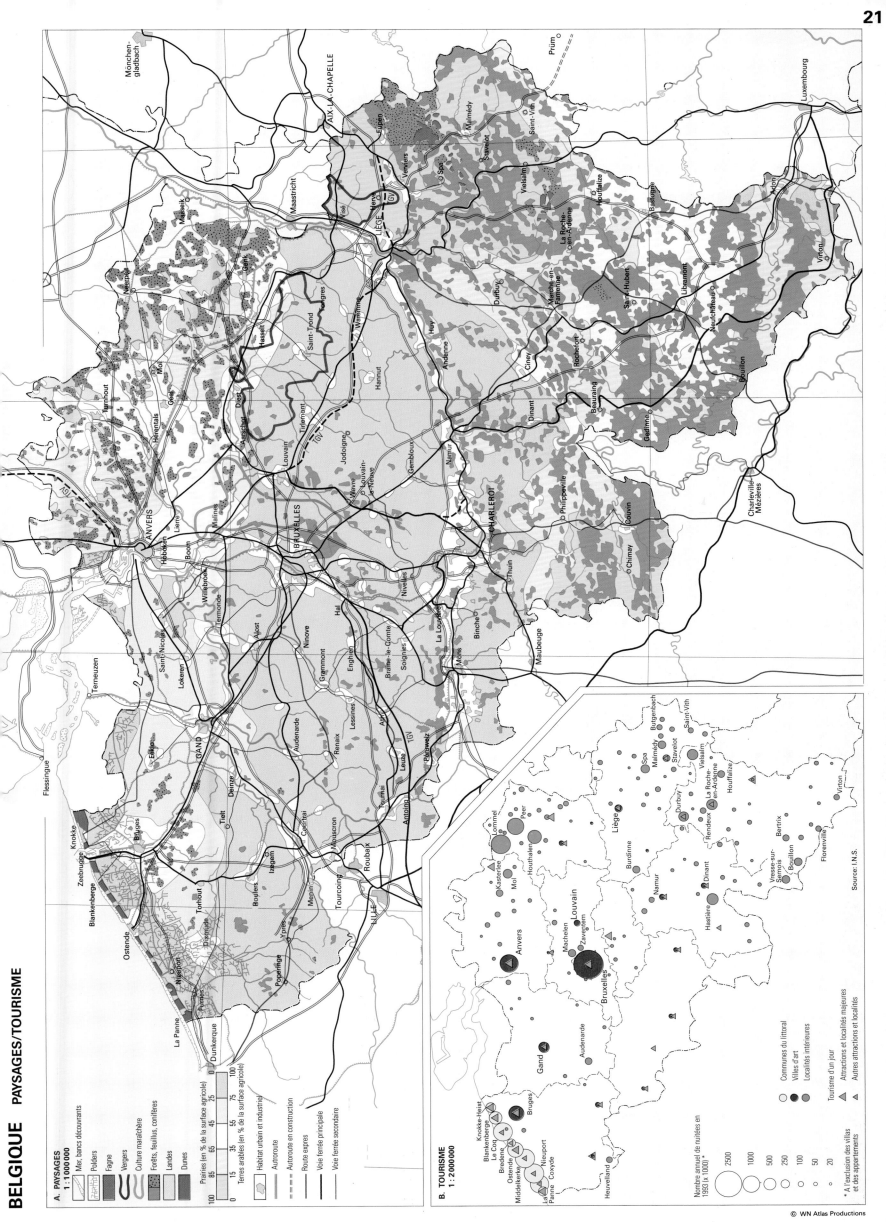

BELGIQUE PAYSAGES/TOURISME

A. PAYSAGES
1 : 1 000 000

- Mer, bancs découvrants
- Polders
- Fagne
- Vergers
- Culture maraîchère
- Forêts, feuillus, conifères
- Landes
- Dunes

Prairies (en % de la surface agricole)
0 15 25 35 45 55 65 75 85 100

Terres arables (en % de la surface agricole)
100 85 75 65 55 45 35 25 15 0

- Habitat urbain et industriel
- Autoroute
- ==== Autoroute en construction
- Route express
- Voie ferrée principale
- Voie ferrée secondaire

B. TOURISME
1 : 2 000 000

Nombre annuel de nuitées en
1993 (x 1000) *

2500
1000
500
250
100
50
20

* A l'exclusion des villas
et des appartements

- Communes du littoral
- Villes d'art
- Localités intérieures

Tourisme d'un jour
- ▲ Attractions et localités majeures
- ▲ Autres attractions et localités

Source: I.N.S.

© WN Atlas Productions

BELGIQUE ADMINISTRATION

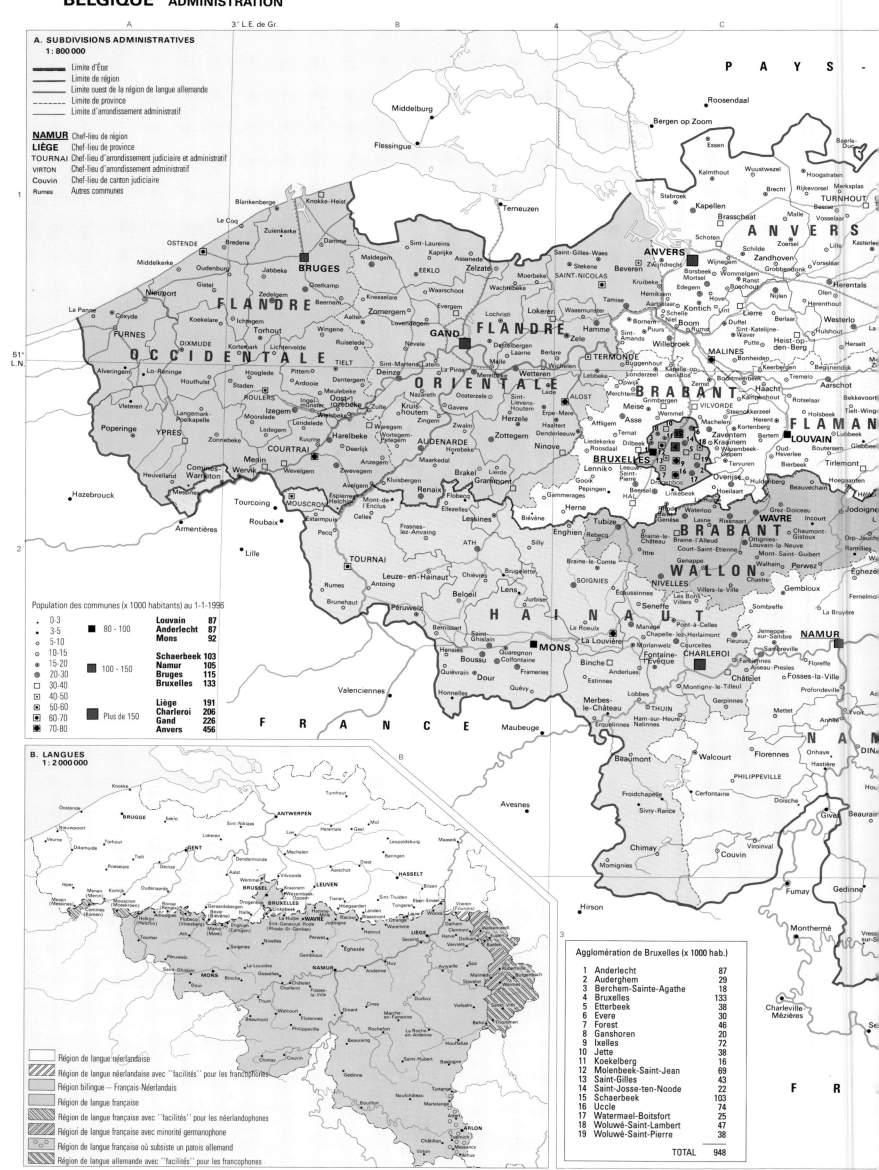

A. SUBDIVISIONS ADMINISTRATIVES
1 : 800 000

Limite d'État
Limite de région
Limite ouest de la région de langue allemande
Limite de province
Limite d'arrondissement administratif

NAMUR Chef-lieu de région
LIÈGE Chef-lieu de province
TOURNAI Chef-lieu d'arrondissement judiciaire et administratif
VIRTON Chef-lieu d'arrondissement administratif
Couvin Chef-lieu de canton judiciaire
Rumes Autres communes

Population des communes (x 1000 habitants) au 1-1-1996

- 0-3
- 3-5
- 5-10
- 10-15
- 15-20
- 20-30
- 30-40
- 40-50
- 50-60
- 60-70
- 70-80

■ 80 - 100

Louvain 87
Anderlecht 87
Mons 92

100 - 150

Schaerbeek 103
Namur 105
Bruges 115
Bruxelles 133

Plus de 150

Liège 191
Charleroi 206
Gand 226
Anvers 456

B. LANGUES
1 : 2 000 000

Région de langue néerlandaise
Région de langue néerlandaise avec "facilités" pour les francophones
Région bilingue – Français-Néerlandais
Région de langue française
Région de langue française avec "facilités" pour les néerlandophones
Région de langue française avec minorité germanophone
Région de langue française où subsiste un patois allemand
Région de langue allemande avec "facilités" pour les francophones

Agglomération de Bruxelles (x 1000 hab.)

1	Anderlecht	87
2	Auderghem	29
3	Berchem-Sainte-Agathe	18
4	Bruxelles	133
5	Etterbeek	38
6	Evere	30
7	Forest	46
8	Ganshoren	20
9	Ixelles	72
10	Jette	38
11	Koekelberg	16
12	Molenbeek-Saint-Jean	69
13	Saint-Gilles	43
14	Saint-Josse-ten-Noode	22
15	Schaerbeek	103
16	Uccle	74
17	Watermael-Boitsfort	25
18	Woluwé-Saint-Lambert	47
19	Woluwé-Saint-Pierre	38
	TOTAL	948

Échelle 1 : 800 000

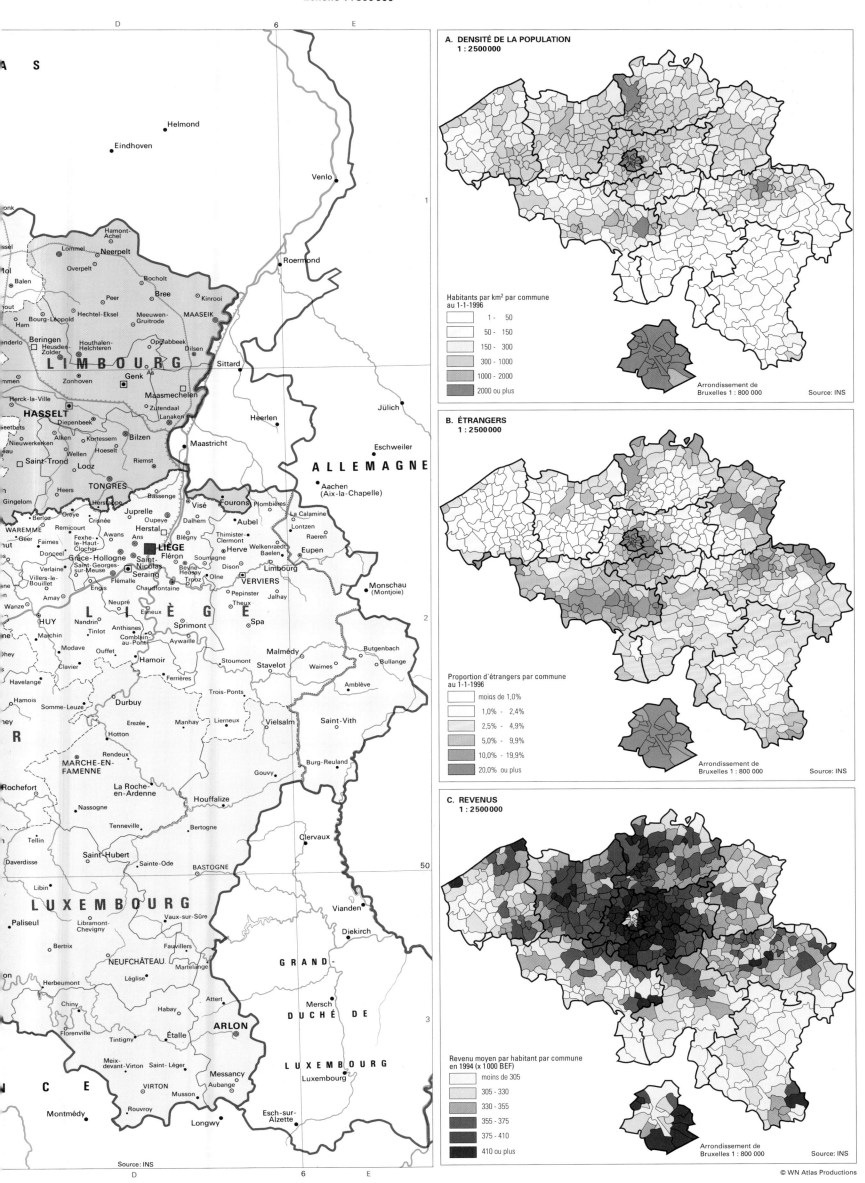

D 6 E

Helmond
Eindhoven
Venlo
Roermond

Hamont-Achel
Lommel
Neerpelt
Overpelt
Bocholt
Bree
Kinrooi
Peer
Hechtel-Eksel
Meeuwen-Gruitrode
MAASEIK
Bourg-Léopold
Ham
Beringen
Houthalen-Helchteren
Opglabbeek
Dilsen
Heusden-Zolder
Zonhoven
Genk
As
Maasmechelen
Herck-la-Ville
Zutendaal
Lanaken
Sittard
HASSELT
Diepenbeek
Bilzen
Alken
Kortessem
Hoeselt
Riemst
Maastricht
Nieuwerkerken
Wellen
Saint-Trond
Looz
Heers
TONGRES
Herstappe
Bassenge
Visé
Fourons
Plombières
La Calamine
Gingelom
Berloz
Oreye
Crisnée
Juprelle
Dalhem
Aubel
Lontzen
Raeren
WAREMME
Remicourt
Awans
Oupeye
Herstal
Blégny
Thimister-Clermont
Herve
Welkenraedt
Baelen
Eupen
Geer
Faimes
Fexhe-le-Haut-Clocher
Ans
Soumagne
Dison
Donceel
Grâce-Hollogne
Saint-Nicolas
LIÈGE
Fléron
Beyne-Heusay
Olne
Limbourg
Verlaine
Villers-le-Bouillet
Saint-Georges-sur-Meuse
Seraing
Flémalle
Trooz
VERVIERS
Chaudfontaine
Wanze
Amay
Neupré
Engis
Pepinster
Theux
Jalhay
Monschau (Montjoie)
HUY
Nandrin
Esneux
Marchin
Tinlot
Anthisnes
Comblain-au-Pont
Sprimont
Aywaille
Spa
Modave
Clavier
Ouffet
Hamoir
Ferrières
Malmédy
Havelange
Hamois
Somme-Leuze
Durbuy
Stoumont
Stavelot
Waimes
Butgenbach
Bullange
Rochefort
Erezée
Manhay
Lierneux
Vielsalm
Saint-Vith
Ambleve
Hotton
Trois-Ponts
Rendeux
MARCHE-EN-FAMENNE
La Roche-en-Ardenne
Houffalize
Burg-Reuland
Nassogne
Gouvy
Tenneville
Bertogne
Clervaux
Tellin
Saint-Hubert
Sainte-Ode
BASTOGNE
Daverdisse
Libin
Vianden
LUXEMBOURG
Paliseul
Libramont-Chevigny
Vaux-sur-Sûre
Diekirch
Bertrix
Fauvillers
NEUFCHÂTEAU
Martelange
GRAND-
Herbeumont
Léglise
Chiny
Habay
Attert
Mersch
Florenville
Tintigny
Étalle
DUCHÉ DE
ARLON
Meix-devant-Virton
Saint-Léger
Messancy
LUXEMBOURG
Montmédy
VIRTON
Aubange
Luxembourg
Rouvroy
Musson
Esch-sur-Alzette
Longwy
Longwy

ALLEMAGNE
Jülich
Heerlen
Eschweiler
Aachen (Aix-la-Chapelle)

LIMBOURG

Source: INS

A. DENSITÉ DE LA POPULATION
1 : 2 500 000

Habitants par km² par commune
au 1-1-1996

	1 - 50
	50 - 150
	150 - 300
	300 - 1000
	1000 - 2000
	2000 ou plus

Arrondissement de
Bruxelles 1 : 800 000

Source: INS

B. ÉTRANGERS
1 : 2 500 000

Proportion d'étrangers par commune
au 1-1-1996

	moins de 1,0%
	1,0% - 2,4%
	2,5% - 4,9%
	5,0% - 9,9%
	10,0% - 19,9%
	20,0% ou plus

Arrondissement de
Bruxelles 1 : 800 000

Source: INS

C. REVENUS
1 : 2 500 000

Revenu moyen par habitant par commune
en 1994 (x 1000 BEF)

	moins de 305
	305 - 330
	330 - 355
	355 - 375
	375 - 410
	410 ou plus

Arrondissement de
Bruxelles 1 : 800 000

Source: INS

BELGIQUE POPULATION

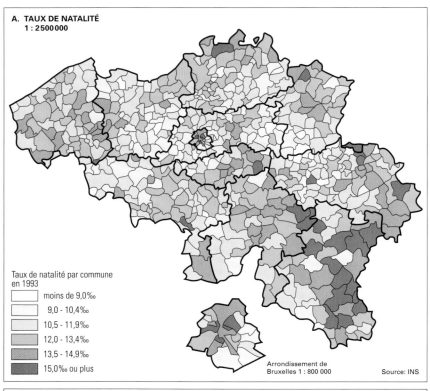

A. TAUX DE NATALITÉ
1 : 2 500 000

Taux de natalité par commune
en 1993

- moins de 9,0‰
- 9,0 - 10,4‰
- 10,5 - 11,9‰
- 12,0 - 13,4‰
- 13,5 - 14,9‰
- 15,0‰ ou plus

Arrondissement de
Bruxelles 1 : 800 000   Source: INS

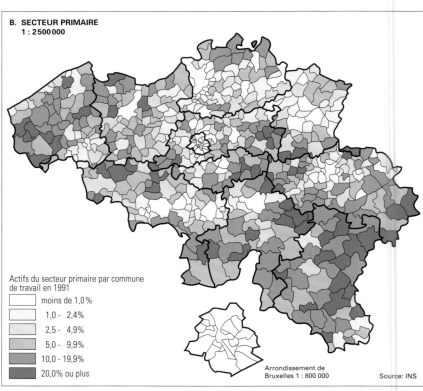

B. SECTEUR PRIMAIRE
1 : 2 500 000

Actifs du secteur primaire par commune
de travail en 1991

- moins de 1,0 %
- 1,0 - 2,4%
- 2,5 - 4,9%
- 5,0 - 9,9%
- 10,0 - 19,9%
- 20,0% ou plus

Arrondissement de
Bruxelles 1 : 800 000   Source: INS

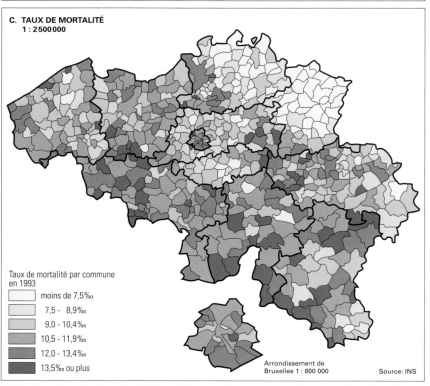

C. TAUX DE MORTALITÉ
1 : 2 500 000

Taux de mortalité par commune
en 1993

- moins de 7,5‰
- 7,5 - 8,9‰
- 9,0 - 10,4‰
- 10,5 - 11,9‰
- 12,0 - 13,4‰
- 13,5‰ ou plus

Arrondissement de
Bruxelles 1 : 800 000   Source: INS

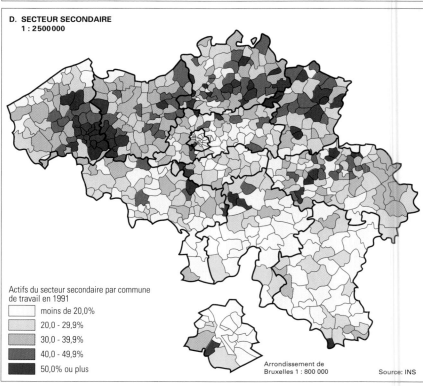

D. SECTEUR SECONDAIRE
1 : 2 500 000

Actifs du secteur secondaire par commune
de travail en 1991

- moins de 20,0%
- 20,0 - 29,9%
- 30,0 - 39,9%
- 40,0 - 49,9%
- 50,0% ou plus

Arrondissement de
Bruxelles 1 : 800 000   Source: INS

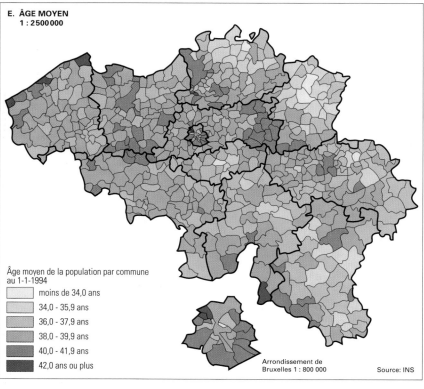

E. ÂGE MOYEN
1 : 2 500 000

Âge moyen de la population par commune
au 1-1-1994

- moins de 34,0 ans
- 34,0 - 35,9 ans
- 36,0 - 37,9 ans
- 38,0 - 39,9 ans
- 40,0 - 41,9 ans
- 42,0 ans ou plus

Arrondissement de
Bruxelles 1 : 800 000   Source: INS

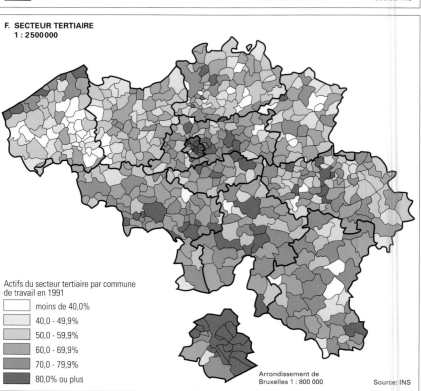

F. SECTEUR TERTIAIRE
1 : 2 500 000

Actifs du secteur tertiaire par commune
de travail en 1991

- moins de 40,0%
- 40,0 - 49,9%
- 50,0 - 59,9%
- 60,0 - 69,9%
- 70,0 - 79,9%
- 80,0% ou plus

Arrondissement de
Bruxelles 1 : 800 000   Source: INS

BELGIQUE AGRICULTURE / PARCS NATURELS

A. ACTIVITÉ AGRICOLE:
ORIENTATIONS TECHNICO-ÉCONOMIQUES (OTE)
1 : 1 500 000

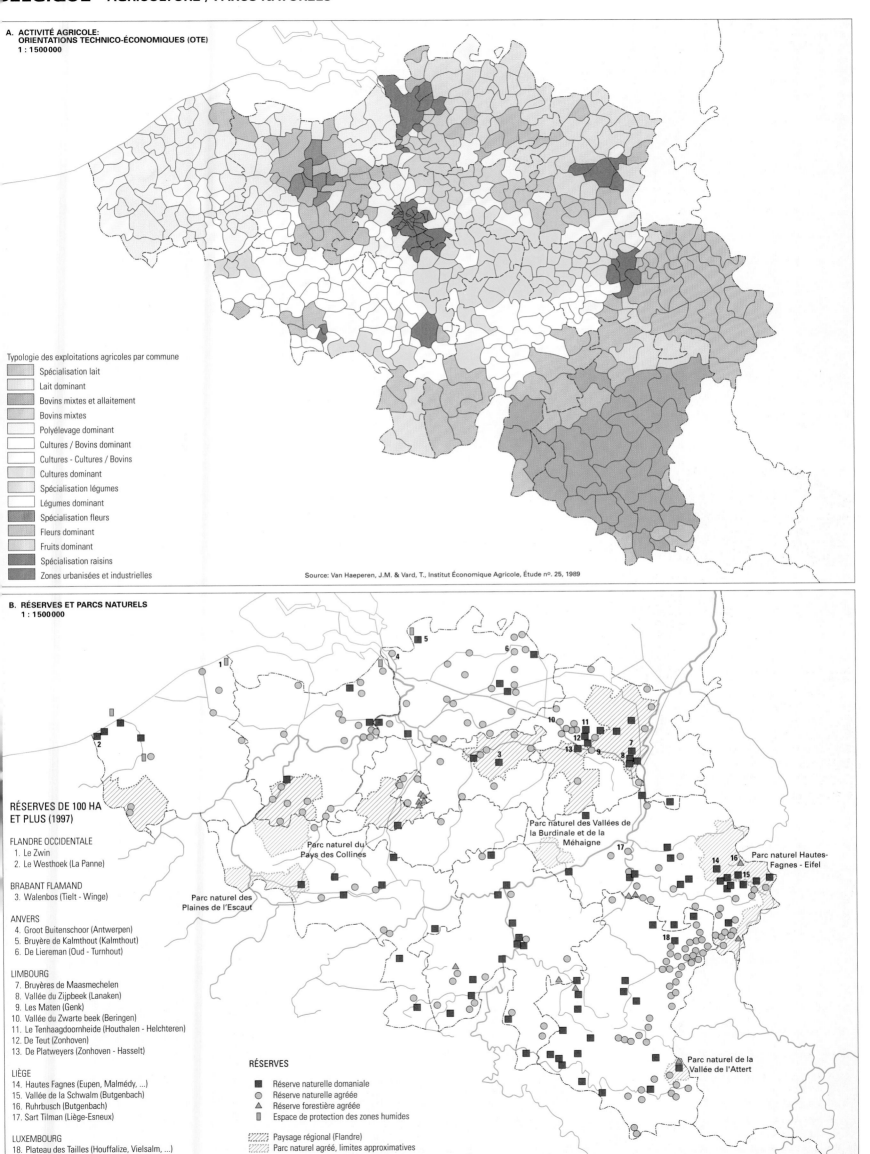

Typologie des exploitations agricoles par commune

- Spécialisation lait
- Lait dominant
- Bovins mixtes et allaitement
- Bovins mixtes
- Polyélevage dominant
- Cultures / Bovins dominant
- Cultures - Cultures / Bovins
- Cultures dominant
- Spécialisation légumes
- Légumes dominant
- Spécialisation fleurs
- Fleurs dominant
- Fruits dominant
- Spécialisation raisins
- Zones urbanisées et industrielles

Source: Van Haeperen, J.M. & Vard, T., Institut Économique Agricole, Étude n°. 25, 1989

B. RÉSERVES ET PARCS NATURELS
1 : 1 500 000

Parc naturel des Vallées de
la Burdinale et de la
Méhaigne

Parc naturel des
Plaines de l'Escaut

Parc naturel du
Pays des Collines

Parc naturel Hautes-
Fagnes - Eifel

Parc naturel de la
Vallée de l'Attert

RÉSERVES DE 100 HA
ET PLUS (1997)

FLANDRE OCCIDENTALE
1. Le Zwin
2. Le Westhoek (La Panne)

BRABANT FLAMAND
3. Walenbos (Tielt - Winge)

ANVERS
4. Groot Buitenschoor (Antwerpen)
5. Bruyère de Kalmthout (Kalmthout)
6. De Liereman (Oud - Turnhout)

LIMBOURG
7. Bruyères de Maasmechelen
8. Vallée du Zijpbeek (Lanaken)
9. Les Maten (Genk)
10. Vallée du Zwarte beek (Beringen)
11. Le Tenhaagdoornheide (Houthalen - Helchteren)
12. De Teut (Zonhoven)
13. De Platweyers (Zonhoven - Hasselt)

LIÈGE
14. Hautes Fagnes (Eupen, Malmédy, ...)
15. Vallée de la Schwalm (Butgenbach)
16. Ruhrbusch (Butgenbach)
17. Sart Tilman (Liège-Esneux)

LUXEMBOURG
18. Plateau des Tailles (Houffalize, Vielsalm, ...)

RÉSERVES

- Réserve naturelle domaniale
- Réserve naturelle agréée
- Réserve forestière agréée
- Espace de protection des zones humides
- Paysage régional (Flandre)
- Parc naturel agréé, limites approximatives

© WN Atlas Productions

BELGIQUE URBANISATION

A. LES RÉGIONS URBAINES BELGES 1981
1 : 1 500 000

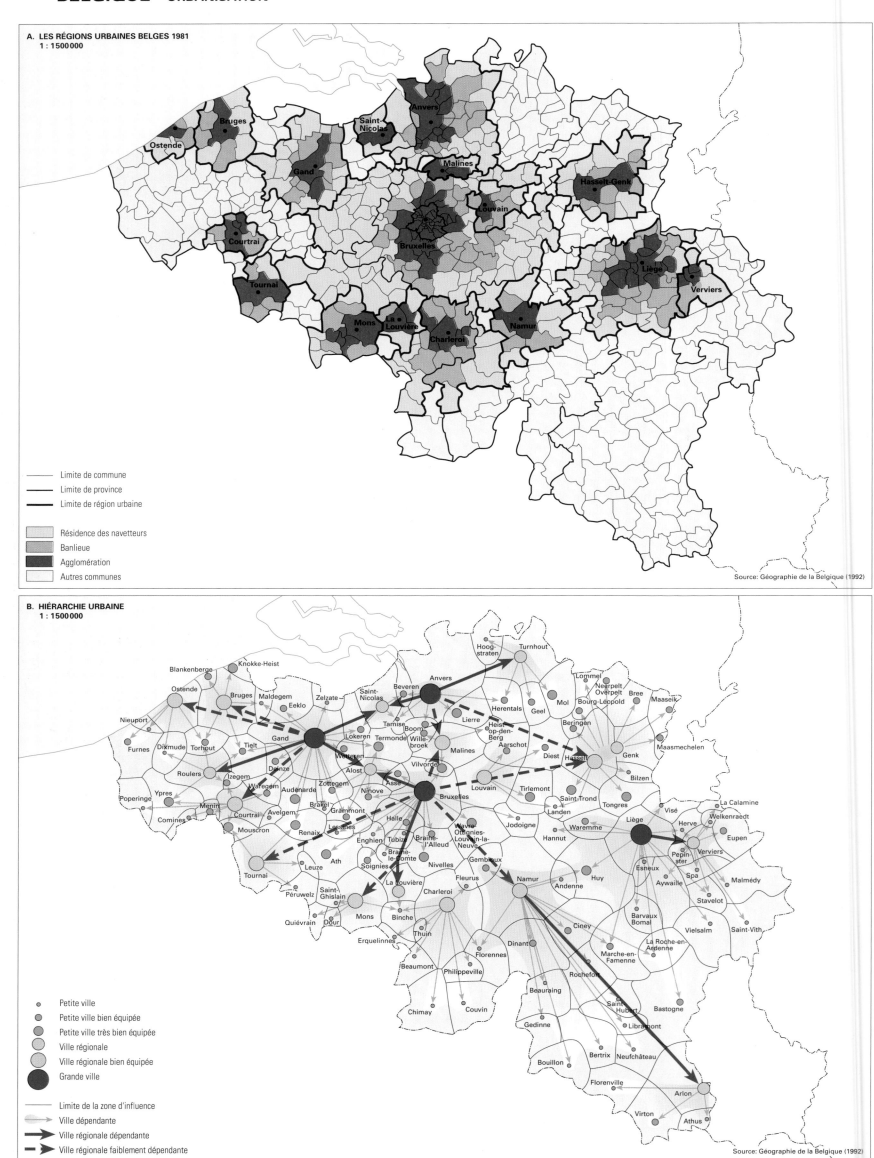

Ostende
Bruges
Anvers
Saint-Nicolas
Gand
Malines
Hasselt-Genk
Louvain
Courtrai
Bruxelles
Liège
Verviers
Tournai
Mons
La Louvière
Namur
Charleroi

Limite de commune
Limite de province
Limite de région urbaine

Résidence des navetteurs
Banlieue
Agglomération
Autres communes

Source: Géographie de la Belgique (1992)

B. HIÉRARCHIE URBAINE
1 : 1 500 000

Hoogstraten
Turnhout
Blankenberge
Knokke-Heist
Lommel
Neerpelt
Overpelt
Bree
Maaseik
Ostende
Bruges
Maldegem
Zelzate
Saint-Nicolas
Beveren
Anvers
Herentals
Geel
Mol
Bourg-Léopold
Eeklo
Nieuport
Lierre
Heist-op-den-Berg
Beringen
Maasmechelen
Furnes
Dixmude
Torhout
Tielt
Gand
Tamise
Boom
Termonde
Willebroek
Aarschot
Diest
Hasselt
Genk
Roulers
Izegem
Deinze
Wetteren
Alost
Malines
Vilvorde
Bilzen
Ypres
Waregem
Audenarde
Zottegem
Ninove
Asse
Louvain
Tirlemont
Saint-Trond
Landen
Tongres
La Calamine
Poperinge
Menin
Courtrai
Avelgem
Brakel
Grammont
Halle
Wavre-Ottignies-Louvain-la-Neuve
Jodoigne
Waremme
Hannut
Liège
Visé
Herve
Welkenraedt
Comines
Renaix
Lessines
Enghien
Tubize
Braine-l'Alleud
Gembloux
Eupen
Mouscron
Ath
Soignies
Braine-le-Comte
Nivelles
Fleurus
Namur
Huy
Pepinster
Verviers
Tournai
Leuze
La Louvière
Andenne
Esneux
Aywaille
Spa
Saint-Ghislain
Péruwelz
Mons
Binche
Charleroi
Ciney
Marche-en-Famenne
Malmédy
Stavelot
Quiévrain
Dour
Thuin
Dinant
Barvaux
Bomal
Vielsalm
Saint-Vith
Erquelinnes
Florennes
La Roche-en-Ardenne
Beaumont
Philippeville
Rochefort
Beauraing
Chimay
Couvin
Gedinne
Saint-Hubert
Bastogne
Libramont
Bouillon
Bertrix
Neufchâteau
Florenville
Arlon
Virton
Athus

Petite ville
Petite ville bien équipée
Petite ville très bien équipée
Ville régionale
Ville régionale bien équipée
Grande ville

Limite de la zone d'influence
Ville dépendante
Ville régionale dépendante
Ville régionale faiblement dépendante

Source: Géographie de la Belgique (1992)

© WN Atlas Productions

BRUXELLES

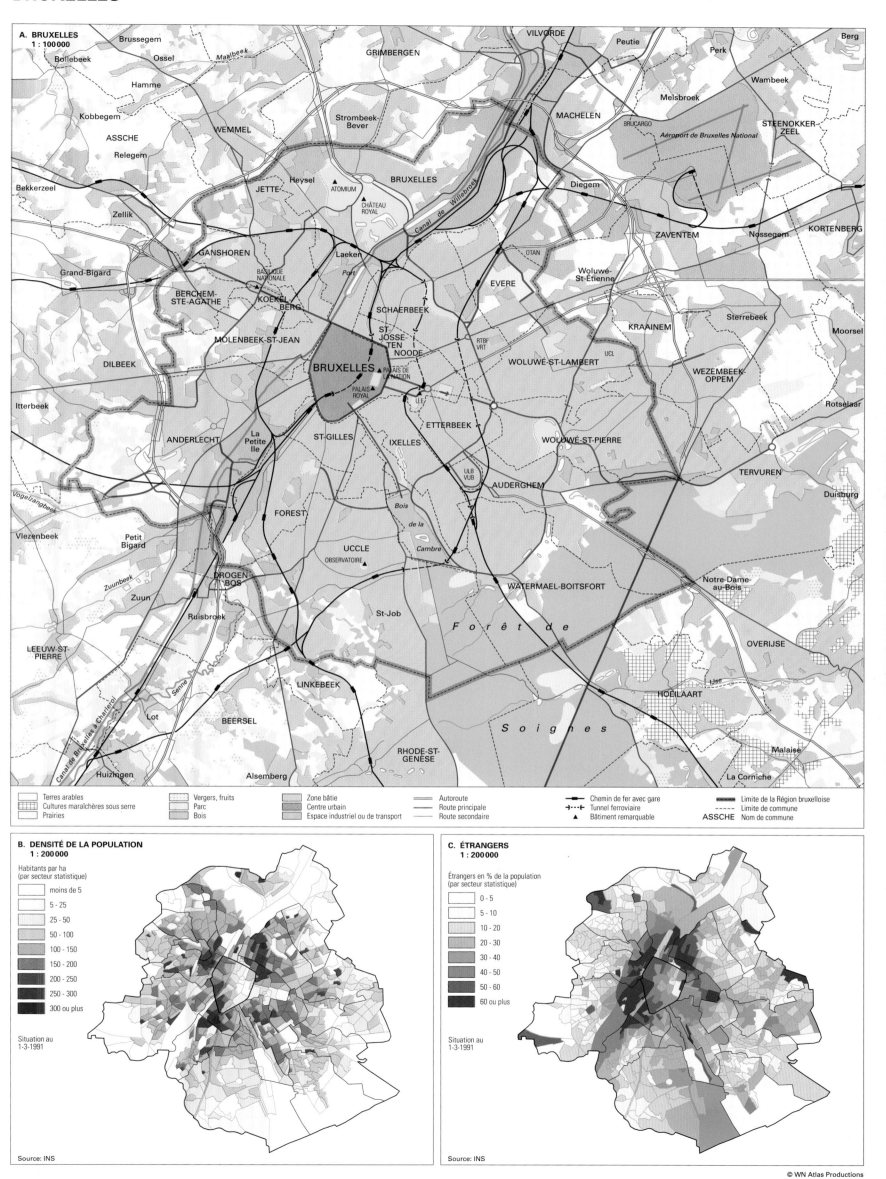

A. BRUXELLES
1 : 100 000

Bollebeek · Brussegem · Berg
Ossel · Maalbeek · GRIMBERGEN · VILVORDE · Peutie · Perk · Wambeek
Hamme · Strombeek-Bever · MACHELEN · Melsbroek · STEENOKKER-ZEEL
Kobbegem · BRUCARGO · Aéroport de Bruxelles National
ASSCHE · WEMMEL · Canal de Willebroek
Relegem · Heysel · BRUXELLES · Diegem · ZAVENTEM · Nossegem · KORTENBERG
Bekkerzeel · JETTE · ATOMIUM · CHÂTEAU ROYAL
Zellik · Laeken · Port · OTAN · Woluwé-St-Étienne
Grand-Bigard · GANSHOREN · BASILIQUE NATIONALE · KOEKEL-BERG · EVERE · Sterrebeek · Moorsel
BERCHEM-STE-AGATHE · SCHAERBEEK · RTBF VRT · KRAAINEM
Dilbeek · MOLENBEEK-ST-JEAN · ST-JOSSE-TEN-NOODE · WOLUWÉ-ST-LAMBERT · UCL · WEZEMBEEK-OPPEM
Itterbeek · BRUXELLES · PALAIS DE LA NATION · Rotselaar
Vogelzangbeek · ANDERLECHT · La Petite Ile · PALAIS ROYAL · U.E. · ETTERBEEK · WOLUWÉ-ST-PIERRE · TERVUREN
ST-GILLES · IXELLES · Duisburg
Vlezenbeek · FOREST · Bois · ULB VUB · AUDERGHEM
Petit Bigard · de la · Cambre
Zuunbeek · UCCLE · OBSERVATOIRE · WATERMAEL-BOITSFORT · Notre-Dame-au-Bois
Zuun · DROGEN-BOS · OVERIJSE
Ruisbroek · St-Job · Forêt de
LEEUW-ST-PIERRE · LINKEBEEK · Soignes · HOEILAART · IJse
Senne · Malaise
Lot · BEERSEL · RHODE-ST-GENÈSE · La Corniche
Huizingen · Alsemberg · Canal de Bruxelles à Charleroi

Légende		
▢ Terres arables	▨ Vergers, fruits	▨ Zone bâtie
▦ Cultures maraîchères sous serre	▨ Parc	▨ Centre urbain
▢ Prairies	▨ Bois	▨ Espace industriel ou de transport

Autoroute
Route principale
Route secondaire
Chemin de fer avec gare
Tunnel ferroviaire
▲ Bâtiment remarquable
Limite de la Région bruxelloise
Limite de commune
ASSCHE Nom de commune

B. DENSITÉ DE LA POPULATION
1 : 200 000

Habitants par ha
(par secteur statistique)

- moins de 5
- 5 - 25
- 25 - 50
- 50 - 100
- 100 - 150
- 150 - 200
- 200 - 250
- 250 - 300
- 300 ou plus

Situation au
1-3-1991

Source: INS

C. ÉTRANGERS
1 : 200 000

Étrangers en % de la population
(par secteur statistique)

- 0 - 5
- 5 - 10
- 10 - 20
- 20 - 30
- 30 - 40
- 40 - 50
- 50 - 60
- 60 ou plus

Situation au
1-3-1991

Source: INS

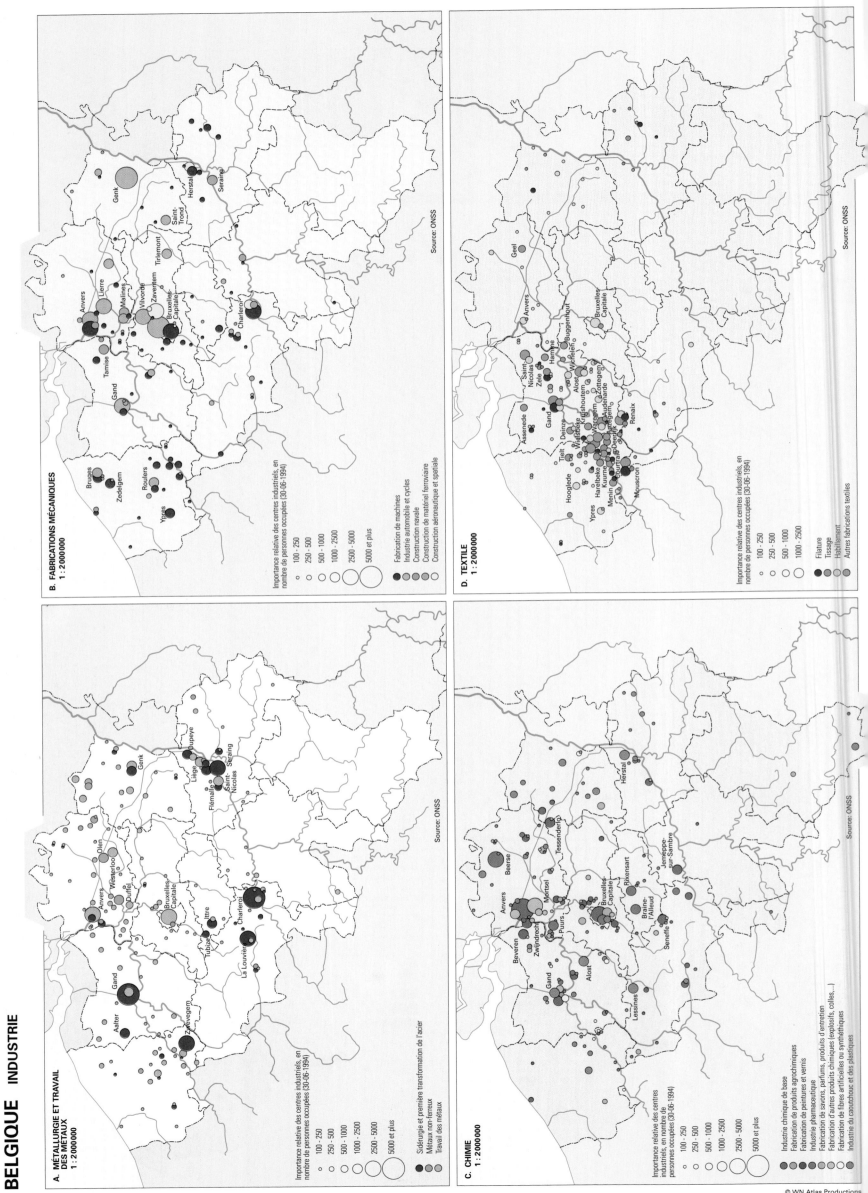

BELGIQUE INDUSTRIE

A. MÉTALLURGIE ET TRAVAIL DES MÉTAUX
1 : 2 000 000

Importance relative des centres industriels, en nombre de personnes occupées (30-06-1994)

- 100 - 250
- 250 - 500
- 500 - 1000
- 1000 - 2500
- 2500 - 5000
- 5000 et plus

Sidérurgie et première transformation de l'acier
Métaux non-ferreux
Travail des métaux

Source: ONSS

B. FABRICATIONS MÉCANIQUES
1 : 2 000 000

Importance relative des centres industriels, en nombre de personnes occupées (30-06-1994)

- 100 - 250
- 250 - 500
- 500 - 1000
- 1000 - 2500
- 2500 - 5000
- 5000 et plus

Fabrication de machines
Industrie automobile et cycles
Construction navale
Construction de matériel ferroviaire
Construction aéronautique et spatiale

Source: ONSS

C. CHIMIE
1 : 2 000 000

Importance relative des centres industriels, en nombre de personnes occupées (30-06-1994)

- 100 - 250
- 250 - 500
- 500 - 1000
- 1000 - 2500
- 2500 - 5000
- 5000 et plus

Industrie chimique de base
Fabrication de produits agrochimiques
Fabrication de peintures et vernis
Industrie pharmaceutique
Fabrication de savons, parfums, produits d'entretien
Fabrication d'autres produits chimiques (explosifs, colles,...)
Fabrication de fibres artificielles ou synthétiques
Industrie du caoutchouc et des plastiques

Source: ONSS

D. TEXTILE
1 : 2 000 000

Importance relative des centres industriels, en nombre de personnes occupées (30-06-1994)

- 100 - 250
- 250 - 500
- 500 - 1000
- 1000 - 2500

Filature
Tissage
Habillement
Autres fabrications textiles

Source: ONSS

© WN Atlas Productions

BELGIQUE   SECTEURS SECONDAIRE ET TERTIAIRE

A. PARCS INDUSTRIELS
1 : 2 000 000

Zones industrialo-portuaires
d'une superficie de
- 500 à 1000 ha
- 1000 ha ou plus

Parcs industriels d'une superficie de
- moins de 100 ha
- 100 à 500 ha
- 500 ha ou plus

Autoroutes
Rivières et voies navigables

Situation au 31-12-1995

Labels: Ostende, Zeebrugge, Bruges, Furnes, Roulers, Heule-Kuurne, Mouscron, Tournai, Ypres, Eeklo, Aalter, Deinze, Waregem, Harelbeke, Izegem, Gand, Audenarde, Renaix, Ninove, Ghislenghien, Ghlin-Baudour, Lessines, Ghislenghien, Termonde, Zele, Lokeren, St-Nicolas, Anvers, Tamise, St-Katelijne, Malines, Aarschot, Wavre, Louvain, Louvain-la-Neuve, Nivelles, Tubize, Vallée du Hain, Feluy, Fleurus, Gosselies, Basse Sambre, Gembloux, Villers-le-Bouillet, Hermalle-sous-Huy, Rochefort, Libramont-Chevigny, Tongres, St-Trond, Hasselt, Geel, Herentals, Turnhout, Longinet, Kaulille, Bree, Overpelt, Beringen Oplabbeek, Lommel, Zolder, Genk, Aiken, Rotem-Dilsen, Lanklaan, Maasmechelen, Grâce-Hollogne, Chertal-Wandre, Clermont, Tessenderlo, Tirlemont

B. VALEUR AJOUTÉE DU SECTEUR SECONDAIRE
1 : 2 000 000

Valeur ajoutée brute du secteur secondaire,
au coût des facteurs en 1992,
en milliards de francs
100 / 50 / 25 / 5 / 1

Arrondissement de
Bruxelles 1 : 650 000

Source: Atlas économique
de Belgique

C. SERVICES SUPÉRIEURS AUX ENTREPRISES
1 : 2 000 000

Emplois spécifiques (1994)
(à l'exclusion des activités
internes aux entreprises)
- 10 - 50
- 50 - 100
- 100 - 250
- 250 - 500
- 500 - 1000
- 1000 et plus

Informatique
Recherche et développement

Labels: Gand, Anvers, Mol, Malines, Asse, Machelen, Zaventem, Louvain, Hal, Ottignies-Louvain-la-Neuve, Gembloux, Namur, Seneffe, Mons, Liège, Bruxelles, Schaerbeek, Woluwé-St-Lambert, Auderghem, Ixelles, Uccle

Arrondissement de
Bruxelles 1 : 650 000

Source: ONSS

D. VALEUR AJOUTÉE DU SECTEUR TERTIAIRE
1 : 2 000 000

Valeur ajoutée brute du secteur tertiaire,
au coût des facteurs en 1992,
en milliards de francs
100 / 50 / 25 / 5 / 1

Arrondissement de
Bruxelles 1 : 650 000

Source: Atlas économique
de Belgique

BELGIQUE COMMUNICATIONS

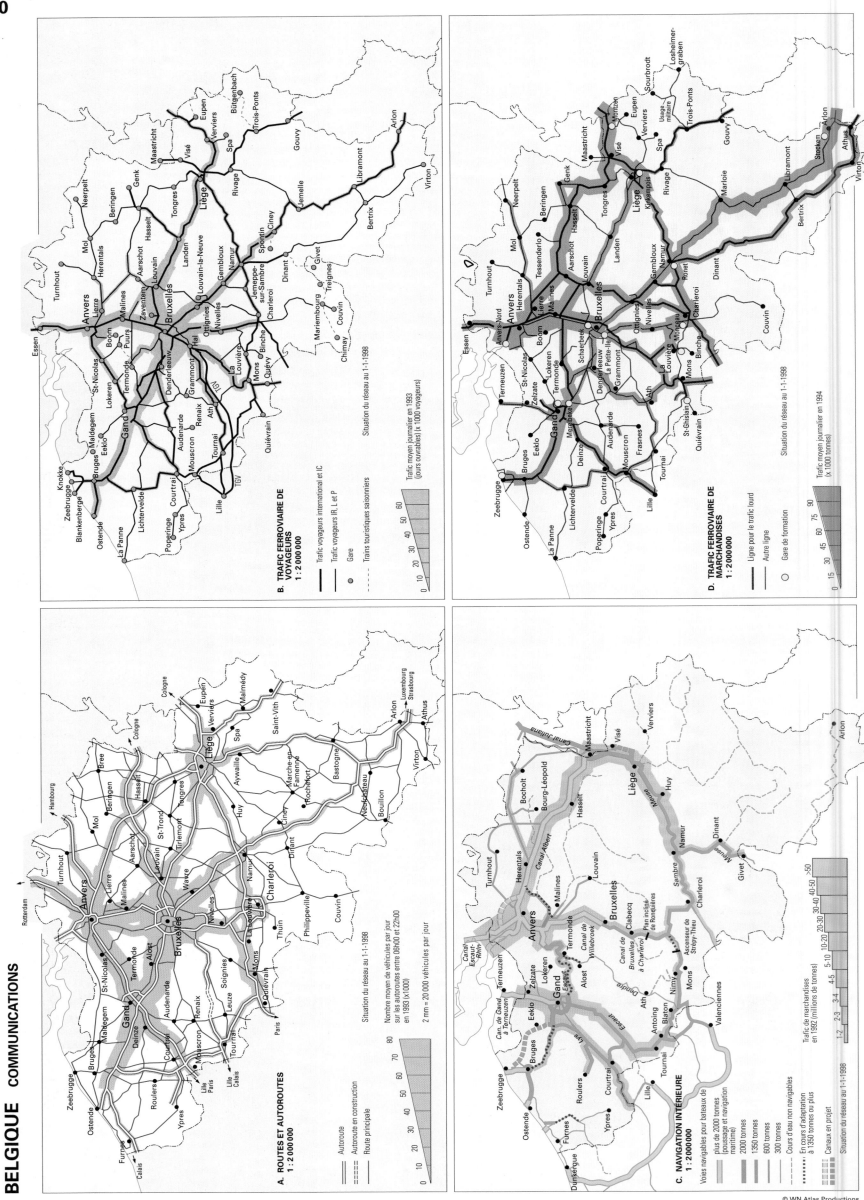

A. ROUTES ET AUTOROUTES
1 : 2 000 000

Autoroute
Autoroute en construction
Route principale

Situation du réseau au 1-1-1998

Nombre moyen de véhicules par jour
sur les autoroutes entre 06h00 et 22h00
en 1993 (x1000)

2 mm = 20 000 véhicules par jour

0 10 20 30 40 50 60 70 80

B. TRAFIC FERROVIAIRE DE VOYAGEURS
1 : 2 000 000

Trafic voyageurs international et IC
Trafic voyageurs IR, L et P
Gare
Trains touristiques saisonniers

Situation du réseau au 1-1-1998

Trafic moyen journalier en 1993
(jours ouvrables) (x 1000 voyageurs)

0 10 20 30 40 50 60

C. NAVIGATION INTÉRIEURE
1 : 2 000 000

Voies navigables pour bateaux de
plus de 2000 tonnes
(poussage et navigation maritime)
2000 tonnes
1350 tonnes
600 tonnes
300 tonnes
Cours d'eau non navigables
En cours d'adaptation
à 1350 tonnes ou plus
Canaux en projet

Situation du réseau au 1-1-1998

Trafic de marchandises
en 1992 (millions de tonnes)

1-2 2-3 3-4 4-5 5-10 10-20 20-30 30-40 40-50 >50

D. TRAFIC FERROVIAIRE DE MARCHANDISES
1 : 2 000 000

Ligne pour le trafic lourd
Autre ligne
Gare de formation

Situation du réseau au 1-1-1998

Trafic moyen journalier en 1994
(x 1000 tonnes)

0 15 30 45 60 75 90

© WN Atlas Productions

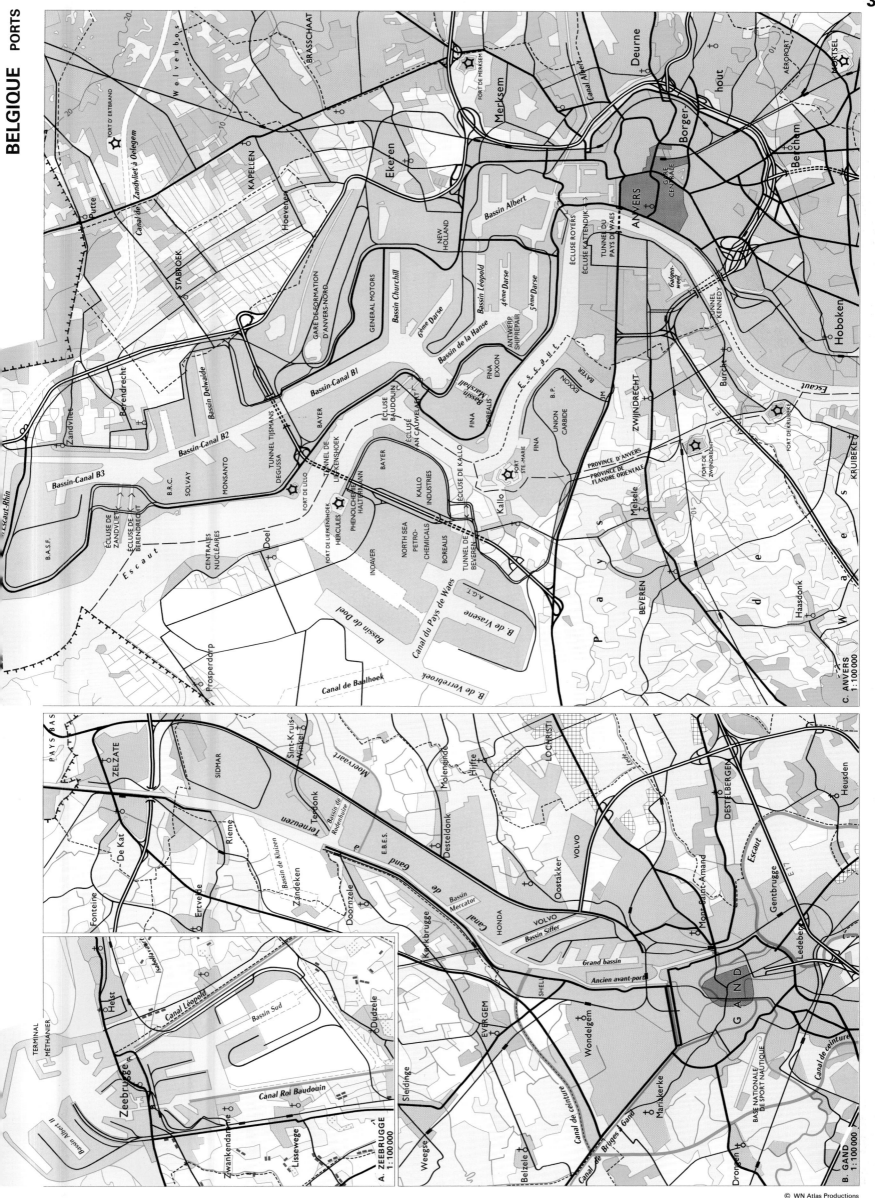

BELGIQUE PORTS

Wolvenbos

FORT D'ERTBRAND

FORT DE HERKSEM

Merksem

Deurne

Borger-hout

Berchem

AÉROPORT

BORTSEL

Putte

Canal de Zandvliet à Oelegem

KAPELLEN

Ekeren

Canal Albert

ANVERS

GARE CENTRALE

STABROEK

Hoevenen

GARE DÉFORMATION D'ANVERS-NORD

NEW HOLLAND

GENERAL MOTORS

Bassin Albert

ÉCLUSE ROYERS

ÉCLUSE KATTENDIJK

TUNNEL DU PAYS DE WAES

Golden-weg

Hoboken

Zandvliet

Berendrecht

Bassin Delwaide

Bassin-Canal B1

Bassin Churchill

6ème Darse

Bassin de la Hanse

Bassin Léopold

4ème Darse

5ème Darse

ANTWERP SHIPREPAIR

TUNNEL KENNEDY

Burcht

Escaut

Bassin-Canal B2

BAYER

TUNNEL TIJSMANS DEGUSSA

ÉCLUSE BAUDOUIN

ÉCLUSE VAN CAUWELAERT

Bassin Marshall

FINA EXXON

BOREALIS

FINA

B.P.

EXXON

BAYER

ZWIJNDRECHT

FORT DE KRUIBEKE

Escaut

KRUIBEKE

Bassin-Canal B3

B.R.C.

SOLVAY

MONSANTO

TUNNEL DE LIEFKENSHOEK

FORT DE LILLO

BAYER

KALLO INDUSTRIES

UNION CARBIDE

FINA

FORT STE-MARIE

PROVINCE D'ANVERS

PROVINCE DE FLANDRE ORIENTALE

FORT DE ZWIJNDRECHT

Meisele

Escaut-Rhin

ÉCLUSE DE ZANDVLIET

ÉCLUSE DE BERENDRECHT

B.A.S.F.

CENTRALES NUCLÉAIRES

Doel

FORT DE LIEFKENSHOEK

HERCULES

PHENOLCHEMIE

HALTERMANN

NORTH SEA PETRO-CHEMICALS

BOREALIS

ÉCLUSE DE KALLO

TUNNEL DE BEVEREN

Kallo

BEVEREN

Haasdonk

Escaut

Doel

INDAVER

TUNNEL DE BEVEREN

A.C.T.

Canal du Pays de Waes

B. de Vrasene

P a y s

d e

W a e s

Prosperdorp

Bassin de Doel

Canal de Baalhoek

B. de Vertebroek

PAYS-BAS

ZELZATE

SIDMAR

Sint-Kruis-Winkel

Moervaart

LOCHRISTI

DESTELBERGEN

Heusden

De Kat

Rieme

Terneuzen

Bassin de Rodenhuize

Bassin de Rodenhuize

Lieve

Moleneinde

Desteldonk

Escaut

Fontaine

Ervelde

Zandeken

Doornzele

E.B.E.S.

VOLVO

Oostakker

Mont-Saint-Amand

Gentbrugge

Canal

Bassin Mercator

HONDA

Bassin Siffer

VOLVO

Ledeberg

TERMINAL MÉTHANIER

Heist

Isabellavaart

Canal Léopold

Bassin Sud

Dudzele

Sleidinge

Kerkbrugge

Grand bassin

Ancien avant-port

SHELL

G A N D

Zwankendamme

Canal Roi Baudouin

Zeebrugge

Lissewege

Bassin Albert II

Weegse

Belzele

EVERGEM

Wondelgem

Drongen

Mariakerke

Canal de ceinture

Canal de Bruges à Gand

BASE NATIONALE DE SPORT NAUTIQUE

Canal de ceinture

EUROPE

EUROPE PHYSIQUE

4000 2000 200 | 0 100 200 500 1500 5000
Sous le niveau de la mer

A 30° L.O. de Gr. B 20 C 10 D 0 E 10 F I. des Ours 20 G 30 H 40 I

Dt. du Danemark

OCÉAN GLACIAL ARCTIQUE

MER DE BARENTS

Cap Nord
Hammerfest
Varangerfjord
Mourmansk
Péninsule de Kola

BERENBERG
Jan Mayen

Baie Faxa
Reykjavik
HEKLA
Vatnajökull
Islande

Dorsale de Reykjanes

Cercle polaire arctique

Lac Inari
Tornealt
Luleå
Kemijoki

Mer Blanche
Carélie
Arkhange

60° L.N.

Bassin norvégien
4020

LOFOTEN
Vestfjord

Trondheim

OCÉAN ATLANTIQUE

Dorsale d'Islande

I. FEROE

GALDHØPIGGEN 2469

Bergen

Rockall

I. SHETLAND

Plateau lacustre de Finlande
Golfe de Botnie

Tampere
Lac Onega
Lac Ladoga
Lac Bieloie
Svir

3244

HÉBRIDES

I. ORCADES

Glomma
Dalälv
Klarälv
Oslo

Lac Vänern
44
Lac Mälar
Stockholm

Åland
Helsinki
Hiiumaa
Saaremaa

Golfe de Finlande
St-Pétersbourg
Tallinn
Lac des Tchoudes (Peïpous)
Lac Ilmen
Lovat
PLATEAU DU VALDAI 347

HAUTES-TERRES D'ÉCOSSE 1343
Glasgow
Edimbourg

Canal du Nord
Belfast
I. de Man

MER DU NORD

Göteborg
Smaland
Gotland
Öland
Scanie

G. de Riga
Riga
310

Porcupine Bk.

Irlande
(F. Shannon)
Dublin
Liverpool
Manchester
Trent
Birmingham
Pays de Galles
Severn
Humber

Dogger Bank
13

Kattegat
Copenhague
Sund
Bornholm

MER BALTIQUE

Kaliningrad
Vilnius
Minsk
Biarozina (Berezina)
Dniepr

Canal St. George
Land's End
Cornouailles
I. SCILLY
Londres
Tamise

Héligoland
I. DES WADDEN
Kiel
Hambourg
Elbe
Rügen
Gdańsk
331
Szczecin

COLLINES
HAUTEURS
Prypiat (Pripet)
Marais

5858

Manche
Pas de Calais
I. ANGLO-NORMANDES
Le Havre

Amsterdam
Rotterdam
Plaine de Flandre
Anvers
Bruxelles
Plaine du Rhin infér.
Ems
Brême
Weser
Berlin
Oder
Warta
Vistule
Plaine de Pologne
Varsovie
Bug
Kyiv (Kiev)
90
Dniepr (Dniepr)

Brest
Bretagne
Normandie
Paris
Marne
Seine
Cologne
Rhin
Francfort Main
Leipzig
HARZ 1142
FORÊT DE THURINGE
Dresde
Wrocław
Odra
Labe
Cracovie Vistule
Lviv (Lvov) 433
Dniestr (Dniestr)
Bouh
PLATEAU
DE VOLHYNIE

Nantes
Loire
Dijon
Meuse
Moselle
Ratisbonne
MTS MÉTALLIFÈRES
Prague
Danube
Inn
Munich
TATRA 2663
CARPATES
Podolie
Bessarabie
Chisinau

Golfe de Gascogne
Bordeaux
Gironde
Dordogne
Garonne
MASSIF CENTRAL
MT DORE 1886
Lyon
Rhône
Saône
JURA SOUABE
Berne
MT BLANC 4807
Vienne
Bratislava
Budapest
Lac Balaton
Grande Plaine hongroise
Transylvanie
Tisza
Mures
2543
Galat
G. d'Odess

C. Finisterre
Galice
Minho
MTS CANTABRIQUES 2648
Bilbao
Porto
Douro

PYRÉNÉES
Toulouse
Montpellier
CÉVENNES
MT PELVOUX 4103
Turin
Milan
Pô
Gênes
Plaine du Pô
Venise
G. de Venise
Ljubljana
Zagreb
Trieste
Drave
PLATEAU DU KARST
Save
ALPES DE TRANSYLVANIE
Graz
GROSS GLOCKNER 3797
Belgrade
Morava
Plaine du Danube inférieur
Bucarest
Danube

Lisbonne
Tage
2592
CHAÎNES DE CASTILLE
Madrid
Ebre
Saragosse
Catalogne
Barcelone
G. de Valence
Valence
BALÉARES
Minorque
Majorque
Ibiza (Eivissa)

Corse 2710
Bouches de Bonifacio
Sardaigne 1834

Rome
Tibre
GRAN SASSO 2914
VÉSUVE 1277
Naples
APENNINS
MER TYRRHÉNIENNE
3758
3151

MER ADRIATIQUE
DALMATIE
Sarajevo
Drina
2528
2925
Podgorica
Skopje
Sofia 2375
Vardar
Marica
Edirne
Mer de Marmara
Bosphore
Istanbul
2543
Sakar

Séville
Guadalquivir
SA. MORENA
CASTILLE
Guadiana
S.A NEVADA 3478 MULHACEN

Dt. de Gibraltar
C. de São Vicente
Andalousie

Palerme
Stromboli
Dt. de Messine
ETNA 3340
MER IONIENNE
Pantelleria
Malte

G. de Tarente
Pouilles
Dt. d'Otrante
OLYMPE 2918
Tirana
BALKANS
Thessalonique
PINDE
Mer de Marmara
Izmir
ASS

Oran
Alger
C. Blanc
Tunis
Médjerda
CHELIFF
ATLAS TELLIEN 2308
HAUTES PLAINES
AURES 2328
Biskra
Chott Melrhir -29

Casablanca
Fès
MOYEN ATLAS
Chott ech Chergui
HAUTE PLAINE
ATLAS SAHARIEN
2235

Détroit de Sicile
MÉDITERRANÉE

Péloponnèse
CYCLADES
Santorin
C. Ténare
2456
Crète 2456
5121
3442
Rhodes
3086

Casablanca
Oum er Rbia
Tafilalt
Béchar
Oran
Medjerda

Benghazi
DJ. EL AKHDAR 865
Marmarique
Alexandrie

Oued Saoura
Grand Erg occid.
Ouargla
Chott Djerid 20
G. de Gabès (Pte. Syrte)
Djerba
Tripoli

La Nouvelle-Orléans

Beni Abbès
Grand Erg orient.
G. de la Grande Syrte
Dépr. de Kattara

Projection de Bonne
0 E 10 F Le Cap 20 G

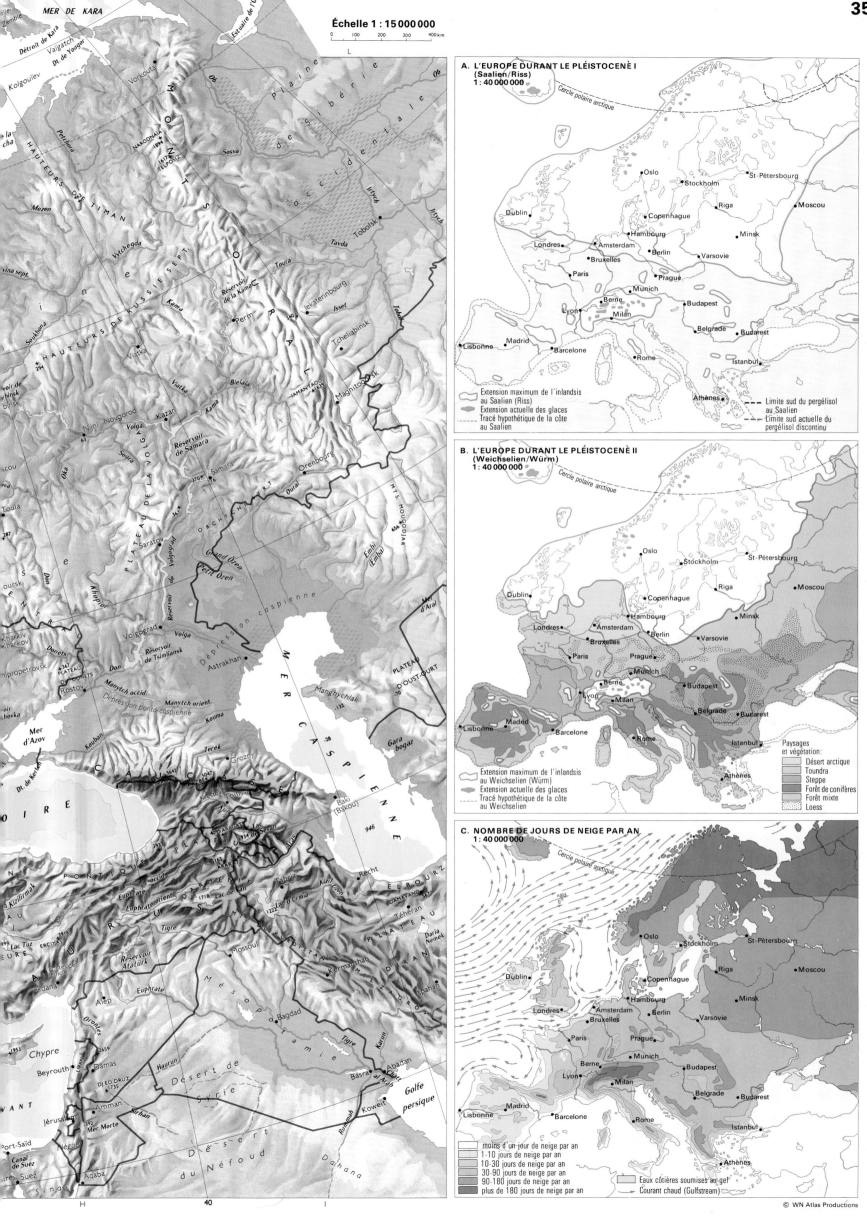

Échelle 1 : 15 000 000

0   100   200   300   400 km

A. L'EUROPE DURANT LE PLÉISTOCENÈ I
(Saalien/Riss)
1 : 40 000 000

Cercle polaire arctique

Oslo · St-Pétersbourg
Stockholm
Riga · Moscou
Dublin · Copenhague
Hambourg · Minsk
Londres · Amsterdam · Berlin · Varsovie
Bruxelles
Paris · Prague
Munich
Berne · Budapest
Lyon · Milan
Belgrade · Bucarest
Lisbonne · Madrid
Barcelone · Rome
Istanbul
Athènes

⎯ Extension maximum de l'inlandsis au Saalien (Riss)
▨ Extension actuelle des glaces
···· Tracé hypothétique de la côte au Saalien
‒ ‒ Limite sud du pergélisol au Saalien
⎯ ⎯ Limite sud actuelle du pergélisol discontinu

B. L'EUROPE DURANT LE PLÉISTOCENÈ II
(Weichselien/Würm)
1 : 40 000 000

Cercle polaire arctique

Oslo · St-Pétersbourg
Stockholm
Riga · Moscou
Dublin · Copenhague
Hambourg · Minsk
Londres · Amsterdam · Berlin · Varsovie
Bruxelles
Paris · Prague
Munich
Berne · Budapest
Lyon · Milan
Belgrade · Bucarest
Lisbonne · Madrid
Barcelone · Rome
Istanbul
Athènes

⎯ Extension maximum de l'inlandsis au Weichselien (Würm)
▨ Extension actuelle des glaces
···· Tracé hypothétique de la côte au Weichselien

Paysages et végétation:
▢ Désert arctique
▢ Toundra
▢ Steppe
▢ Forêt de conifères
▢ Forêt mixte
▢ Loess

C. NOMBRE DE JOURS DE NEIGE PAR AN
1 : 40 000 000

Cercle polaire arctique

Oslo · St-Pétersbourg
Stockholm
Riga · Moscou
Dublin · Copenhague
Hambourg · Minsk
Londres · Amsterdam · Berlin · Varsovie
Bruxelles
Paris · Prague
Munich
Berne · Budapest
Lyon · Milan
Belgrade · Bucarest
Madrid
Lisbonne · Barcelone · Rome
Istanbul
Athènes

▢ moins d'un jour de neige par an
▢ 1-10 jours de neige par an
▢ 10-30 jours de neige par an
▢ 30-90 jours de neige par an
▢ 90-180 jours de neige par an
▢ plus de 180 jours de neige par an
▢ Eaux côtières soumises au gel
⎯ Courant chaud (Gulfstream)

© WN Atlas Productions

A 30° L.O. de Gr. B 20 C 10 D 0 E 10 F I. des Ours 20 G 30 H 40 I

Dt. du Danemark

OCÉAN GLACIAL

ARCTIQUE

MER DE BARENTS

Cap Nord

Jan Mayen (Norv.)

Hammerfest

Cercle polaire arctique

ISLANDE

Reykjavík 0,3

Tromsø

Narvik

Mourmansk

LOFOTEN

Mer Blanche

Arkha

60° L.N.

OCÉAN

Thorshavn I. FEROE (Dan.)

I. SHETLAND

ATLANTIQUE

HÉBRIDES

I. ORCADES

Aberdeen

Dundee

Edimbourg

Glasgow

Belfast

IRLANDE 3,6

MER D'IRLANDE

ROYAUME-

Newcastle

Liverpool

Dublin

Leeds Hull

Manchester

Sheffield

Cork

BIRMINGHAM

UNI

58

Cardiff

Bristol

Southampton

Plymouth

LONDRES

Brest

Rennes

Nantes

PARIS

Le Mans

Loire

Trondheim

Indalsälv

Glomma

Klarälv

Dalälv

Bergen

Oslo

Skagerrak

Uppsala

Norrköping

Göteborg

DANEMARK

COPENHAGUE

Malmö

Kiel

Luleå

Oulu

Umeå

Sundsvall

Umeälv

Skellefte

Luleälv

Torneälv

5,0

4,3

8,7

Golfe de Botnie

Lac Väner

Lac Vätter

Kattegat

Bornholm

Rügen

Öland

Gotland

Tampere

Turku

Helsinki

Golfe de Finlande

Tallinn

ESTONIE 1,6

G. de Riga

Riga 2,6

LETTONIE

LITUANIE 3,7

Klaipėda

Kaliningrad

Kaunas

Vilnius

RUSSIE

Gdańsk

Szczecin

Białystok

MINSK

BIÉLORUSSIE 10

Homel (Gomel)

Petrozavodsk

Lac Onega

Lac Ladoga

ST-PÉTERSBOURG

Mourmansk

Carélie

Volga

Vitsebsk

Smolensk

Mahiliou

Desna

MER BALTIQUE

Golfe de Botnie

MER DU NORD

Amsterdam

Rotterdam

Utrecht

PAYS-BAS

Groningue

Brême

Hanovre

HAMBOURG

Elbe

BERLIN

Magdebourg

Poznań

Łódź

Wrocław

POLOGNE

38 VARSOVIE

Lublin

Brest

KYIV (KIEV)

Lviv (Lvov)

Vinnytsja

Dnipro

U K R A I N E 52

Kryvy Rih (Krivoï Rog)

Myko

Moldavi

Prout

Iași

Chișinău

ODESSA

Le Havre

Rouen

BEL GIQUE

Anvers

Bruxelles

Lille

LUX 0,4

Metz

Strasbourg

Nancy

Reims

Seine

ALLEMAGNE

Essen

Cologne

Bonn

Francfort

Leipzig

Dresde

Mannheim

Nuremberg

Ratisbonne

Stuttgart

Rhin

Weser

Oder

Vistule

Niemen

Daugava (Dvina occ.)

Cracovie

Kat.

Ostrava

RÉP.

Plzeň

PRAGUE

10

Brno

TCHÈQUE

SLOVAQUIE 5,3

Bratislava

Miskolc

Debrecen

BUDAPEST

HONGRIE 10

Szeged

Pécs

Cluj-Napoca

Timișoara

Mureș

23

ROUMANIE

Galați

Brăila

Ploiești

BUCAREST

Constanța

Danube

Braila

FRANCE 57

Dijon

Bâle

Clermont-Ferrand

Limoges

Bordeaux

St-Étienne

LYON

Genève

Grenoble

Garonne

Rhône

Berne

6,9

Zurich

SUISSE

LIECH

MUNICH

Linz

Salzbourg

Graz

VIENNE

AUTRICHE 7,9

Ljubljana 2,0

SLOVÉNIE

Zagreb

Trieste

CROATIE 4,8

Save

Drave

BOSNIE HERZÉGOVINE 4

Sarajevo

Split

Montenegro

Podgorica 0,7

SERBIE

BELGRADE

YOUGOSLAVIE

Niš

Serbie 10

Nantes

La Corogne

Vigo

Porto

Douro

PORTUGAL 9,9

Lisbonne

Guadiana

Tage 38

Cordoue

Séville

Cadix

MADRID

Saragosse

Valladolid

ESPAGNE

Ebre

Valence

BARCELONE

BALEARES

Palma

Ibiza (Eivissa)

Minorque

Majorque

Gijón

Santander

Bilbao

ANDORRE

Toulouse

Montpellier

MARSEILLE

Toulon

Nice

MONACO

Turin

Gênes

Milan

Pô

Vérone

Venise

Bologne

Livourne

Florence

ST-MARIN

ROME

NAPLES

ITALIE 57

MER TYRRHÉNIENNE

Corse

Sardaigne

Cagliari

Palerme

Messine

Reggio di Calabria

Catania

Sicile

MER IONIENNE

Tarente

Bari

ALBANIE 3,4

TIRANA

MACÉDOINE

Skopje

Plovdiv

SOFIA

BULGARIE 9,0

Varna

Burgas

ISTANBUL

Usküdar

Thessalonique

GRÈCE 10

Patras

ATHÈNES

IZMIR

Manisa

Balikesir

Eskişehir

Brousse

MER ÉGÉE

Rhodes

Crète

MER ADRIATIQUE

La Corogne

Alicante

Carthagène

Murcie

Grenade

Málaga

Gibraltar (R.-U.)

Ceuta (Esp.)

Tanger

Tétouan

Kenitra

RABAT

CASABLANCA

Meknès

Fès

Oujda

MAROC 26

Figuig

Tafilalt

Béchar

Igli

Beni Abbès

Timimoun

Melilla (Esp.)

Oran

Sidi Bel Abbès

Tlemcen

Saïda

Mostaganem

Blida

ALGER

Bejaïa

Sétif

Constantine

Batna

Biskra

El Djelfa

Laghouat

Ghardaïa

Ouargla

Hassi Messaoud

26 El Goléa

ALGÉRIE 26

Chélif

Skikda

Annaba

Tébessa

Kasserine

Kairouan

8,4

TUNISIE

TUNIS

Nabeul

Sousse

Sfax

Gabès

G. de Gabès

Gafsa

Tozeur

El Oued

Touggourt

Médénine

Zuwára

Tripoli

Misourata

LIBYE

Ghadames

G. de la Grande Syrte 4,9

El Beida

Derna

Benghazi

Tobrouk

Salloum

Matrouh

ALEXANDRIE

MÉDITERRANÉE

MER

MALTE 0,4

La Valette

Ain Sefra

Golfe de Gascogne

Manche

Mer du Nord

Échelle 1 : 15 000 000

A. EUROPE EN 1914
1 : 40 000 000

B. EUROPE EN 1937
1 : 40 000 000

C. UNION EUROPÉENNE
1 : 40 000 000

Union européenne (U.E.)
Pays prévoyant une entrée dans l'U.E.
Pays coopérant étroitement avec l'U.E., et demandant à y entrer
Autre pays coopérant avec l'U.E.
Pays adhérant aux accords de Schengen (sans contrôle mutuel aux frontières)

Nombre d'habitants par pays en millions (1992)

La bande de Gaza et certaines villes de Cisjordanie (Jenin, Tulkarm, Naplouse, Qalqilya, Ram Allah, Jéricho et Bethléem) sont des territoires occupés, sous contrôle palestinien (situation au 1er janvier 1996).

© WN Atlas Productions

EUROPE MILIEU PHYSIQUE

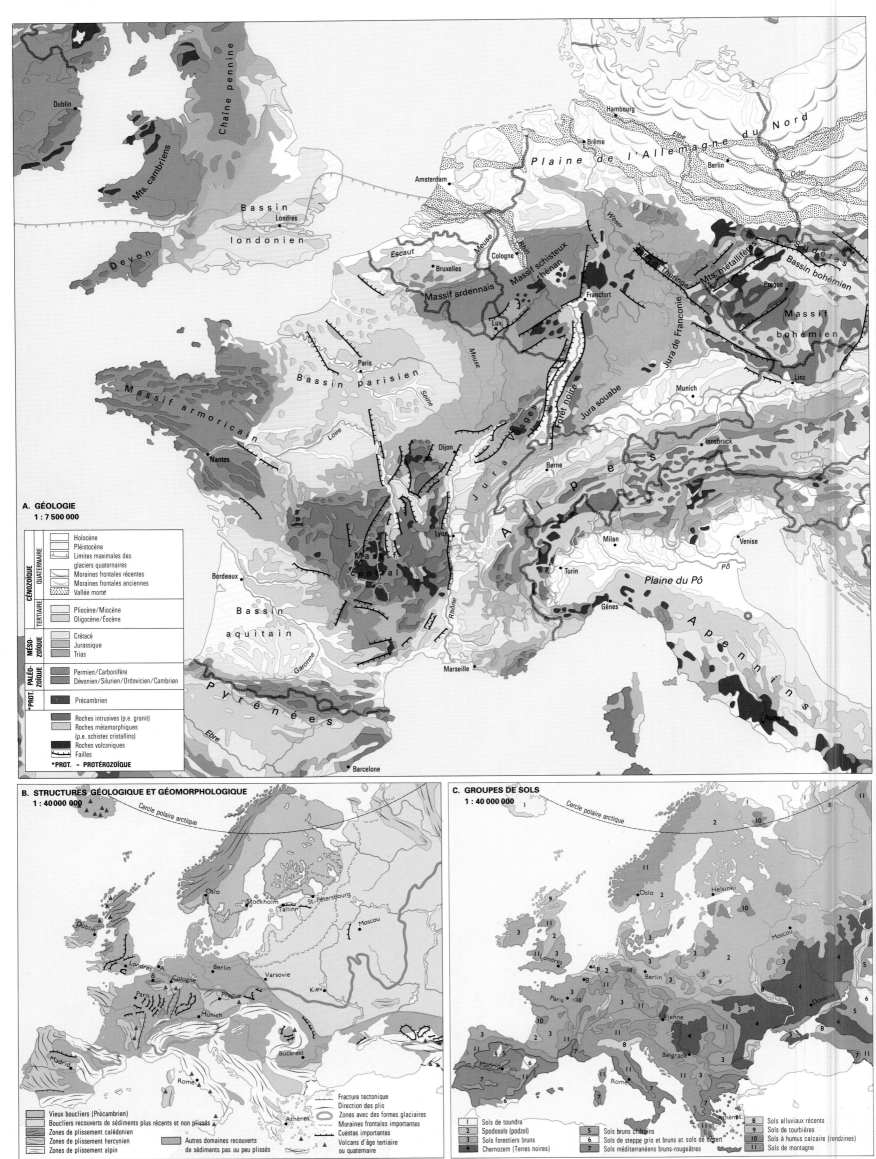

A. GÉOLOGIE
1 : 7 500 000

CÉNOZOÏQUE	QUATERNAIRE		Holocène
			Pléistocène
			Limites maximales des glaciers quaternaires
			Moraines frontales récentes
			Moraines frontales anciennes
			Vallée morte
	TERTIAIRE		Pliocène/Miocène
			Oligocène/Éocène
MÉSO-ZOÏQUE			Crétacé
			Jurassique
			Trias
PALÉO-ZOÏQUE			Permien/Carbonifère
			Dévonien/Silurien/Ordovicien/Cambrien
*PROT.			Précambrien

Roches intrusives (p.e. granit)
Roches métamorphiques (p.e. schistes cristallins)
Roches volcaniques
Failles
*PROT. = PROTÉROZOÏQUE

B. STRUCTURES GÉOLOGIQUE ET GÉOMORPHOLOGIQUE
1 : 40 000 000

Vieux boucliers (Précambrien)
Boucliers recouverts de sédiments plus récents et non plissés
Zones de plissement calédonien
Zones de plissement hercynien
Zones de plissement alpin
Autres domaines recouverts de sédiments pas ou peu plissés

Fracture tectonique
Direction des plis
Zones avec des formes glaciaires
Moraines frontales importantes
Cuestas importantes
Volcans d'âge tertiaire ou quaternaire

C. GROUPES DE SOLS
1 : 40 000 000

1	Sols de toundra	5	Sols bruns châtains	8	Sols alluviaux récents
2	Spodosols (podzol)	6	Sols de steppe gris et bruns et sols de désert	9	Sols de tourbières
3	Sols forestiers bruns	7	Sols méditerranéens bruns-rougeâtres	10	Sols à humus calcaire (rendzines)
4	Chernozem (Terres noires)			11	Sols de montagne

EUROPE CLIMAT

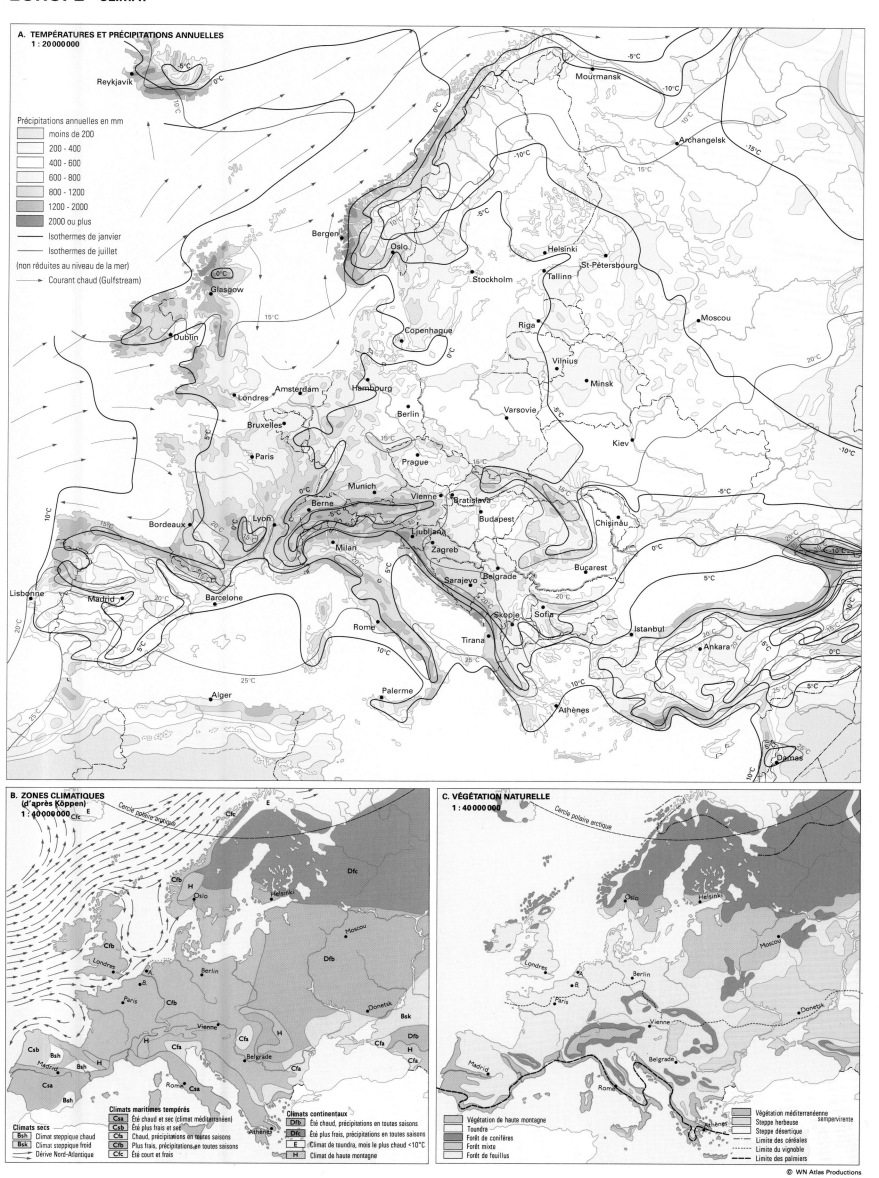

A. TEMPÉRATURES ET PRÉCIPITATIONS ANNUELLES
1 : 20 000 000

Précipitations annuelles en mm
- moins de 200
- 200 - 400
- 400 - 600
- 600 - 800
- 800 - 1200
- 1200 - 2000
- 2000 ou plus

— Isothermes de janvier
— Isothermes de juillet

(non réduites au niveau de la mer)

→ Courant chaud (Gulfstream)

B. ZONES CLIMATIQUES
(d'après Köppen)
1 : 40 000 000

Cercle polaire arctique

C. VÉGÉTATION NATURELLE
1 : 40 000 000

Cercle polaire arctique

Climats secs
- Bsh Climat steppique chaud
- Bsk Climat steppique froid
→ Dérive Nord-Atlantique

Climats maritimes tempérés
- Csa Été chaud et sec (climat méditerranéen)
- Csb Été plus frais et sec
- Cfa Chaud, précipitations en toutes saisons
- Cfb Plus frais, précipitations en toutes saisons
- Cfc Été court et frais

Climats continentaux
- Dfb Été chaud, précipitations en toutes saisons
- Dfc Été plus frais, précipitations en toutes saisons
- E Climat de toundra, mois le plus chaud <10°C
- H Climat de haute montagne

- Végétation de haute montagne
- Toundra
- Forêt de conifères
- Forêt mixte
- Forêt de feuillus
- Végétation méditerranéenne sempervirente
- Steppe herbeuse
- Steppe désertique
- ·—·— Limite des céréales
- —·— Limite du vignoble
- — — Limite des palmiers

© WN Atlas Productions

EUROPE POPULATION

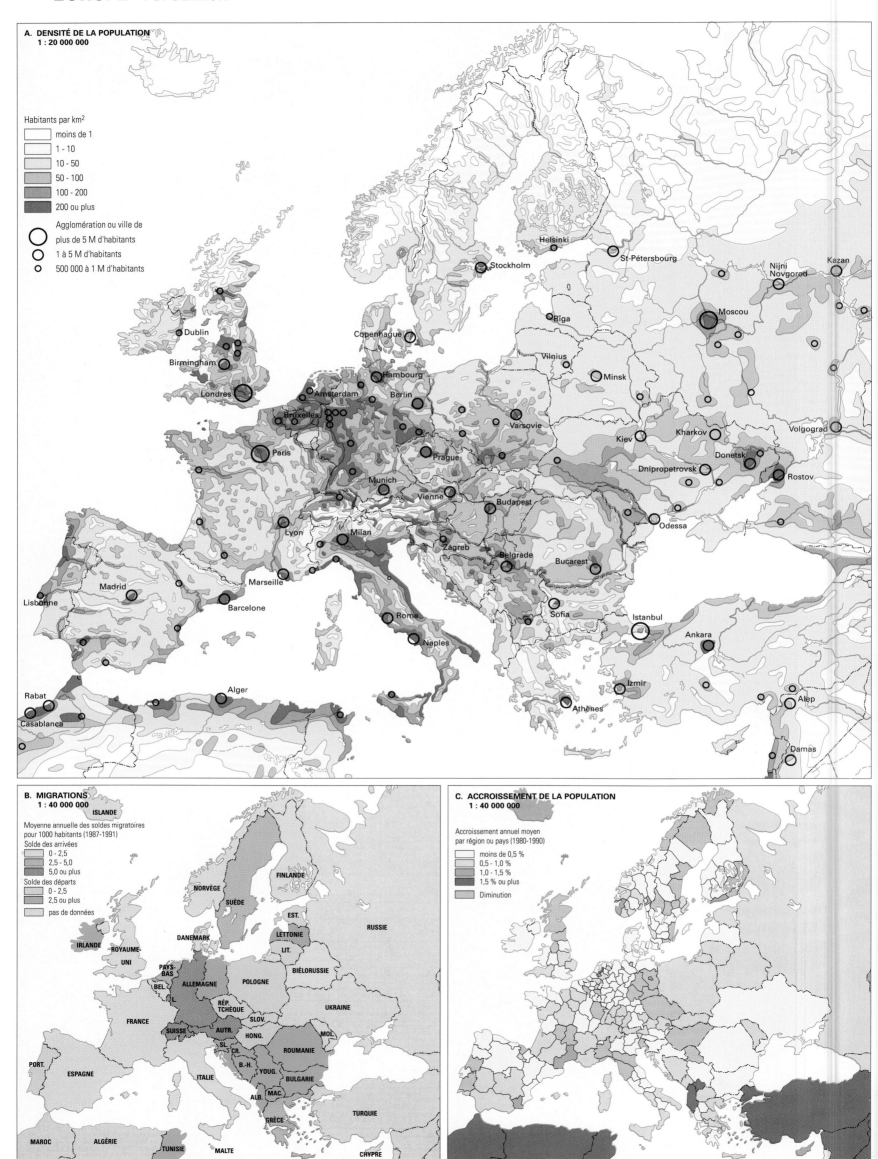

A. DENSITÉ DE LA POPULATION
1 : 20 000 000

Habitants par km²
- moins de 1
- 1 - 10
- 10 - 50
- 50 - 100
- 100 - 200
- 200 ou plus

Agglomération ou ville de
○ plus de 5 M d'habitants
○ 1 à 5 M d'habitants
○ 500 000 à 1 M d'habitants

B. MIGRATIONS
1 : 40 000 000

Moyenne annuelle des soldes migratoires
pour 1000 habitants (1987-1991)
Solde des arrivées
- 0 - 2,5
- 2,5 - 5,0
- 5,0 ou plus
Solde des départs
- 0 - 2,5
- 2,5 ou plus
- pas de données

C. ACCROISSEMENT DE LA POPULATION
1 : 40 000 000

Accroissement annuel moyen
par région ou pays (1980-1990)
- moins de 0,5 %
- 0,5 - 1,0 %
- 1,0 - 1,5 %
- 1,5 % ou plus
- Diminution

© WN Atlas Productions

EUROPE AGRICULTURE

A. UTILISATION DU SOL
1 : 20 000 000

- Improductif
- Forêt
- Élevage
- Cultures (céréales)
- Cultures et élevage
- Agriculture méditerranéenne

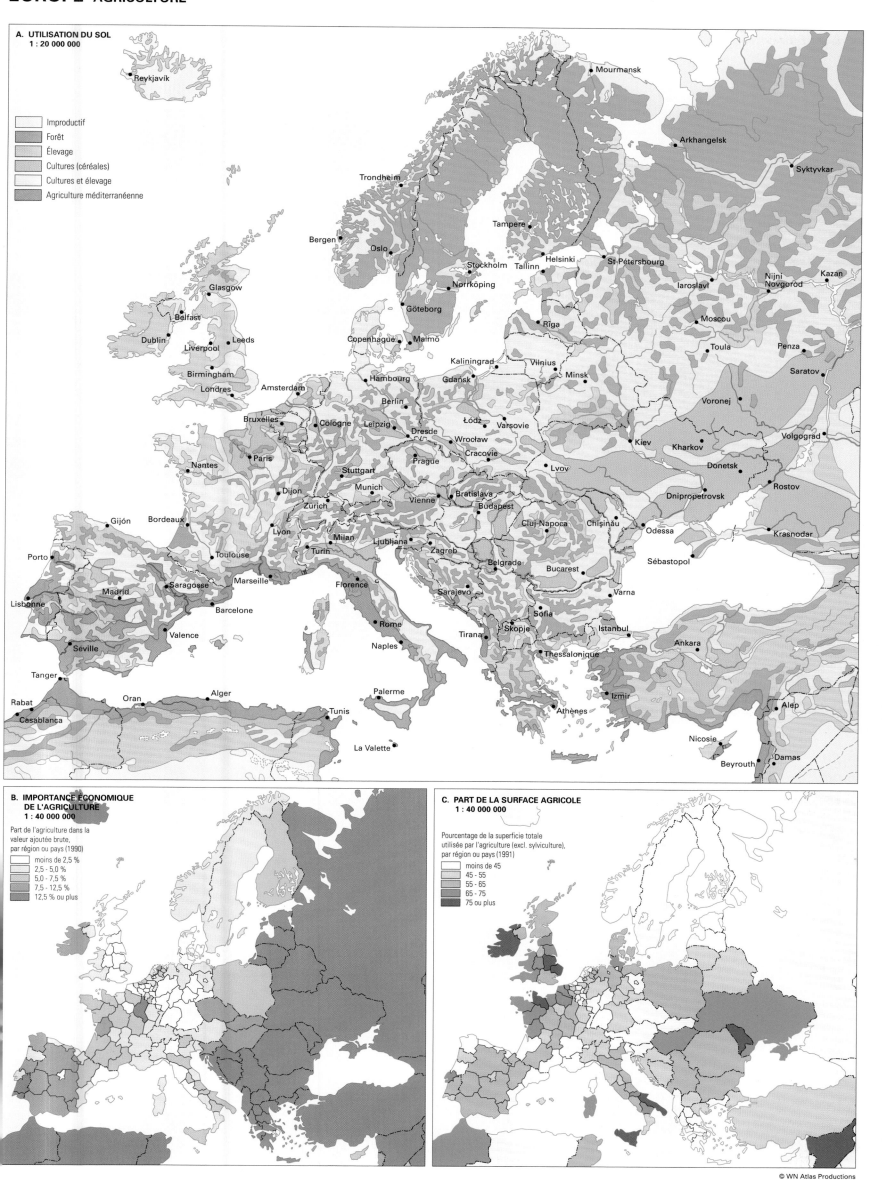

Reykjavík · Mourmansk · Arkhangelsk · Syktyvkar · Trondheim · Bergen · Oslo · Tampere · Helsinki · St-Pétersbourg · Iaroslavl · Nijni Novgorod · Kazan · Stockholm · Norrköping · Tallinn · Rîga · Moscou · Toula · Penza · Saratov · Glasgow · Belfast · Dublin · Liverpool · Leeds · Copenhague · Malmö · Kaliningrad · Vilnius · Minsk · Voronej · Birmingham · Londres · Amsterdam · Hambourg · Gdańsk · Varsovie · Volgograd · Berlin · Łódź · Bruxelles · Cologne · Leipzig · Dresde · Wrocław · Kiev · Kharkov · Donetsk · Nantes · Paris · Stuttgart · Prague · Cracovie · Lvov · Rostov · Dijon · Munich · Vienne · Bratislava · Budapest · Dnipropetrovsk · Zürich · Cluj-Napoca · Chişinău · Odessa · Krasnodar · Gijón · Bordeaux · Lyon · Milan · Ljubljana · Zagreb · Belgrade · Bucarest · Sébastopol · Porto · Toulouse · Turin · Florence · Sarajevo · Sofia · Varna · Saragosse · Marseille · Rome · Tirana · Skopje · Istanbul · Madrid · Barcelone · Naples · Thessalonique · Ankara · Lisbonne · Valence · Séville · Tanger · Izmir · Athènes · Alep · Rabat · Oran · Alger · Tunis · Palerme · Nicosie · Damas · Casablanca · La Valette · Beyrouth

B. IMPORTANCE ÉCONOMIQUE DE L'AGRICULTURE
1 : 40 000 000

Part de l'agriculture dans la valeur ajoutée brute, par région ou pays (1990)

- moins de 2,5 %
- 2,5 - 5,0 %
- 5,0 - 7,5 %
- 7,5 - 12,5 %
- 12,5 % ou plus

C. PART DE LA SURFACE AGRICOLE
1 : 40 000 000

Pourcentage de la superficie totale utilisée par l'agriculture (excl. sylviculture), par région ou pays (1991)

- moins de 45
- 45 - 55
- 55 - 65
- 65 - 75
- 75 ou plus

EUROPE MINES/ÉNERGIE

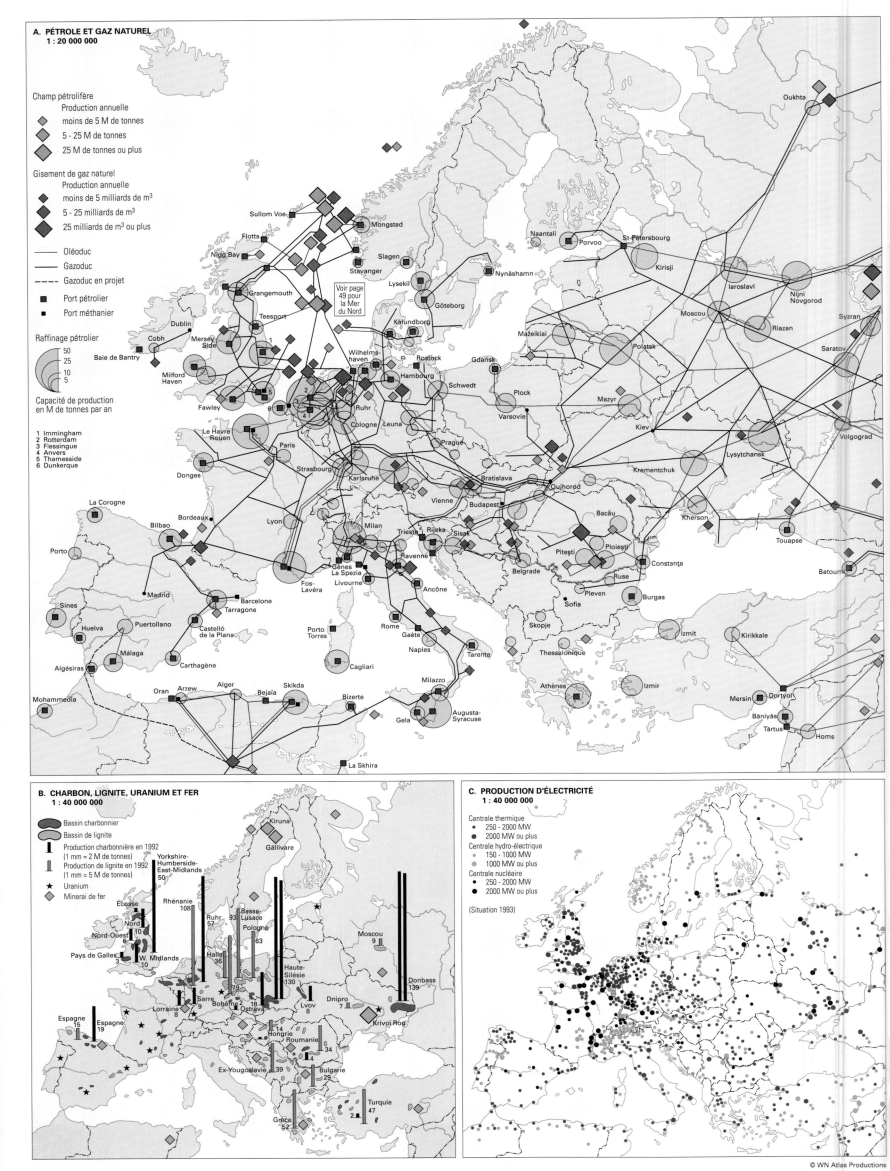

A. PÉTROLE ET GAZ NATUREL
1 : 20 000 000

Champ pétrolifère
Production annuelle
◇ moins de 5 M de tonnes
◇ 5 - 25 M de tonnes
◇ 25 M de tonnes ou plus

Gisement de gaz naturel
Production annuelle
◆ moins de 5 milliards de m³
◆ 5 - 25 milliards de m³
◆ 25 milliards de m³ ou plus

— Oléoduc
— Gazoduc
--- Gazoduc en projet

■ Port pétrolier
■ Port méthanier

Raffinage pétrolier
50
25
10
5

Capacité de production
en M de tonnes par an

1 Immingham
2 Rotterdam
3 Flessingue
4 Anvers
5 Thamesside
6 Dunkerque

Voir page 49 pour la Mer du Nord

B. CHARBON, LIGNITE, URANIUM ET FER
1 : 40 000 000

⬬ Bassin charbonnier
⬬ Bassin de lignite

▮ Production charbonnière en 1992
(1 mm = 2 M de tonnes)

▯ Production de lignite en 1992
(1 mm = 5 M de tonnes)

★ Uranium
◇ Minerai de fer

Kiruna
Gällivare

Yorkshire-Humberside-East-Midlands 50

Rhénanie 108
Ruhr 57
Basse-Lusace 93
Pologne 63

Écosse
Nord 10
Nord-Ouest 6
Pays de Galles 3
W. Midlands 10

Halle 36
Bohême 79
Ostrava 2
Sarre 18
Lorraine 8
9

Haute-Silésie 130
Lvov 8
Dnipro 7

Moscou 9
Donbass 139
Krivoï Rog

Espagne 15
Espagne 19

Hongrie 14
Roumanie 34
4
Ex-Yougoslavie 39
Bulgarie 29

Grèce 52
Turquie 47
2

C. PRODUCTION D'ÉLECTRICITÉ
1 : 40 000 000

Centrale thermique
● 250 - 2000 MW
● 2000 MW ou plus
Centrale hydro-électrique
● 150 - 1000 MW
● 1000 MW ou plus
Centrale nucléaire
● 250 - 2000 MW
● 2000 MW ou plus

(Situation 1993)

© WN Atlas Productions

EUROPE ÉCONOMIE

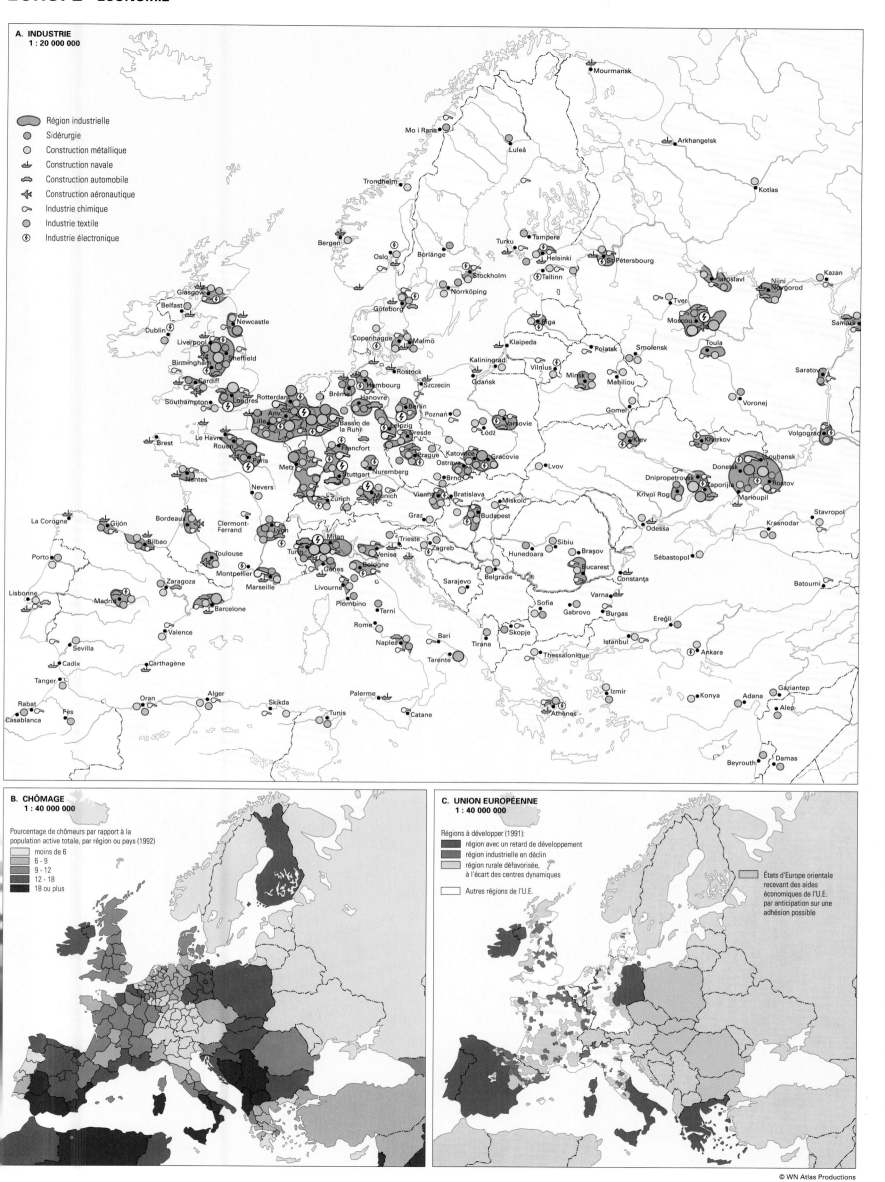

A. INDUSTRIE
1 : 20 000 000

Région industrielle
Sidérurgie
Construction métallique
Construction navale
Construction automobile
Construction aéronautique
Industrie chimique
Industrie textile
Industrie électronique

B. CHÔMAGE
1 : 40 000 000

Pourcentage de chômeurs par rapport à la
population active totale, par région ou pays (1992)

moins de 6
6 - 9
9 - 12
12 - 18
18 ou plus

C. UNION EUROPÉENNE
1 : 40 000 000

Régions à développer (1991):
région avec un retard de développement
région industrielle en déclin
région rurale défavorisée,
à l'écart des centres dynamiques

Autres régions de l'U.E.

États d'Europe orientale
recevant des aides
économiques de l'U.E.
par anticipation sur une
adhésion possible

EUROPE TOURISME

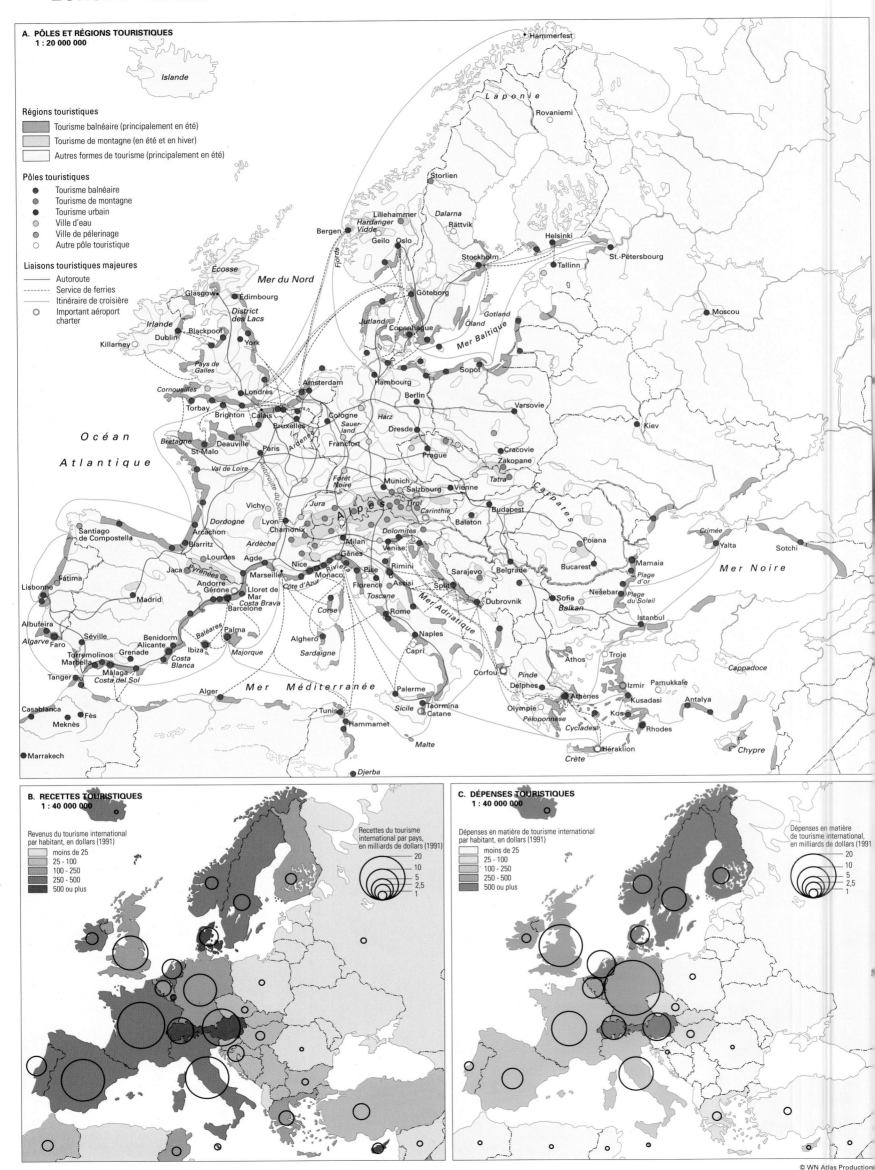

A. PÔLES ET RÉGIONS TOURISTIQUES
1 : 20 000 000

Régions touristiques

- Tourisme balnéaire (principalement en été)
- Tourisme de montagne (en été et en hiver)
- Autres formes de tourisme (principalement en été)

Pôles touristiques

- Tourisme balnéaire
- Tourisme de montagne
- Tourisme urbain
- Ville d'eau
- Ville de pélerinage
- Autre pôle touristique

Liaisons touristiques majeures

- Autoroute
- Service de ferries
- Itinéraire de croisière
- Important aéroport charter

B. RECETTES TOURISTIQUES
1 : 40 000 000

Revenus du tourisme international
par habitant, en dollars (1991)

- moins de 25
- 25 - 100
- 100 - 250
- 250 - 500
- 500 ou plus

Recettes du tourisme
international par pays,
en milliards de dollars (1991)
20 10 5 2,5 1

C. DÉPENSES TOURISTIQUES
1 : 40 000 000

Dépenses en matière de tourisme international
par habitant, en dollars (1991)

- moins de 25
- 25 - 100
- 100 - 250
- 250 - 500
- 500 ou plus

Dépenses en matière
de tourisme international,
en milliards de dollars (1991)
20 10 5 2,5 1

© WN Atlas Production

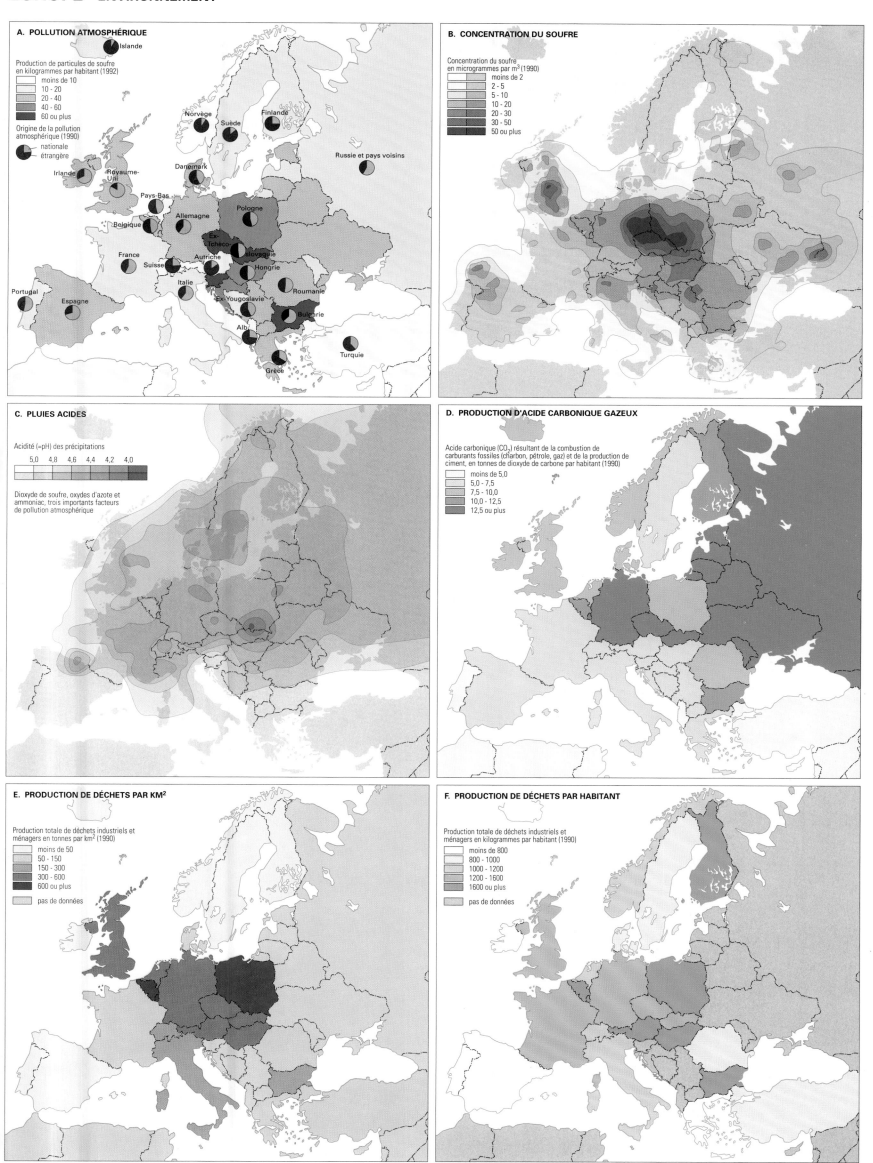

A. POLLUTION ATMOSPHÉRIQUE

Production de particules de soufre
en kilogrammes par habitant (1992)
- moins de 10
- 10 - 20
- 20 - 40
- 40 - 60
- 60 ou plus

Origine de la pollution
atmosphérique (1990)
- nationale
- étrangère

Islande
Norvège
Suède
Finlande
Russie et pays voisins
Danemark
Irlande
Royaume-Uni
Pays-Bas
Allemagne
Pologne
Belgique
Ex-Tchéco
Slovaquie
France
Suisse
Autriche
Hongrie
Italie
Ex-Yougoslavie
Roumanie
Bulgarie
Portugal
Espagne
Alb.
Turquie
Grèce

B. CONCENTRATION DU SOUFRE

Concentration du soufre
en microgrammes par m³ (1990)
- moins de 2
- 2 - 5
- 5 - 10
- 10 - 20
- 20 - 30
- 30 - 50
- 50 ou plus

C. PLUIES ACIDES

Acidité (=pH) des précipitations

5,0 4,8 4,6 4,4 4,2 4,0

Dioxyde de soufre, oxydes d'azote et
ammoniac, trois importants facteurs
de pollution atmosphérique

D. PRODUCTION D'ACIDE CARBONIQUE GAZEUX

Acide carbonique (CO₂) résultant de la combustion de
carburants fossiles (charbon, pétrole, gaz) et de la production de
ciment, en tonnes de dioxyde de carbone par habitant (1990)
- moins de 5,0
- 5,0 - 7,5
- 7,5 - 10,0
- 10,0 - 12,5
- 12,5 ou plus

E. PRODUCTION DE DÉCHETS PAR KM²

Production totale de déchets industriels et
ménagers en tonnes par km² (1990)
- moins de 50
- 50 - 150
- 150 - 300
- 300 - 600
- 600 ou plus
- pas de données

F. PRODUCTION DE DÉCHETS PAR HABITANT

Production totale de déchets industriels et
ménagers en kilogrammes par habitant (1990)
- moins de 800
- 800 - 1000
- 1000 - 1200
- 1200 - 1600
- 1600 ou plus
- pas de données

EUROPE DU NORD

Échelle 1 : 6 000 000

-2000 -200 0 100 200 500 1000 1500 m
au-dessous du niveau de la mer

0 60 120 180 240 km

4° L.E. de Gr. Spitzberg

66°33' L.N. Cercle polaire arctique

OCÉAN ATLANTIQUE

NORVÈGE
SUÈDE
FINLANDE
DANEMARK
ALLEMAGNE
POLOGNE
RUSSIE
ESTONIE
LETTONIE
LITUANIE
BIÉLORUSSIE

MER DU NORD

MER BALTIQUE

Golfe de Botnie

Golfe de Finlande

Golfe de Riga

Skagerrak

Kattegat

COLLINES BALTIQUES

Villes principales : OSLO, STOCKHOLM, COPENHAGUE, Helsinki (Helsingfors), Bergen, Trondheim, Göteborg, Malmö, Uppsala, Tampere, Turku (Åbo), Tallinn, Riga, Vilnius, Kaliningrad, Gdańsk, HAMBOURG

En Finlande, où le Suédois est traduit officiellement à côté du Finnois, les noms de lieux en Suédois sont ajoutés entre parenthèses.

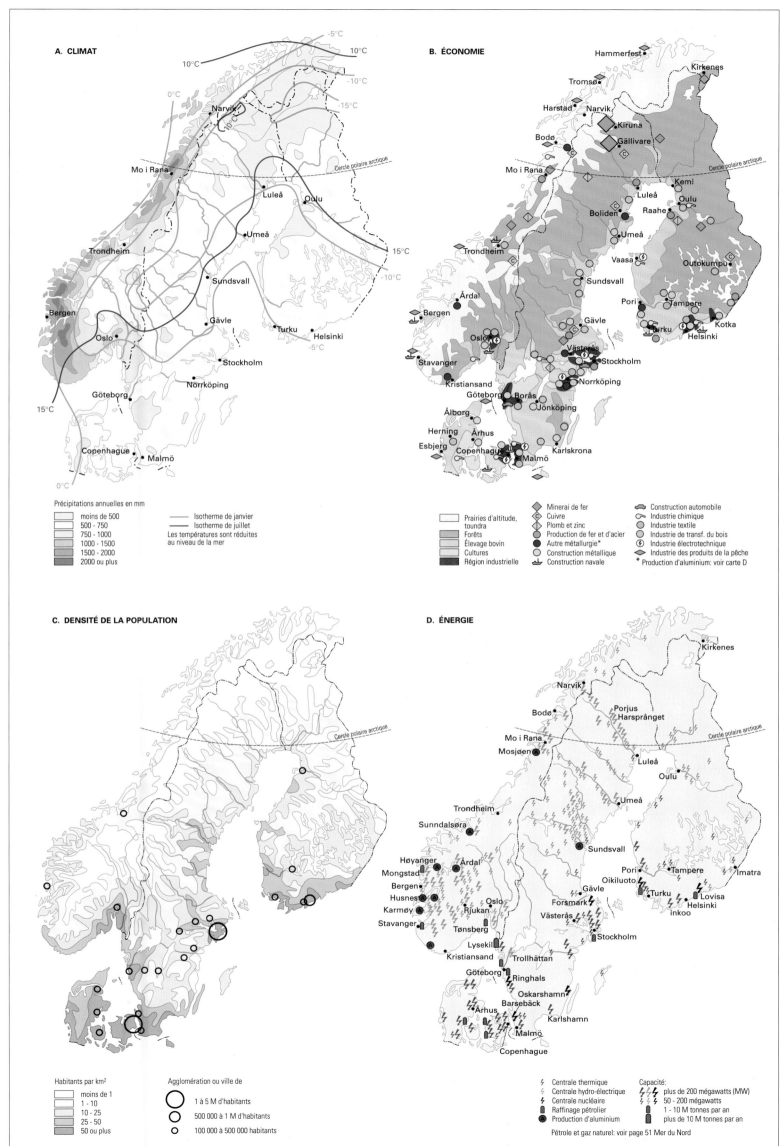

A. CLIMAT

-5°C
10°C
10°C
-10°C
-15°C
0°C
Narvik
-15°C
Mo i Rana
Cercle polaire arctique
Luleå
Oulu
15°C
Umeå
-10°C
Trondheim
Sundsvall
15°C
Bergen
Gävle
Oslo
Turku
-5°C
Helsinki
Stockholm
Norrköping
Göteborg
15°C
Copenhague
Malmö
0°C

Précipitations annuelles en mm

	moins de 500
	500 - 750
	750 - 1000
	1000 - 1500
	1500 - 2000
	2000 ou plus

— Isotherme de janvier
— Isotherme de juillet
Les températures sont réduites
au niveau de la mer

B. ÉCONOMIE

Hammerfest
Kirkenes
Tromsø
Harstad   Narvik
Kiruna
Bodø   Gällivare
Mo i Rana   Cercle polaire arctique
Kemi
Luleå   Oulu
Boliden   Raahe
Umeå
Vaasa   Outokumpu
Pori   Tampere
Trondheim   Turku   Kotka
Helsinki
 Årdal
Sundsvall
Bergen   Gävle
Oslo   Västerås
Stavanger   Stockholm
Kristiansand   Norrköping
Göteborg   Borås
Jönköping
Ålborg
Herning   Århus   Karlskrona
Esbjerg   Copenhague   Malmö

	Prairies d'altitude, toundra
	Forêts
	Élevage bovin
	Cultures
	Région industrielle

◆ Minerai de fer
◉ Cuivre
◇ Plomb et zinc
◯ Production de fer et d'acier
● Autre métallurgie*
◯ Construction métallique
⚓ Construction navale

◝ Construction automobile
◠ Industrie chimique
◯ Industrie textile
◯ Industrie de transf. du bois
⚡ Industrie électrotechnique
◇ Industrie des produits de la pêche
* Production d'aluminium: voir carte D

C. DENSITÉ DE LA POPULATION

Cercle polaire arctique

Narvik
Bodø
Mo i Rana
Trondheim
Bergen
Oslo
Göteborg
Copenhague
Malmö

Habitants par km²

	moins de 1
	1 - 10
	10 - 25
	25 - 50
	50 ou plus

Agglomération ou ville de

◯ 1 à 5 M d'habitants
◯ 500 000 à 1 M d'habitants
◯ 100 000 à 500 000 habitants

D. ÉNERGIE

Kirkenes
Narvik
Porjus
Bodø   Harsprånget
Mo i Rana   Cercle polaire arctique
Mosjøen
Luleå
Oulu
Umeå
Trondheim
Sunndalsøra
Sundsvall
Høyanger   Årdal
Mongstad   Pori   Tampere
Bergen   Oikiluoto   Imatra
Husnes   Gävle
Karmøy   Oslo   Forsmark   Turku   Lovisa
Stavanger   Västerås   Helsinki
Tønsberg   Inkoo
Lysekil   Stockholm
Kristiansand
Trollhättan
Göteborg   Ringhals
Oskarshamn
Barsebäck
Århus   Karlshamn
Malmö
Copenhague

⚡ Centrale thermique
⚡ Centrale hydro-électrique
⚡ Centrale nucléaire
▮ Raffinage pétrolier
● Production d'aluminium

Capacité:
⚡ plus de 200 mégawatts (MW)
⚡ 50 - 200 mégawatts
▮ 1 - 10 M tonnes par an
▮ plus de 10 M tonnes par an

Pétrole et gaz naturel: voir page 51 Mer du Nord

© WN Atlas Productions

ROYAUME-UNI ET IRLANDE

Échelle 1 : 3 000 000

150 km · 100 · 50 · 25 · 0

Nijni Novgorod

MER DU NORD

OCÉAN ATLANTIQUE

MER D'IRLANDE

Dogger Bank

Même échelle que la carte principale

Sous le niveau de la mer

8° L.O. de Gr. · 2° L.O. de Gr. · 60° L.N. · 54°

Écosse — Highlands / Hautes Terres

Lerwick · Aberdeen · Peterhead · Fraserburgh · Banff · Elgin · Keith · Inverness · Dingwall · Cromarty · Nairn · Forres · Ullapool · Lochinver · Thurso · Wick · Helmsdale · Dunbeath · Dournreay · C. Wrath · C. Duncansby · Baie Sinclair

Perth · Dundee · St. Andrews · Montrose · Arbroath · Forfar · Stonehaven · Balmoral Castle · Aberfeldy · Pitlochry · BEN NEVIS 1343 · BEN LAWERS 1215 · BEN MACDHUI 1310 · Fort William · Fort Augustus · Loch Ness · Loch Shin · Mallaig · Kyle of Lochalsh · Oban · Inveraray · Kinlochleven

Edimbourg · Glasgow · Dunfermline · Falkirk · Stirling · Grangemouth · Leith · Kirkcaldy · Motherwell · Hamilton · Lanark · Ayr · Kilmarnock · Irvine · Prestwick · Ardrossan · East Kilbride · Paisley · Dumbarton · Greenock · Clydebank · Dunoon · Firth of Clyde · Firth of Forth · Firth of Tay

Berwick-upon-Tweed · Galashiels · Peebles · Hawick · Dumfries · Stranraer · Campbeltown · Portpatrick · Pt. Patrick · GOAT FELL 870 · MERRICK 840 · BROAD LAW 840 · HART FELL 820 · CHEVIOT · Lammermuir Hills · Pentland Hills · Moorfoot Hills · Dunbar

Îles

I. SHETLAND · Unst · Yell · Mainland · Lerwick · Sullom Voe · I. Fair · Aberdeen · I. ORCADES (ORKNEY IS.) · Mainland (Pomona) · Kirkwall · Scapa Flow · Dt. de Pentland · Hoy

St. Kilda · I. FLANNAN · Stornoway · Harris · N. Uist · S. Uist · Barra · I. BARRA · Détroit de Harris · Petit Minch · Skye · Portree · Uig · CUILLIN HILLS 965 · Rhum · Eigg · Coll · Tiree · Tobermory · Staffa · Iona · Mull · Colonsay · Islay · Jura · Dt. de Jura · Dt. de Kilbrannan · Arran · Minch du Nord · L. Broom · L. Maree · BEN MORE 998 · BEN WYVIS 1065

Angleterre

Newcastle upon Tyne · Gateshead · South Shields · Tynemouth · Sunderland · Washington · Hartlepool · Stockton-on-Tees · Middlesbrough · Redcar · Durham · Darlington · Whitby · Scarborough · Bridlington · C. Flamborough · Hull · Kingston upon Hull · Grimsby · Cleethorpes · Goole · Doncaster · Selby · York · Leeds · Bradford · Harrogate · Halifax · Huddersfield · Wakefield · Sheffield · Rotherham · Chesterfield · Mansfield · Nottingham · Derby · Stoke-on-Trent · Crewe · Macclesfield · Stockport · Manchester · Oldham · Bolton · Wigan · St. Helens · Warrington · Liverpool · Birkenhead · Wallasey · Southport · Blackpool · Fleetwood · Preston · Blackburn · Burnley · Lancaster · Kendal · Penrith · Keswick · Workington · Whitehaven · Maryport · Silloth · Carlisle · Barrow-in-Furness · Morecambe · Chester · Wrexham · Denbigh · Bangor · Caernarvon · Holyhead · Anglesey · I. de Man · Douglas · SNAEFELL 620 · Lincoln · Boston · Cromer · Skegness · The Wash · Grantham · LINCOLN WOLDS · YORK MOORS · CROSS FELL 893 · SCA FELL 978 · THE PEAK 636 · PENNINES · CHEVIOT · LAKE DISTRICT · CUMBRIAN MTS · Firth of Solway · Baie de Morecambe · Baie de Liverpool

Irlande / Irlande du Nord

Belfast · Londonderry · Coleraine · Portrush · Ballymena · Ballymoney · Larne · Bangor · Downpatrick · Newtownards · Armagh · Portadown · Newry · Dungannon · Omagh · Strabane · Enniskillen · Cavan · Monaghan · Dundalk · Drogheda · Dublin (Baile Atha Cliath) · Dún Laoghaire · Bray · Wicklow · Mullingar · Longford · Athlone · Birr · Galway · Ballinasloe · Westport · Castlebar · Ballina · Sligo · Carrick · Donegal · Letterkenny · Killybegs · Ennis · MOURNE MTS 852 · ANTRIM MTS 554 · SPERRIN MTS 683 · ERRIGAL 752 · NEPHIN 807 · CROAGH PATRICK 765 · TWELVE PINS 730 · WICKLOW MTS 926 · SLIEVE BLOOM MTS · Lough Neagh · Lough Erne · Lough Foyle · L. Swilly · L. Allen · L. Ree · L. Derg · L. Corrib · L. Mask · L. Conn · Shannon · Suck · Boyne · Chaussée des Géants · Canal du Nord · Baie de Donegal · Baie de Sligo · Baie de Dundalk · B. de Galway · Baie de Blacksod · C. Malin · C. Erris · C. Slyne · Tory · Achill · Rathlin · Inishowen · Ulster · Connacht · Leinster · Munster

Bergen · Stavanger · Kristiansand · Göteborg · Esbjerg · Hamburg · IJmuiden · Rotterdam · Zeebrugge · Edmonton

2000 · 1000 · 500 · 200 · 100 · 50 · 0 · 50 · 200 · 1000 · 2000

A. PRÉCIPITATIONS
1 : 12 000 000

Précipitations
annuelles en mm

moins de 500
500-750
750-1000
1000-1500
1500-2000
2000 ou plus

Projection conique 10

B. AGRICULTURE ET PÊCHE
1 : 12 000 000

Cultures
Betterave sucrière
Houblonnière
Légumes, fruits
Cultures et élevage
Élevage intensif
Élevage extensif
Principaux ports de pêche

C. MINES ET INDUSTRIE
1 : 12 000 000

Charbon
Plomb et zinc
Étain
Région industrielle
Sidérurgie
Construction navale
Construction automobile
Construction aéronautique
Industrie chimique
Industrie textile
Industrie électrotechnique

D. ÉNERGIE
1 : 12 000 000

Centrale nucléaire
Centrale thermique
Centrale hydro-électrique
Pétrole
Gaz naturel
Oléoduc
Gazoduc
Port pétrolier
Raffinage pétrolier
Conduite depuis la Mer du Nord
pétrole
gaz naturel

Pétrole et gaz naturel: voir carte 51 Mer du Nord

© WN Atlas Productions

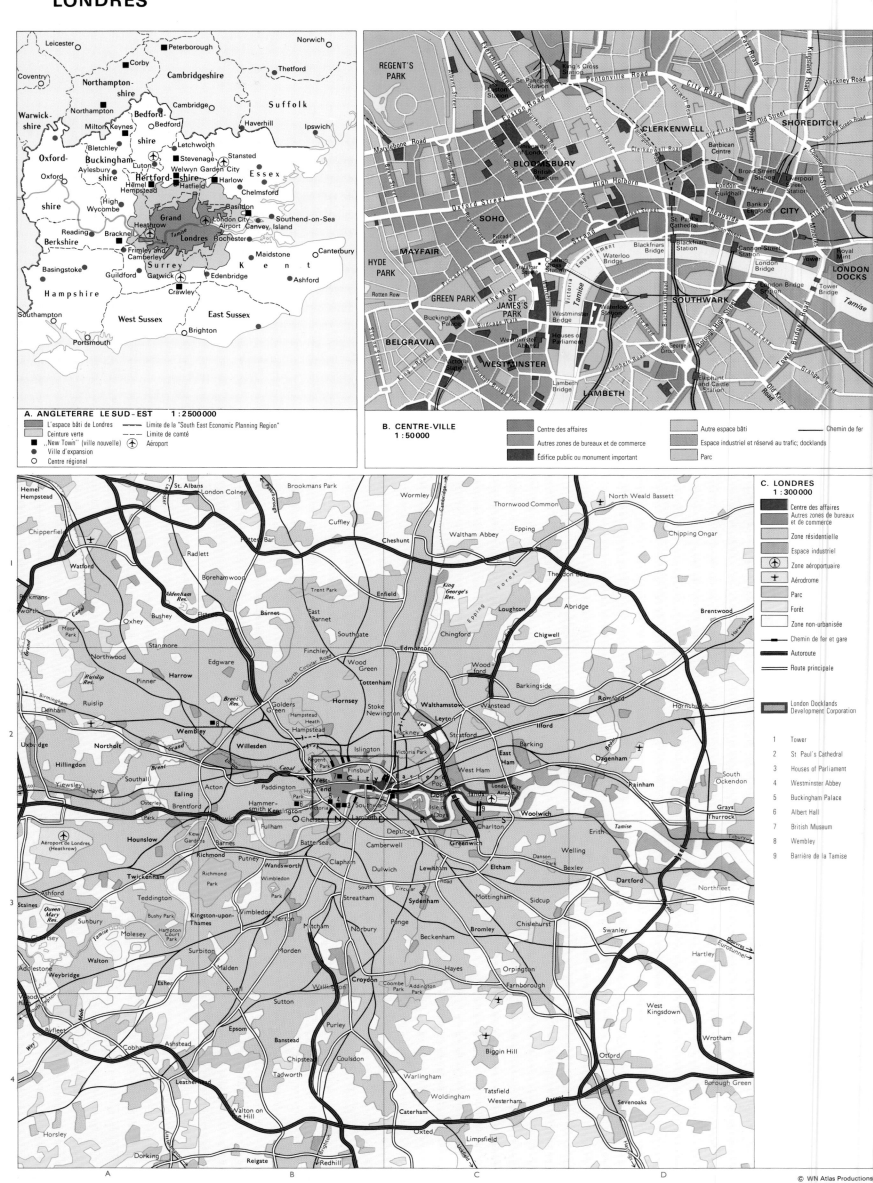

A. ANGLETERRE LE SUD-EST 1 : 2 500 000

L'espace bâti de Londres — Limite de la "South East Economic Planning Region"
Ceinture verte — — Limite de comté
■ „New Town" (ville nouvelle) ⊕ Aéroport
● Ville d'expansion
○ Centre régional

B. CENTRE-VILLE 1 : 50 000

Centre des affaires — Autre espace bâti — Chemin de fer
Autres zones de bureaux et de commerce — Espace industriel et réservé au trafic; docklands
Édifice public ou monument important — Parc

C. LONDRES 1 : 300 000

Centre des affaires
Autres zones de bureaux et de commerce
Zone résidentielle
Espace industriel
⊕ Zone aéroportuaire
✦ Aérodrome
Parc
Forêt
Zone non-urbanisée
Chemin de fer et gare
Autoroute
Route principale

London Docklands Development Corporation

1 Tower
2 St Paul's Cathedral
3 Houses of Parliament
4 Westminster Abbey
5 Buckingham Palace
6 Albert Hall
7 British Museum
8 Wembley
9 Barrière de la Tamise

© WN Atlas Productions

MER DU NORD ÉNERGIE

Échelle 1 : 4 000 000

4° L.O. de Gr. 0° 4° L.E. de Gr. 8°

NORVÈGE

DANEMARK

ROYAUME-UNI

ALLEMAGNE

PAYS-BAS

BELGIQUE

FRANCE

A. RÉSERVES DE PÉTROLE ET DE GAZ NATUREL

PÉTROLE
Réserves en Mer du Nord:
3023 millions de tonnes (1991)

Statfjord
Gullfaks
Oseberg
Ekofisk
Snorre
Troll
Brent

Autres gisements

GAZ NATUREL
Réserves en Mer du Nord:
4427 milliards de m³ (1991)

Troll
Sleipner
Bruce
Ekofisk
Britannia

Autres gisements

B. PRODUCTION DE PÉTROLE ET DE GAZ NATUREL

PRODUCTION DE PÉTROLE
EN MER DU NORD
192 millions de tonnes (1991)
Danemark 4 % Pays-Bas 1 %

Royaume-Uni 45,5 %
Norvège 49,5 %

PRODUCTION DE GAZ NATUREL
EN MER DU NORD
98 milliards de m³ (1991)
Danemark 6 %

Pays-Bas 19 %
Norvège 25,5 %
Royaume-Uni 49,5 %

Légende

Pétrole
Gaz naturel
Gisement avec des réserves médiocres ou inconnues
Brent Gisement productif
—— Oléoduc
—— Gazoduc
---- Gazoduc en projet
▲ Embarcadère pétrolier
● Point de débarquement de pétrole ou de gaz naturel
■ Port pétrolier
■ Raffinage pétrolier
━━ Limite des secteurs de la plate-forme continentale et frontières des États

Profondeur de la mer:
0 - 50 mètres
50 - 100 mètres
100 - 200 mètres
200 mètres ou plus

Gisements et lieux

Agat, Magnus, Murchison, Snorre, Statfjord, Tern, Visund, Gullfaks, Cormorant, Hutton, Brent, Heather, Veslefrikk, Troll, Alwyn, Ninian, Oseberg, Brage, Emerald, Dunbar, Hild, Bressay, Odin, Frigg, Frøy, Bruce, Skirne, Heimdal, Beryl, Gryphon, Balder, Gudrun, Brae, Miller, Piper, Claymore, Tartan, Sleipner, Ettrick, Maureen, Britannia, Andrew, Buchan, Forties, Kittiwake, Everest, Nelson, Montrose, Lomond, Cod, Ula, Gannet, Gyda, Puffin, Albuskjell, Tor, Fulmar, Ekofisk, Trym, Auk, Clyde, Valhall, Harald, Eldfisk, Argyll, Valdemar, Roar, Adda, Tyra, Gorm, Igor, Rolf, Skjold, Dan, Kraka, F3, Forbes, Esmond, Gordon, Ravenspurn, Murdoch, Caister, Markham, L4, Rough, Frobisher, W. Sole, Barque, Audrey, K7, K12, Amethyst, Viking, K8, K11, Placid, L11, L12, Ameland, Anglia, K14, K15, L13, Indefatigable, K13, Kotter, Haven, Hewett, Leman, Helder, Helm, Q8, P6, Groningen, P12, Rijn

Sullom Voe, ILES SHETLAND, Claire, ILES ORCADES, Flotta, Nigg Bay, Saint Fergus, Cruden Bay, Dundee, Grangemouth, Beatrice, Newcastle, Teesport, Liverpool, Dimlington, Killingholme, Immingham, Easington, Theddlethorpe, Bacton, Felixstowe, Londres, Coryton, Shell Haven, Southampton, Fawley, Zeebrugge, Dunkerque, Flessingue, Anvers, Glasgow, Angleterre, Grangemouth

Mongstad, Sture, Bergen, Kollsnes, Kårstø, Stavanger, Oslo, Kristiansand, Slagen, Kærgård, Fredericia, Esbjerg, Copenhague, Heide, Mittelplate, Brunsbüttel, Wilhelmshaven, Hambourg, Emden, Uithuizen, Uithuizen, Callantsoog, IJmuiden, Amsterdam, Europoort, Rotterdam, Bassin de la Ruhr, Belgique, France, Allemagne, Italie

© WN Atlas Productions

PAYS-BAS

Zones découvertes à marée basse
−20 −8
Marée basse · Marée haute

0 +5 10 20 50 100 200 300 400 500 m

Dunes, plages et bancs de sable
Digue (levée principale)
La surface bâtie des villes de plus de 100 000 hab. est représentée.

Échelle 1 : 1 200 000
0 10 20 30 40 50 km

5° L.E. de Gr.

A. POLDERS:
LES ÉTAPES DE LA CONQUÊTE
1 : 3 000 000
Du 13e au 16e siècle
17e siècle
18e et 19e siècles
20e siècle
poldérisation possible

Plan Delta

Mer des Wadden
Digue du Nord 1932
Wieringer-meer 1930
Lac de l'IJssel
Polder du Nord-Est 1942
Marker-waard ?
Flévoland-Est 1957
Flévoland-Sud 1968
Mer de Haarlem
Maasvlakte
Rhin infér.
Lek
IJssel
Waal
Meuse
Escaut

MER DU NORD

MER DES WADDEN

Juist
Borkum
Rottum
Schiermonnikoog +20
Ameland +16
Terschelling +32
West-Terschelling
Vlieland
Texel
Den Burg
Den Helder
Den Oever
−35
Nes
Holwerd
Dokkum
Leeuwarden
Can. Van Harinxma
Harlingen
Sneek
Staveren 12+
Joure
Heerenveen
Drachten
Can. Princesse Marguerite
Groningue
Hoogezand-Sappemeer
Winschoten
Veendam
Nieuwe Pekela
Stadskanaal
Ter Apel
Emmen
Schoonebeek
Coevorden
Hoogeveen
Beilen
Assen +27
Meppel
Steenwijk
Emmeloord
Polder du Nord-Est
Urk
Ens
−4
Lemmer
Roodeschool
Godlinze
Delfzijl
Emden
Dollard
Can. de l'Ems
Can. Van Starkenborgh
GRONINGUE
FRISE
Sept Forêts
DRENTHE
HONDSRUGE
Marais de Bourtange
Nordhorn
Vechte
Ter Apel

Hollande
Frise occidentale
Heerhugowaard
Schagen −5,2
Alkmaar +57
Hoorn
Enkhuizen
Wieringermeer
Lac d'IJssel
Lac de Marken
Lelystad
Kampen
Zwolle
FLÉVO-LAND
Flévoland
Marken
Almere
Harderwijk
Nijkerk
Torenberg 107
Apeldoorn
VELUWE
Epe
Raalte
Hellendoorn
Nijverdal +75
Almelo
Oldenzaal +85
Enschede
Gronau
Hengelo
Borculo
Zutphen
Deventer
OVERIJSSEL
TWENTE
Woldberg 64
 Commen
Hasselt
Lac Ketel −5

Castricum
Beverwijk +24
IJmuiden
Zaandam
Wormerveer
Purmerend
Zaan
Zandvoort
Haarlem
Amsterdam
Heemstede
Schiphol
Hillegom
Amstelveen
Weesp
Muiden
Bussum
Huizen
Hilversum
Baarn
Amersfoort
Noordwijk
Katwijk
Wassenaar +31
Leiden
Alphen-sur-Rhin
Woerden
Maarssen
Utrecht
Zeist
Ede
septentrionale
Goo
UTRECHT
Veenendaal
Wageningen
Renkum
GUELDRE
Arnhem
Dieren
Zevenaar
Doetinchem
Varsseveld
Aalten
Winterswijk
Bocholt
Borken
ALLEMAGNE
Achterhoek
Brummen
Zutphenberg 106
Emmerich
Clèves
Nimègue
Grave
Culemborg
Tiel
Dodeward
Geldermalsen
Gorinchem
Waal
Rhin infér.
Lippe
Rees

La Haye (Den Haag)
Zoetermeer
Rijswijk
Delft
Hollande
Westland
Hoek van Holland
Nieuwe Waterweg
Maasvlakte
Europoort
Brielle
Vlaardingen
Schiedam
Rotterdam
Hoogvliet
Vieille Meuse
Spijkenisse
Voorne
Putten
Goeree
Haringvliet
Hoeksé Waard
Dordrecht
Sliedrecht
Merwede
Biesbos
Moerdijk
Lac de Grevelingen
Brouwershaven
Schouwen
Duiveland
Zierikzee +42
Beveland-Nord
Tholen
Goes
Middelburg
Walcheren
Zélande
Beveland-Sud
Flessingue
Borssele
Kruiningen
Breskens
Sluis
Flandre
Sluiskil
Terneuzen
Hulst
Sas van Gent
Zelzate
Gand
méridionale
Nieuwegein
IJssel hollandais
Gouda
Lek
Langerak
Oss
Culk
Nimègue
Boxmeer
Gennep
Venray
Peel
Helmond
Deurne
Gand

Moordrecht
Geertruidenberg
Waalwijk
Bois-le-Duc (Den Bosch)
Veghel
Boxtel
Tilburg
Breda
Bergen op Zoom
Roosendaal
Essen
Baarle-Nassau
Baarle-Duc
Turnhout
Eindhoven
Geldrop
Veldhoven
Valkenswaard
Budel
Weert
Venlo
Krefeld
Mönchengladbach
Neuss
Rheydt
Limbourg
Brabant septentrional
Zuid-Willemsvaart
Wilhelmine
Dommel
Venray

Anvers
Herentals
Canal Albert
Canal de la Campine
PLATEAU DE CAMPINE
Genk
Hasselt
Bree
Sittard
Geleen
Heerlen
Kerkrade
Übach-Palenberg
Maastricht
Vaals
Aix-la-Chapelle (Aachen)
Pays de Herve +354
Eupen
Verviers
Liège
Herstal
Spa
Baraque Michel 675+
Botrange 694
ARDENNE
Moers
Duisbourg
Oberhausen
Mülheim
Essen
Gelsenkirchen
Bottrop
Dinslaken
Wuppertal
Düsseldorf
Solingen
Leverkusen
DIE VILLE
Cologne (Köln)
Porz
Bonn
Bad-Neuenahr
Düren
Eschweiler
Euskirchen
EIFEL
Roer
Niers
Rhin
Ruhr

Gand
Malines
Louvain 106+
Pellenberg
Vilvorde
Aarschot
Saint-Trond
Tirlemont
Tongres
BELGIQUE
Bruxelles
Halle
Mont Saint-Jean 139
PLATEAU DU BRABANT
Alost
Pottelberg +157
Tournai
Ath
La Louvière
Mons
Charleroi
Namur
Sambre
Meuse
Huy
PLATEAU DU CONDROZ
PLATEAU DE HESBAYE
Canal Bruxelles-Charleroi
Canal de Willebroek
Escaut

© WN Atlas Productions

PAYS-BAS ÉCHELLE 1 : 1 200 000

PAYS-BAS ÉCONOMIE

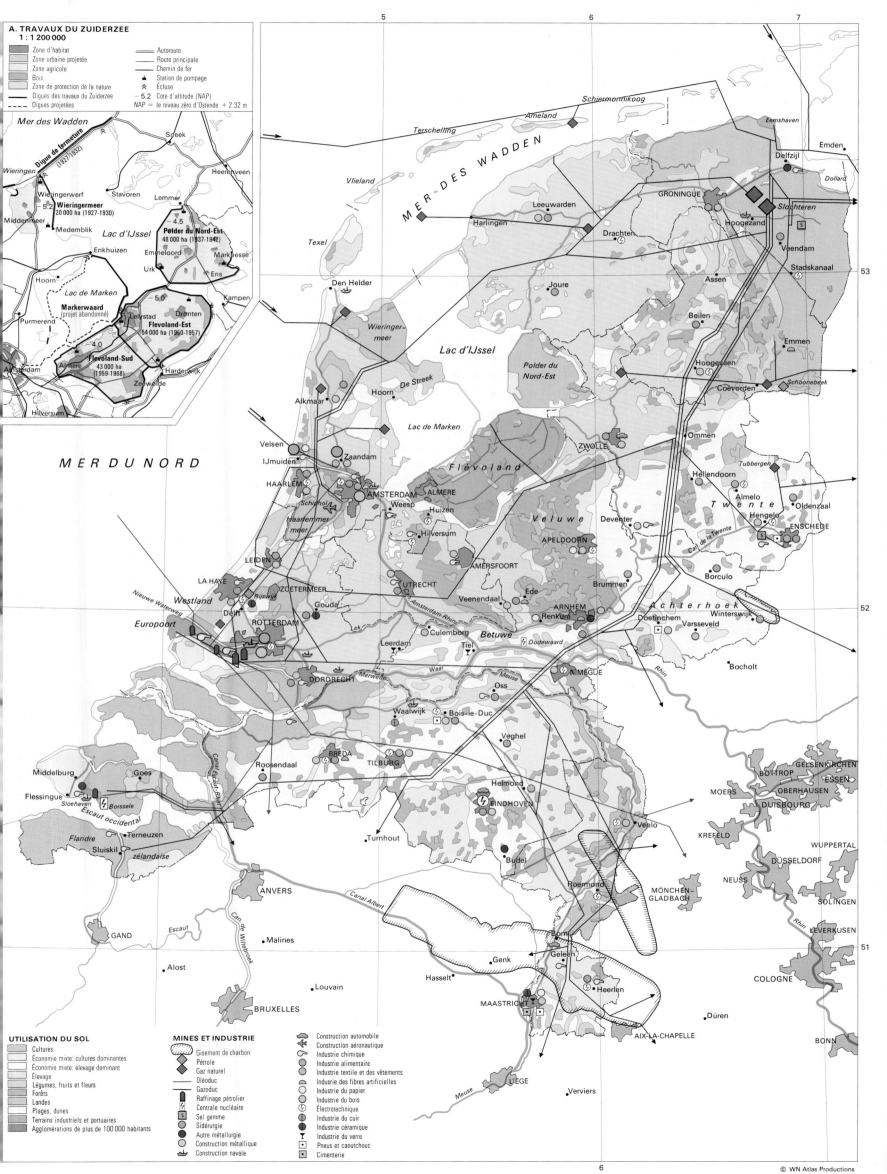

A. TRAVAUX DU ZUIDERZEE
1 : 1 200 000

Zone d'habitat
Zone urbaine projetée
Zone agricole
Bois
Zone de protection de la nature
Digues des travaux du Zuiderzee
Digues projetées

Autoroute
Route principale
Chemin de fer
Station de pompage
Écluse
– 5.2 Cote d'altitude (NAP)
NAP = le niveau zéro d'Ostende + 2.32 m

Mer des Wadden
Digue de fermeture (1927-1932)
Wieringen
Sneek
Heerenveen
Wieringerwerf
– 5.2
Wieringermeer 20 000 ha (1927-1930)
Middenmeer
Medemblik
Lac d'IJssel
Stavoren
Lemmer
Polder du Nord-Est 48 000 ha (1937-1942)
– 4.5
Enkhuizen
Emmeloord
Markhesse
Hoorn
Urk
Ens
Lac de Marken
Kampen
Purmerend
Markerwaard (projet abandonné)
Lelystad
Dronten
– 5.0
Flevoland-Est 54 000 ha (1950-1957)
Amsterdam
– 4.0
Almere
Flevoland-Sud 43 000 ha (1959-1968)
Harderwijk
Zeewolde
Hilversum

MER DU NORD

Mer des Wadden

MER DES WADDEN

Terschelling
Schiermonnikoog
Ameland
Eemshaven
Emden
Vlieland
Delfzijl
Dollard
Texel
Leeuwarden
GRONINGUE
Slochteren
Harlingen
Drachten
Hoogezand
Veendam
Den Helder
Joure
Assen
Stadskanaal
53
Wieringermeer
Beilen
Hoorn
De Streek
Lac d'IJssel
Polder du Nord-Est
Hoogeveen
Emmen
Alkmaar
Coevorden
Schoonebeek
Velsen
Lac de Marken
ZWOLLE
Ommen
Tubbergen
Zaandam
Flévoland
Hellendoorn
Almelo
Oldenzaal
IJmuiden
HAARLEM
AMSTERDAM
ALMERE
Twente
Hengelo
ENSCHEDE
Weesp
Huizen
Veluwe
Deventer
Schiphol
Hilversum
APELDOORN
Haarlemmermeer
Borculo
LEIDEN
AMERSFOORT
LA HAYE
Rijswijk
ZOETERMEER
UTRECHT
Ede
Brummen
Achterhoek
Westland
Delft
Gouda
Veenendaal
ARNHEM
Doetinchem
Winterswijk
Europoort
ROTTERDAM
Lek
Renkum
Varsseveld
Culemborg
Betuwe
Leerdam
Tiel
Dodewaard
Amsterdam-Rijn
NIMÈGUE
Bocholt
DORDRECHT
Merwede
Waal
Meuse
Rhin
Oss
Bois-le-Duc
Waalwijk
Veghel
BREDA
Roosendaal
TILBURG
Helmond
GELSENKIRCHEN
BOTTROP
ESSEN
Middelburg
Goes
EINDHOVEN
MOERS
OBERHAUSEN
Flessingue
Sloehaven
Borssele
Venlo
DUISBOURG
Escaut occidental
KREFELD
Flandre
Terneuzen
Turnhout
WUPPERTAL
Sluiskil
zélandaise
Budel
Roermond
MÖNCHEN-GLADBACH
DÜSSELDORF
NEUSS
SOLINGEN
ANVERS
Canal Albert
Bonn
Rhin
LEVERKUSEN
Can. de Willebroek
Genk
Geleen
51
GAND
Escaut
Malines
Heerlen
COLOGNE
Alost
Hasselt
MAASTRICHT
Düren
BRUXELLES
AIX-LA-CHAPELLE
BONN
LIÈGE
Verviers
Meuse

UTILISATION DU SOL
Cultures
Économie mixte: cultures dominantes
Économie mixte: élevage dominant
Élevage
Légumes, fruits et fleurs
Forêts
Landes
Plages, dunes
Terrains industriels et portuaires
Agglomérations de plus de 100 000 habitants

MINES ET INDUSTRIE
Gisement de charbon
Pétrole
Gaz naturel
Oléoduc
Gazoduc
Raffinage pétrolier
Centrale nucléaire
Sel gemme
Sidérurgie
Autre métallurgie
Construction métallique
Construction navale

Construction automobile
Construction aéronautique
Industrie chimique
Industrie alimentaire
Industrie textile et des vêtements
Industrie des fibres artificielles
Industrie du papier
Industrie du bois
Électrotechnique
Industrie du cuir
Industrie céramique
Industrie du verre
Pneus et caoutchouc
Cimenterie

© WN Atlas Productions

Échelle 1 : 3 000 000

FRANCE

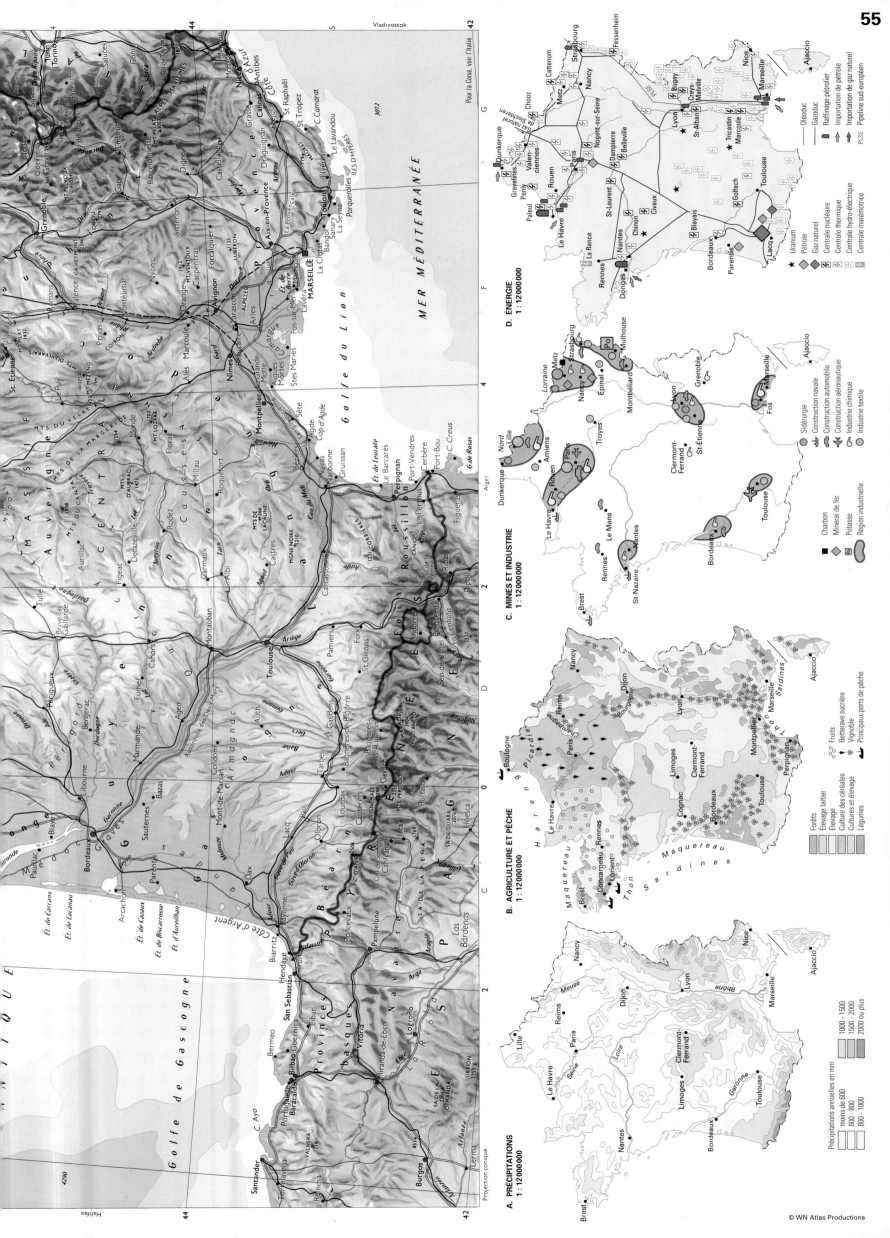

A. PRÉCIPITATIONS 1:12000000

B. AGRICULTURE ET PÊCHE 1:12000000

C. MINES ET INDUSTRIE 1:12000000

D. ÉNERGIE 1:12000000

© WN Atlas Productions

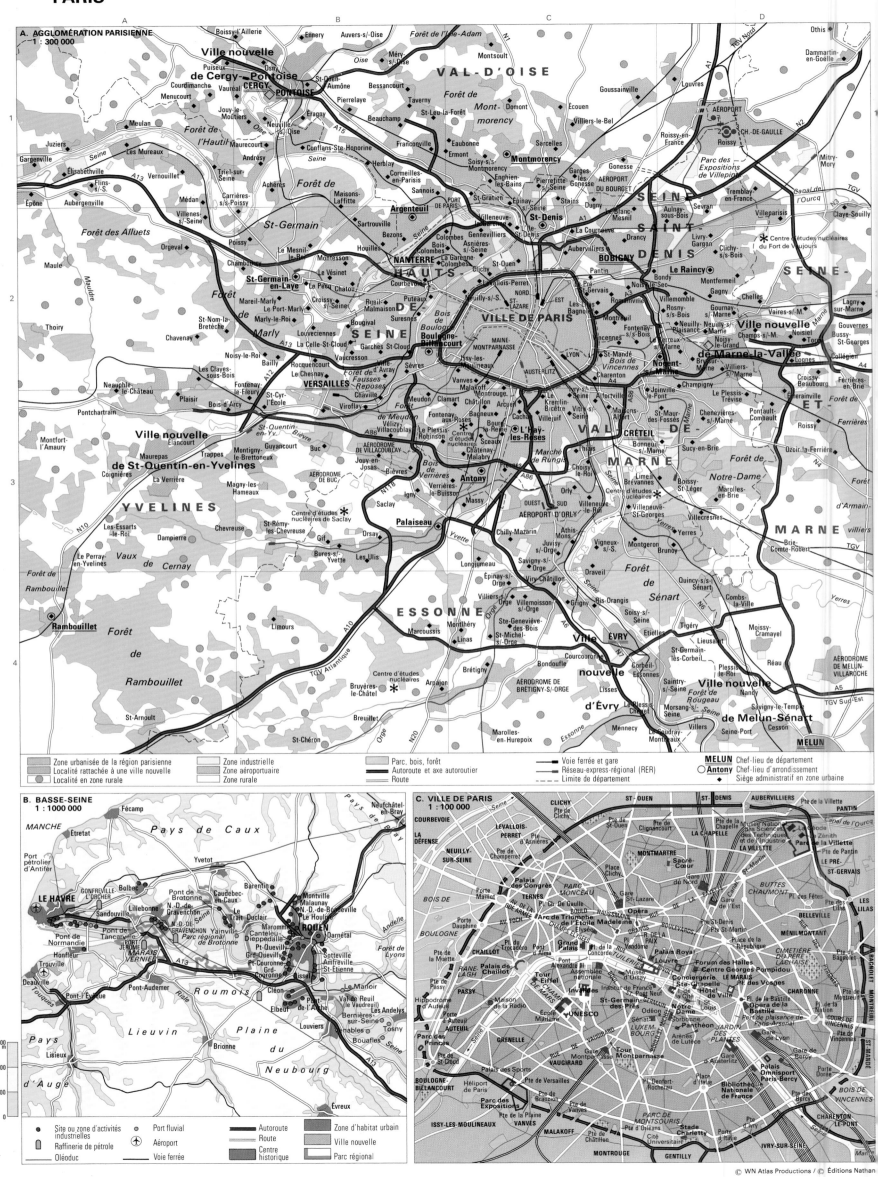

A. AGGLOMÉRATION PARISIENNE
1 : 300 000

B. BASSE-SEINE
1 : 1 000 000

C. VILLE DE PARIS
1 : 100 000

Zone urbanisée de la région parisienne
Localité rattachée à une ville nouvelle
Localité en zone rurale
Zone industrielle
Zone aéroportuaire
Zone rurale
Parc, bois, forêt
Voie ferrée et gare
Autoroute et axe autoroutier
Route
Réseau-express-régional (RER)
Limite de département

MELUN Chef-lieu de département
Antony Chef-lieu d'arrondissement
Siège administratif en zone urbaine

Site ou zone d'activités industrielles
Raffinerie de pétrole
Oléoduc
Port fluvial
Aéroport
Voie ferrée
Autoroute
Route
Centre historique
Zone d'habitat urbain
Ville nouvelle
Parc régional

EUROPE RHÉNANE

A. VOIES NAVIGABLES EN EUROPE OCCIDENTALE
1:4 000 000

Classes de navigabilité en fonction
des capacités de chargement en tonnes:

Voies navigables de 300 tonnes (spits)
Voies navigables de 600 tonnes (campinois)
Voies navigables de 1000 tonnes
(bateau du canal Dortmund-Ems)
Voies navigables de 1350 tonnes (bateau Europe)
Voies navigables de 2000 tonnes (Grand rhénan)
Navigation maritime

Canal ou rivière
canalisée avec écluses

Map A labels:

MER DU NORD — Baie de Kiel — Kiel — Can. de Kiel — Baie de Mer — Heligoland — Elbe — Eider — Can. Elbe-Lübeck — Can. latéral de l'Elbe — Hambourg — Bremerhaven — Brême — Weser — Wilhelmshaven — Emden — Ems — Delfzijl — Winschoten — Assen — Drachten — Groningue — Can. de l'Ems — Canal Dortmund-Ems — Osnabrück — Münster — Hamm — Dortmund — Canal Mittelland — Hanovre — Celle — Aller — Brunswick — Salzgitter — Minden — Munden — Kassel — Fulda — Werra — Bielefeld — Den Helder — Ijmuiden — Amsterdam — Amersfoort — Almelo — Enschede — Zwolle — Meppel — Lac d'IJssel — Lemmer — Zutphen — Arnhem — Nimègue — Rhin inf. — Lek — Waal — Tiel — Rhin-Herne — Duisbourg — Wesel — Krefeld — Düsseldorf — Cologne — Wesseling — Bonn — Rhin — Coblence — Lahn — Francfort — Wiesbaden — Main — Mayence — Spire — Worms — Mannheim — Neckar — Stuttgart — Würtzbourg — Canal Main-Danube — Bamberg — La Haye — Rotterdam — Dordrecht — Breda — Eindhoven — Venlo — Maastricht — Liège — Canal Albert — Louvain — Bruxelles — Anvers — Gand — Bruges — Zeebrugge — Ostende — Roulers — Ypres — Lille — Escaut — Douvres — Calais — Dunkerque — Boulogne-s-M. — Pas de Calais — Somme — Amiens — Compiègne — Aire — Can. de la Somme — St-Quentin — Can. de St-Quentin — Cambrai — Oise — Meaux — Paris — Seine — Sens — Auxerre — Can. du Nivernais — Can. de Briare — Briare — Marne — Épernay — Reims — Aisne — Aube — Canal Marne-Saône — Can. de la Marne — Vitry — Sedan — Verdun — Canal de l'Est — Metz — Moselle — Trèves — Sarre — Sarrebruck — Thionville — Luxembourg — Nancy — Strasbourg — Grand Canal d'Alsace — Rhin — Karlsruhe — Colmar — Mulhouse — Bâle — Rheinfelden — Schaffhouse — Chute — Constance — Lac de Constance — Bregenz — Zurich — SUISSE

B. BASSIN RHÉNAN: MINES ET INDUSTRIE

Gisement de charbon
Gisement de lignite
Minerai de fer
Potasse
Raffinage pétrolier
Industrie chimique
Zone industrielle

Sidérurgie
Construction métallique
Construction automobile
Électrotechnique
Production d'aluminium
Industrie textile

Map B labels:

MER DU NORD — PAYS-BAS — Utrecht — La Haye — Rotterdam — Europoort — Flessingue — Breda — Tilburg — Eindhoven — Arnhem — Nimègue — Rhin — Waal — Lek — Meuse — Osnabrück — Münster — Rhin-Ruhr — Lippe — Möhne — Ruhr — Emscher — Siegen — Sieg — Rhin-Wupper — Wupper — Aix-la-Chapelle — Heerlen — Liège — Gand — Anvers — Bruxelles — BELGIQUE — Charleroi — Sambre — Vallée de la Sambre — Vallée de la Meuse — Canal Albert — LUXEMBOURG — Coblence — Moselle — Nahe — Lahn — Giessen — Fulda — Kassel — Bielefeld — Weser — Werra — Rhin-Main — Schweinfurt — Main — Rhin-Neckar — Stuttgart — ALLEMAGNE — Neckar — Karlsruhe — Kinzig — Fribourg-en-Brisgau — Rheinfelden — Bâle — Zurich — Lucerne — Berne — Lausanne — SUISSE — AUTRICHE — L. de Constance — Rhin antérieur — Rhin postérieur — Ulm — Iller — Danube — Strasbourg — Ill — Colmar — Mulhouse — Belfort-Sochaux-Montbéliard — Doubs — Besançon — Dijon — Sarre — Sarre — Metz — Lorraine — Moselle — Nancy — Meurthe — Vallée de la Meurthe — Vallée de la Moselle — Langres — St-Dizier — Châlons-en-Champagne — Reims — Troyes — Seine — Marne — Aube — Canal de Bourgogne — FRANCE — Saône — Meuse

© WN Atlas Productions

EUROPE CENTRALE

Projection conique

Dans les territoires appartenant à l'Allemagne avant 1937, les noms de lieux précédemment allemands sont signalés entre parenthèses.

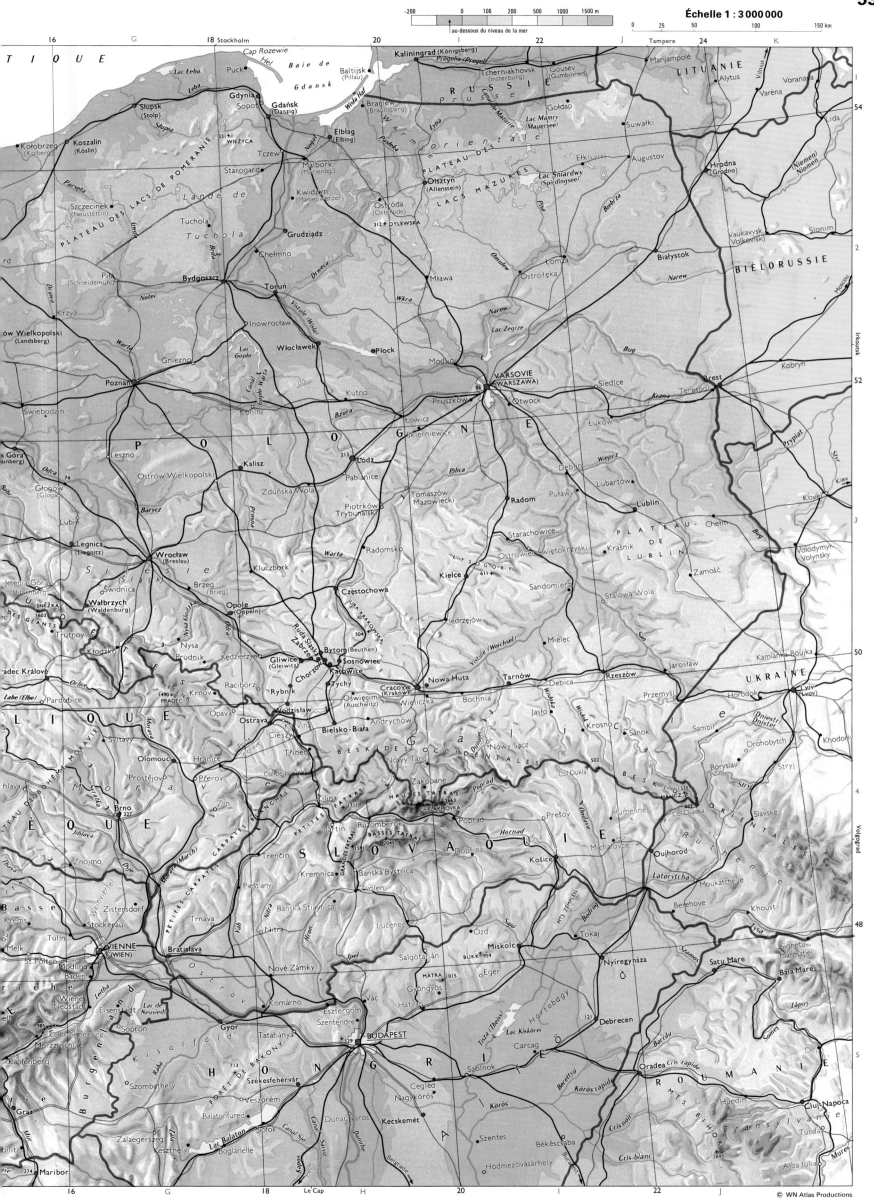

ALLEMAGNE

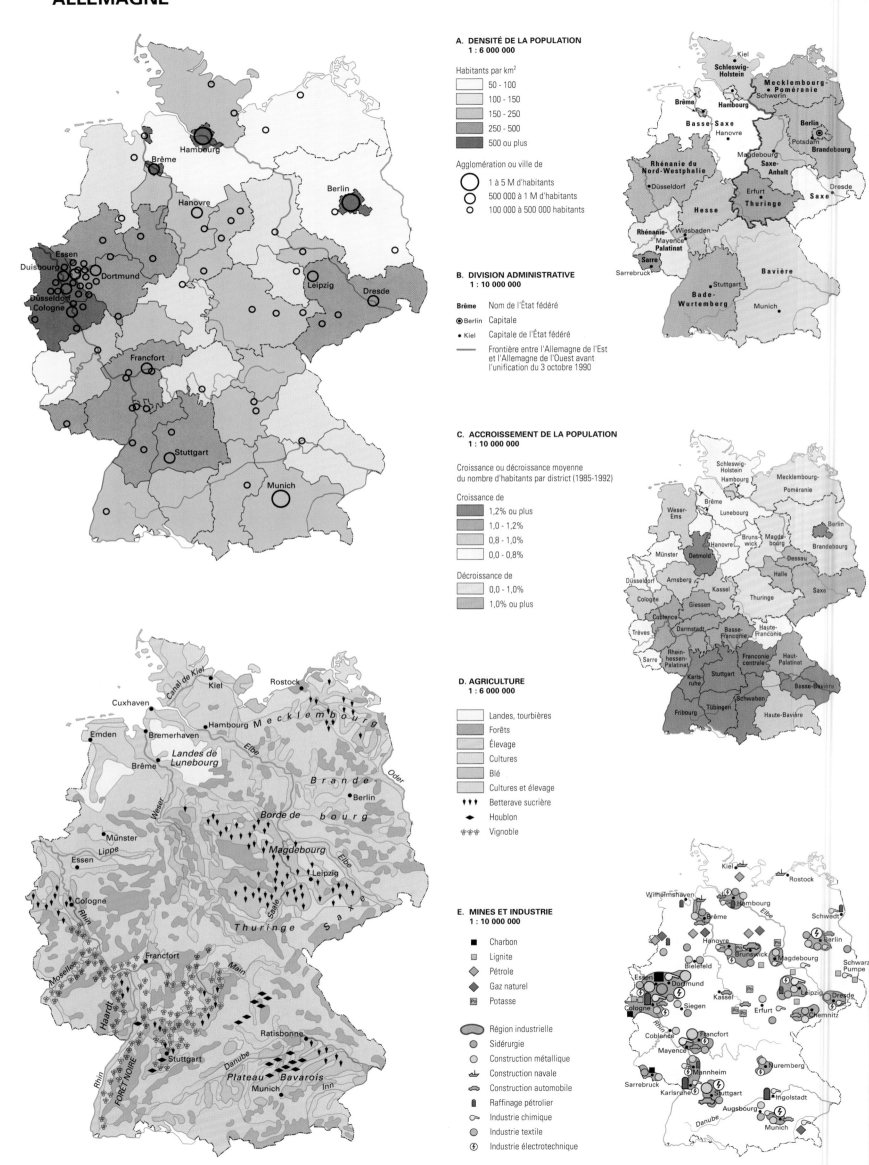

A. DENSITÉ DE LA POPULATION
1 : 6 000 000

Habitants par km²

- 50 - 100
- 100 - 150
- 150 - 250
- 250 - 500
- 500 ou plus

Agglomération ou ville de

- 1 à 5 M d'habitants
- 500 000 à 1 M d'habitants
- 100 000 à 500 000 habitants

B. DIVISION ADMINISTRATIVE
1 : 10 000 000

Brême Nom de l'État fédéré

⊙ Berlin Capitale

• Kiel Capitale de l'État fédéré

—— Frontière entre l'Allemagne de l'Est
et l'Allemagne de l'Ouest avant
l'unification du 3 octobre 1990

C. ACCROISSEMENT DE LA POPULATION
1 : 10 000 000

Croissance ou décroissance moyenne
du nombre d'habitants par district (1985-1992)

Croissance de

- 1,2% ou plus
- 1,0 - 1,2%
- 0,8 - 1,0%
- 0,0 - 0,8%

Décroissance de

- 0,0 - 1,0%
- 1,0% ou plus

D. AGRICULTURE
1 : 6 000 000

- Landes, tourbières
- Forêts
- Élevage
- Cultures
- Blé
- Cultures et élevage
- Betterave sucrière
- Houblon
- Vignoble

E. MINES ET INDUSTRIE
1 : 10 000 000

- Charbon
- Lignite
- Pétrole
- Gaz naturel
- Potasse

- Région industrielle
- Sidérurgie
- Construction métallique
- Construction navale
- Construction automobile
- Raffinage pétrolier
- Industrie chimique
- Industrie textile
- Industrie électrotechnique

© WN Atlas Productions

BASSIN DE LA RUHR

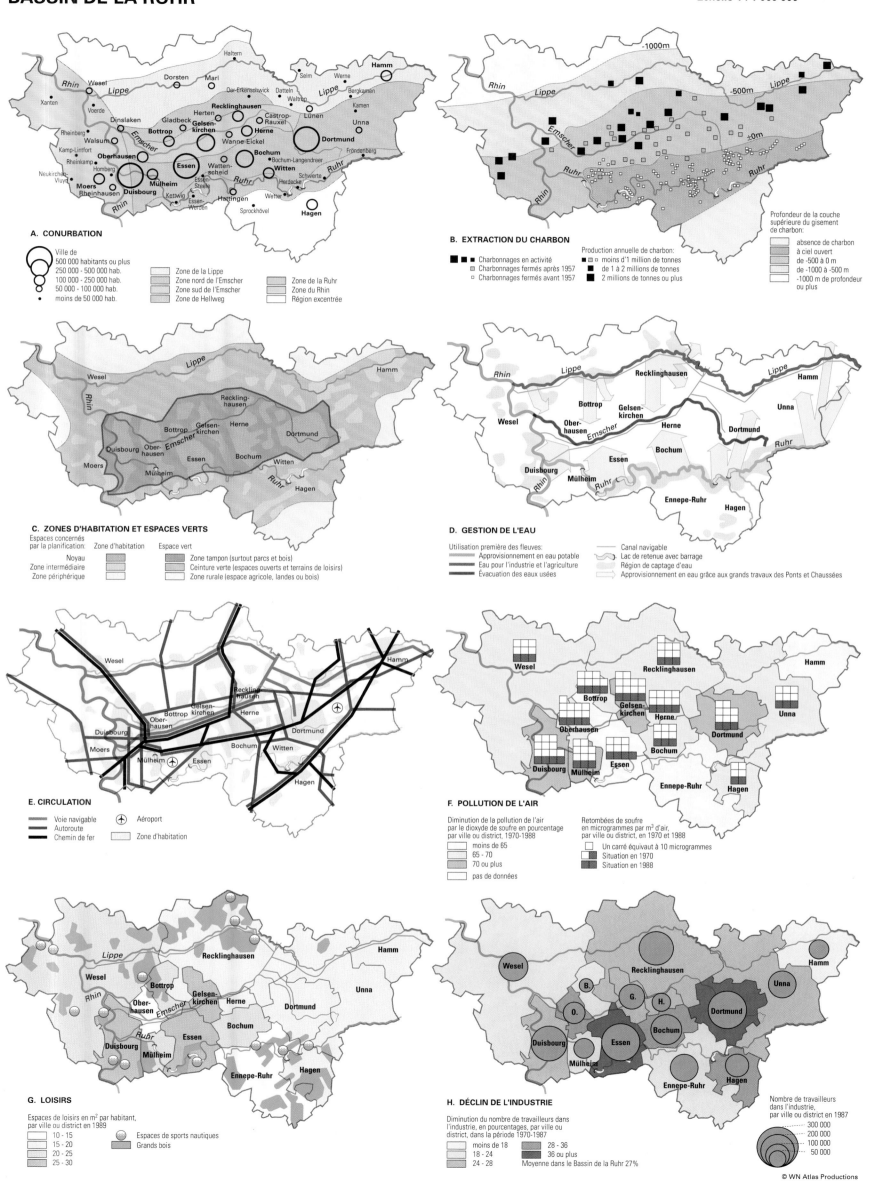

A. CONURBATION

Ville de
- 500 000 habitants ou plus
- 250 000 - 500 000 hab.
- 100 000 - 250 000 hab.
- 50 000 - 100 000 hab.
- moins de 50 000 hab.

- Zone de la Lippe
- Zone nord de l'Emscher
- Zone sud de l'Emscher
- Zone de Hellweg
- Zone de la Ruhr
- Zone du Rhin
- Région excentrée

B. EXTRACTION DU CHARBON

- Charbonnages en activité
- Charbonnages fermés après 1957
- Charbonnages fermés avant 1957

Production annuelle de charbon:
- moins d'1 million de tonnes
- de 1 à 2 millions de tonnes
- 2 millions de tonnes ou plus

Profondeur de la couche
supérieure du gisement
de charbon:
- absence de charbon
- à ciel ouvert
- de -500 à 0 m
- de -1000 à -500 m
- -1000 m de profondeur
ou plus

C. ZONES D'HABITATION ET ESPACES VERTS

Espaces concernés
par la planification:

Zone d'habitation
- Noyau
- Zone intermédiaire
- Zone périphérique

Espace vert
- Zone tampon (surtout parcs et bois)
- Ceinture verte (espaces ouverts et terrains de loisirs)
- Zone rurale (espace agricole, landes ou bois)

D. GESTION DE L'EAU

Utilisation première des fleuves:
- Approvisionnement en eau potable
- Eau pour l'industrie et l'agriculture
- Évacuation des eaux usées

- Canal navigable
- Lac de retenue avec barrage
- Région de captage d'eau
- Approvisionnement en eau grâce aux grands travaux des Ponts et Chaussées

E. CIRCULATION

- Voie navigable
- Autoroute
- Chemin de fer
- Aéroport
- Zone d'habitation

F. POLLUTION DE L'AIR

Diminution de la pollution de l'air
par le dioxyde de soufre en pourcentage
par ville ou district, 1970-1988
- moins de 65
- 65 - 70
- 70 ou plus
- pas de données

Retombées de soufre
en microgrammes par m³ d'air,
par ville ou district, en 1970 et 1988
- Un carré équivaut à 10 microgrammes
- Situation en 1970
- Situation en 1988

G. LOISIRS

Espaces de loisirs en m² par habitant,
par ville ou district en 1989
- 10 - 15
- 15 - 20
- 20 - 25
- 25 - 30
- Espaces de sports nautiques
- Grands bois

H. DÉCLIN DE L'INDUSTRIE

Diminution du nombre de travailleurs dans
l'industrie, en pourcentages, par ville ou
district, dans la période 1970-1987
- moins de 18
- 18 - 24
- 24 - 28
- 28 - 36
- 36 ou plus
- Moyenne dans le Bassin de la Ruhr 27%

Nombre de travailleurs
dans l'industrie,
par ville ou district en 1987
- 300 000
- 200 000
- 100 000
- 50 000

© WN Atlas Productions

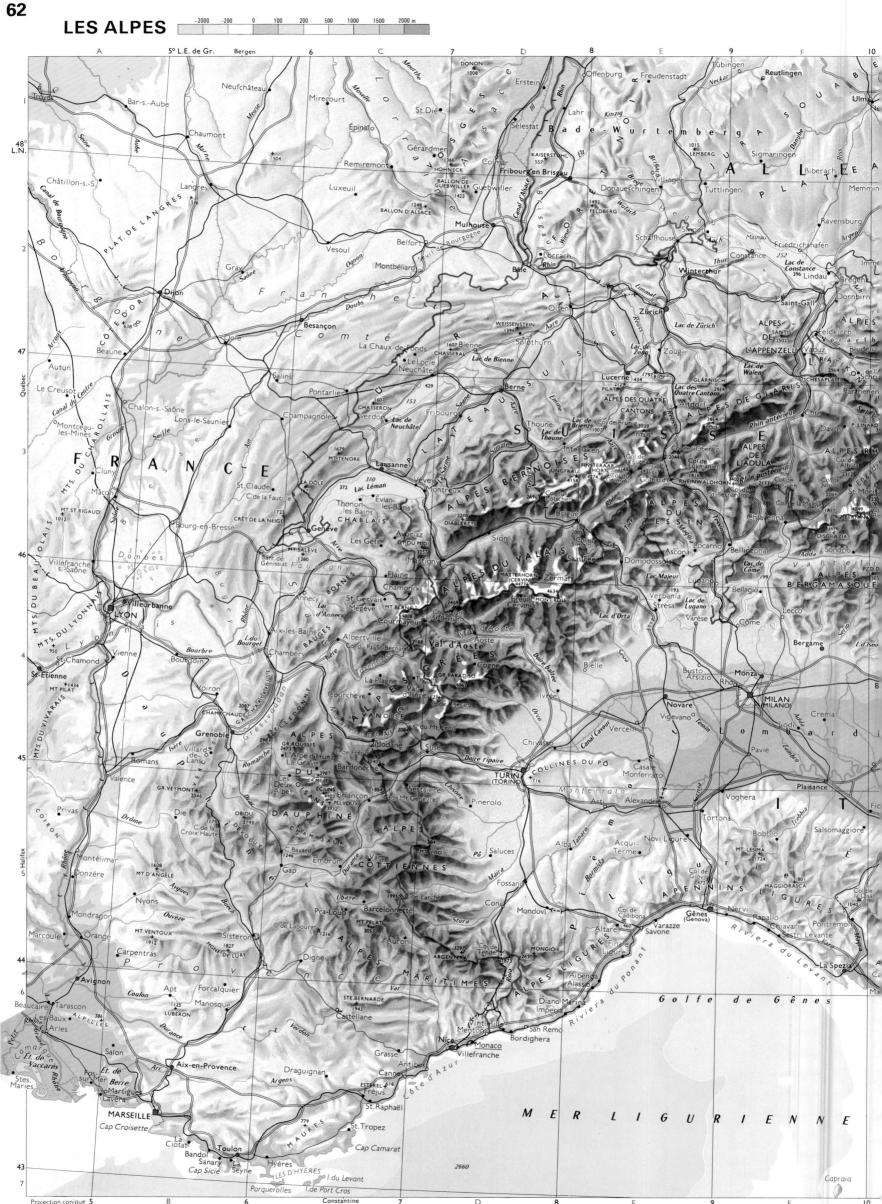

Échelle 1 : 2 000 000

0   25   50   75   100 km

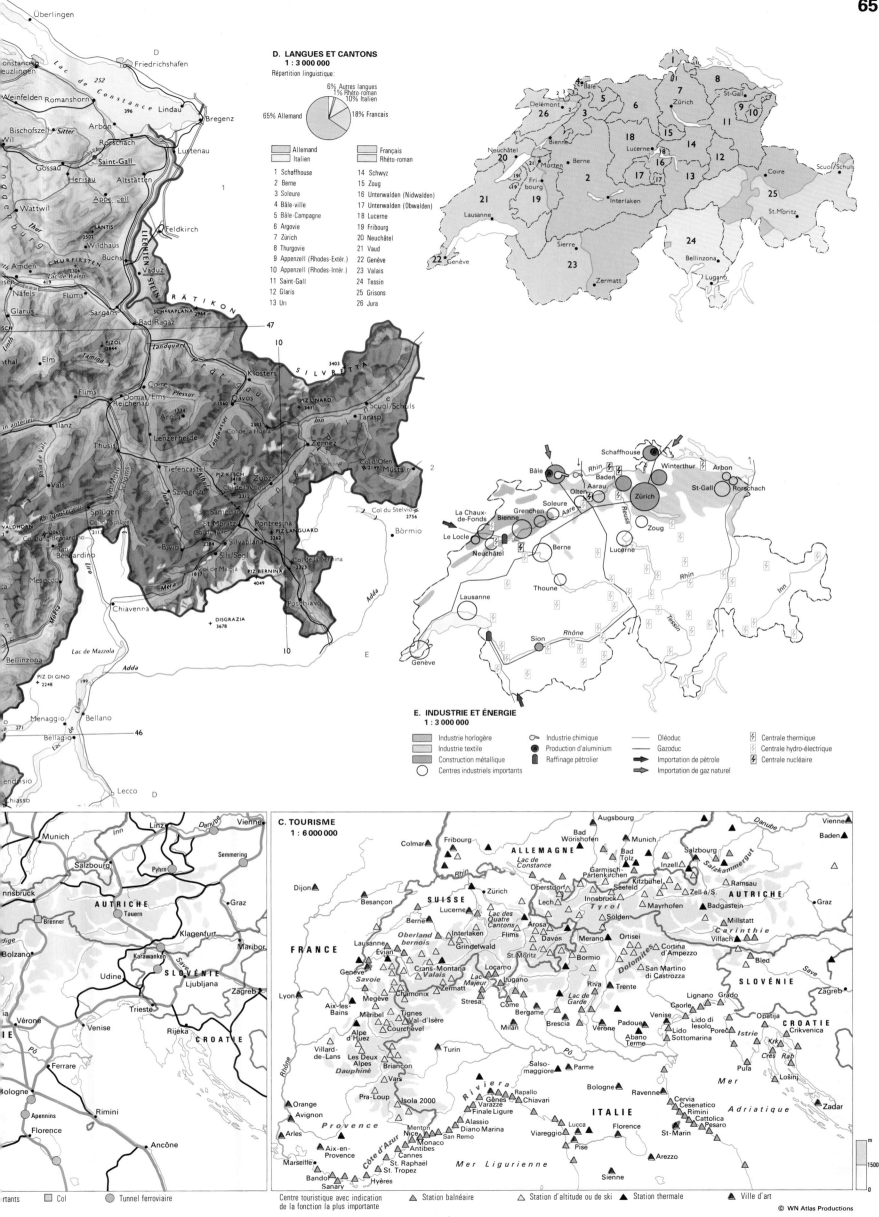

D. LANGUES ET CANTONS
1 : 3 000 000

Répartition linguistique:

6% Autres langues
1% Rhéto-roman
10% Italien
65% Allemand
18% Français

Allemand — Français
Italien — Rhéto-roman

1 Schaffhouse
2 Berne
3 Soleure
4 Bâle-ville
5 Bâle-Campagne
6 Argovie
7 Zürich
8 Thurgovie
9 Appenzell (Rhodes-Extér.)
10 Appenzell (Rhodes-Intér.)
11 Saint-Gall
12 Glaris
13 Uri
14 Schwyz
15 Zoug
16 Unterwalden (Nidwalden)
17 Unterwalden (Obwalden)
18 Lucerne
19 Fribourg
20 Neuchâtel
21 Vaud
22 Genève
23 Valais
24 Tessin
25 Grisons
26 Jura

E. INDUSTRIE ET ÉNERGIE
1 : 3 000 000

Industrie horlogère
Industrie textile
Construction métallique
○ Centres industriels importants

Industrie chimique
● Production d'aluminium
Raffinage pétrolier

— Oléoduc
— Gazoduc
→ Importation de pétrole
→ Importation de gaz naturel

Centrale thermique
Centrale hydro-électrique
Centrale nucléaire

C. TOURISME
1 : 6 000 000

ALLEMAGNE
SUISSE
AUTRICHE
FRANCE
ITALIE
SLOVÉNIE
CROATIE

△ Station balnéaire
△ Station d'altitude ou de ski
▲ Station thermale
▲ Ville d'art

Centre touristique avec indication de la fonction la plus importante

□ Col
● Tunnel ferroviaire

© WN Atlas Productions

LE BASSIN MÉDITERRANÉEN

A. AGRICULTURE ET MINES
1 : 12 000 000

Culture des céréales
Agriculture méditerranéenne
Cultures variées et élevage
Riz
Tabac
Betterave sucrière
Tournesol
Vignoble
Cultures de roses
Agrumes
Arbuste à thé
Oliviers
Dattiers
Cotonnier
Chêne-liège
Élevage intensif
Élevage extensif
Forêts et maquis
Improductif

B. PRÉCIPITATIONS ANNUELLES EN MM
1 : 45 000 000

moins de 200
200-500
500-1000
1000-2000
2000 ou plus
Courant marin relativement chaud

C. DENSITÉ DE LA POPULATION
1 : 24 000 000

Habitants par km²
moins de 1
1 - 10
10 - 50
50 - 100
100 - 200
200 ou plus

Agglomération ou ville de
5 M d'habitants ou plus
1 à 5 M d'habitants
500 000 à 1 M d'habitants

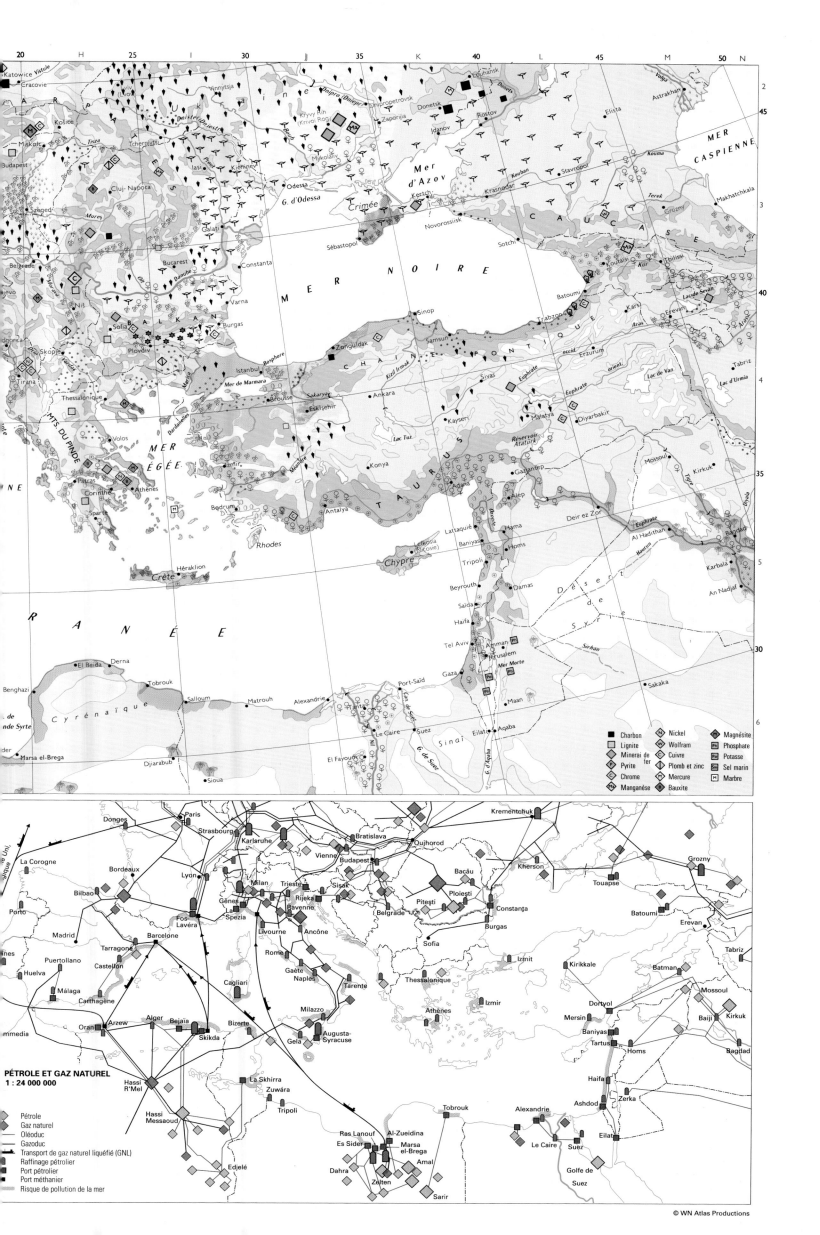

PÉTROLE ET GAZ NATUREL
1 : 24 000 000

◆ Pétrole
◆ Gaz naturel
— Oléoduc
— Gazoduc
➤ Transport de gaz naturel liquéfié (GNL)
■ Raffinage pétrolier
▮ Port pétrolier
■ Port méthanier
▬ Risque de pollution de la mer

Légende des minéraux :

■ Charbon	◈ Nickel	◆ Magnésite
□ Lignite	◈ Wolfram	℗ʰ Phosphate
◆ Minerai de fer	◈ Cuivre	℗ₒ Potasse
◈ Pyrite	◈ Plomb et zinc	℗ₘ Sel marin
◈ Chrome	◈ Mercure	Ⓜ Marbre
◈ Manganèse	◈ Bauxite	

ESPAGNE ET PORTUGAL

9° L.O. de Gr.

A   B   5   D   3   E

C. Ortegal
Pnte. Estaca de Bares
Ortigueira
C. de Peñas
O Ferrol
Viveiro
Navia
Avilés
C. Ajo
Bermeo
Bay.
La Corogne
Ribadeo
Luarca
Gijón
Villaviciosa
Llanes
Santander
San Sebastián
Biarritz
Carballo
PIC DE CUADRAMON 1056
Mondoñedo
Pravia
Oviedo
Torrelavega
Altamira
Portugalete
Guernica
Eibar
Irún
Betanzos
Vilalba
Tineo
Mieres
Baracaldo
Bilbao
Pays
43° L.N.
Galice
Lugo
Cangas
PICO DE EUROPA 2648
PEÑA PRIETA 2533
Reinosa
VALNERA 1707
Vitoria
Basque
C. Finisterre
Tambre
Santiago de Compostella
Monforte de Lemos
PEÑA UBIÑA 2417
Conde de Tajana
León 802
MONTS CANTABRIQUES
Cantabrie
Miranda
La Rioja
Navarre
Ulla
A Estrada
PIC DE CUIÑA 1997
Astorga
Sahagún
Palencia
Burgos
SA DE LA DEMANDA 2305
URBION 2228
Logroño
Arga
Ebre
Ria de Muros e Noia
Vilagarcia de Arousa
Ponferrada
Benavente
Castille
Lerma
Aranda de Duero
Soria
MONCAYO 2316
Tudela
Tarazona
Ria de Arousa
Pontevedra
Ourense
CABEZA DE MANZANEDA 1778
EL TELENO 2188
SA DE CABRERA 2047
Zamora
Valladolid 691
Aranzón
Arlanza
Almazán
Medinaceli
Calatayud
Ria de Pontevedra
Ribadavia
Lac de Sanabria
Tordesillas
Campos
Douro
Ria de Vigo
Vigo
Tui
Minho
Chaves
Bragance
Medina del Campo
Segovia
PEÑALARA 2430
Sigüenza
SA
Viana do Castelo
Limia
SA DA GEREZ 1755
Tras os Montes
Salamanque
SIERRA DE GUADARRAMA
Brihuega
Laguna de Gallo
Braga
Guimarães
Vila Real
PAÍS DO VINHO
Lamego
Guarda
SA DE PEÑA DE FRANCIA 1723
Ávila
PEÑALARA 1444
El Escorial
Guadalajara
Ojos
41°
Porto
Vila Nova de Gaia
SA DO MARÃO 1415
Viseu
Ciudad Rodrigo
CHAINES DE
Béjar
PIC DE ALMANZOR 2592
SA DE GREDOS
MADRID
Alcalá de Henares
SERRANIA DE CUENCA
S. FELIPE 1839
Matosinhos
Ovar
SA DA LAPA 1010
Pinhel
MESAS 1268
SIERRA DE GATA
Plasencia
La Vera
Talavera de la Reina
Mostoles
Aranjuez
Ocaña
Cuenca 923
Ria de Aveiro
Aveiro
Mondego
SA DA ESTRELA 1991 TORRE
Covilhã
Agueda
Alagón
La Mancha
Coimbra
C. Mondego
Figueira da Foz
Elías
Alcántara
Trujillo 1603
MONTS DE TOLEDE 1419
Toléde 450
Mora
Orgaz
Alcázar
Leiria
Fátima
Tomar
Abrantes
Castelo Branco
Cáceres
SA DE GUADALUPE
Herrera del Duque
Manzanares
Albacete
Tage (Tajo)
Santarém
Portalegre
SA DE SAN PEDRO
Alburquerque 676
Mérida
Don Benito
La Serena
Almadén
Ciudad Real
Valdepeñas
Campo de Montiel
Mafra
Estremoz
Elvas
Badajoz
Olivenza
Tierra de Barros
Zújar
Cabeza
Almodóvar
Puertollano
Jabalón
SA DE ALCARAZ 798
Lisbonne
Barreiro
Évora
SA DE OSSA 698
Zafra
Matachel
Los Pedroches
SIERRA MORENA
Cascais
Estoril
Almada
Setúbal
Jerez de los Caballeros
Ardila
Llerena
Bélmez
Guadiato
La Carolina
Segura
C. Espichel
B. de Setúbal
Beja
Moura
SA DE TUDIA 1104
El Pedroso
Linares
Úbeda
Sines
Serpa
SA DE ARACENA 912
Nerva
Montoro
Andújar
Baeza
SA DE SEGURA 2381
Mértola
Tharsis
Odiel
Rio Tinto
Cordoue
Jaén
SA MÁGINA 2167
Guadalquivir
Lagos
Portimão
Albufeira
Faro
Olhão
Ayamonte
Huelva
Palos
La Palma
Séville
Carmona
Écija
La Campiña
Baena
Lucena
Baza
SA DE LOS FILABRES
C. São Vicente
Sagres
Tavira
Arenas Gordas
Las Marismas
Utrera
Osuna
Puente-Genil
Iznalloz
Grenade
SIERRA NEVADA
MULHACÉN 3478
Almería
C. de Gata
37°
Golfe de Cadix
Sanlúcar de Barrameda
Lebrija
Morón de la Frontera
Antequera
Loja
La Vega
VELETA 3392
Vélez-Málaga
Motril
Roquetas de Mar
Jerez de la Frontera
Arcos de la Frontera
Ronda
SERRANIA DE RONDA
TORRECILLA 1919
Málaga
Coin
Nerja
Cadix
Pto. de Sta. María
S. Fernando
SA DE GADOR
Guadalete
Marbella
Torremolinos
Fuengirola
C. Trafalgar
Algésiras
Tarifa
La Línea
Gibraltar (R.-U.)
Estepona
MÉDITE
OCÉAN ATLANTIQUE
Pte. Marroqui
Détroit de Gibraltar
Alborán (Esp.)
C. Spartel
Tanger
Ceuta (Esp.)
DJ. MUSA 848
Tétouan
Asilah
CHAINE DU RIF
C. Tres Forcas
Melilla (Esp.)
Larache
Chaouen
Al Hoceima
Nador
MAROC

Échelle 1 : 3 000 000

0 25 50 100 150 km

-4000 -2000 -200 0 100 200 500 1000 1500 m
au-dessous du niveau de la mer

Échelle 1 : 12 000 000

A. PRÉCIPITATIONS

La Corogne
Bilbao
Porto
Valladolid
Saragosse
Barcelone
Madrid
Palma
Lisbonne
Valence
Cordoue
Séville
Grenade

Précipitations annuelles en mm
moins de 300
300 - 500
500 - 1000
1000 - 1600
1600 ou plus

B. DENSITÉ DE LA POPULATION

Asturies
Cantabrique
Pays Basque
Galice
Navarre
La Rioja
Castille-León
Aragón
Catalogne
Madrid
PORTUGAL
ESPAGNE
Estrémadure
València
Castille-La Manche
Baléares
Murcie
Andalousie

Habitants par km²
moins de 25
25 - 50
50 - 100
100 - 200
200 ou plus

Pour la signification des cercles, voir légende générale

Galice Nom et limite d'une région autonome (Espagne)

C. MINES ET INDUSTRIE

La Corogne
Oviedo
Bilbao
Valladolid
Saragosse
Porto
Barcelone
Madrid
Palma
Lisbonne
Valence
Cordoue
Séville
Carthagène
Grenade

Région industrielle
Mineral de fer
P Pyrite
W Wolfram (tungstène)
C Cuivre
Plomb et zinc
M Mercure
Po Potasse
Sm Sel marin

Centrale thermique
Lignite
Centrale hydro-électrique
Pétrole
Centrale nucléaire
Charbon
Uranium

D. TOURISME

Costa Verde
Côte Cantabrique
Côte Basque
Rías Bajas
Costa Verde
Costa Brava
Costa de Prata
Costa Dorada
Madrid
Costa del Azahar
Majorque
Baléares
Ibiza
Lisbonne
Costa Blanca
Algarve
Costa de la Luz
Costa del Sol

Algarve Région touristique importante

30
20
10
5
2,5

Nombre de logements par région dans les hôtels et les campings, en millions (1992)

Pays d'origine des touristes
Espagne
Portugal
Allemagne
Benelux
France
Royaume-Uni
Italie
É.-U., Canada
Autres pays

Iles Canaries
Tenerife
Gran Canaria

ITALIE

Échelle 1 : 3000000

150 km

HONGRIE

CROATIE

SLOVÉNIE

BOSNIE

HERZÉGOVINE

MER ADRIATIQUE

ÎLES DALMATES

MTS DINARIQUES

Zagreb
Maribor
Ljubljana
Rijeka
Trieste
Udine
Venise (Venezia)
Padoue
Vérone
Vicence
Trente
Bolzano
Brescia
Bergame
MILAN (MILANO)
Côme
Monza
Pavie
Plaisance
Parme
Reggio d'Emilie
Modène
Bologne
Ferrare
Rovigo
Ravenne
Forlì
Cesena
Rimini
Cattolica
Pesaro
Fano
Ancône
Senigallia
Macerata
Loreto
Ascoli Piceno
Teramo
Pescara
Chieti
L'Aquila
Terni
Rieti
Spoleto
Foligno
Pérouse
Assise
Arezzo
Florence (Firenze)
Prato
Pistoie
Lucques
Pise
Livourne
Sienne
Grosseto
Orvieto
Viterbe
Civitavecchia
ROME (ROMA)
Cité du Vatican
Frascati
Latina
NAPLES
Caserta
Bénévent
Avellino
Campobasso
Foggia
Manfredonia
Barletta
Trani
Bari
Molfetta
Monopoli
Turin (Torino)
Nice
Cannes
Monaco
Gênes (Genova)
La Spézia
Novare
Alexandrie
Asti
Cuneo

MER LIGURIENNE

GOLFE DE GÊNES

ARCHIPEL TOSCAN

CORSE
Bastia
Ajaccio
Bonifacio
Calvi
Corte
Porto-Vecchio

FRANCE

ALPES

MTS APENNINS

TOSCANE

OMBRIE

ABRUZZES

CAMPANIE

POUILLE

L. de Garde
L. Majeur
Lac de Côme
Lac de Bolsena
Lac de Bracciano
L. Trasimène

Pô
Adige
Tibre (Tevere)
Arno

8° L.E. de Gr.

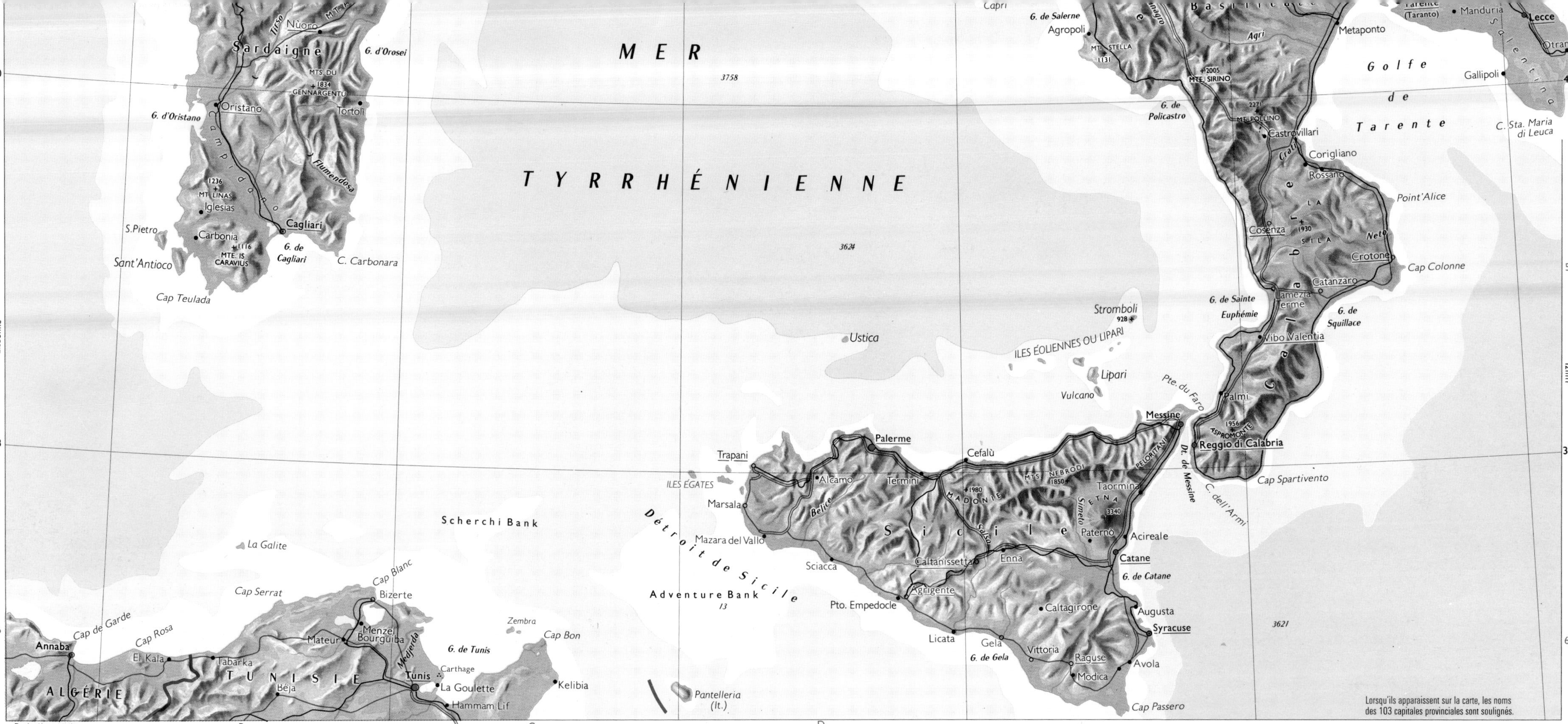

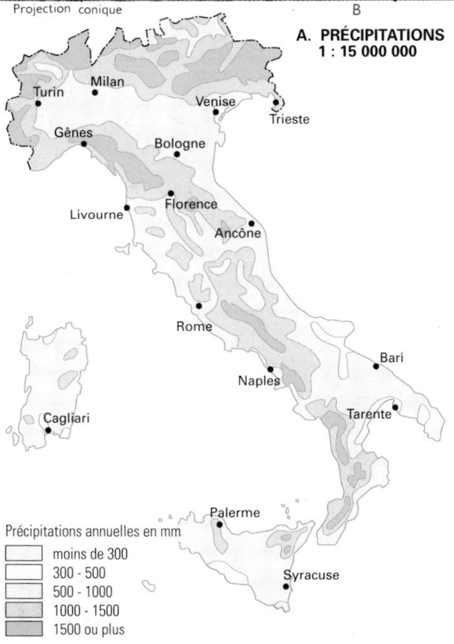

MER TYRRHÉNIENNE

Main map labels

Golfe de Tarente

Metaponto
Manduria
Gallipoli
C. Sta. Maria di Leuca
Orante
Lecce

Point'Alice
Cap Colonne
Crotone
Coriglano
Rossano
Castrovillari
Catanzaro
Cosenza
Lamezia Terme
Vibo Valentia
Palmi
Reggio di Calabria
C. dell'Armi
Cap Spartivento
Cap Passero

G. de Squillace
G. de Sainte Euphémie
G. de Policastro
G. de Salerne
Agropoli
Capri

Messine
Dt. de Messine
Pte. du Faro
Stromboli 928
ILES ÉOLIENNES OU LIPARI
Lipari
Vulcano
Ustica

Taormine
Acireale
Catane
G. de Catane
Augusta
Syracuse
Avola
ETNA 3340
Paterno
Simeto
Enna
Caltagirone
Vittoria
Modica
Raguse
Gela
G. de Gela
Licata
Agrigente
Caltanissetta
Cefalù
Termini
Palerme
Alcamo
Trapani
Marsala
Mazara del Vallo
Sciacca
Pto. Empedocle

S I C I L E
MADONIE
NEBRODI
Belice
Salso

Détroit de Sicile
Adventure Bank
Pantelleria (It.)
ILES ÉGATES

Scherchi Bank
La Galite
Zembra
Cap Bon
Kelibia
Hammam Lif
La Goulette
Carthage
Tunis
Menzel Bourguiba
Mateur
Bizerte
Cap Blanc
Cap Serrat
Cap de Garde
Cap Rosa
Annaba
El Kala
Tabarka
Béja
T U N I S I E
A L G É R I E

Sardaigne
Nuoro
Oristano
Cagliari
G. de Cagliari
G. d'Oristano
G. d'Orosei
Tortoli
Iglesias
Carbonia
S. Pietro
Sant'Antioco
Cap Teulada
Cap Carbonara
MTE. IS. CARAVUS
MTE LINAS
GENNARGENTU
Campidano
Flumendosa

MER TYRRHÉNIENNE

Izmir
Lisbonne

Projection conique

A. PRÉCIPITATIONS 1 : 15 000 000

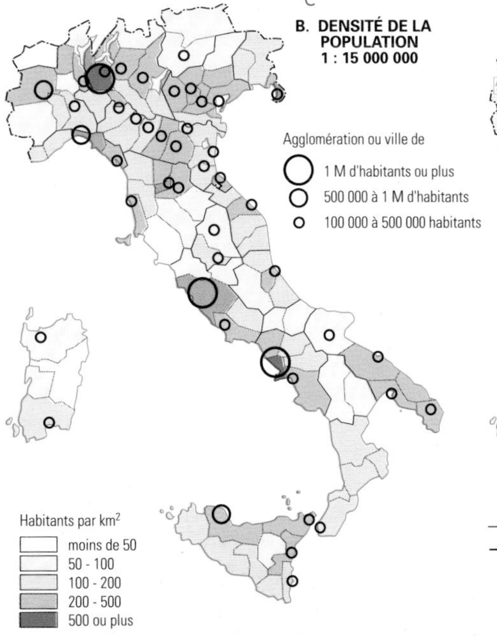

Précipitations annuelles en mm
moins de 300
300 - 500
500 - 1000
1000 - 1500
1500 ou plus

Milan
Turin
Gênes
Venise
Trieste
Bologne
Florence
Livourne
Ancône
Rome
Naples
Bari
Tarente
Palerme
Syracuse
Cagliari

B. DENSITÉ DE LA POPULATION 1 : 15 000 000

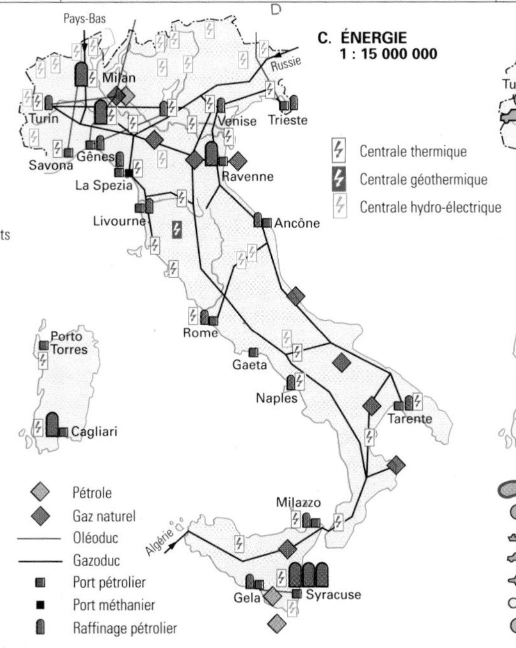

Habitants par km²
moins de 50
50 - 100
100 - 200
200 - 500
500 ou plus

Agglomération ou ville de
1 M d'habitants ou plus
500 000 à 1 M d'habitants
100 000 à 500 000 habitants

C. ÉNERGIE 1 : 15 000 000

Pétrole
Gaz naturel
Oléoduc
Gazoduc
Port pétrolier
Port méthanier
Raffinage pétrolier

Centrale thermique
Centrale géothermique
Centrale hydro-électrique

Pays-Bas
Russie
Turin
Milan
Gênes
Savona
La Spezia
Livourne
Venise
Trieste
Ravenne
Ancône
Rome
Gaeta
Naples
Tarente
Milazzo
Gela
Syracuse
Cagliari
Porto Torres
Algérie

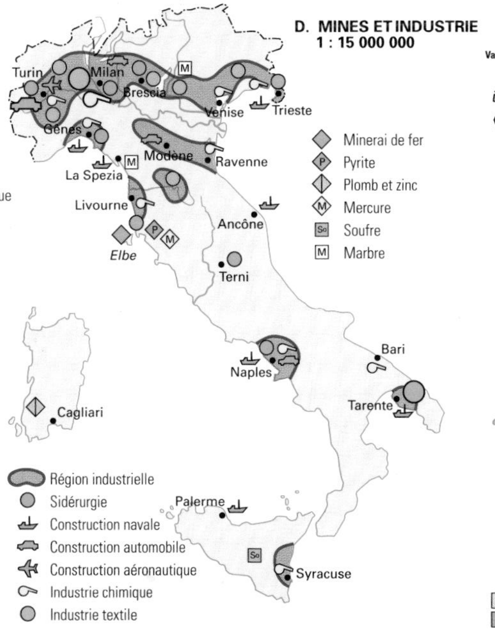

D. MINES ET INDUSTRIE 1 : 15 000 000

Minerai de fer
Pyrite
Plomb et zinc
Mercure
Soufre
Marbre

Région industrielle
Sidérurgie
Construction navale
Construction automobile
Construction aéronautique
Industrie chimique
Industrie textile

Turin
Milan
Brescia
Gênes
La Spezia
Livourne
Elbe
Venise
Trieste
Ravenne
Modène
Ancône
Terni
Naples
Bari
Tarente
Palerme
Syracuse
Cagliari

E. RÉGIONS 1 : 15 000 000

Régions
Régions autonomes

Val d'Aoste
Piémont
Ligurie
Lombardie
Trentin-Haut Adige
Vénétie
Frioul-Vénétie-Julienne
Émilie-Romagne
Toscane
Ombrie
Marches
Latium
Abruzzes
Molise
Campanie
Pouilles
Basilicate
Calabre
Sicile
Sardaigne

Lorsqu'ils apparaissent sur la carte, les noms des 103 capitales provinciales sont soulignés.

EUROPE DU SUD-EST

Échelle 1 : 4 500 000

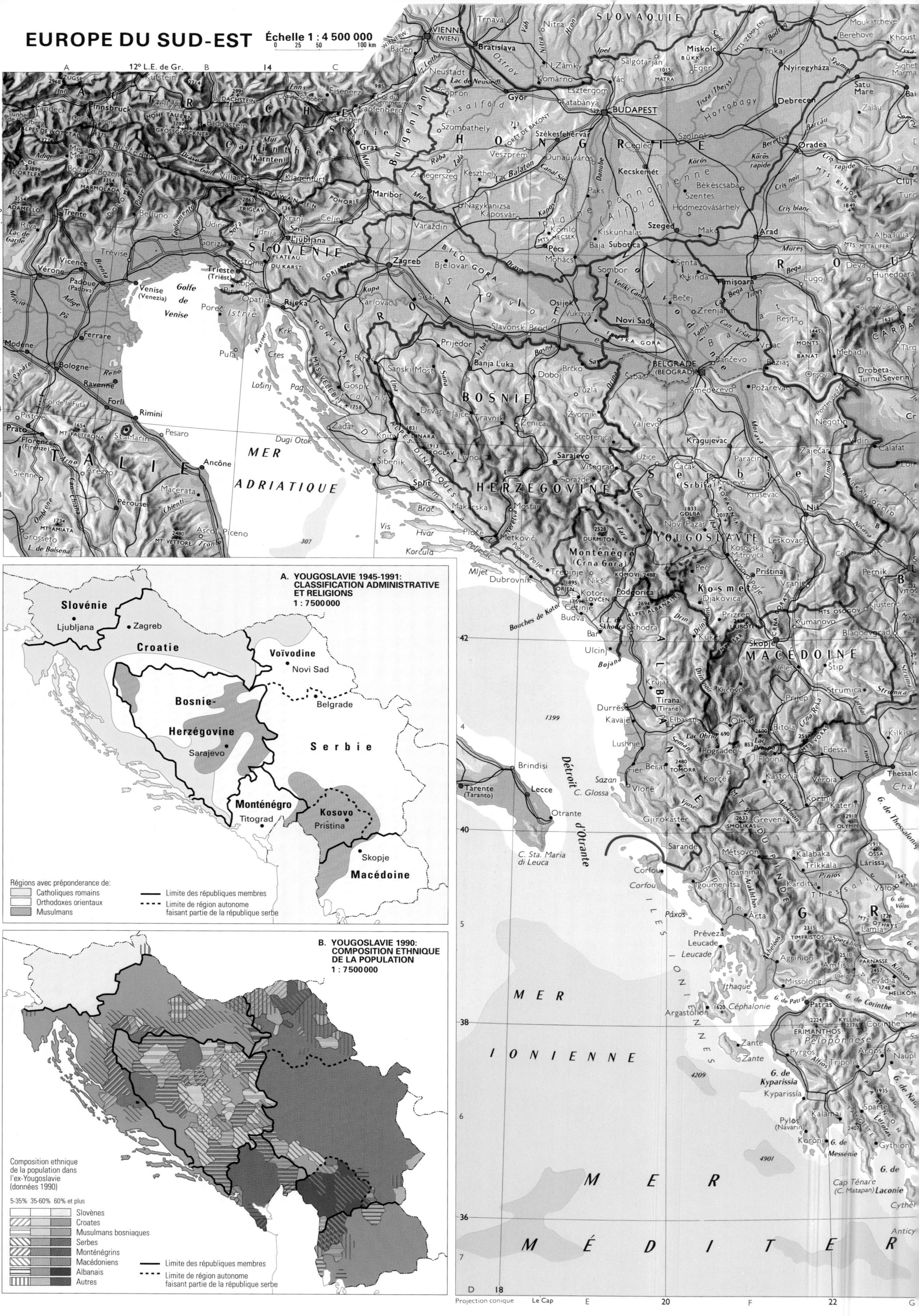

0 25 50   100 km

A. YOUGOSLAVIE 1945-1991 : CLASSIFICATION ADMINISTRATIVE ET RELIGIONS
1 : 7 500 000

Slovénie — Ljubljana
Zagreb
Croatie
Voïvodine — Novi Sad
Bosnie-Herzégovine
Sarajevo
Serbie
Belgrade
Monténégro — Titograd
Kosovo — Pristina
Skopje
Macédoine

Régions avec prépondérance de :
Catholiques romains
Orthodoxes orientaux
Musulmans

Limite des républiques membres
Limite de région autonome faisant partie de la république serbe

B. YOUGOSLAVIE 1990 : COMPOSITION ETHNIQUE DE LA POPULATION
1 : 7 500 000

Composition ethnique de la population dans l'ex-Yougoslavie (données 1990)

5-35 % 35-60 % 60 % et plus
Slovènes
Croates
Musulmans bosniaques
Serbes
Monténégrins
Macédoniens
Albanais
Autres

Limite des républiques membres
Limite de région autonome faisant partie de la république serbe

MER ADRIATIQUE

MER IONIENNE

MER MÉDITERRANÉE

Projection conique   Le Cap

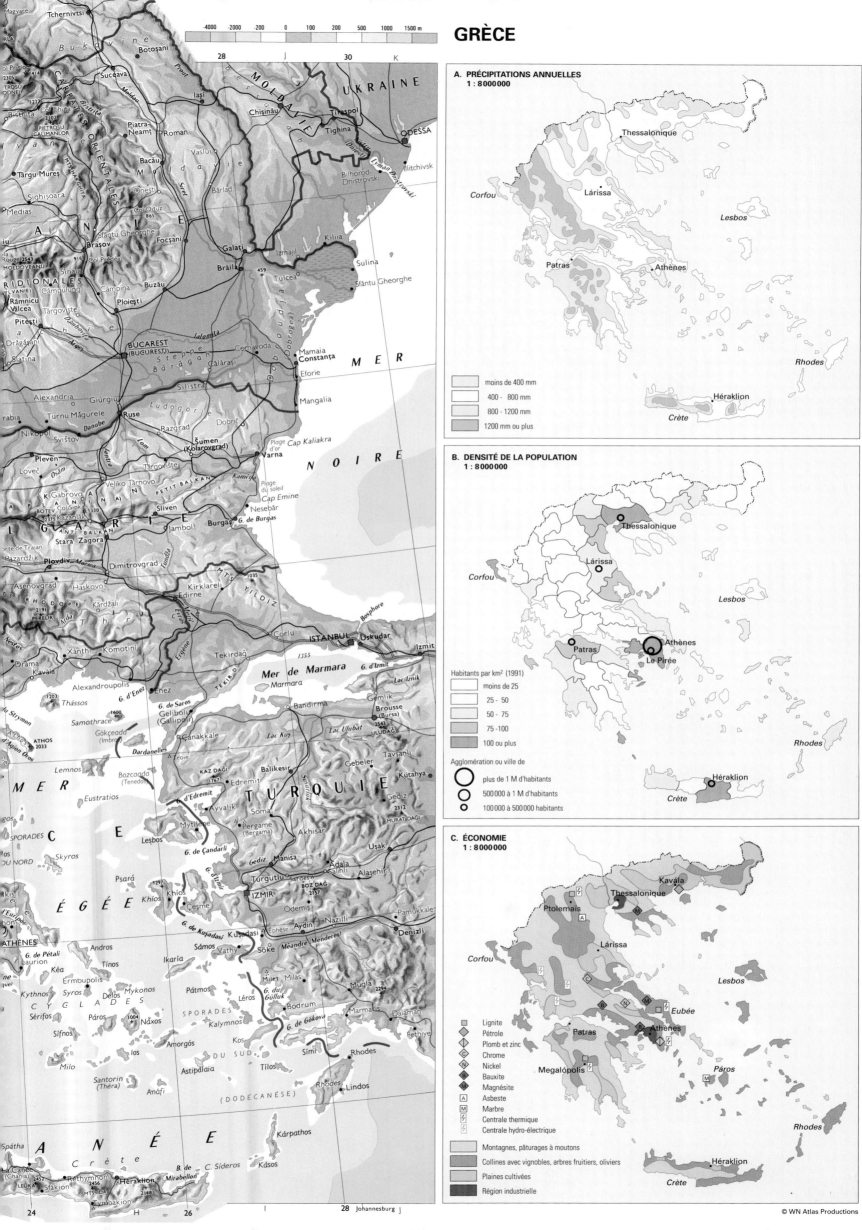

GRÈCE

A. PRÉCIPITATIONS ANNUELLES
1 : 8 000 000

moins de 400 mm
400 - 800 mm
800 - 1200 mm
1200 mm ou plus

B. DENSITÉ DE LA POPULATION
1 : 8 000 000

Habitants par km² (1991)
moins de 25
25 - 50
50 - 75
75 -100
100 ou plus

Agglomération ou ville de

plus de 1 M d'habitants

500 000 à 1 M d'habitants

100 000 à 500 000 habitants

C. ÉCONOMIE
1 : 8 000 000

Lignite
Pétrole
Plomb et zinc
Chrome
Nickel
Bauxite
Magnésite
Asbeste
Marbre
Centrale thermique
Centrale hydro-électrique

Montagnes, pâturages à moutons
Collines avec vignobles, arbres fruitiers, oliviers
Plaines cultivées
Région industrielle

© WN Atlas Productions

EUROPE ORIENTALE

Échelle 1 : 9 000 000

400 km
300
200
100
50
0

5000 m
1500
500
200
100
0
-200
-2000

au-dessous du niveau de la mer

MER DE KARA

MER DE BARENTS

MER BLANCHE

Péninsule de Kola

Péninsule de Kanine

NORVÈGE

SUÈDE

FINLANDE

ESTONIE

LETTONIE

LITUANIE

RUSSIE

MOSCOU

SAINT-PÉTERSBOURG

Helsinki (Helsingfors)

STOCKHOLM

Oslo

MER BALTIQUE

TURKMENISTAN

MER CASPIENNE

KAZAKHSTAN

RUSSIE

UKRAINE

BIÉLORUSSIE

POLOGNE

SLOVAQUIE

HONGRIE

ROUMANIE

MOLDAVIE

BULGARIE

MACÉDOINE

GRÈCE

TURQUIE

GÉORGIE

ARMÉNIE

AZERBAÏDJAN

IRAN (PERSE)

SYRIE

IRAK

MER NOIRE

Mer d'Azov

Mer de Marmara

MER ÉGÉE

CRIMÉE

PONTIQUES

CAUCASE

ELBOURZ

PLATEAU D'OUST-OURT

TÉHÉRAN

BAKI (BAKOU)

EREVAN

TBILISSI (TIFLIS)

ANKARA

ISTANBUL

IZMIR

ATHÈNES (ATHÍNAI)

BUCAREST (BUCUREŞTI)

SOFIA (SOFIJA)

BELGRADE (BEOGRAD)

BUDAPEST

VARSOVIE (WARSZAWA)

KYIV (KIEV)

KHARKIV (KHARKOV)

DNIPROPETROVSK

DONETSK

ODESSA

VOLGOGRAD

ROSTOV

Samara

Saratov

Penza

Tambov

Voronej

Astrakhan

Orenbourg

Volga

Don

Dniepr (Dnipro)

Danube

Mer Caspienne

© WN Atlas Productions

RUSSIE ET PAYS VOISINS

-2000 -200 0 100 200 500 1000 1500 5000 m
au-dessous du niveau de la mer

10° L.E. de Gr.

OCÉAN ATLANTIQUE

OCÉAN GLACIAL

MER DE BARENTS

MER DE KARA

MER DU NORD

MER BALTIQUE

MER NOIRE

MER CASPIENNE

ROYAUME UNI · NORVÈGE · SUÈDE · FINLANDE · DANEMARK · ALLEMAGNE · POLOGNE · BIÉLORUSSIE · LITUANIE · ESTONIE · LETTONIE · UKRAINE · ROUMANIE · MOLDAVIE

RUSSIE

MOSCOU (MOSKVA) · SAINT-PÉTERSBOURG · STOCKHOLM · HELSINKI · KYIV (KIEV) · VARSOVIE · MINSK · VILNIUS · RIGA · TALLINN

KHARKIV (KHARKOV) · DNIPROPETROVSK · DONETSK · ODESSA · VOLGOGRAD · ROSTOV · SAMARA · KAZAN · NIJNI-NOVGOROD · PERM · IEKATERINBOURG · OUFA · TCHELIABINSK · OMSK · NOVOSIBIRSK · TOMSK · KRASNOIARSK · KEMEROVO

GÉORGIE · AZERBAÏDJAN · TURQUIE · IRAK · IRAN (PERSE)

TBILISSI (TIFLIS) · EREVAN · BAKI (BAKOU) · TÉHÉRAN · BAGDAD

KAZAKHSTAN

ASTANA · ALMATY (ALMA-ATA) · TACHKENT

TURKMÉNISTAN · OUZBÉKISTAN · KIRGHIZISTAN · TADJIKISTAN

ACHGABAT · BOUKHARA · SAMARKAND · BICHKEK · DOUCHANBE

AFGHANISTAN · PAKISTAN · INDE

KABOUL · KANDAHAR · PESHAWAR · ISLAMABAD · LAHORE

MER D'ARAL · MER D'AZOV · MER BLANCHE

SIBÉRIE OCCIDENTALE · PLAINE DE L'OB

HAUTEURS DU KAZAKHSTAN · PLATEAU D'OUST-OURT

XINJIANG (Sin-kiang)

Projection conique

Échelle 1 : 20 000 000

0 100 200   400   600   800   1000 km

4 Edmonton

OCÉAN

OCÉAN

MER DE BÉRING

ALEOUTIENNES

MER DE SIBÉRIE ORIENTALE

MER DES LAPTEV

ARCTIQUE

MER D'OKHOTSK

SIBÉRIE

TRALE

MONGOLIE

Oulan-Bator

MER DU JAPON

JAPON

Tokyo
YOKOHAMA

NAGOYA
KYOTO
KOBE
OSAKA

SAPPORO
Muroran
HAKODATE

SENDAI

NIIGATA
Kanazawa

Honshu

Shikoku

Kyushu

HIROSHIMA
KITA-KYUSHU
FUKUOKA
Nagasaki
Kagoshima

PACIFIQUE

I. BONIN (Jap.)

I. VOLCANO (Jap.)

I. DAITO

Tropique du Cancer

Houston

MER DU JAPON

CORÉE DU NORD
PYONGYANG
CORÉE DU SUD
SÉOUL
INCHON
TAEJON
TAEGU
KWANGJU
PUSAN
Mokpo
Cheju

MER JAUNE

Vladivostok
Nakhodka
Baie de Pierre le Grand

Khabarovsk

Komsomolsk

HARBIN
QIQIHAR
CHANGCHUN
JILIN
FUSHUN
SHENYANG
ANSHAN
BENXI

BEIJING (PÉKIN)
TIANJIN
TANGSHAN
DALIAN (LUDA)
Yantai
QINGDAO

BAOTOU
Hohhot
DATONG
TAIYUAN
SHIJIAZHUANG
Baoding
HANDAN

JINAN
ZIBO
Lianyungang

ZHENGZHOU
Kaifeng
LUOYANG
XI'AN
Baoji
Tianshui

LANZHOU
Xining
Ningxia
YINCHUAN

NANJING
HEFEI
Wuhu
SHANGHAI
Suzhou
HANGZHOU
NINGBO
Shaoxing
Wenzhou

WUHAN
NANCHANG
Jingdezhen

FUZHOU
TAIPEI Chilung TAIWAN

MER DE CHINE ORIENTALE

RYUKYU
Okinawa
Naha

MER DE BÉRING

Dt. de Béring

VOLCAN KLIOUTCHEV

Petropavlovsk-Kamchatski

KOURILES

Oujno-Sakhalinsk

Otaru

© WN Atlas Productions

RUSSIE ET PAYS VOISINS

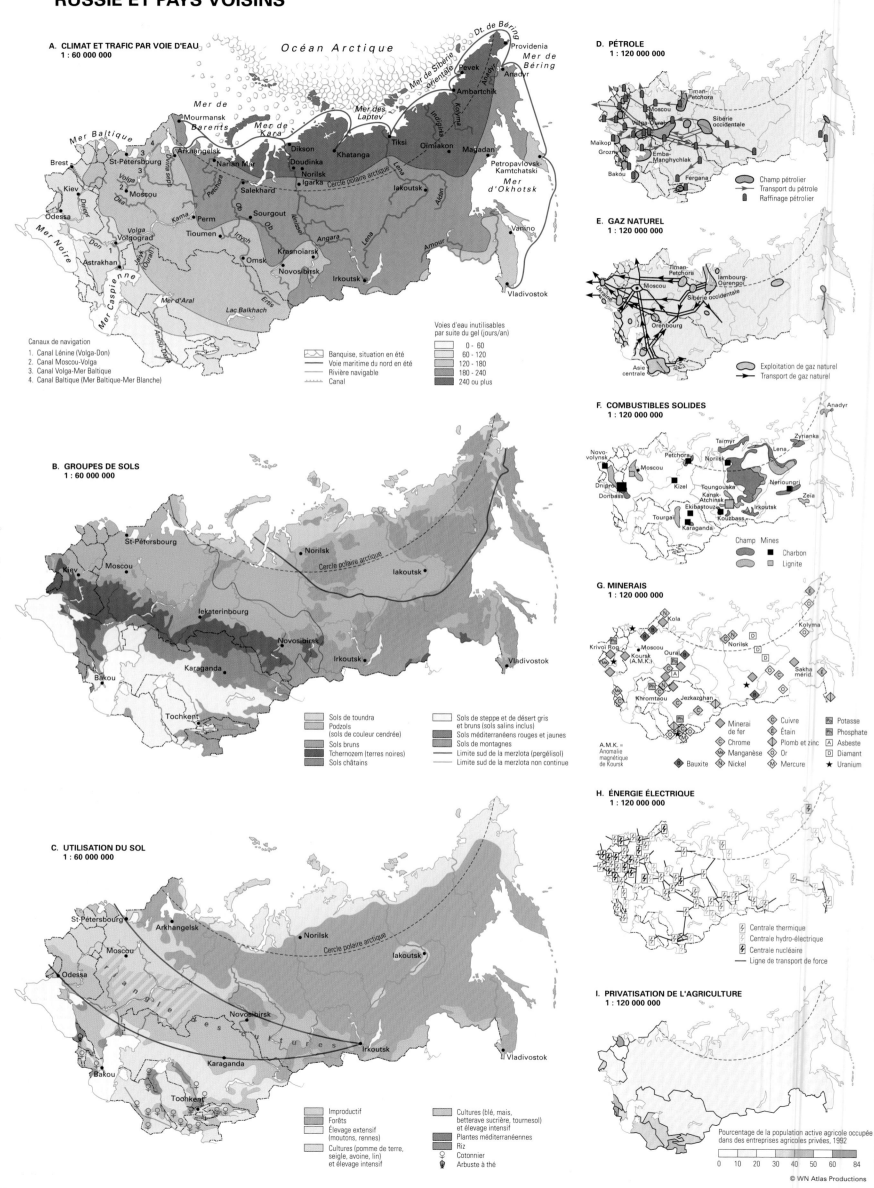

A. CLIMAT ET TRAFIC PAR VOIE D'EAU
1 : 60 000 000

Canaux de navigation
1. Canal Lénine (Volga-Don)
2. Canal Moscou-Volga
3. Canal Volga-Mer Baltique
4. Canal Baltique (Mer Baltique-Mer Blanche)

Banquise, situation en été
Voie maritime du nord en été
Rivière navigable
Canal

Voies d'eau inutilisables
par suite du gel (jours/an)
0 - 60
60 - 120
120 - 180
180 - 240
240 ou plus

B. GROUPES DE SOLS
1 : 60 000 000

Sols de toundra
Podzols (sols de couleur cendrée)
Sols bruns
Tchernozem (terres noires)
Sols châtains
Sols de steppe et de désert gris et bruns (sols salins inclus)
Sols méditerranéens rouges et jaunes
Sols de montagnes
Limite sud de la merzlota (pergélisol)
Limite sud de la merzlota non continue

C. UTILISATION DU SOL
1 : 60 000 000

Improductif
Forêts
Élevage extensif (moutons, rennes)
Cultures (pomme de terre, seigle, avoine, lin) et élevage intensif
Cultures (blé, maïs, betterave sucrière, tournesol) et élevage intensif
Plantes méditerranéennes
Riz
Cotonnier
Arbuste à thé

D. PÉTROLE
1 : 120 000 000

Champ pétrolier
Transport du pétrole
Raffinage pétrolier

E. GAZ NATUREL
1 : 120 000 000

Exploitation de gaz naturel
Transport de gaz naturel

F. COMBUSTIBLES SOLIDES
1 : 120 000 000

Champ   Mines
Charbon
Lignite

G. MINERAIS
1 : 120 000 000

A.M.K. = Anomalie magnétique de Koursk

Minerai de fer
Chrome
Manganèse
Nickel
Bauxite
Cuivre
Étain
Plomb et zinc
Or
Mercure
Potasse
Phosphate
Asbeste
Diamant
Uranium

H. ÉNERGIE ÉLECTRIQUE
1 : 120 000 000

Centrale thermique
Centrale hydro-électrique
Centrale nucléaire
Ligne de transport de force

I. PRIVATISATION DE L'AGRICULTURE
1 : 120 000 000

Pourcentage de la population active agricole occupée dans des entreprises agricoles privées, 1992
0   10   20   30   40   50   60   84

© WN Atlas Productions

RUSSIE ET PAYS VOISINS

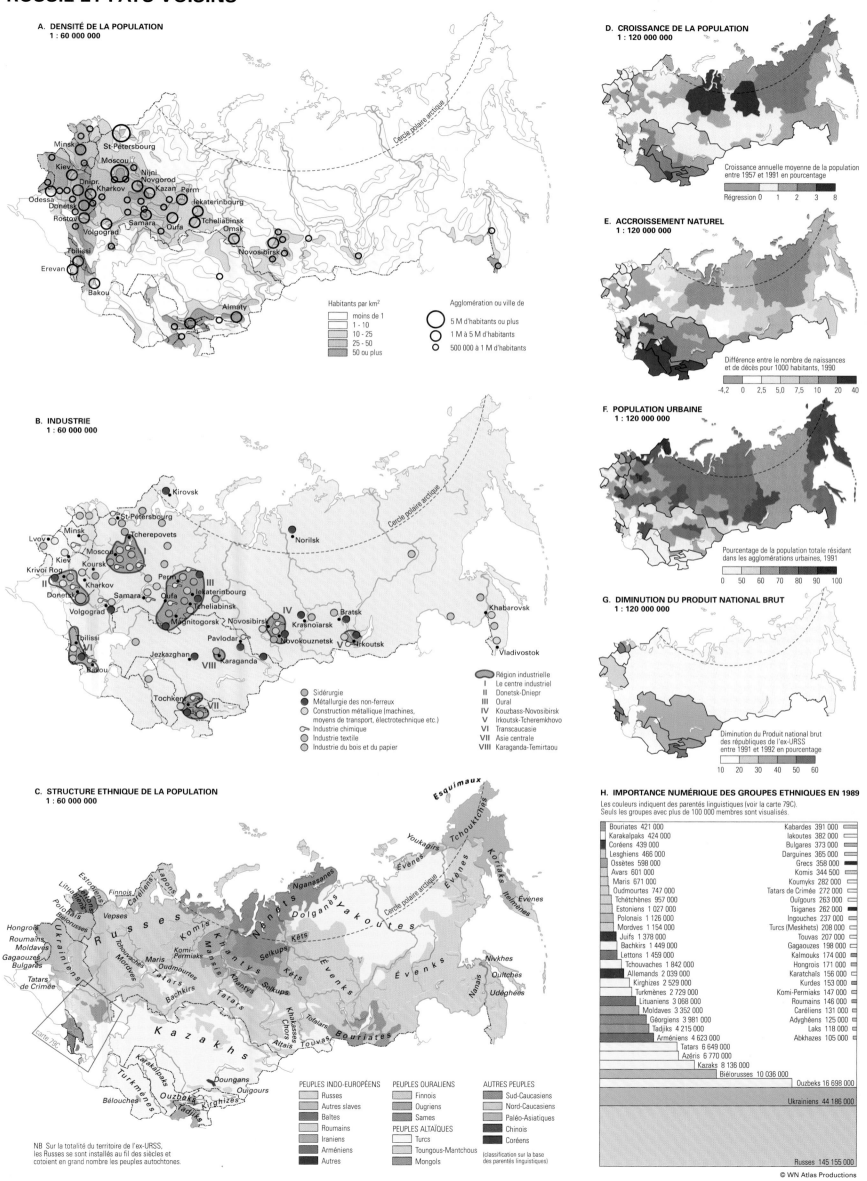

A. DENSITÉ DE LA POPULATION
1 : 60 000 000

Habitants par km²
- moins de 1
- 1 - 10
- 10 - 25
- 25 - 50
- 50 ou plus

Agglomération ou ville de
- 5 M d'habitants ou plus
- 1 M à 5 M d'habitants
- 500 000 à 1 M d'habitants

B. INDUSTRIE
1 : 60 000 000

- Sidérurgie
- Métallurgie des non-ferreux
- Construction métallique (machines, moyens de transport, électrotechnique etc.)
- Industrie chimique
- Industrie textile
- Industrie du bois et du papier
- Région industrielle
  - I Le centre industriel
  - II Donetsk-Dniepr
  - III Oural
  - IV Kouzbass-Novosibirsk
  - V Irkoutsk-Tcheremkhovo
  - VI Transcaucasie
  - VII Asie centrale
  - VIII Karaganda-Temirtaou

C. STRUCTURE ETHNIQUE DE LA POPULATION
1 : 60 000 000

PEUPLES INDO-EUROPÉENS
- Russes
- Autres slaves
- Baltes
- Roumains
- Iraniens
- Arméniens
- Autres

PEUPLES OURALIENS
- Finnois
- Ougriens
- Sames

PEUPLES ALTAÏQUES
- Turcs
- Toungous-Mantchou
- Mongols

AUTRES PEUPLES
- Sud-Caucasiens
- Nord-Caucasiens
- Paléo-Asiatiques
- Chinois
- Coréens

(classification sur la base des parentés linguistiques)

NB Sur la totalité du territoire de l'ex-URSS, les Russes se sont installés au fil des siècles et côtoient en grand nombre les peuples autochtones.

D. CROISSANCE DE LA POPULATION
1 : 120 000 000

Croissance annuelle moyenne de la population entre 1957 et 1991 en pourcentage

Régression 0 1 2 3 8

E. ACCROISSEMENT NATUREL
1 : 120 000 000

Différence entre le nombre de naissances et de décès pour 1000 habitants, 1990

-4,2 0 2,5 5,0 7,5 10 20 40

F. POPULATION URBAINE
1 : 120 000 000

Pourcentage de la population totale résidant dans les agglomérations urbaines, 1991

0 50 60 70 80 90 100

G. DIMINUTION DU PRODUIT NATIONAL BRUT
1 : 120 000 000

Diminution du Produit national brut des républiques de l'ex-URSS entre 1991 et 1992 en pourcentage

10 20 30 40 50 60

H. IMPORTANCE NUMÉRIQUE DES GROUPES ETHNIQUES EN 1989

Les couleurs indiquent des parentés linguistiques (voir la carte 79C). Seuls les groupes avec plus de 100 000 membres sont visualisés.

Bouriates 421 000	Kabardes 391 000
Karakalpaks 424 000	Iakoutes 382 000
Coréens 439 000	Bulgares 373 000
Lesghiens 466 000	Darguines 365 000
Ossètes 598 000	Grecs 358 000
Avars 601 000	Komis 344 500
Maris 671 000	Koumyks 282 000
Oudmourtes 747 000	Tatars de Crimée 272 000
Tchétchènes 957 000	Ouïgours 263 000
Estoniens 1 027 000	Tsiganes 262 000
Polonais 1 126 000	Ingouches 237 000
Mordves 1 154 000	Turcs (Meskhets) 208 000
Juifs 1 378 000	Touvas 207 000
Bachkirs 1 449 000	Gagaouzes 198 000
Lettons 1 459 000	Kalmouks 174 000
Tchouvaches 1 842 000	Hongrois 171 000
Allemands 2 039 000	Karatchaïs 156 000
Kirghizes 2 529 000	Kurdes 153 000
Turkmènes 2 729 000	Komi-Permiaks 147 000
Lituaniens 3 068 000	Roumains 146 000
Moldaves 3 352 000	Caréliens 131 000
Géorgiens 3 981 000	Adyghéens 125 000
Tadjiks 4 215 000	Laks 118 000
Arméniens 4 623 000	Abkhazes 105 000
Tatars 6 649 000	
Azéris 6 770 000	
Kazaks 8 136 000	
Biélorusses 10 036 000	
Ouzbeks 16 698 000	
Ukrainiens 44 186 000	
Russes 145 155 000	

© WN Atlas Productions

RUSSIE ET PAYS VOISINS

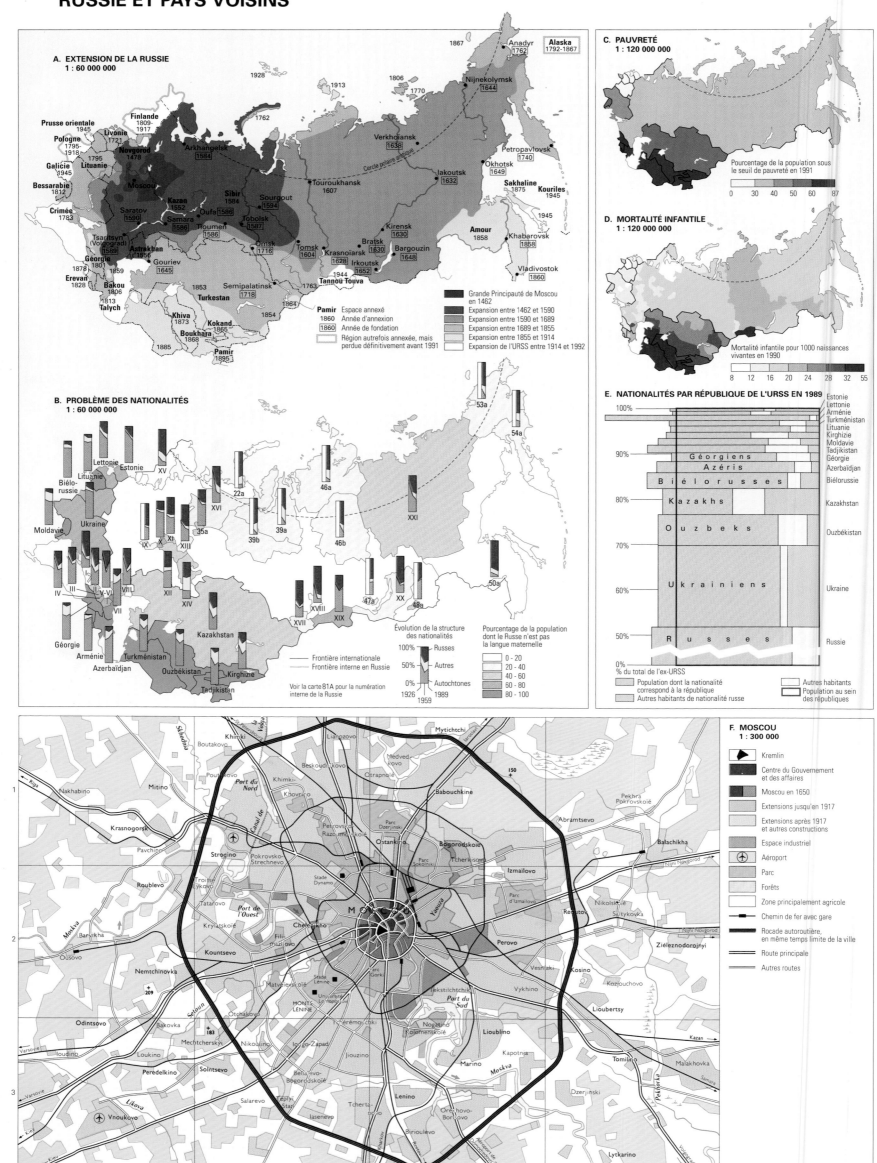

A. EXTENSION DE LA RUSSIE
1 : 60 000 000

Alaska
1792-1867

Anadyr
1762

1867

1928

1913

1806

1770

Nijnekolymsk
1644

Prusse orientale
1945

Finlande
1809-1917

Livonie
1721

1762

Verkhoïansk

Arkhangelsk
1584

Pologne
1795-1918

Lituanie
1795

Novgorod
1478

Iakoutsk
1632

Okhotsk
1649

Petropavlovsk
1740

Galicie
1945

Moscou

Touroukhansk
1607

Sakhaline
1875

Kouriles
1945

Bessarabie
1812

Kazan
1552

Sibir
1584

Sourgout
1594

Crimée
1783

Saratov
1590

Samara
1586

Oufa
1586

Tobolsk
1587

Kirensk
1630

Bratsk
1630

1945

Tsaritsyn
(Volgograd)
1589

Astrakhan
1556

Tioumen
1586

Omsk
1716

Tomsk
1604

Krasnoïarsk
1628

Bargouzin
1648

Amour
1858

Khabarovsk
1858

Gouriev
1645

Irkoutsk
1652

Géorgie
1801

Erevan
1828

Bakou
1806

1859

Semipalatinsk
1718

1853

Tannou Touva
1944

1763

Vladivostok
1860

1878

Talych
1813

Turkestan

1864

Pamir

1854

Khiva
1873

Kokand
1865

Boukhara
1868

1885

Pamir
1895

Espace annexé
Grande Principauté de Moscou en 1462

1860 Année d'annexion
Expansion entre 1462 et 1590

1860 Année de fondation
Expansion entre 1590 et 1689

Région autrefois annexée, mais perdue définitivement avant 1991
Expansion entre 1689 et 1855

Expansion entre 1855 et 1914

Expansion de l'URSS entre 1914 et 1992

B. PROBLÈME DES NATIONALITÉS
1 : 60 000 000

53a

54a

Lettonie

Estonie

XV

46a

Biélo-russie

Lituanie

22a

XVI

35a

39b

39a

XXI

Moldavie

Ukraine

IX

XI

XIII

46b

III

II V VI VIII

XII

XIV

50a

IV

47a

XX

48a

VII

XVII

XVIII

XIX

Géorgie

Kazakhstan

Arménie

Turkménistan

Azerbaïdjan

Ouzbékistan

Kirghizie

Tadjikistan

Évolution de la structure des nationalités

100% Russes
50% Autres
0% Autochtones
1926 1959 1989

Pourcentage de la population dont le Russe n'est pas la langue maternelle

0 - 20
20 - 40
40 - 60
60 - 80
80 - 100

Frontière internationale
Frontière interne en Russie

Voir la carte 81A pour la numération interne de la Russie

C. PAUVRETÉ
1 : 120 000 000

Pourcentage de la population sous le seuil de pauvreté en 1991

0 30 40 50 60 87

D. MORTALITÉ INFANTILE
1 : 120 000 000

Mortalité infantile pour 1000 naissances vivantes en 1990

8 12 16 20 24 28 32 55

E. NATIONALITÉS PAR RÉPUBLIQUE DE L'URSS EN 1989

100%

Estonie
Lettonie
Arménie
Turkménistan
Lituanie
Kirghizie
Moldavie
Tadjikistan
Géorgie

90%

Géorgiens
Azéris

Azerbaïdjan

Biélorusses

Biélorussie

80%

Kazakhs

Kazakhstan

Ouzbeks

Ouzbékistan

70%

60%

Ukrainiens

Ukraine

50%

Russes

Russie

0%

% du total de l'ex-URSS

Population dont la nationalité correspond à la république

Autres habitants de nationalité russe

Autres habitants

Population au sein des républiques

F. MOSCOU
1 : 300 000

Kremlin

Centre du Gouvernement et des affaires

Moscou en 1650

Extensions jusqu'en 1917

Extensions après 1917 et autres constructions

Espace industriel

Aéroport

Parc

Forêts

Zone principalement agricole

Chemin de fer avec gare

Rocade autoroutière, en même temps limite de la ville

Route principale

Autres routes

MOSCOU

© WN Atlas Productions

RUSSIE ET PAYS VOISINS

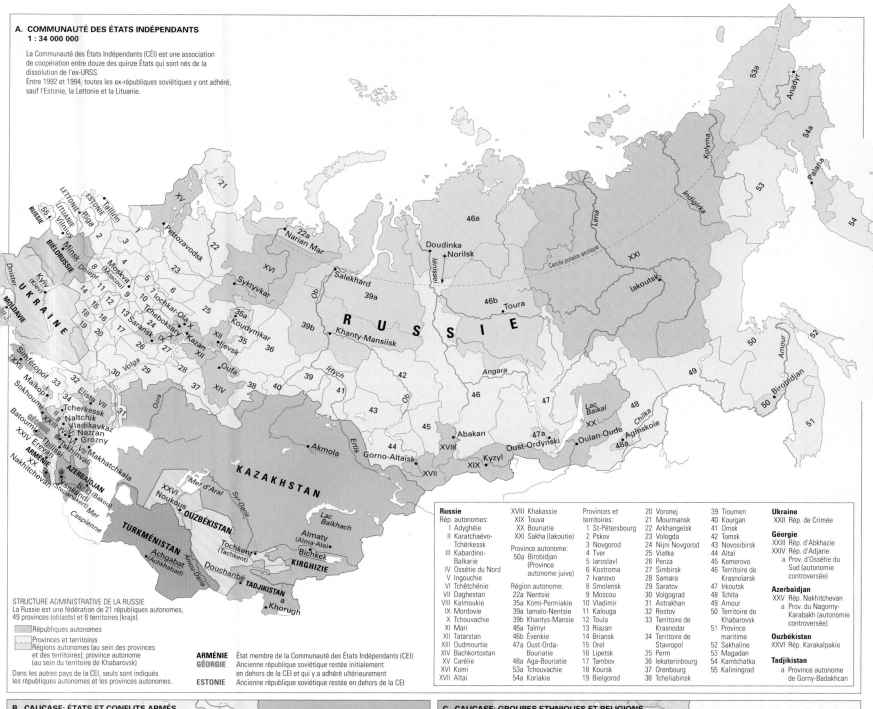

A. COMMUNAUTÉ DES ÉTATS INDÉPENDANTS
1 : 34 000 000

La Communauté des États Indépendants (CÉI) est une association de coopération entre douze des quinze États qui sont nés de la dissolution de l'ex-URSS.
Entre 1992 et 1994, toutes les ex-républiques soviétiques y ont adhéré, sauf l'Estonie, la Lettonie et la Lituanie.

STRUCTURE ADMINISTRATIVE DE LA RUSSIE
La Russie est une fédération de 21 républiques autonomes, 49 provinces (oblasts) et 6 territoires (krajs).

▓ Républiques autonomes
░ Provinces et territoires
Régions autonomes (au sein des provinces et des territoires); province autonome (au sein du territoire de Khabarovsk)

Dans les autres pays de la CÉI, seuls sont indiqués les républiques autonomes et les provinces autonomes.

ARMÉNIE État membre de la Communauté des États Indépendants (CÉI)
GÉORGIE Ancienne république soviétique restée initialement en dehors de la CÉI et qui y a adhéré ultérieurement
ESTONIE Ancienne république soviétique restée en dehors de la CÉI

Russie
Rép. autonomes:
I Adyghéie
II Karatchaévo-Tchérkessk
III Kabardino-Balkarie
IV Ossétie du Nord
V Ingouchie
VI Tchétchénie
VII Daghestan
VIII Kalmoukie
IX Mordovie
X Tchouvachie
XI Mari
XII Tatarstan
XIII Oudmourtie
XIV Bachkortostan
XV Carélie
XVI Komi
XVII Altaï

XVIII Khakassie
XIX Touva
XX Bouriatie
XXI Sakha (Iakoutie)

Province autonome:
50a Birobidjan (Province autonome juive)

Région autonome:
22a Nentsie
35a Komi-Permiakie
39a Iamalo-Nentsie
39b Khantys-Mansie
46a Taïmyr
46b Évenkie
47a Oust-Orda-Bouriatie
48a Aga-Bouriatie
53a Tchouvachie
54a Koriakie

Provinces et territoires:
1 St-Pétersbourg
2 Pskov
3 Novgorod
4 Tver
5 Iaroslavl
6 Kostroma
7 Ivanovo
8 Smolensk
9 Moscou
10 Vladimir
11 Kalouga
12 Toula
13 Riazan
14 Briansk
15 Orel
16 Lipetsk
17 Tambov
18 Koursk
19 Bielgorod

20 Voronej
21 Mourmansk
22 Arkhangelsk
23 Vologda
24 Nijni Novgorod
25 Viatka
26 Penza
27 Simbirsk
28 Samara
29 Saratov
30 Volgograd
31 Astrakhan
32 Rostov
33 Territoire de Krasnodar
34 Territoire de Stavropol
35 Perm
36 Iekaterinbourg
37 Orenbourg
38 Tcheliabinsk

39 Tioumen
40 Kourgan
41 Omsk
42 Tomsk
43 Novosibirsk
44 Altaï
45 Kemerovo
46 Territoire de Krasnoïarsk
47 Irkoutsk
48 Tchita
49 Amour
50 Territoire de Khabarovsk
51 Province maritime
52 Sakhaline
53 Magadan
54 Kamtchatka
55 Kaliningrad

Ukraine
XXII Rép. de Crimée

Géorgie
XXIII Rép. d'Abkhazie
XXIV Rép. d'Adjarie
a Prov. d'Ossétie du Sud (autonomie controversée)

Azerbaïdjan
XXV Rép. Nakhitchevan
a Prov. du Nagorny-Karabakh (autonomie controversée)

Ouzbékistan
XXVI Rép. Karakalpakie

Tadjikistan
a Province autonome de Gorny-Badakhchan

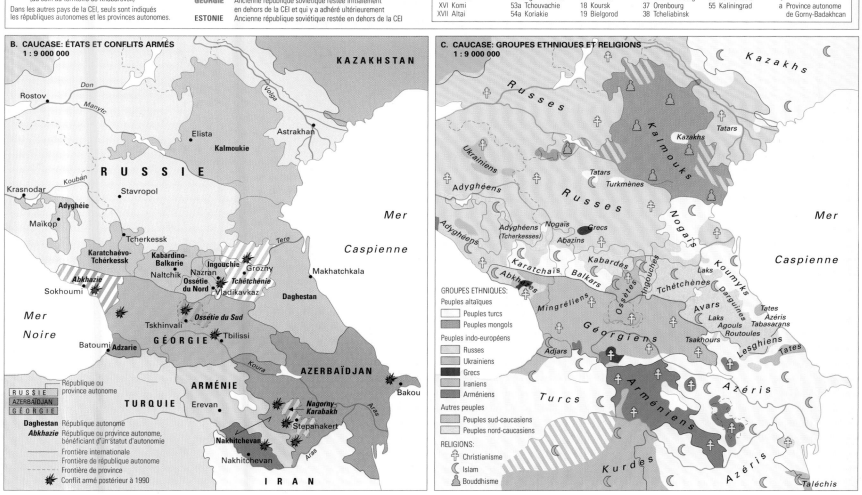

B. CAUCASE: ÉTATS ET CONFLITS ARMÉS
1 : 9 000 000

RUSSIE
AZERBAÏDJAN
GÉORGIE
— République ou province autonome

Daghestan République autonome
Abkhazie République ou province autonome, bénéficiant d'un statut d'autonomie
———— Frontière internationale
—·—·— Frontière de république autonome
———— Frontière de province
✹ Conflit armé postérieur à 1990

C. CAUCASE: GROUPES ETHNIQUES ET RELIGIONS
1 : 9 000 000

GROUPES ETHNIQUES:
Peuples altaïques
░ Peuples turcs
▓ Peuples mongols

Peuples indo-européens
░ Russes
░ Ukrainiens
■ Grecs
░ Iraniens
▓ Arméniens

Autres peuples
░ Peuples sud-caucasiens
░ Peuples nord-caucasiens

RELIGIONS:
✝ Christianisme
☽ Islam
♟ Bouddhisme

© WN Atlas Productions

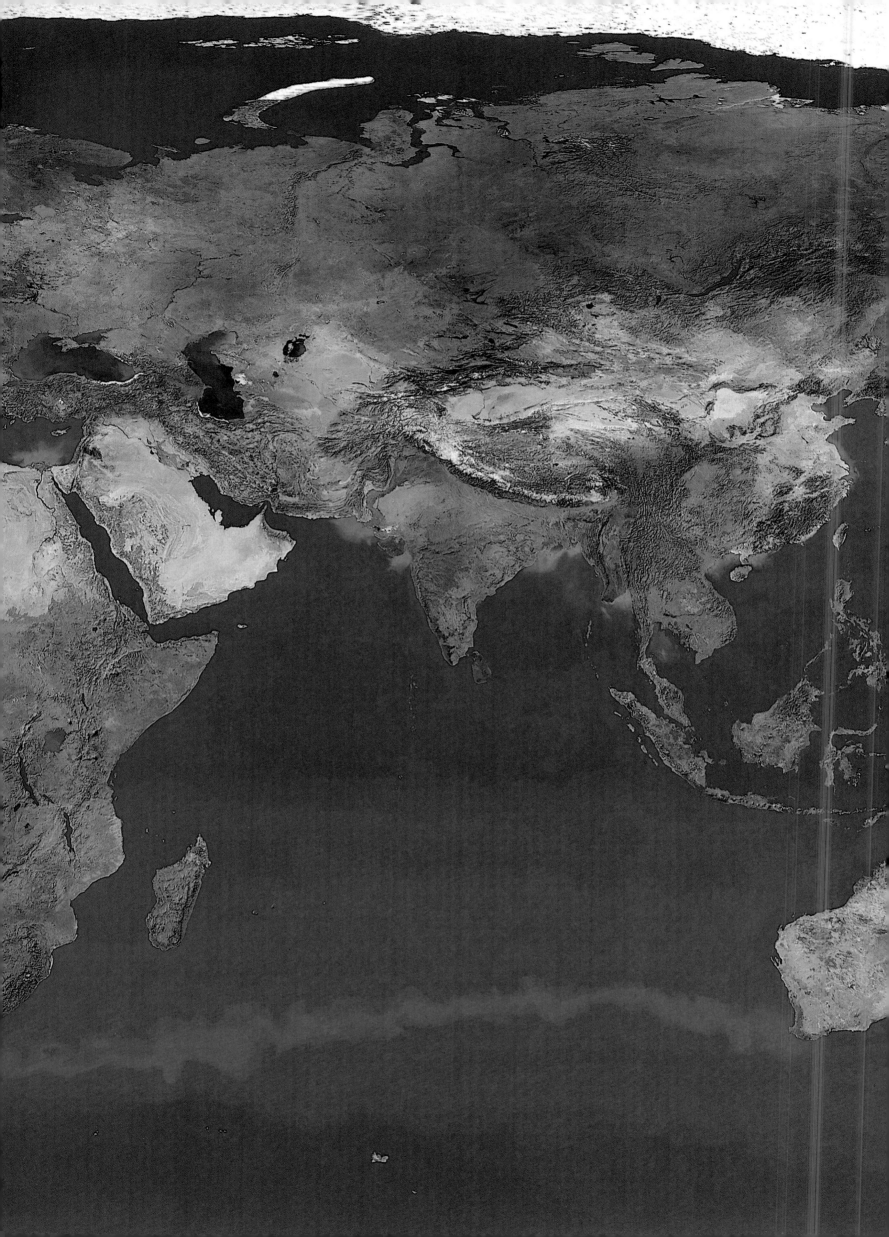

ASIE

ASIE

-2000 -200 0 100 200 500 1000 1500 5000 m
au-dessous du niveau de la mer

20° L.E. de Gr.

OCÉAN ATLANTIQUE

OCÉAN GLACIAL ARCTIQUE

MER DE BARENTS

MER DE KARA

MER DES LAPTEV

SPITZBERG
TERRE FRANÇOIS-JOSEPH
Nouvelle-Zemble (Novaïa Zemlia)
TERRE DU NORD
Dt. de Vilkitski
C. Tchéliouskine
Péninsule de Taïmyr
Baie de Khatanga
Khatanga

Cap Nord
Mourmansk
Arkhangelsk
Péninsule de Kola
Mer Blanche
Péninsule de Jamal
Estuaire de l'Ob
Péninsule de Gydan
Vorkouta
Norilsk
MTS POUTORANA

Golfe de Gascogne
Grande-Bretagne
Londres
Amsterdam
Hambourg
MER DU NORD
MANCHE
Oslo
Stockholm
Helsinki
Golfe de Botnie
Golfe de Finlande
MER BALTIQUE
St-Pétersbourg
Paris
Seine
Loire
Garonne
Bruxelles
Rhin
Berlin
Copenhague
Prague
Varsovie
Riga
Minsk
Vistule
Neman
Dvina
Marseille
Corse
Rhône
Milan
Gênes
Pô
Danube
Budapest
Vienne
CARPATES
BALKAN
Odessa
Kyïv
Dnipro
Moscou
Nijni Novgorod
Perm
Iekaterinbourg
Tcheliabinsk
Tobolsk
Plaine de Sibérie occidentale
Ob
Ienisseï
Toungouska inférieure
Toungouska pierreuse
PLATEAU DE SIBÉRIE CENTRALE
Ténisseïsk
Krasnoïarsk

MER MÉDITERRANÉE
MER ADRIATIQUE
MER ÉGÉE
Rome
Crète
Chypre
MER NOIRE
Mer d'Azov
Crimée
Istanbul
Bosphore
Ankara
Izmir
Beyrouth
Jérusalem
Damas
Le Caire
Nil
Volga
Volgograd
Rostov
Don
Samara
Kama
Astrakhan
Dépression caspienne
MER CASPIENNE
PLATEAU DES TORGHAI
Embi
Mer d'Aral
Dépression du Syr-Daria
Steppe de la Faim
HAUTEURS DU KAZAKHSTAN
Karaghandy
Lac Balkach
Akmola
Omsk
Novossibirsk
Semeï
Irtych
Steppe Baraba
Lac Baïkal
ALTAÏ
SAÏAN
Irkoutsk
Oulan-Bator (Ulaan Baatar)
MONGOLIE
Selenga
Angara
Lena

MER ROUGE
Désert du Nefoud
Désert de Syrie
Bagdad
Bassora
Koweit
MÉSOPOTAMIE
Mossoul
Tabriz
Téhéran
ELBOURZ
MTS ZAGROS
PLATEAU D'IRAN
Ispahan
Grand Désert Salé
Désert de Lout
MTS KUHRUD
Mechhed
KOPET-DAG
Kara-Koum
Amou-Daria
Douchanbe
PAMIR
Kachgar
Bassin du Tarim
Lop Nur
TIAN SHAN
PIC POBEDY
Ürümqi
Dzoungarie
ALTUN SHAN
QAIDAM
Kuku Nor
MTS KUNLUN
NAN SHAN

Riyad
Dahana
Golfe persique
Golfe d'Oman
DJ AKHDAR
Mascate
Ras al Hadd
Roub-al-Khali
ARABIE
La Mecque
Port-Soudan
Sanaa
Bab el Mandeb
Aden
G. d'Aden
Djibouti
Berbera
Presqu'île des Somalis
C. Guardafui
Socotra
HINDOU KOUCH
Kaboul
Islamabad
Cachemire
KARAKORAM
Baloutchistan
Lac Hilmend
Hilmend
Hari-rud
Indus
Lahore
Pundjab
Sutlej
Karachi
Sind
Désert de Thar
Delhi
Chambal
Gange
Narmada
Brahmapoutre
Assam
PLATEAU DU TIBET
TRANS-HIMALAYA
Nam Co
Lhassa
MT EVEREST
HIMALAYA
Hindoustan
Varanasi
Bengalen
Dacca (Dhaka)
Calcutta
Sundarban
CHAÎNE ARAKAN
Mandalay
Chindwin
Irrawaddy
Yangon (Rangoon)

G. de Kutch
G. de Cambay
Kathiavar
Mumbai (Bombay)
PLATEAU DE MALVA
PLATEAU DU DECCAN
GHATES OCCIDENTALES
GHATES ORIENTALES
Krishna
Godavari
Mahanadi
Bangalore
Chennai (Madras)
Coromandel
Malabar
Caveri
C. Comorin
G. de Mannar
Dt. de Palk
Ceylan
Colombo
I. LAQUEDIVES
I. MALDIVES
I. ANDAMAN
Pt. Blair
MER D'ANDAMAN
I. NICOBAR
Passage du 10e degré
Isthme de Kra
G. de Martaban
Tenasserim

MER D'OMAN
Golfe du Bengale

OCÉAN INDIEN

Mogadiscio
Équateur
SEYCHELLES
AMIRANTES
Aldabra
Cerf
Madagascar
I. Maurice
ARCH. DES CHAGOS

Los Angeles
Dakaro
Kinshasa

Projection azimutale

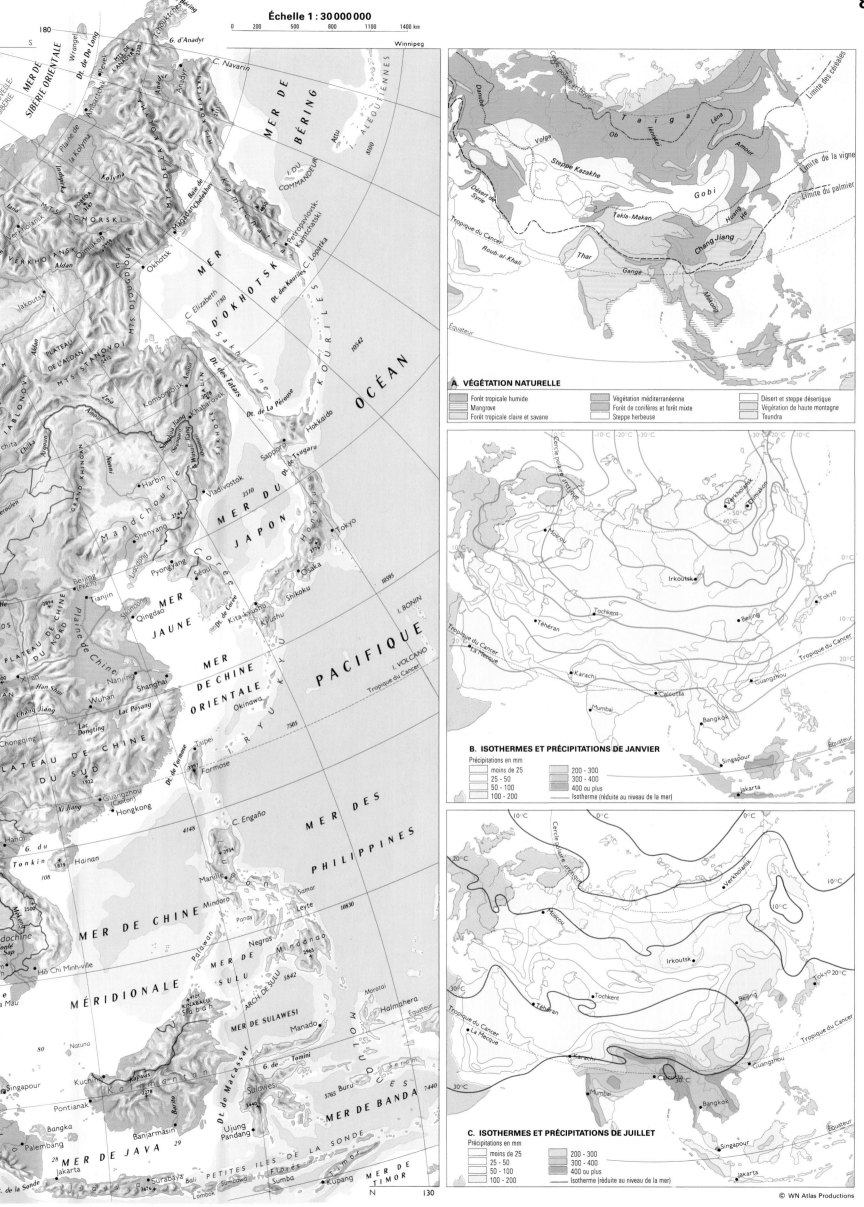

Échelle 1 : 30 000 000

0   200   500   800   1100   1400 km

Winnipeg

A. VÉGÉTATION NATURELLE

- Forêt tropicale humide
- Mangrove
- Forêt tropicale claire et savane
- Végétation méditerranéenne
- Forêt de conifères et forêt mixte
- Steppe herbeuse
- Désert et steppe désertique
- Végétation de haute montagne
- Toundra

B. ISOTHERMES ET PRÉCIPITATIONS DE JANVIER

Précipitations en mm
- moins de 25
- 25 - 50
- 50 - 100
- 100 - 200
- 200 - 300
- 300 - 400
- 400 ou plus
- Isotherme (réduite au niveau de la mer)

C. ISOTHERMES ET PRÉCIPITATIONS DE JUILLET

Précipitations en mm
- moins de 25
- 25 - 50
- 50 - 100
- 100 - 200
- 200 - 300
- 300 - 400
- 400 ou plus
- Isotherme (réduite au niveau de la mer)

© WN Atlas Productions

La bande de Gaza et certaines villes de Cisjordanie (Jenin, Tulkarm, Naplouse, Qalqilya, Ram Allah, Jéricho et Bethléem) sont des territoires occupés, sous contrôle palestinien (situation au 1er janvier 1996).

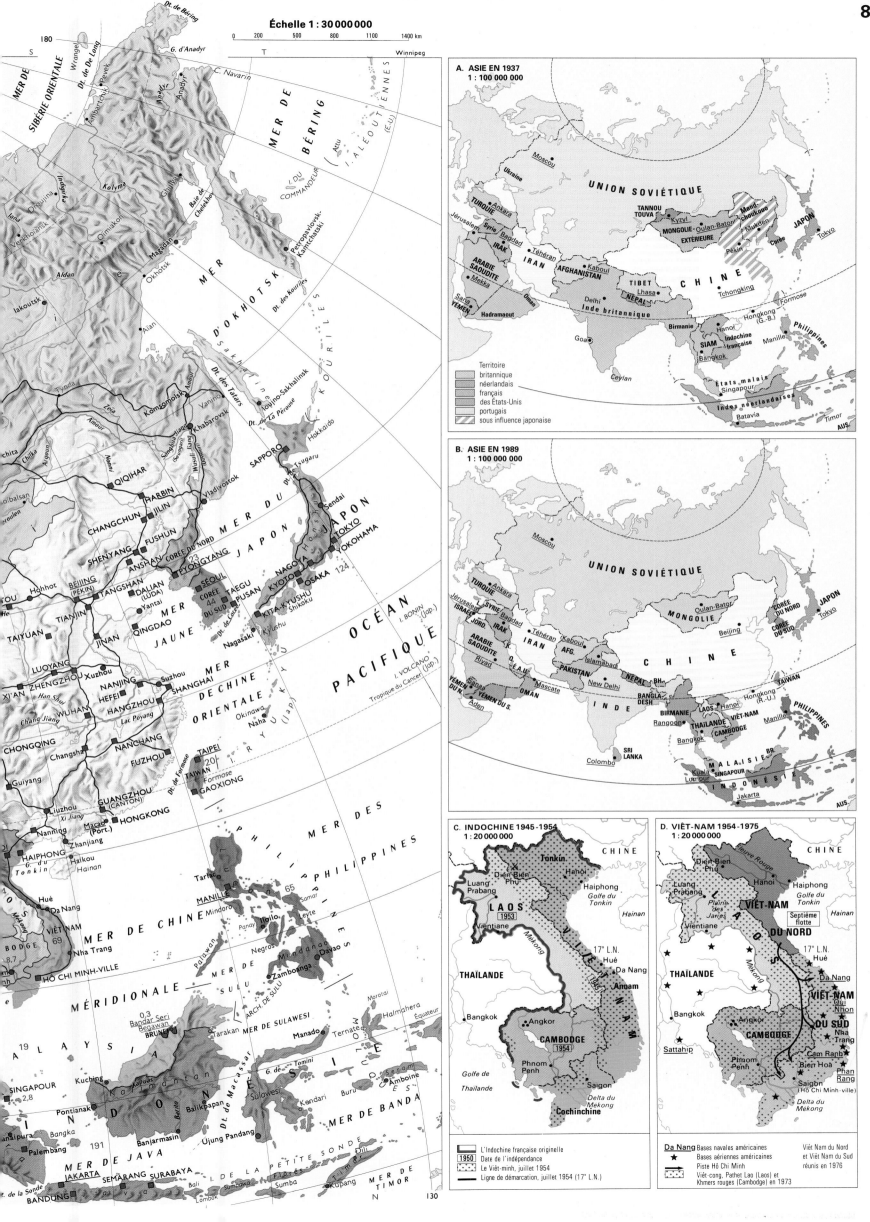

Échelle 1 : 30 000 000

0   200   500   800   1100   1400 km

A. ASIE EN 1937
1 : 100 000 000

Territoire
- britannique
- néerlandais
- français
- des États-Unis
- portugais
- sous influence japonaise

B. ASIE EN 1989
1 : 100 000 000

C. INDOCHINE 1945-1954
1 : 20 000 000

L'Indochine française originelle
1950 Date de l'indépendance
Le Viêt-minh, juillet 1954
Ligne de démarcation, juillet 1954 (17° L.N.)

D. VIÊT-NAM 1954-1975
1 : 20 000 000

Da Nang Bases navales américaines
★ Bases aériennes américaines
Piste Hô Chi Minh
Viêt-cong, Pathet Lao (Laos) et
Khmers rouges (Cambodge) en 1973

Viêt Nam du Nord
et Viêt Nam du Sud
réunis en 1976

TURQUIE

Échelle 1 : 9 000 000

−2000 −200 0 100 200 500 1000 1500 5000 m

au-dessous du niveau de la mer

0 50 100 200 300 400 km

A. Turquie

MER NOIRE

GRÈCE · BULGARIE · GÉORGIE · AZERBAÏDJAN · ARMÉNIE · SYRIE · IRAK

Edirne · ISTANBUL · Üsküdar · Izmit · Adapazari · Brousse · ULU DAĞ · Balikesir · Kütahya · Eskişehir · ANKARA · Kirikkale · Kirşehir · Nevşehir · Kayseri · Afyonkarahisar · Konya · Lac Tuz · Manisa · Uşak · IZMIR · Aydin · Ödemis · Denizli · Pamukkale · Isparta · Muğla · Bodrum · Marmaris · Antalya · Alanya · Silifke · Mersin · Tarsus · Adana · Osmaniye · Iskenderun · Antakya · ALEP · Gaziantep · Şanlıurfa · Mardin · Kahramanmaraş · Adıyaman · Lac Atatürk · Diyarbakir · Batman · Malatya · Elâzığ · Erzincan · Sivas · Tokat · Amasya · Çorum · Samsun · Sinop · Inebolu · Zonguldak · Ereğli · Karabük · Giresun · Trabzon · Artvin · Bayburt · Erzurum · Kars · Vanadzor · Lac de Van · Van · Tatvan · Erevan · Nakhitchevan · ARARAT · Lac d'Urmia · Tabriz · Mossoul · Tigre · Euphrate occid. · Euphrate orient. · Aras · Çoruh · TBILISSI (TIFLIS)

Bosphore · Mer de Marmara · Dardanelles · Bandirma · Sakarya · Gediz · Méandre (Men.) · AKDAĞ · 3086 · 3943 · Golfe d'Iskenderun · Seyhan · Ceyhan

MER MÉDITERRANÉE

Euboée · Athènes (Athina) · Crète · Héraklion · Mer Égée · Rhodes · Rhodos · Megisti · Kusadasi

B. SÉISMES ET PLAQUES
1 : 16 000 000

Istanbul · Izmit · Tosya · Erbaa · Bolu · Brousse · Ankara · Erzincan · Erzurum · Izmir · Adana · Diyarbakir · Van

| | Plaque eurasiatique | → Direction du déplacement des plaques | ● Grave tremblement de terre postérieur à 1975 |
| | Plaque afro-arabique | — Ligne de faille | |

C. CLIMAT
1 : 16 000 000

Mer Noire · Istanbul · Brousse · Ankara · Samsun · Trabzon · Izmir · Konya · Erzurum · Van · Antalya · Adana · Gaziantep · Diyarbakir · Mer Méditerranée

| | Climat maritime méditerranéen | | Climat maritime de la Mer Noire | | Précipitations annuelles inférieures à 400 mm |
| | Climat steppique | | Climat est-anatolien ou de montagne | |

D. AGRICULTURE ET INDUSTRIE
1 : 16 000 000

Mer Noire · Istanbul · Troie · Brousse · Ankara · Trabzon · Izmir · Kusadasi · Pamukkale · Göreme · Cappadoce · Erzurum · Lac de Van · Van · En construction · Diyarbakir · Barrage Atatürk · Bodrum · Marmaris · Konya · Adana · Antalya · Alanya · Silifke · Mer Méditerranée

	Agriculture méditerranéenne (vin, olive, citron, froment)		Agriculture continentale (céréales, fruits, légumes, élevage)		Projet d'irrigation
	Agriculture de la Mer Noire (noisette, thé, maïs, tabac)		Autres formes d'agriculture (ovins et caprins, champs épars)		Région industrielle
			○ Centre touristique	) Barrage

E. DENSITÉ DE LA POPULATION
1 : 16 000 000

Mer Noire · Istanbul · Brousse · Ankara · Eskişehir · Samsun · Trabzon · Kirikkale · Erzurum · Izmir · Kayseri · Konya · Malatya · Diyarbakir · Van · Adana · Mersin · Gaziantep · Antalya · Mer Méditerranée

Habitants par km² (1995)

| | moins de 30 | | 45 - 60 | | 100 - 200 |
| | 30 - 45 | | 60 - 100 | | 200 ou plus |

Agglomération ou ville de

○ 1 M - 5 M d'hab.
○ plus de 5 M d'habitants
○ 500 000 - 1 M d'hab.
○ 100 000 - 500 000 hab.

F. ÉMIGRATION
1 : 16 000 000

Mer Noire · Istanbul · Brousse · Ankara · Samsun · Trabzon · Izmir · Konya · Van · Erzurum · Adana · Gaziantep · Diyarbakir · Antalya · Mer Méditerranée

Part des travailleurs partis à l'étranger en 1985 (pour 1000 travailleurs)

| | moins de 2 | | 4 - 6 |
| | 2 - 4 | | 6 ou plus |

G. ANALPHABÉTISME FÉMININ
1 : 16 000 000

Mer Noire · Istanbul · Brousse · Ankara · Samsun · Trabzon · Izmir · Konya · Van · Erzurum · Adana · Gaziantep · Diyarbakir · Antalya · Mer Méditerranée

Pourcentage d'analphabètes dans la population féminine provinciale de plus de 15 ans (1990)

| | moins de 20 | | 30 - 40 | | 50 - 70 |
| | 20 - 30 | | 40 - 50 | | 70 ou plus |

ISRAËL

au-dessous du niveau de la mer

−2000 −200 0 100 200 500 1000 1500 2000 m

A. ISRAËL
1 : 2 500 000

0 25 50 75 km

Les frontières d'Israël correspondent
à la situation au 1er juin 1967.

La bande de Gaza et certaines villes
de Cisjordanie (Jenin, Tulkarm, Naplouse,
Qalqilya, Ram Allah, Jéricho et Bethléem)
sont des territoires occupés, sous contrôle
palestinien (situation au 1er janvier 1996)

— — Limites des territoires occupés par Israël

MER MÉDITERRANÉE

LIBAN
SYRIE
JORDANIE
ÉGYPTE
ISRAËL
ARABIE SAOUDITE

Tripoli
Beyrouth
DAMAS
Amman
Jérusalem
Haïfa
Tel Aviv
Gaza
Beersheba
Eilat

MER ROUGE

B. PRÉCIPITATIONS ET CANAUX D'IRRIGATION
1 : 2 500 000

Précipitations annuelles en mm

moins de 100
100 - 200
200 - 400
400 - 600
600 - 800
800 ou plus

Conduite d'irrigation

D'après l'atlas d'Israël

Galilée
Qiryat Shemona
Haïfa
Nazareth
Bet She'an
Naplouse
Tel Aviv
Jérusalem
Qiryat Gat
Gaza
Beersheba
Dimona
Néguev
Eïlat

C. UTILISATION DU SOL ET ÉCONOMIE
1 : 2 500 000

Désert et semi-désert
Forêts
Dunes
Steppes et pâturages
Terre cultivée non irriguée
Terre cultivée irriguée
Région industrielle

◇ Pétrole
◆ Gaz naturel
— Oléoduc
— Gazoduc
Ⓒ Cuivre
Ph Phosphate
Po Potasse
S Sel gemme
■ Raffinage pétrolier

Galilée
Qiryat Shemona
Akko
Haïfa
Nazareth
Bet She'an
Netanya
Naplouse
Tel Aviv
Lod
Jéricho
Ashdod
Jérusalem
Ashqelon
Qiryat Gat
Judée
Gaza
Beersheba
Arad
Dimona
Sedom
Oron
Néguev
Timna
Eïlat

D. RIVE OCCIDENTALE DU JOURDAIN
1 : 1 000 000

Rehan
Hadera
JENIN
Netanya
TULKARM
ISRAËL
NAPLOUSE
QALQILYA
Emanuel
Petah Tiqva
Elkana
Ariel
Shilo
Ma'ale Efraim
Tel Aviv
Ofarim
JORDANIE
Modi'im
RAM ALLAH
Givat Ze'ev
JÉRICHO
Pont Allenby
Jérusalem
Ma'ale Adumim
Jérusalem-Est
Bet Shemesh
BETHLÉEM
Efrat
ISRAËL
Mer Morte
HÉBRON
Qiryat Arba

Ville ou colonie israélienne
idem, en projet
Voies d'accès aux colonies israéliennes
idem, en projet ou en construction

Organisation territoriale après l'accord d'Oslo
Territoire autonome palestinien (situation : avril 1996)
Territoire sous contrôle mixte
Territoire sous contrôle israélien

E. DENSITÉ DE LA POPULATION
1 : 3 000 000

Haïfa
Netanya
Tel Aviv
Jérusalem
Gaza
Beersheba

Rive occidentale du Jourdain ou Cisjordanie

Néguev

487 000 immigrants de 1919 à mai 1948
1 757 000 immigrants de mai 1948 à 1965
959 000 immigrants de 1965 à 1995

Habitants par km²

moins de 5
5 - 25
25 - 100
100 - 200
200 - 500
500 ou plus

Agglomération ou ville de
◯ 500 000 - 1M d'hab.
◯ 100 000 - 500 000 hab.

▪ Kibboutzim fondés avant 1948
▪ Idem, après 1948
D. Degania   Kibboutzim les plus
K. Kinneret   anciens (1909)

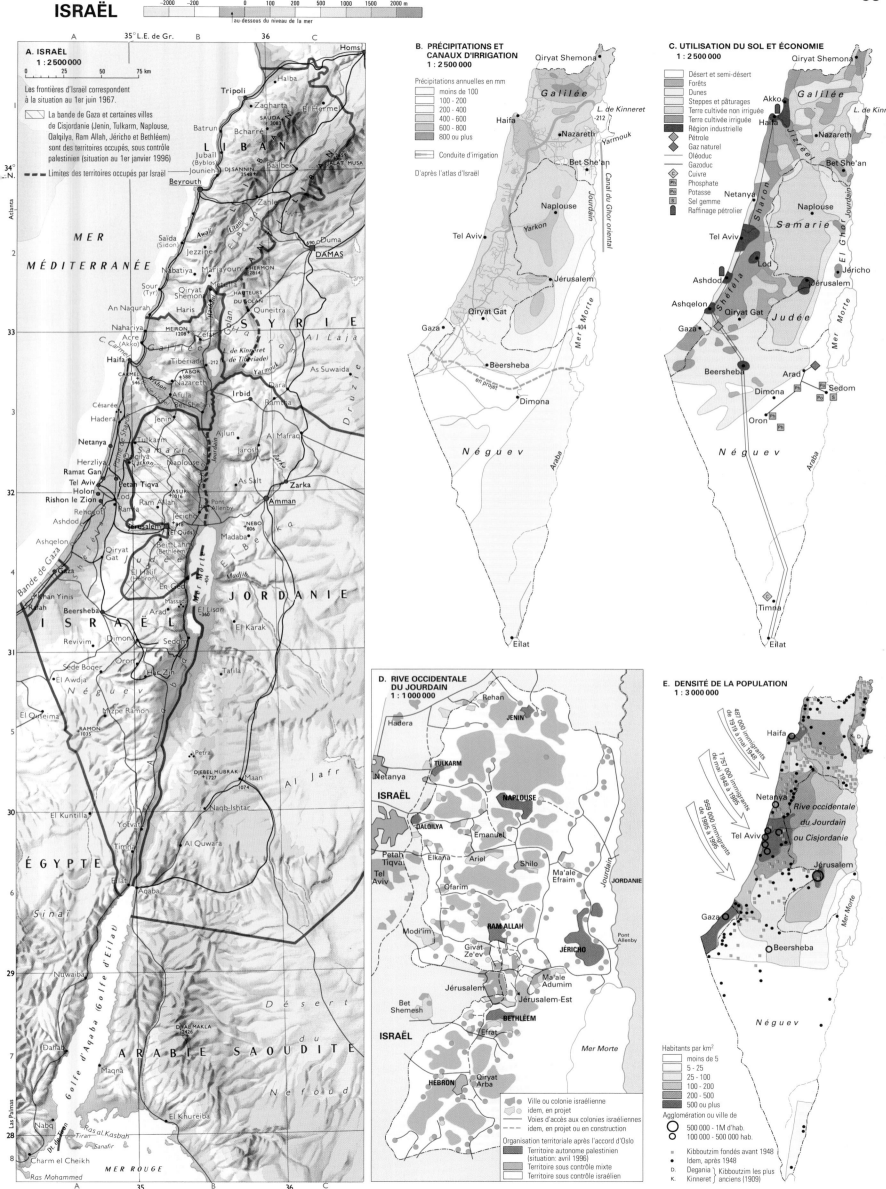

MOYEN-ORIENT

Échelle 1 : 12 500 000

-4000 -2000 -200 0 200 500 1000 2000 3000 5000 m
au-dessous du niveau de la mer

0 100 200 300 400 500 km

Mer Noire

RUSSIE
KAZAKHSTAN
OUZBÉKISTAN
TURKMÉNISTAN
GÉORGIE
ARMÉNIE
AZERBAÏDJAN
TURQUIE
Mer Caspienne
CHYPRE
Mer Méditerranée
SYRIE
LIBAN
ISRAËL
JORDANIE
IRAK
IRAN
ÉGYPTE
Sinai
Mer Rouge
ARABIE SAOUDITE
KOWEIT
BAHREIN
QATAR
ÉMIRATS ARABES UNIS
OMAN
Golfe persique
Golfe d'Oman
Roub-al-Khali
SOUDAN
Désert de Nubie
ÉRYTHRÉE
YÉMEN
ÉTHIOPIE
DJIBOUTI
SOMALIE
Golfe d'Aden
Océan Indien

ISTANBUL
ANKARA
TBILISSI
EREVAN
BAKI (BAKOU)
TÉHÉRAN
DAMAS
Beyrouth
Jérusalem
Amman
BAGDAD
RIYAD
LE CAIRE
Doha
Abou Dhabi
Mascat
Sanaa
Aden
KHARTOUM
ADDIS ABEBA
MECHED
ISPAHAN

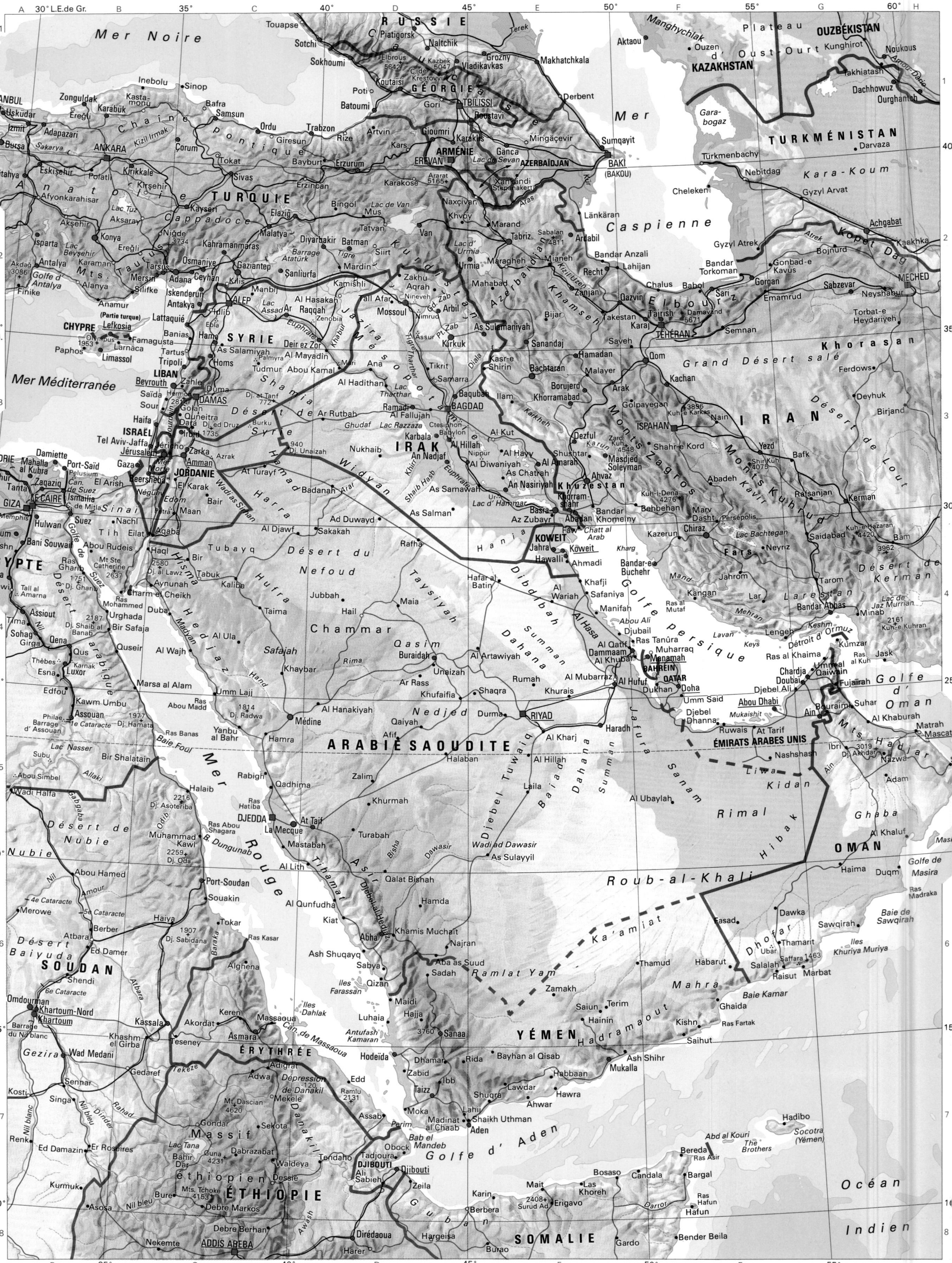

La bande de Gaza et certaines villes de Cisjordanie (Jénin, Tulkarm, Naplouse, Qalqilya, Ram Allah, Jéricho et Bethléem) sont des territoires occupés, sous contrôle palestinien (situation au 1er janvier 1996).

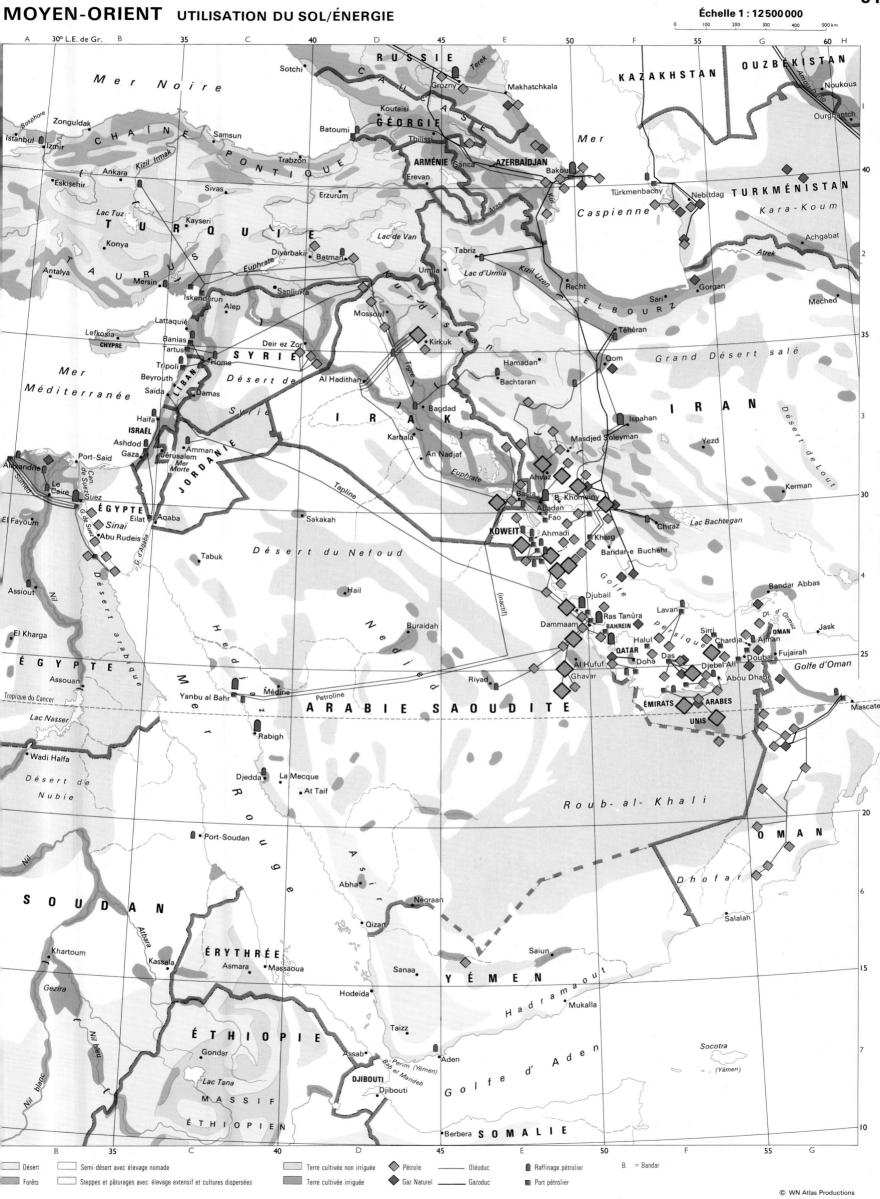

MOYEN-ORIENT UTILISATION DU SOL/ÉNERGIE

Échelle 1 : 12 500 000

0 100 200 300 400 500 km

A 30° L.E. de Gr. B 35 C 40 D 45 E 50 F 55 G 60 H

Mer Noire

RUSSIE

KAZAKHSTAN OUZBÉKISTAN

Sotchi Grozny Makhatchkala Amou-Daria Noukous
Bosphore Zonguldak Koutaïsi Terek Ourghantch
Istanbul Izmir Batoumi GÉORGIE Mer 1
Ankara Samsun Tbilissi
Eskişehir Trabzon ARMÉNIE AZERBAÏDJAN Türkmenbachy Nebitdag TURKMÉNISTAN
Kizil Irmak Erevan Gänca Bakou Caspienne Kara-Koum 40
Lac Tuz Kayseri Sivas Erzurum Aras Achgabat
Konya TURQUIE Kür Sari Gorgan Atrek Meched
Antalya Lac de Van Tabriz Recht Kizil Uzen 2
TAURUS Diyarbakir Batman Urmia Lac d'Urmia ELBOURZ
Mersin Şanlıurfa Euphrate Téhéran
Iskenderun Mossoul Kurdistan Grand Désert salé 35
Lefkosia Alep Kirkuk Hamadan Qom
CHYPRE Lattaquié Deir ez Zor Bachtaran IRAN
Banias Tartus SYRIE Ispahan Désert de Lout
Tripoli Homs Désert de Al Hadithan Tigre Bagdad Masdjed Soleyman 3
Mer Beyrouth Damas Syrie Yezd
Méditerranée Saïda LIBAN IRAK Karbala Kerman
Haïfa An Nadjaf Euphrate Ahvaz B. Khomeiny
ISRAËL Ashdod Amman Bassra Abadan
Alexandrie Gaza Jérusalem JORDANIE Tapline Fao
Port-Saïd Mer KOWEIT Ahmadi Chiraz Lac Bachtegan 30
Le Caire Morte Sakakah Kharg Bandar Abbas
Suez Canal de Suez ÉGYPTE Eilat Aqaba Bandar-e Buchehr
El Fayoum Sinaï Désert du Nefoud Djubaïl Lavan Dt. d'Ormuz
Abu Rudeis (Inactif) Ras Tanûra Sirri OMAN Jask
Assiout Tabuk Hail Dammaam BAHREIN Halul Chardja Ajman 4
El Kharga Nedjed Buraidah Al Hufuf QATAR Das Doubaï Fujairah
ÉGYPTE Hedjaz Petroline Doha Djebel Ali Abou Dhabi Golfe d'Oman
Assouan Ghavar ÉMIRATS Mascate 25
Tropique du Cancer Yanbu al Bahr Riyad ARABES
Lac Nasser Médine Petroline UNIS
Wadi Halfa Rabigh ARABIE SAOUDITE
Désert de Mer Djedda La Mecque OMAN 20
Nubie Rouge At Taif Roub-al-Khali
Nil Port-Soudan Dhofar
Khartoum Abha Asir Salalah 6
SOUDAN Atbara Qizan Negraan
Kassala Saiun
ÉRYTHRÉE Asmara Massaoua Sanaa Saïun Hadramaout 15
Gezira Hodeïda YÉMEN Mukalla
Taizz Socotra
ÉTHIOPIE Gondar Perim (Yémen) (Yémen)
Assab Aden
Lac Tana Bab el Mandeb Golfe d'Aden 10
MASSIF DJIBOUTI Berbera SOMALIE
Nil bleu Djibouti
ÉTHIOPIEN

B 35 C 40 D 45 E 50 F 55 G

B. = Bandar

Légende		
Désert	Semi-désert avec élevage nomade	Terre cultivée non irriguée ◆ Pétrole —— Oléoduc ▮ Raffinage pétrolier
Forêts	Steppes et pâturages avec élevage extensif et cultures dispersées	Terre cultivée irriguée ◆ Gaz Naturel —— Gazoduc ▮ Port pétrolier

© WN Atlas Productions

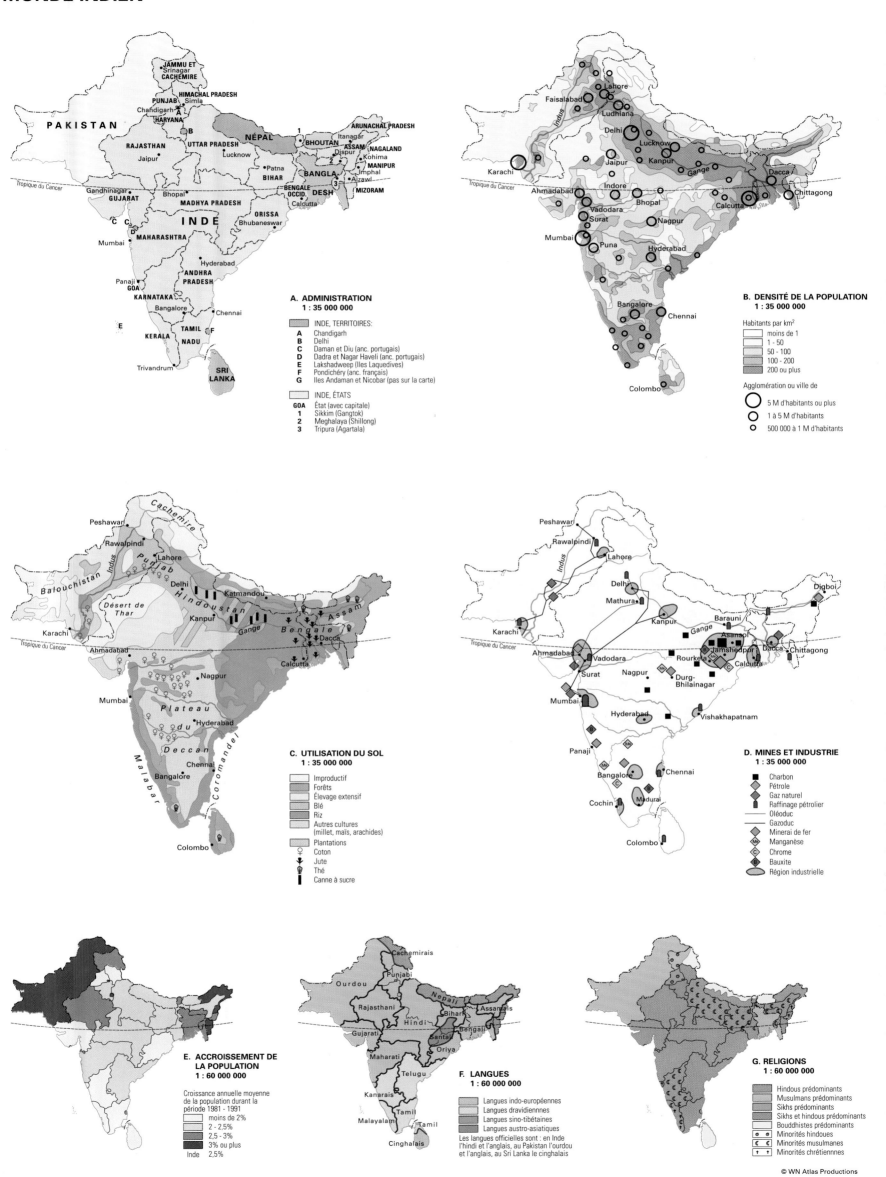

A. ADMINISTRATION
1 : 35 000 000

INDE, TERRITOIRES :

- A Chandigarh
- B Delhi
- C Daman et Diu (anc. portugais)
- D Dadra et Nagar Haveli (anc. portugais)
- E Lakshadweep (Iles Laquedives)
- F Pondichéry (anc. français)
- G Iles Andaman et Nicobar (pas sur la carte)

INDE, ÉTATS

- GOA État (avec capitale)
- 1 Sikkim (Gangtok)
- 2 Meghalaya (Shillong)
- 3 Tripura (Agartala)

B. DENSITÉ DE LA POPULATION
1 : 35 000 000

Habitants par km²

- moins de 1
- 1 - 50
- 50 - 100
- 100 - 200
- 200 ou plus

Agglomération ou ville de

- 5 M d'habitants ou plus
- 1 à 5 M d'habitants
- 500 000 à 1 M d'habitants

C. UTILISATION DU SOL
1 : 35 000 000

- Improductif
- Forêts
- Élevage extensif
- Blé
- Riz
- Autres cultures (millet, maïs, arachides)
- Plantations
- Coton
- Jute
- Thé
- Canne à sucre

D. MINES ET INDUSTRIE
1 : 35 000 000

- Charbon
- Pétrole
- Gaz naturel
- Raffinage pétrolier
- Oléoduc
- Gazoduc
- Minerai de fer
- Manganèse
- Chrome
- Bauxite
- Région industrielle

E. ACCROISSEMENT DE LA POPULATION
1 : 60 000 000

Croissance annuelle moyenne de la population durant la période 1981 - 1991

- moins de 2%
- 2 - 2,5%
- 2,5 - 3%
- 3% ou plus

Inde 2,5%

F. LANGUES
1 : 60 000 000

- Langues indo-européennes
- Langues dravidiennnes
- Langues sino-tibétaines
- Langues austro-asiatiques

Les langues officielles sont : en Inde l'hindi et l'anglais, au Pakistan l'ourdou et l'anglais, au Sri Lanka le cinghalais

G. RELIGIONS
1 : 60 000 000

- Hindous prédominants
- Musulmans prédominants
- Sikhs prédominants
- Sikhs et hindous prédominants
- Bouddhistes prédominants
- Minorités hindoues
- Minorités musulmanes
- Minorités chrétiennnes

© WN Atlas Productions

ASIE DE L'EST ET DU SUD-EST

Échelle 1 : 20 000 000

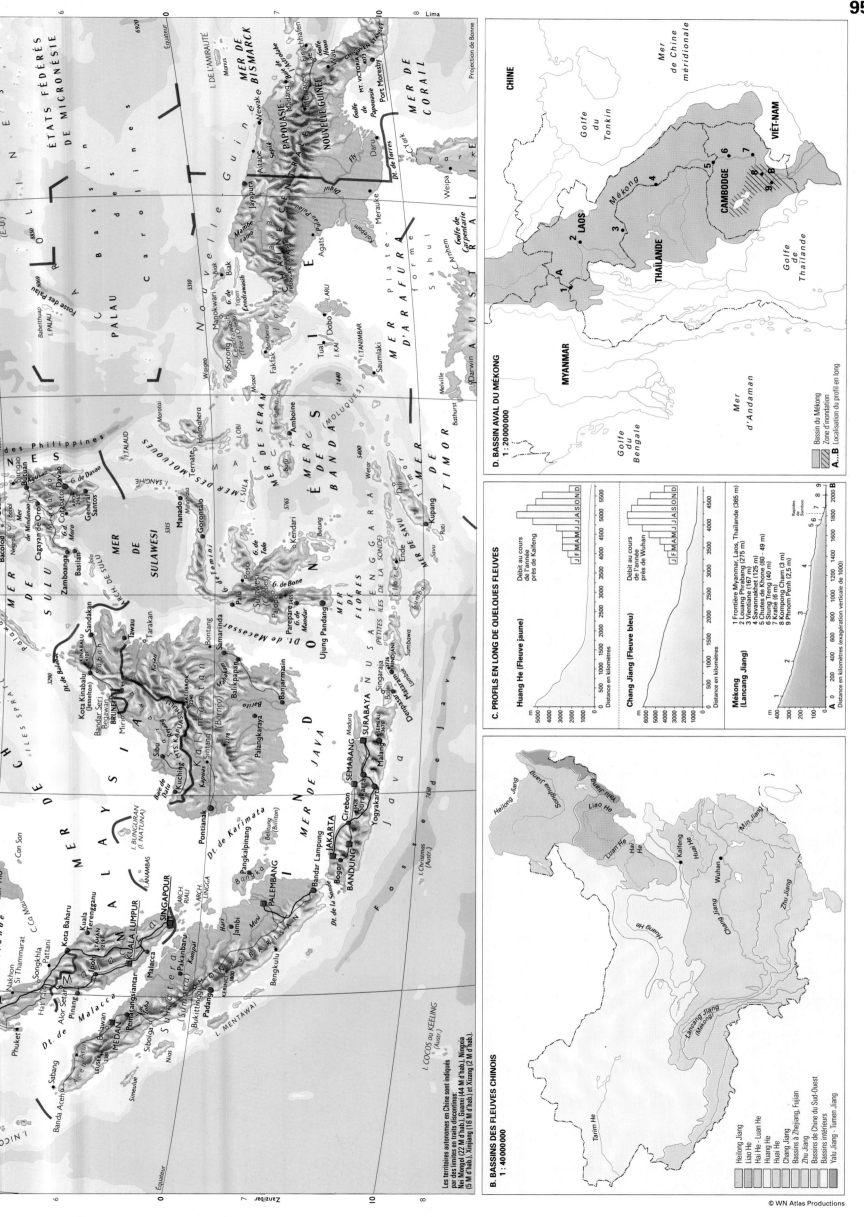

B. BASSINS DES FLEUVES CHINOIS
1 : 40 000 000

C. PROFILS EN LONG DE QUELQUES FLEUVES

Huang He (Fleuve jaune)
Débit au cours de l'année près de Kaifeng

Chang Jiang (Fleuve bleu)
Débit au cours de l'année près de Wuhan

Mékong (Lancang Jiang)

1 Frontière Myanmar, Laos, Thaïlande (365 m)
2 Vientiane (167 m)
3 Louang Phrabang (275 m)
4 Savannakhet (125 m)
5 Chutes de Khone (80 - 49 m)
6 Stung Treng (40 m)
7 Kratié (6 m)
8 Kompong Cham (3 m)
9 Phnom Penh (2,5 m)

D. BASSIN AVAL DU MÉKONG
1 : 20 000 000

Bassin du Mékong
Zone d'inondation
A...B Localisation du profil en long

Les territoires autonomes en Chine sont indiqués par des limites en traits discontinus.
Nei Mongol (22 M d'hab.), Guangxi (44 M d'hab.), Ningxia (5 M d'hab.), Xinjiang (16 M d'hab.) et Xizang (2 M d'hab.).

Projection de Bonne

© WN Atlas Productions

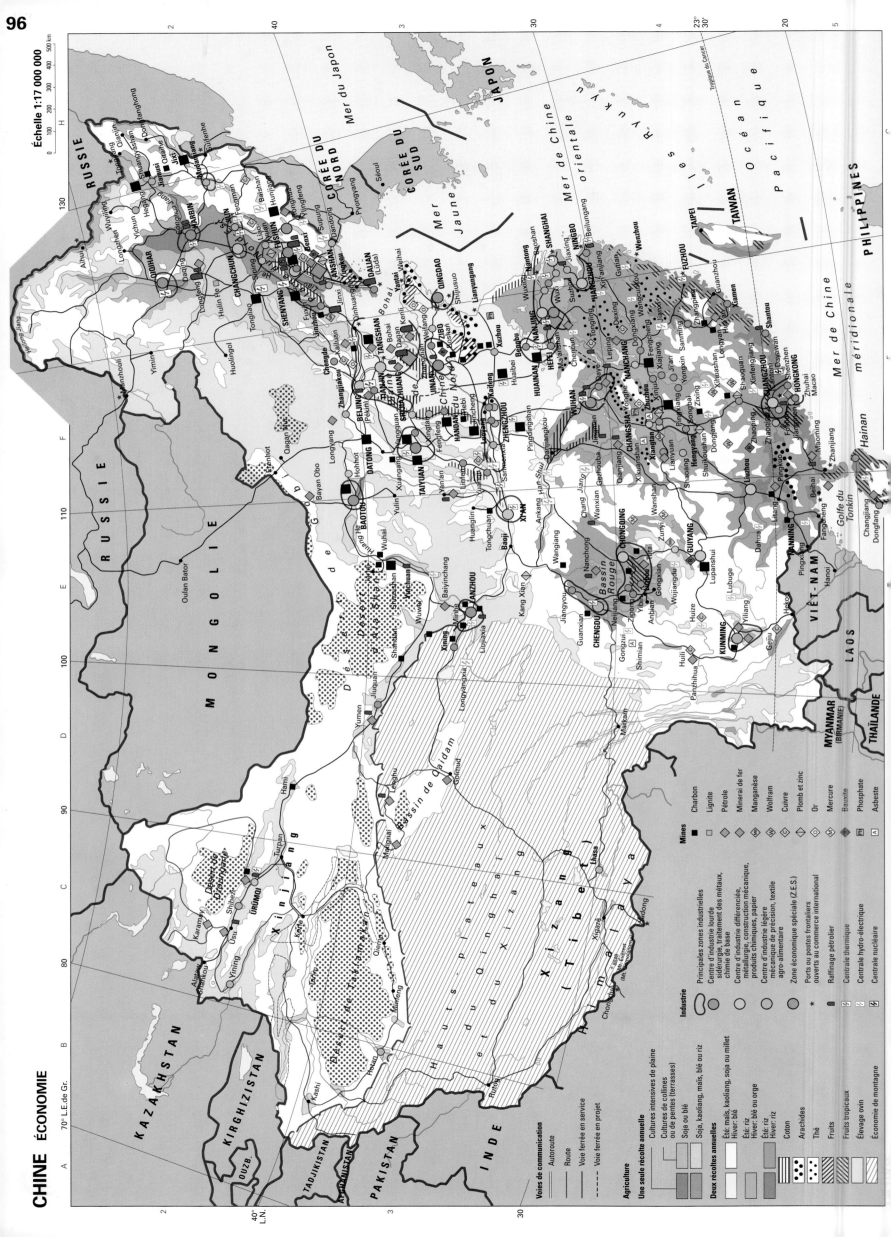

CHINE ÉCONOMIE

96

Échelle 1:17 000 000

0 100 200 300 400 500 km

Voies de communication
- Autoroute
- Route
- Voie ferrée en service
- Voie ferrée en projet

Agriculture

Une seule récolte annuelle
- Cultures intensives de plaine
- Cultures de collines ou de pentes (terrasses)
- Soja ou blé
- Soja, kaoliang, maïs, blé ou riz

Deux récoltes annuelles
- Été: maïs, kaoliang, soja ou millet
- Hiver: blé
- Été: riz
- Hiver: blé ou orge
- Été: riz
- Hiver: riz
- Coton
- Arachides
- Thé
- Fruits
- Fruits tropicaux
- Élevage ovin
- Économie de montagne

Industrie
- Principales zones industrielles
- Centre d'industrie lourde sidérurgie, traitement des métaux, chimie de base
- Centre d'industrie différenciée, métallurgie, construction mécanique, produits chimiques, papier
- Centre d'industrie légère mécanique de précision, textile agro-alimentaire
- Zone économique spéciale (Z.E.S.)
- Ports ou postes frontaliers ouverts au commerce international
- Raffinage pétrolier
- Centrale thermique
- Centrale hydro-électrique
- Centrale nucléaire

Mines
- Charbon
- Lignite
- Pétrole
- Minerai de fer
- Manganèse
- Wolfram
- Cuivre
- Plomb et zinc
- Or
- Mercure
- Bauxite
- Phosphate
- Asbeste

Pays et régions:
RUSSIE, KAZAKHSTAN, KIRGHIZISTAN, TADJIKISTAN, OUZB., AFGHANISTAN, PAKISTAN, INDE, MONGOLIE, CORÉE DU NORD, CORÉE DU SUD, JAPON, TAIWAN, PHILIPPINES, MYANMAR (BIRMANIE), LAOS, THAÏLANDE, VIÊT-NAM

Mers et océans:
Mer du Japon, Mer Jaune, Mer de Chine orientale, Mer de Chine méridionale, Océan Pacifique, Golfe du Tonkin, Bohai

Villes principales:
HARBIN, QIQIHAR, CHANGCHUN, SHENYANG, ANSHAN, DALIAN, BEIJING (Pékin), TIANJIN, TANGSHAN, DATONG, BAOTOU, TAIYUAN, SHIJIAZHUANG, JINAN, QINGDAO, ZIBO, XUZHOU, HANDAN, ZHENGZHOU, XIAN, LANZHOU, XINING, ÜRÜMQI, CHENGDU, CHONGQING, GUIYANG, KUNMING, WUHAN, NANJING, SHANGHAI, NINGBO, HEFEI, NANCHANG, CHANGSHA, LUZHOU, NANNING, GUANGZHOU, HONGKONG, SHENZHEN, SHANTOU, WENZHOU, FUZHOU, TAIPEI, Lhasa, Hanoi, Seoul, Pyongyang, Oulan Bator

Régions géographiques:
Désert de Gobi, Désert de Dzoungarie, Désert du Taklamakan, Xinjiang, Bassin de Qaidam, Hauts plateaux du Qinghai et du Xizang (Tibet), Himalaya, Bassin Rouge, Hainan, Îles Ryūkyū

70° L.E. de Gr. — 40° L.N.

CHINE

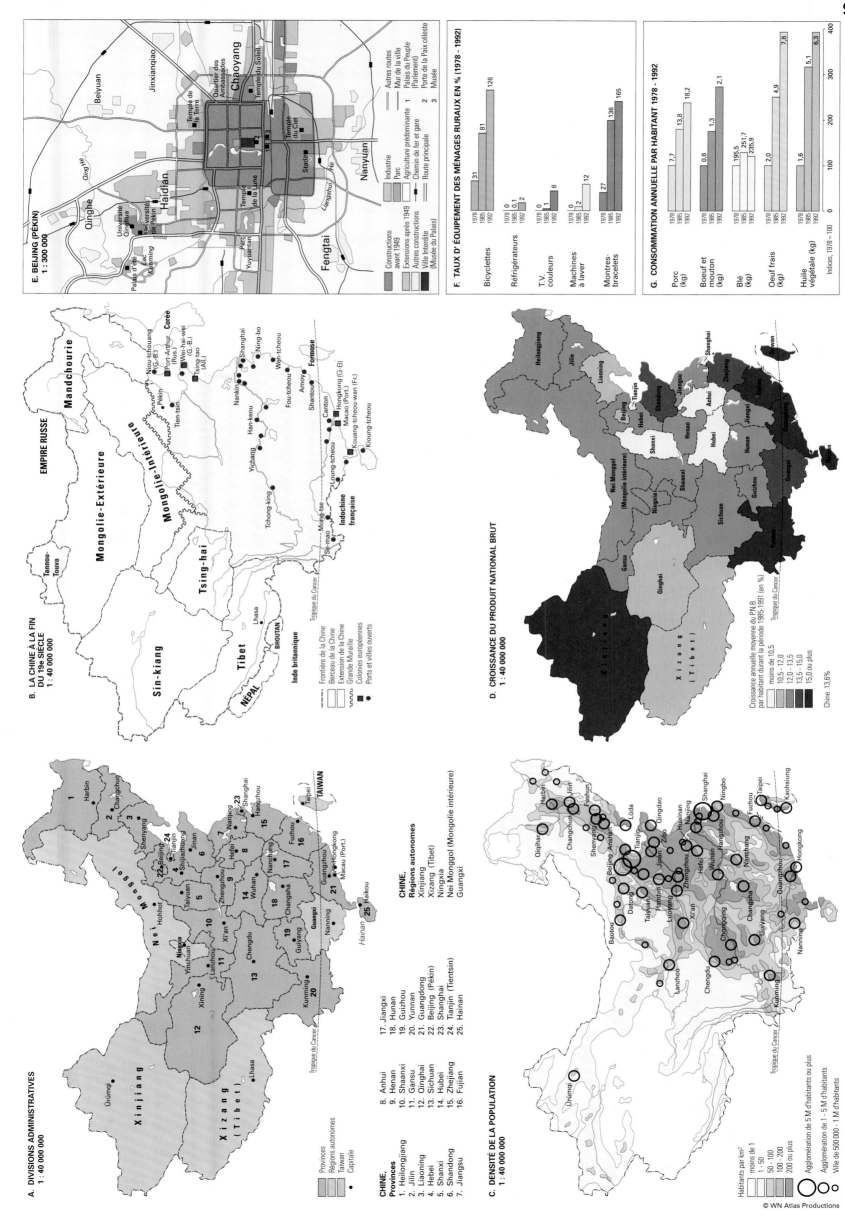

A. DIVISIONS ADMINISTRATIVES
1 : 40 000 000

Provinces
Régions autonomes
Taiwan
Capitale

CHINE,
Provinces
1. Heilongjiang
2. Jilin
3. Liaoning
4. Hebei
5. Shanxi
6. Shandong
7. Jiangsu

8. Anhui
9. Henan
10. Shaanxi
11. Gansu
12. Qinghai
13. Sichuan
14. Hubei
15. Zhejiang
16. Fujian

17. Jiangxi
18. Hunan
19. Guizhou
20. Yunnan
21. Guangdong
22. Beijing (Pékin)
23. Shanghai
24. Tianjin (Tientsin)
25. Hainan

CHINE,
Régions autonomes
Xinjiang
Xizang (Tibet)
Ningxia
Nei Monggol (Mongolie intérieure)
Guangxi

B. LA CHINE À LA FIN
DU 19e SIÈCLE
1 : 40 000 000

Frontière de la Chine
Berceau de la Chine
Extension de la Chine
Grande Muraille
Colonies européennes
Ports et villes ouverts

C. DENSITÉ DE LA POPULATION
1 : 40 000 000

Habitants par km²
moins de 1
1 - 50
50 - 100
100 - 200
200 ou plus

Agglomération de 5 M d'habitants ou plus
Agglomération de 1 - 5 M d'habitants
Ville de 500 000 - 1 M d'habitants

D. CROISSANCE DU PRODUIT NATIONAL BRUT
1 : 40 000 000

Croissance annuelle moyenne du P.N.B.
par habitant durant la période 1985-1991 (en %)
moins de 10,5
10,5 - 12,0
12,0 - 13,5
13,5 - 15,0
15,0 ou plus

Chine: 13,6%

E. BEIJING (PÉKIN)
1 : 300 000

Constructions avant 1949
Extensions après 1949
Autres constructions
Ville principale
(Musée du Palais)

Industrie
Parc
Agriculture prédominante
Chemin de fer et gare
Route principale

Autres routes
Mur de la ville
Palais du Peuple (Parlement) 1
Porte de la Paix céleste 2
Musée 3

F. TAUX D'ÉQUIPEMENT DES MÉNAGES RURAUX EN % (1978 - 1992)

	1978	1985	1992
Bicyclettes	31	81	126
Réfrigérateurs	0	0,1	2
T.V. couleurs	0	1	8
Machines à laver	0	2	12
Montres-bracelets	27	136	165

G. CONSOMMATION ANNUELLE PAR HABITANT 1978 - 1992

Indices, 1978 = 100

	1978	1985	1992
Porc (kg)	7,7	13,8	18,2
Boeuf et mouton (kg)	0,8	1,3	2,1
Blé (kg)	195,5	251,7	235,9
Oeuf frais (kg)	2,0	4,9	7,8
Huile végétale (kg)	1,6	5,1	6,3

© WN Atlas Productions

INDONÉSIE

-8000 -6000 -4000 -2000 -200 0 200 500 1000 1500 3000 5000 m

Map labels

Mer de Chine méridionale

THAÏLANDE
MYANMAR (BIRMANIE)
CAMBODGE
VIÊT-NAM
MALAYSIA
BRUNEI
KUALA LUMPUR
SINGAPOUR
MEDAN
PALEMBANG
JAKARTA
BANDUNG
SEMARANG
SURABAYA

Iles Andaman (Inde)
Andaman centrale
Andaman du Sud
Port Blair
Petite Andaman
Passage de Duncan
Mer d'Andaman
Bassin d'Andaman
Passage du 10e degré
Car Nicobar
Iles Nicobar (Inde)
Katchall
Petite Nicobar
Grande Nicobar
Batanga
Grand Passage

BANGKOK, Thon Buri, Phetchaburi, Chon Buri, Pattaya, Sattahip, Hua Hin, Bang Saphan, Chumphon, Ranong, Takua Pa, Phuket, Surat Thani, Na San, Nakhon Si Thammarat, Pak Phanang, Thung Song, Phatthalung, Trang, Hat Yai, Songkhla, Pattani, Yala, Narathiwat, Kota Baharu

C. Tavoy, Tenasserim, Kadan, Mergui, Tenasserim, Karathuri, Isthme de Kra, Archipel Mergui

Golfe de Bangkok, Mts des Cardamomes, Tonlé Sap, Pursat, Kompong Chhnang, Phnom Penh, Kratie, Kompong Cham, Takeo, Kompong Som, Koh Kong, Krong, Chang, Chanthaburi, Trat

HÔ CHI MINH-VILLE (SAIGON), Bien Hoa, Gia Dinh, My Tho, Long Xuyen, Can Tho, Rach Gia, Soc Trang, Bac Lieu, Ca Mau, Nam Can, Delta du Mekong, Phu Quoc, Ha Tien, Kampot, Ben Tre, Ba Dong, Vung Tau, Phan Thiet, Cam Ranh, Nha Trang, Da Lat, Buon Me Thuot, Dong Nai, Yang Sin 2405, C. Ca Na, C. Bai Bung, Con Son

Iles Spratly (revendiquées par la Chine, le Viêt-nam et les Philippines)

Golfe de Thaïlande

Banda Aceh, Sigli, Lhokseumawe, Takengon, Arun, Peureulak, Langsa, **Aceh**, Leuser 3381, Meulaboh, C. Raja, Belawan, **MEDAN**, Binjai, Pematangsiantar, Tebingtinggi, Kabanjahe, **Sumatera Utara**, L. Toba, Tanjungbalai, Bagansiapiapi, Tapaktuan, Sibolga, Rantauprapat, Singkil, Tarutung, Simeulue, Sinabang, I. Banyak, Padangsidempuan, Lahewa, Natal, Telukdalem, Nias, Pini, Pakanbaru, Buatan, Minas, **Riau**, Dumai, Bengkalis, Rupat, Padang, Tebingtinggi

Penang (Georgetown), Butterworth, Alor Setar, Sungai Petani, Langkawi, Betong, Taiping, Ipoh, Bertam, Plateau de Cameron 2190, Kuala Kangsar, Kuala Lipis, Telok Anson, Port Weld, Kampar, Raub, Chukai, Bentong, Temerloh, **Pahang**, Kuantan, Pekan, Shah Alam, Kelang, Seremban, Port Dickson, Melaka, Segamat, Keluang, Muar, Mersing, Johor Baharu, Kuala Rompin, Kuala Dungun, Kuala Terengganu, Bertam

MALAYSIA, Laut, Natuna Besar, Ranai, Iles Natuna, Subi, Iles Anambas, Jemaja, Plate-forme de la Sonde, I. Tambelan, Singkawang, Pontianak, **Kalimantan Barat**, Sanggau, Sintang, Mempawah, Paloh, Lundu, Baie de Datu, C. Datu, Kuching, **Sarawak**, Sibu, Sarikei, Kapit, Belaga, Mukah, Bintulu, **Kalimantan (Bornéo)**, Putussibau, Sukadana, Ketapang, Kualakapuas, Kendawangan, Sukaraja, Pangkalanbuun, **Kalimantan Tengah**, Palangkaraya, Sampit, Kualakuayan, Buntok, Amuntai, Kandangan, Banjarmasin, Martapura

KUALA LUMPUR, **SINGAPOUR**, Dt. de Singapour, Batam, Bintan, Tanjungpinang, Arch. Riau, Dt. de Malacca

Pakanbaru, Bukittinggi, Payakumbuh, Padangpanjang, **Sumatera Barat**, Padang, Sawahlunto, Talakmau 2912, Rengat, Tembilahan, Kualatungkal, Muarabungo, Surulangun, **Jambi**, Bayunglincir, Muaratebo, Jambi, Hari, Kerinci 3800, Muko-Muko, Pagai Utara, Pagai Selatan, Sipura, Siberut, Iles Mentawai, Dt. de Siberut, Sigep, Sungaipenuh

Lingga, Singkep, Kotadabok, Dt. de Berhala, **Sumatera Selatan**, Muntok, Pangkalpinang, **Bangka**, Sekayu, Lubuklinggau, Musi, Toboali, Dt. de Bangka, Tanjungpandan, **Belitung (Billiton)**, C. Sambar, Dt. de Karimata, I. Karimata, Maya, Padangtikar

Bengkulu, Lahat, Muaraenim, **Bengkulu**, Perabumulih, Baturaja, Manna, Kotabumi, Menggala, **Lampung**, Krui, Bandar Lampung, Enggano, Belimbing, Rakata (Krakatau), Panaitan, Dt. de la Sonde, Serang, **JAKARTA**, Bogor, Sukabumi, Cianjur, **Jawa Barat**, **BANDUNG**, Garut, Taskmalaya, Purwakarta, Cirebon, Tegal, Pekalongan, Indramayu, **SEMARANG**, Rembang, Tuban, Kudus, **Jawa Tengah**, Magelang, Surakarta, Yogyakarta, **Yogyakarta**, Purwokerto, Cilacap, Pacitan, Borobudur, Kediri, **Jawa Timur**, Madium, Blitar, Malang, **SURABAYA**, Pamekasan, Madura, Sumenep, I. Kangean, Situbondo, Jember, Probolinggo, Semeru 3676, Banyuwangi, Singaraja, **Bali**, Denpasar, Mataram, Lombok

Mer de Java, C. Selatan, C. Loyar, Pagatan

Océan Indien, Bassin de Cocos, Équateur, Christmas (Austr.), Fosse de Java 7450

Mer de Bali

Kota Kinabalu, Tuaran, Labuan, Bandar Seri Begawan, **BRUNEI**, C. Baram, Lutong, Miri, Niah, Long Akah, Murud 2423, Mts Tama Abu, Iban

---

A. INDONÉSIE: CLIMAT

1 : 25 000 000

Précipitations annuelles en mm

1000 - 2000	
2000 - 3000	
3000 - 4000	
4000 - 5000	

→ Mousson de janvier
→ Mousson de juillet

Diagrammes climatiques:

Précipitations en mm
Température en degrés Celsius

VIÊT-NAM
MALAYSIA
PHILIPPINES
BRUNEI
MALAYSIA
SINGAPOUR
INDONÉSIE

Medan, Padang, Jakarta, Surabaya, Pontianak, Balikpapan, Sandakan, Manado, Manokwari, Amboine, Kupang, Uccle (Belgique)

Équateur

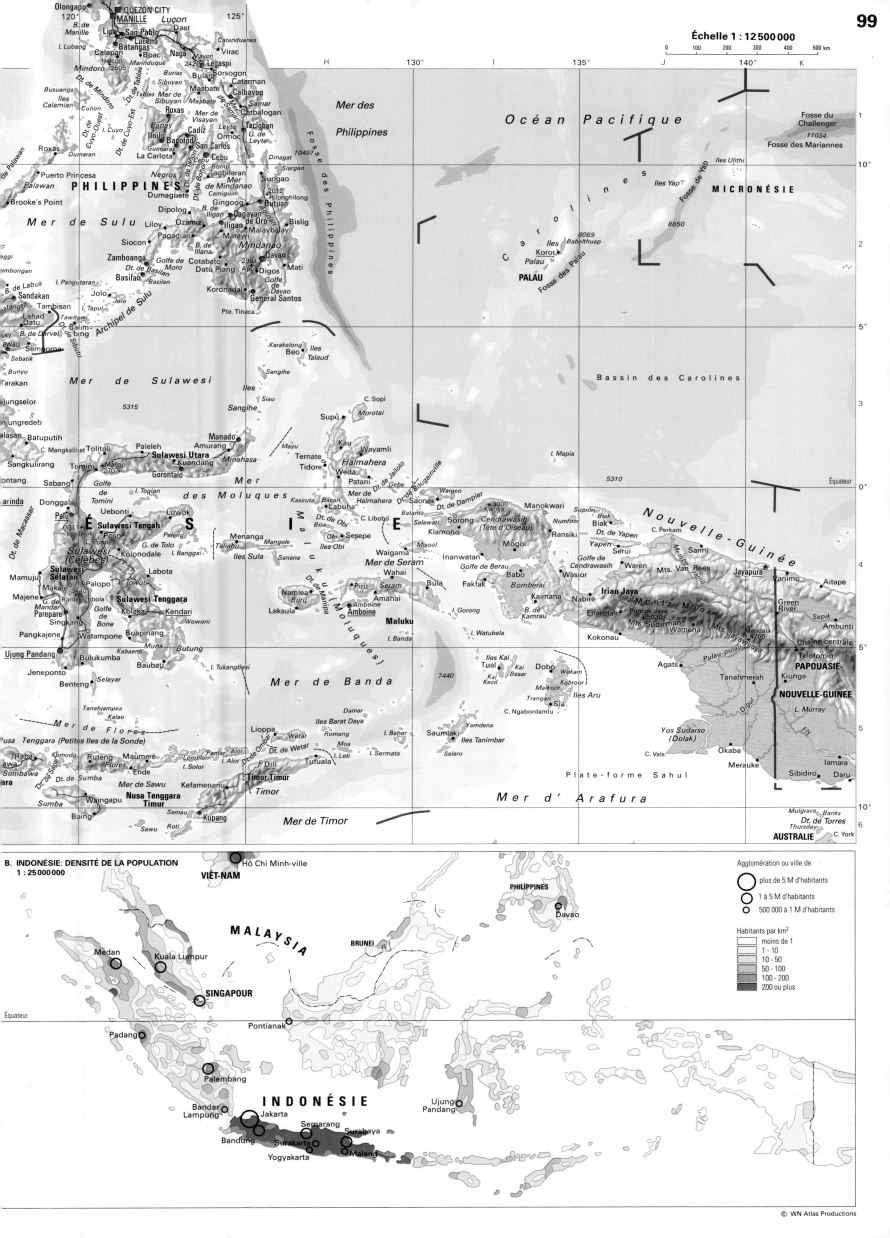

CORÉE DU SUD / TAIWAN

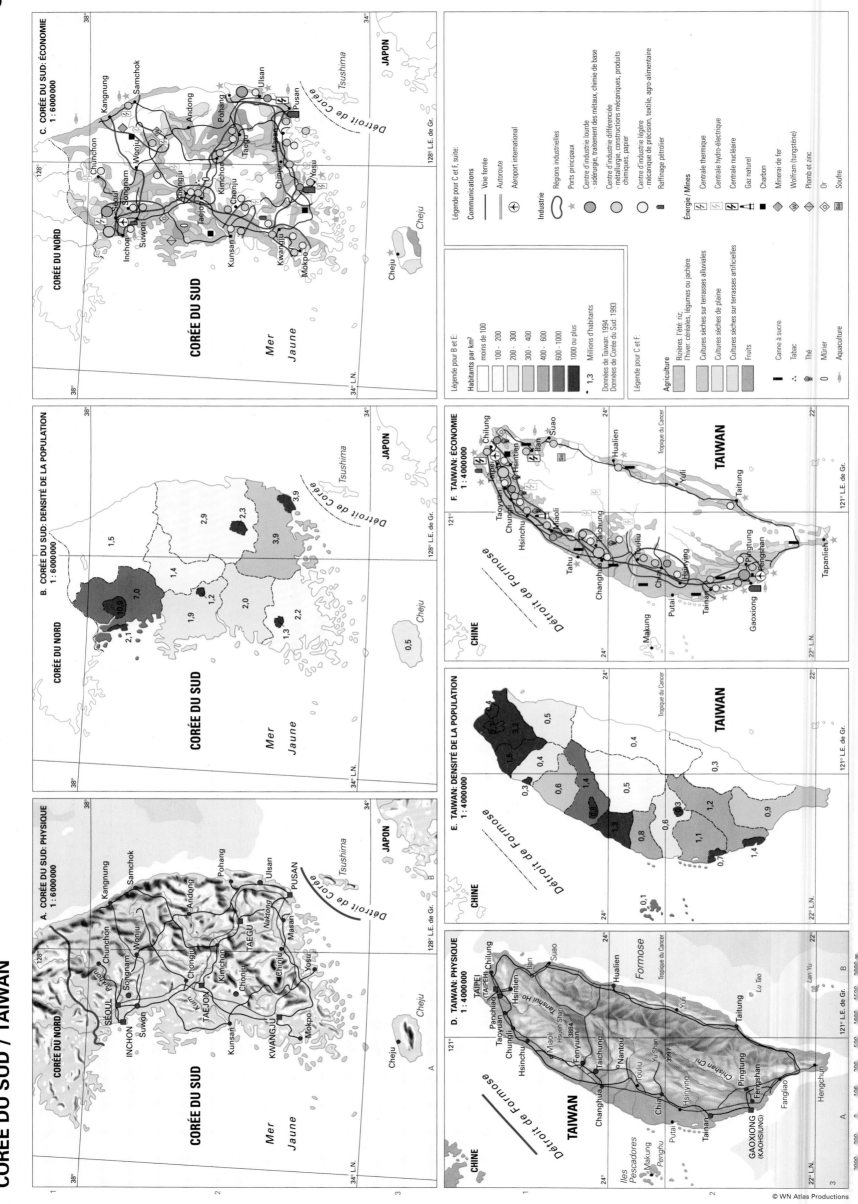

A. CORÉE DU SUD: PHYSIQUE
1 : 6 000 000

CORÉE DU NORD

CORÉE DU SUD

Chunchon · Kangnung · Samchok · Andong · Pohang · Ulsan

SÉOUL · Songnam · Wonju

INCHON · Suwon · Kum · Chongju · Naktong · Masan · PUSAN

TAEJON · TAEGU

Kunsan · Kimchon · Chonju · Chinju

KWANGJU · Yosu · Mokpo

Mer Jaune

Détroit de Corée

Tsushima

JAPON

Cheju

B. CORÉE DU SUD: DENSITÉ DE LA POPULATION
1 : 6 000 000

CORÉE DU NORD

CORÉE DU SUD

2,1 · 10,9 · 7,0 · 1,5 · 2,9 · 2,3 · 3,9 · 3,9 · 1,4 · 1,2 · 1,9 · 2,0 · 1,3 · 2,2

Mer Jaune

Détroit de Corée

Tsushima

JAPON

Cheju 0,5

C. CORÉE DU SUD: ÉCONOMIE
1 : 6 000 000

CORÉE DU NORD

CORÉE DU SUD

Chunchon · Kangnung · Samchok · Wonju · Andong · Pohang · Ulsan
Chunchon · Songnam · Séoul · Inchon · Suwon · Chongju · Taejon · Taegu · Kimchon · Chonju · Kunsan · Chinju · Masan · Pusan · Kwangju · Yosu · Mokpo

Mer Jaune

Détroit de Corée

Tsushima

JAPON

Cheju

D. TAIWAN: PHYSIQUE
1 : 4 000 000

CHINE

TAIWAN

Formose

TAIPEI (TAIPEH) · Chilung
Panchiao · Taoyuan · Hsintien · Ilan · Suao
Chungli · Hsinchu · Miaoli · Hsueh Shan 3884 · Taichung · Hualien
Fenyuan · Changhua · Nantou · Yu Shan 3997 · Touliu
Chia · Hsinying · Yuli · Taitung · Pingtung · Fengshan
Putai · Tainan · GAOXIONG (KAOHSIUNG) · Fengshan · Fangliao · Hengchun

Îles Pescadores · Makung · Penghu

Tanshui Ho · Chishan Chi

Lu Tao · Lan Yu

Tropique du Cancer

Détroit de Formose

E. TAIWAN: DENSITÉ DE LA POPULATION
1 : 4 000 000

CHINE

TAIWAN

0,1 · 2,5 · 3,2 · 1,5 · 0,4 · 0,5 · 0,3 · 0,6 · 1,4 · 0,5 · 0,4 · 0,3 · 0,8 · 0,6 · 1,3 · 1,1 · 0,7 · 1,2 · 1,4 · 0,9

Tropique du Cancer

Détroit de Formose

F. TAIWAN: ÉCONOMIE
1 : 4 000 000

CHINE

TAIWAN

Chilung · Suao · Ilan · Taipei · Hsintien · Hsinchu · Hualien
Taoyuan · Chungli · Miaoli · Taichung · Touliu · Changhua · Tahu · Chia · Hsinying · Yuli · Taitung · Putai · Tainan · Pingtung · Pengshan · Gaoxiong · Tapanlieh · Makung

Tropique du Cancer

Détroit de Formose

Légende pour C et F, suite:

Communications
— Voie ferrée
— Autoroute
Aéroport international

Industrie
Régions industrielles
★ Ports principaux
Centre d'industrie lourde - sidérurgie, traitement des métaux, chimie de base
Centre d'industrie différenciée - métallurgie, constructions mécaniques, produits chimiques, papier
Centre d'industrie légère - mécanique de précision, textile, agro-alimentaire
Raffinage pétrolier

Énergie / Mines
Centrale thermique
Centrale hydro-électrique
Centrale nucléaire
Gaz naturel
Charbon
Minerai de fer
Wolfram (tungstène)
Plomb et zinc
Or
Soufre

Légende pour B et E:

Habitants par km²
moins de 100
100 - 200
200 - 300
300 - 400
400 - 600
600 - 1000
1000 ou plus
1,3 Millions d'habitants

Données de Taïwan: 1994
Données de Corée du Sud: 1993

Légende pour C et F:

Agriculture
Rizières: l'été: riz; l'hiver: céréales, légumes ou jachère
Cultures sèches sur terrasses alluviales
Cultures sèches de plaine
Cultures sèches sur terrasses artificielles
Fruits

Canne à sucre
Tabac
Thé
Mûrier
Aquaculture

© WN Atlas Productions

HONGKONG / CHINE / SINGAPOUR

A. HONGKONG, CANTON ET MACAO
1 : 1 500 000

B. CHINE: ZONES ÉCONOMIQUES SPÉCIALES
1 : 40 000 000

★ Zone économique spéciale
(Investissements étrangers illimités)

● Ville ouverte (Investissements étrangers limités
à l'industrie et à la recherche scientifique)

Dalian fait partie de la ville de Luda

Guangzhou (Canton), Foshan, Shunde, Panyu, Huangpu, Xintang, Xiaolan, Zhongshan, Zhuhai, Macao (Port.), Jiangmen, Doumen, Dahengin Dao, Sanzao Dao, Xi Jiang, Rivière des Perles

Qinhuangdao, Tianjin, Dalian, Yantai, Qingdao, Lianyungang, Nantong, Shanghai, Ningbo, Wenzhou, Fuzhou, Xiamen, Shantou, Shenzhen, Zhuhai, Zhanjiang, Beihai, Hainan

C. SINGAPOUR
1 : 300 000

Centre des affaires
Idem, secondaire
Zone résidentielle
Zone industrielle/portuaire
Aéroport
Parc, bois
Mangrove
Zone à agriculture dominante (légumes, caoutchouc, copra)
Limite de la ville de Singapour
Conduite d'eau potable
Chemin de fer
Autoroute
Raffinerie et pétrole

D. HONGKONG
1 : 400 000

Légende pour D:
Zone résidentielle
Espace industriel
Parc
Aéroport
Barrage, lac de barrage
Chemin de fer
Route principale
Tunnel routier
1 Université de Hongkong
2 Jardin botanique
3 Université chinoise de Hongkong
Zone économique spéciale

Légende pour E et F:
Amérique du Nord
Amérique Centrale et du Sud
Europe
Russie et républiques périphériques
Afrique
Asie
Océanie

Commerce total en milliers de $ É-U (1991)
Importations et exportations (1991)
part des importations, en %
part des exportations, en %

E. SINGAPOUR: COMMERCE EXTÉRIEUR
1 : 275 000 000
Commerce total: 124 853 628 000 $ É-U

F. HONGKONG: COMMERCE EXTÉRIEUR
1 : 275 000 000
Commerce total: 199 669 574 000 $ É-U

© WN Atlas Productions

JAPON

A. ÉCONOMIE
1 : 15 000 000

- Culture du riz sur champs inondés
- Autres cultures
- Mûrier (élevage du ver à soie)
- Forêts
- Limite Nord des plantes cultivées
- Courant relativement chaud
- Courant relativement froid
- Charbon
- Gaz naturel
- Cuivre
- Plomb et zinc
- Or
- Région industrielle

Riz d'été · Mûrier · Thé · Orange · Sendai · Riz d'hiver

B. PHYSIQUE
1 : 10 000 000

0 — 100 — 200 — 500 — 1000 — 1500

0 50 100 200 km

C. DENSITÉ DE LA POPULATION
1 : 15 000 000

Habitants par km²
- moins de 50
- 50 - 100
- 100 - 200
- 200 - 700
- 700 ou plus

- Agglomération de plus de 5 M d'habitants
- Agglomération de 1 - 5 M d'habitants
- Ville de 500 000 - 1 M d'habitants
- Ville de 100 000 - 500 000 habitants

D. PART DE LA PRODUCTION MONDIALE (1990)

	Part du Japon
Acier	14%
Aluminium	6%
Automobiles	27%
Navires	44%
Pétroliers	48%
Appareils de radio	8%
Appareils de T.V.	12%

Population (1994) 2,2%

E. MATIÈRES PREMIÈRES (1990)

- Importations
- Production nationale

Charbon	7%
Pétrole	0,2%
Gaz naturel	6%
Minerai de fer	0,1%
Cuivre	1%
Bauxite	0%

F. ORIGINE DES MATIÈRES PREMIÈRES

- Principaux flux de produits
- Charbon
- Pétrole
- Gaz naturel
- Minerai de fer
- Cuivre
- Bauxite

Russie · Moyen-Orient · Inde · Chine · Malaisie Brunéi Philippines · Indonésie · Papouasie Nouvelle-Guinée · Australie · Zaïre · Zambie · Afrique du Sud · Alaska · Canada · États-Unis · Guyana · Surinam · Pérou · Brésil · Chili

G. JAPON: STOCK D'INVESTISSEMENTS DIRECTS À L'ÉTRANGER EN 1991

Stock d'investissements directs à l'étranger en milliards de $ É-U (1991)
100 50 25 10

Investissements total: 310,8 Md $ É-U (1991)

Amérique du Nord · Amérique latine · Europe · Russie et Crép. périphériques · Afrique · Asie · Océanie

H. JAPON: COMMERCE EXTÉRIEUR

Commerce total en milliards de $ É-U (1992)
200 100 50 25 10

- part des importations, en %
- part des exportations, en %

Commerce total: 580,3 Md $ É-U (1992)

Amérique du Nord · Amérique latine · Europe · Russie et rép. périphériques · Afrique · Asie · Océanie

---

MER D'OKHOTSK · KOURILES (Russie) · Itouroup · Kounachir · Shikotan · Habomai · Nemuro · Kushiro · Abashiri · Kitami · Obihiro · MTS HIDAKA · Hokkaido · Sakhaline (Russie) · Korsakov · Baie d'Aniva · C. Aniva · Dt. de La Pérouse (Soya) · Wakkanai · Ashikawa · Yubari · SAPPORO · Otaru · Tomakomai · Muroran · Hakodate · C. d'Uchiura · Baie de Mutsu · C. Shiriya · Aomori · Hirosaki · Akita · Morioka · Hachinohe · Ishinomaki · Sendai · Yamagata · Sakata · Niigata · Fukushima · Iwaki · Koriyama · Mito · Hitachi · TOKYO · YOKOHAMA · KAWASAKI · Chiba · Yokosuka · Utsunomiya · Nikko · Maebashi · Nagaoka · Nagano · Matsumoto · FUJI · Kofu · B. de Suruga · Shizuoka · Hamamatsu · Toyohashi · NAGOYA · Gifu · Toyama · Kanazawa · Fukui · Baie de Wakasa · Lac Biwa · KYOTO · Nara · OSAKA · KOBE · Sakai · Wakayama · Himeji · Okayama · Kurashiki · HIROSHIMA · Ube · KITA-KYUSHU · FUKUOKA · Kurume · Omuta · Sasebo · Nagasaki · Kumamoto · Beppu · Oita · Nobeoka · Miyazaki · Kagoshima · Matsue · Tottori · Takamatsu · Matsuyama · Niihama · Kochi · OCÉAN PACIFIQUE · Ryukyu · Amami · Okinawa · Naha

© WN Atlas Productions

JAPON

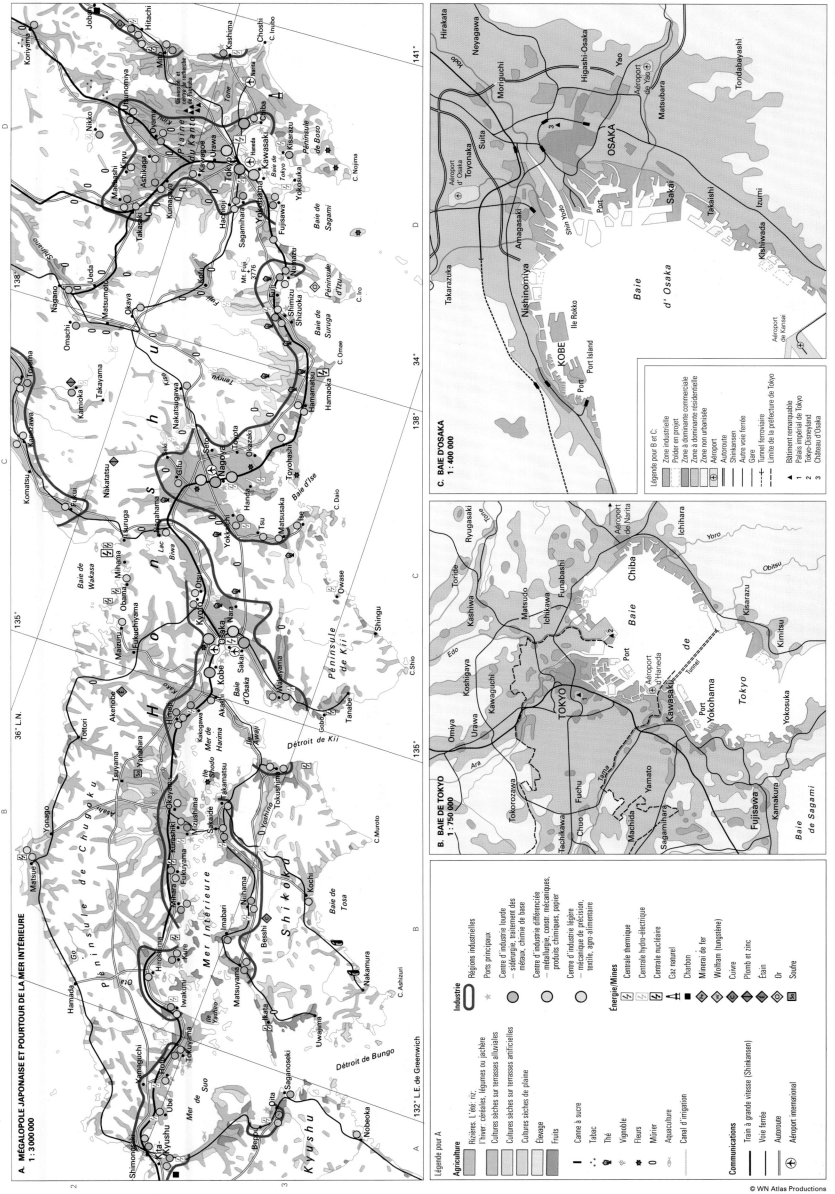

A. MÉGALOPOLE JAPONAISE ET POURTOUR DE LA MER INTÉRIEURE
1 : 3 000 000

B. BAIE DE TOKYO
1 : 750 000

C. BAIE D'OSAKA
1 : 400 000

Légende pour A

Agriculture
- Rizières. L'été : riz ;
  l'hiver : céréales, légumes ou jachère
- Cultures sèches sur terrasses alluviales
- Cultures sèches sur terrasses artificielles
- Cultures sèches de plaine
- Élevage
- Fruits

- Canne à sucre
- Tabac
- Thé
- Vignoble
- Fleurs
- Mûrier
- Aquaculture
- Canal d'irrigation

Communications
- Train à grande vitesse (Shinkansen)
- Voie ferrée
- Autoroute
- Aéroport international

Industrie
- Régions industrielles
- Ports principaux
- Centre d'industrie lourde —
  sidérurgie, traitement des
  métaux, chimie de base
- Centre d'industrie différenciée —
  métallurgie, constr. mécaniques,
  produits chimiques, papier
- Centre d'industrie légère —
  mécanique de précision,
  textile, agro-alimentaire

Énergie/Mines
- Centrale thermique
- Centrale hydro-électrique
- Centrale nucléaire
- Gaz naturel
- Charbon
- Minerai de fer
- Wolfram (tungstène)
- Cuivre
- Plomb et zinc
- Étain
- Or
- Soufre

Légende pour B et C:
- Zone industrielle
- Polder en projet
- Zone à dominante commerciale
- Zone à dominante résidentielle
- Zone non urbanisée
- Aéroport
- Autoroute
- Shinkansen
- Autre voie ferrée
- Gare
- Tunnel ferroviaire
- Limite de la préfecture de Tokyo
- Bâtiment remarquable
- 1 Palais impérial de Tokyo
- 2 Tokyo-Disneyland
- 3 Château d'Osaka

© WN Atlas Productions

AFRIQUE

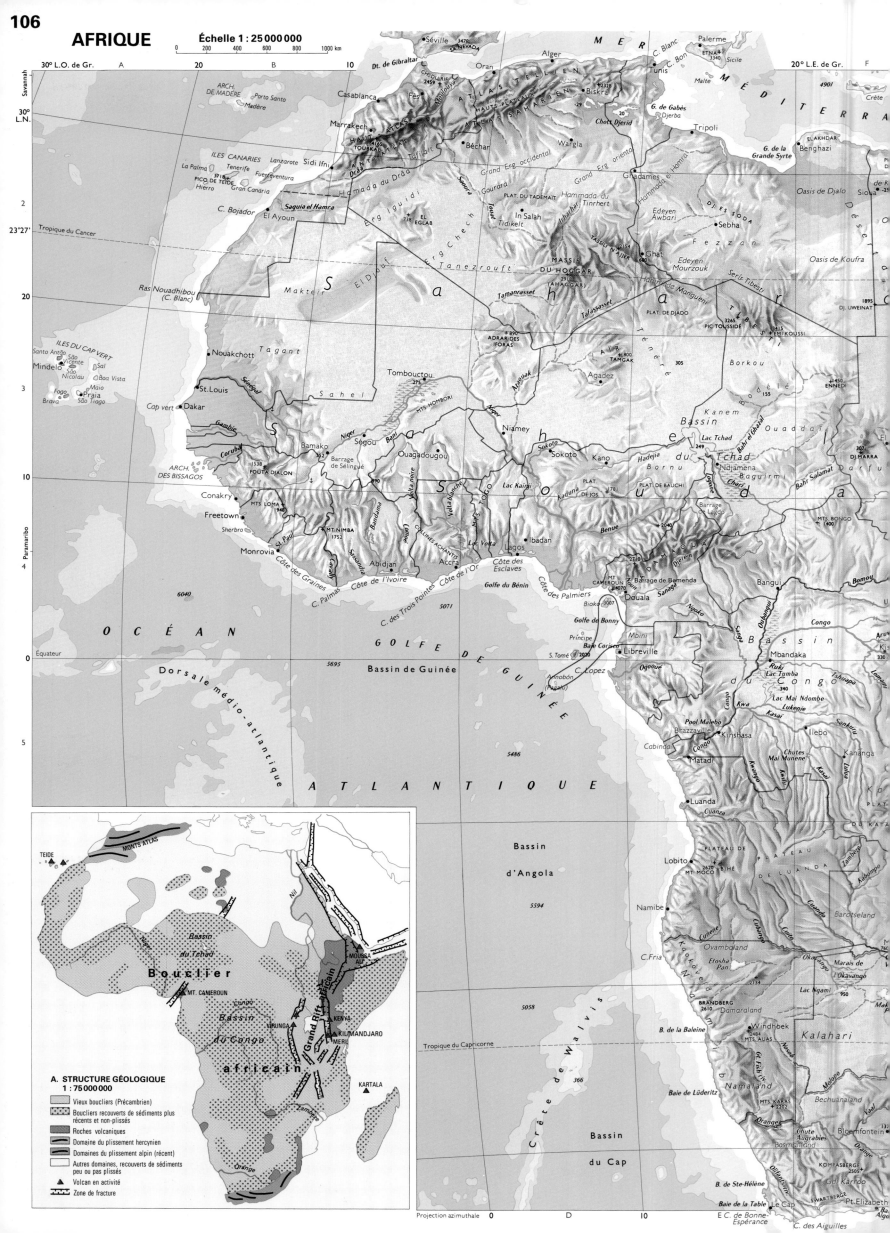

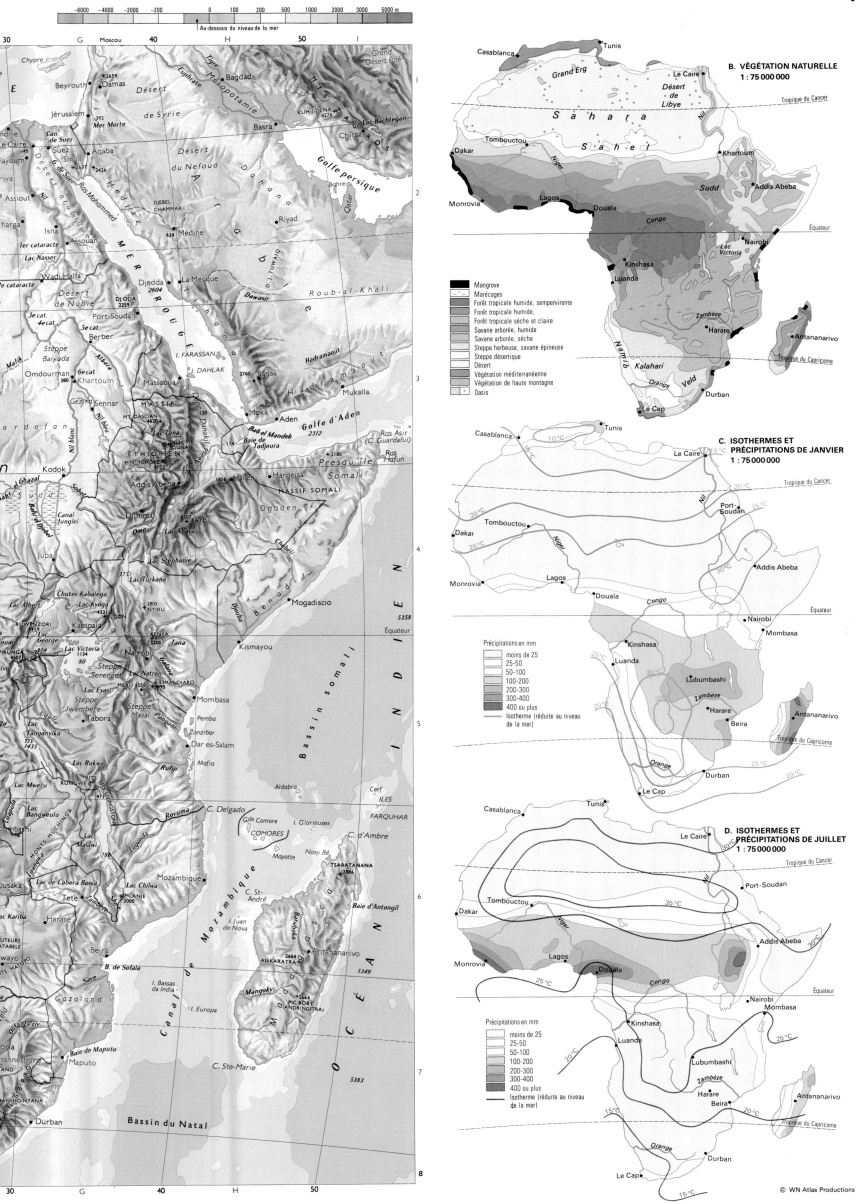

-6000 -4000 -2000 -200 0 100 200 500 1000 2000 3000 5000 m
Au-dessous du niveau de la mer

B. VÉGÉTATION NATURELLE
1 : 75 000 000

Mangrove
Marécages
Forêt tropicale humide, sempervirente
Forêt tropicale humide,
Forêt tropicale sèche et claire
Savane arborée, humide
Savane arborée, sèche
Steppe herbeuse, savane épineuse
Steppe désertique
Désert
Végétation méditerranéenne
Végétation de haute montagne
Oasis

C. ISOTHERMES ET PRÉCIPITATIONS DE JANVIER
1 : 75 000 000

Précipitations en mm
moins de 25
25-50
50-100
100-200
200-300
300-400
400 ou plus
Isotherme (réduite au niveau de la mer)

D. ISOTHERMES ET PRÉCIPITATIONS DE JUILLET
1 : 75 000 000

Précipitations en mm
moins de 25
25-50
50-100
100-200
200-300
300-400
400 ou plus
Isotherme (réduite au niveau de la mer)

© WN Atlas Productions

AFRIQUE POLITIQUE

A. LANGUES
1 : 70 000 000

- Afrikaans/Anglais
- Langues sémitiques
- Langues chamitiques
- Langues couchitiques
- Langues soudanaises
- Langues bantoues
- Langues Khoisan
- Langues malayo-polynésiennes

AFRIQUE

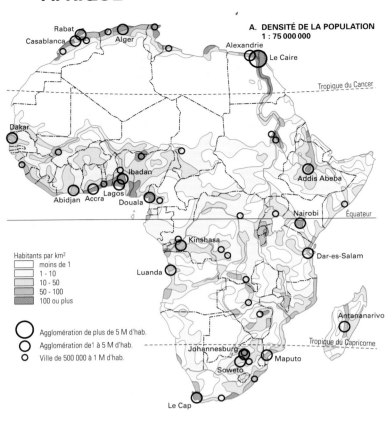

A. DENSITÉ DE LA POPULATION
1 : 75 000 000

Rabat
Casablanca
Alger
Alexandrie
Le Caire
Tropique du Cancer
Dakar
Ibadan
Addis Abeba
Abidjan Accra Lagos Douala
Nairobi
Équateur
Kinshasa
Dar-es-Salam
Luanda
Antananarivo
Tropique du Capricorne
Johannesburg
Maputo
Soweto
Le Cap

Habitants par km²
moins de 1
1 - 10
10 - 50
50 - 100
100 ou plus

○ Agglomération de plus de 5 M d'hab.
○ Agglomération de 1 à 5 M d'hab.
○ Ville de 500 000 à 1 M d'hab.

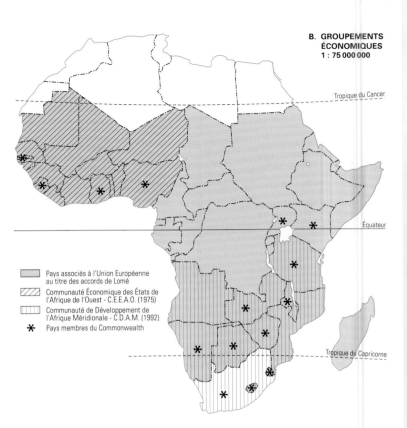

B. GROUPEMENTS ÉCONOMIQUES
1 : 75 000 000

Tropique du Cancer
Équateur
Tropique du Capricorne

Pays associés à l'Union Européenne au titre des accords de Lomé

Communauté Économique des États de l'Afrique de l'Ouest - C.E.E.A.O. (1975)

Communauté de Développement de l'Afrique Méridionale - C.D.A.M. (1992)

∗ Pays membres du Commonwealth

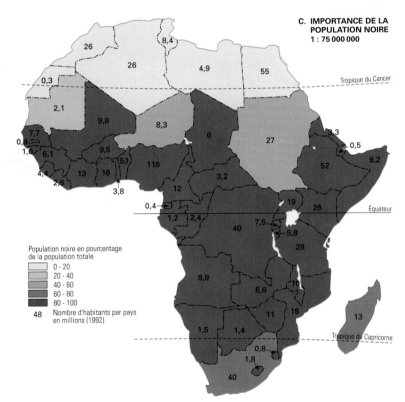

C. IMPORTANCE DE LA POPULATION NOIRE
1 : 75 000 000

Tropique du Cancer
26   8,4
26   4,9   55
0,3
2,1
7,7   9,8   8,3   6   27   3,3
0,9   0,5
1,0   6,1   9,5   5,1   116   52   9,2
4,7   13   16
2,6   3,8   12   3,2   19   26   Équateur
0,4   1,2   2,4   40   7,5   5,8   28
9,9   8,6   10
11   15   13
1,5   1,4
Tropique du Capricorne
0,8
1,8
40

Population noire en pourcentage de la population totale
0 - 20
20 - 40
40 - 60
60 - 80
80 - 100

48   Nombre d'habitants par pays en millions (1992)

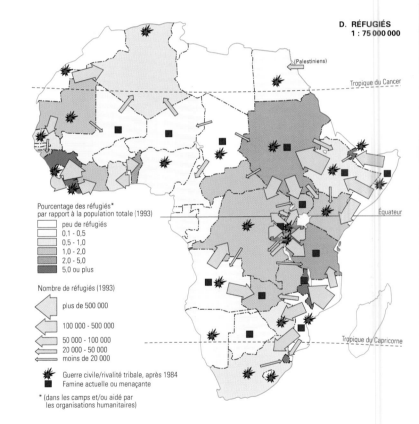

D. RÉFUGIÉS
1 : 75 000 000

(Palestiniens)
Tropique du Cancer
Équateur
Tropique du Capricorne

Pourcentage des réfugiés* par rapport à la population totale (1993)
peu de réfugiés
0,1 - 0,5
0,5 - 1,0
1,0 - 2,0
2,0 - 5,0
5,0 ou plus

Nombre de réfugiés (1993)
plus de 500 000
100 000 - 500 000
50 000 - 100 000
20 000 - 50 000
moins de 20 000

✺ Guerre civile/rivalité tribale, après 1984
■ Famine actuelle ou menaçante

* (dans les camps et/ou aidé par les organisations humanitaires)

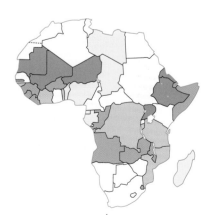

E. TAUX DE NATALITÉ
1 : 150 000 000

Total des naissances pour 1000 habitants (1992)
moins de 43
43 - 45
45 - 47
47 - 49
49 ou plus

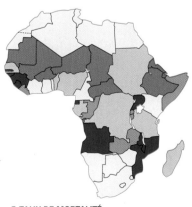

F. TAUX DE MORTALITÉ
1 : 150 000 000

Total des décès pour 1000 habitants (1992)
moins de 14
14 - 16
16 - 18
18 - 20
20 ou plus

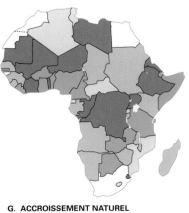

G. ACCROISSEMENT NATUREL
1 : 150 000 000

Nombre de naissances moins nombre de décès pour 1000 habitants (1992)
moins de 23
23 - 26
26 - 29
29 - 32
32 ou plus

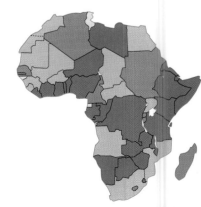

H. ACCROISSEMENT DE LA POPULATION
1 : 150 000 000

Croissance annuelle moyenne de la population en % (1980-1992)
moins de 2,4
2,4 - 2,7
2,7 - 3,0
3,0 ou plus

© WN Atlas Productions

AFRIQUE

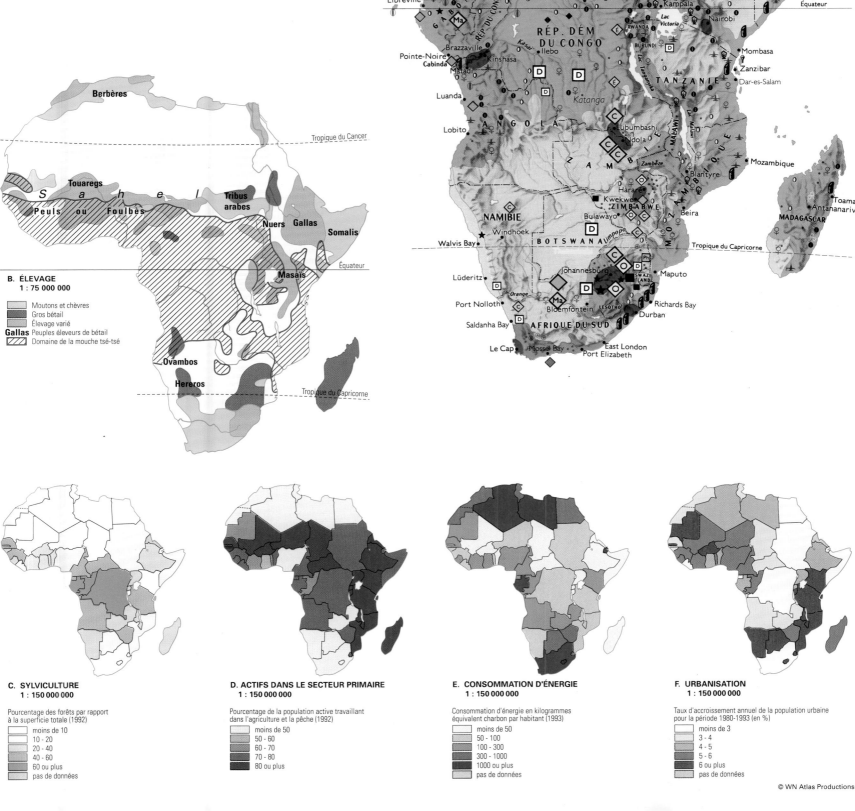

A. ÉCONOMIE
1 : 40 000 000

- Agriculture méditerranéenne
- Zone irriguée
- Forêts ou savanes modifiées par des cultures de subsistance ou des cultures commerciales (localement)
- Steppes à élevage extensif modifiées par des cultures de subsistance ou des cultures commerciales (localement)
- Élevage nomade; incultes
- Riz
- Canne à sucre
- Tabac
- Café
- Cacao
- Thé
- Agrumes
- Olivier
- Dattier (oasis)
- Clous de girofle
- Palmier à huile, arachides
- Caoutchouc
- Coton
- Sisal

★ Uranium
■ Charbon
◆ Pétrole
◆ Gaz naturel
— Oléoduc
— Gazoduc
◆ Minerai de fer
Ⓒ Chrome
Ⓜ Manganèse
◇ Cuivre
◇ Étain
◇ Or
◆ Bauxite
Ⓓ Diamant
Ⓟₕ Phosphate
■ Région industrielle

B. ÉLEVAGE
1 : 75 000 000

- Moutons et chèvres
- Gros bétail
- Élevage varié
- **Gallas** Peuples éleveurs de bétail
- Domaine de la mouche tsé-tsé

C. SYLVICULTURE
1 : 150 000 000

Pourcentage des forêts par rapport à la superficie totale (1992)
- moins de 10
- 10 - 20
- 20 - 40
- 40 - 60
- 60 ou plus
- pas de données

D. ACTIFS DANS LE SECTEUR PRIMAIRE
1 : 150 000 000

Pourcentage de la population active travaillant dans l'agriculture et la pêche (1992)
- moins de 50
- 50 - 60
- 60 - 70
- 70 - 80
- 80 ou plus

E. CONSOMMATION D'ÉNERGIE
1 : 150 000 000

Consommation d'énergie en kilogrammes équivalent charbon par habitant (1993)
- moins de 50
- 50 - 100
- 100 - 300
- 300 - 1000
- 1000 ou plus
- pas de données

F. URBANISATION
1 : 150 000 000

Taux d'accroissement annuel de la population urbaine pour la période 1980-1993 (en %)
- moins de 3
- 3 - 4
- 4 - 5
- 5 - 6
- 6 ou plus
- pas de données

© WN Atlas Productions

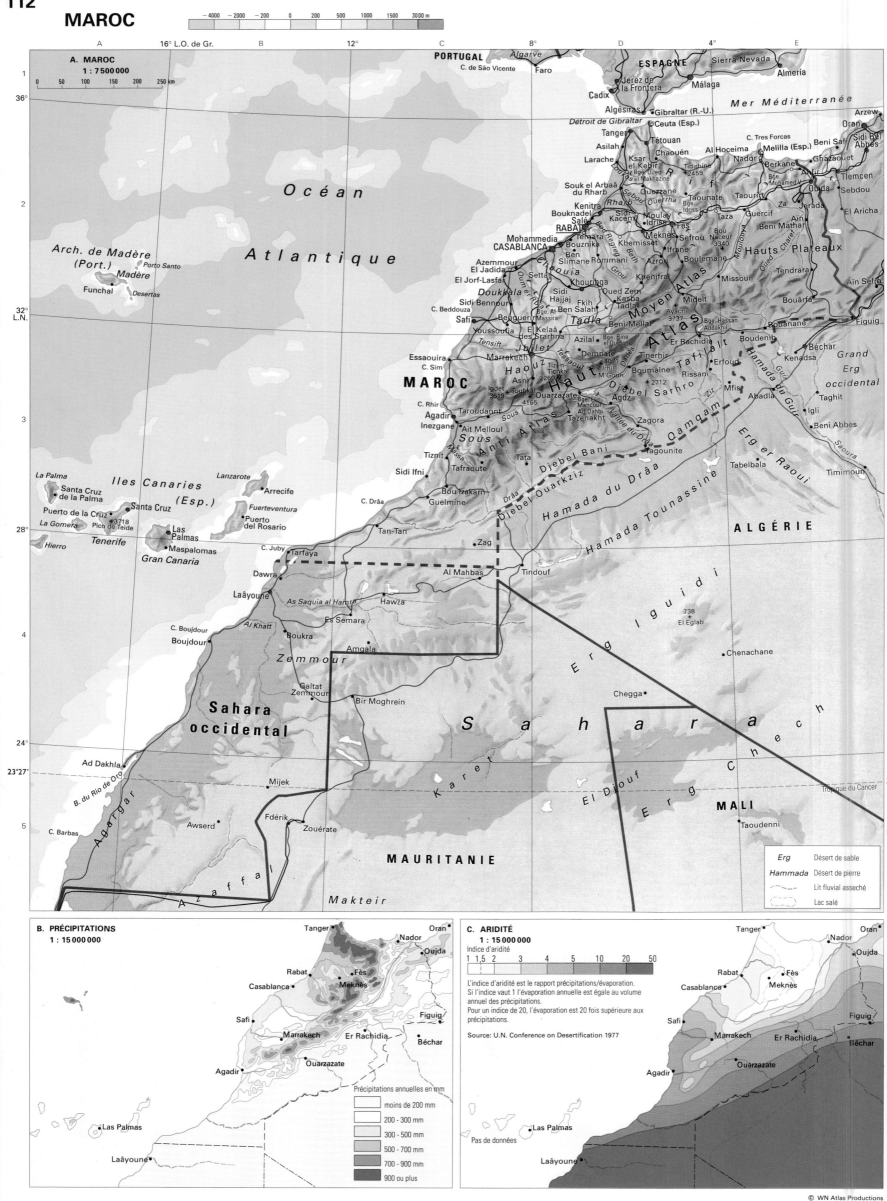

− 4000 − 2000 − 200 0 200 500 1000 1500 3000 m

A. MAROC
1 : 7 500 000

0 50 100 150 200 250 km

PORTUGAL

Océan

Atlantique

Arch. de Madère
(Port.)
Porto Santo
Madère
Funchal
Desertas

La Palma
Santa Cruz
de la Palma
Puerto de la Cruz
Pico de Teide · 3718
La Gomera
Hierro
Tenerife

Iles Canaries
(Esp.)
Lanzarote
Arrecife
Fuerteventura
Puerto
del Rosario
Las
Palmas
Maspalomas
Gran Canaria

C. Juby
Tarfaya

Dawra

C. Boujdour
Boujdour

Laâyoune
As Saquia al Hamra
Hawza
Es Semara
Boukra
Al Khatt
Amgala

Zemmour

Sahara
occidental

Ad Dakhla
B. du Rio de Oro

C. Barbas

Agargar

Mijek

Awserd

Fdérik
Zouérate

Galtat
Zemmour
Bir Moghrein

Karet

Azlaffal

Makteir

MAURITANIE

C. de São Vicente
Faro
Algarve

ESPAGNE
Sierra Nevada
Almería
Cadix
Jerez de
la Frontera
Málaga
Mer Méditerranée
Arzew
Algésiras
Gibraltar (R.-U.)
Détroit de Gibraltar
Ceuta (Esp.)
Oran
Tanger
Tétouan
C. Tres Forcas
Asilah
Chaouén
Al Hoceima
Melilla (Esp.)
Beni Saf
Larache
Ksar
el Kebir
Tidirhine
· 2459
Nador
Berkane
Ghazaouet
Souk el Arbaâ
du Rharb
Ouezzane
Taourirt
Oujda
Sebdou
Kenitra
Rharb
Taounate
Za
Jerada
Tlemcen
Bouknadel
Salé
Sidi
Kacem
Moulay
Idriss
Fès
Taza
Guercif
Aïn
El Aricha
RABAT
Temara
Meknès
Sefrou
Beni Mathar
Mohammedia
Bouznika
Khemisset
Ifrane
Bou
Naceur
3340
Hauts Plateaux
CASABLANCA
Ben
Slimane
Rommani
Azrou
Boulemane
Tendrara
El Jadida
Settat
Khouribga
Khenifra
Missour
El Jorf-Lasfar
Sidi
Hajjaj
Oued Zem
Midelt
Bouârfa
Doukkala
Chaouia
Kasba
Tadla
Ayachi
3737
Figuig
C. Beddouza
Sidi Bennour
Fkih
Bge. Al Ben Salah
Moyen Atlas
Bge. Hassan
Addakhil
Safi
Benguerir
Massira
Beni-Mellal
Er Rachidia
Bouanane
Youssoufia
El Kelaâ
des Srarhna
Azilal
Bge. Bine
el Ouidane
Tafilalt
Boudenib
Béchar
Kenadsa
Tensift
Jbilet
Demnate
4071
Tinerhir
Erfoud
Grand
Erg
occidental
Essaouira
Marrakech
Tizi-n-
Tichka
M'Goun
Boumalne
Rissani
Taghit
C. Sim
Haouz
Asni
2260
Irhil
Djebel Sarhro
Agdz
2712
Mfis
Abadla
Igli
MAROC
Igdet
3619
Toubkal
4165
Ouarzazate
Bge. El
Mansour
Ad Dahbi
Tazenakht
Vallée du Drâa
Zagora
Zit.
Erg er Raoui
Beni Abbes
C. Rhir
Taroudannt
Sous
Tagounite
Qamqam
Agadir
Ait Melloul
Inezgane
Sous
Anti Atlas
Haut   Atlas
Tiznit
Massa
Tata
Djebel Bani
Tabelbala
Timimoun
Tafraoute
Djebel Ouarkziz
Hamada du Drâa
Sidi Ifni
Drâa
Hamada Tounassine
ALGÉRIE
C. Drâa
Bou Izakarn
Guelmine
Tan-Tan
Zag
Al Mahbas
Tindouf
Erg   Iguidi
738
El Eglab
Chenachane
Sahara
Chegga
Erg   Chech
Karet
El Djouf
23°27'
Tropique du Cancer
MALI
Taoudenni

Erg · Désert de sable
Hammada · Désert de pierre
· Lit fluvial asséché
· Lac salé

B. PRÉCIPITATIONS
1 : 15 000 000

Tanger
Oran
Nador
Oujda
Rabat
Fès
Casablanca
Meknès
Safi
Figuig
Marrakech
Er Rachidia
Agadir
Béchar
Ouarzazate
Las Palmas
Laâyoune

Précipitations annuelles en mm

moins de 200 mm
200 - 300 mm
300 - 500 mm
500 - 700 mm
700 - 900 mm
900 ou plus

C. ARIDITÉ
1 : 15 000 000

Indice d'aridité

1 1,5 2 3 4 5 10 20 50

L'indice d'aridité est le rapport précipitations/évaporation.
Si l'indice vaut 1 l'évaporation annuelle est égale au volume
annuel des précipitations.
Pour un indice de 20, l'évaporation est 20 fois supérieure aux
précipitations.

Source: U.N. Conference on Desertification 1977

Tanger
Oran
Nador
Oujda
Rabat
Fès
Casablanca
Meknès
Safi
Figuig
Marrakech
Er Rachidia
Agadir
Béchar
Ouarzazate
Las Palmas
Laâyoune

Pas de données

MAROC

A. UTILISATION DU SOL ET IRRIGATION
1 : 10 000 000

- Désert (improductif ou nomadisme basé sur l'elevage)
- Territoire montagnard (improductif ou nomadisme basé sur l'elevage)
- Forêt
- Steppe avec élevage extensif en alternance avec des cultures de subsistance
- Cultures variées et élevage
- Agriculture méditerranéenne (blé, olive, citron)
- Cultures maraîchères et fruitières
- Périmètres irrigués (irrigation généralisée ou extension prévue à court terme)
- Oasis
- Vignoble
- Citronniers
- Oliviers
- Dattiers
- Port de pêche important
- Barrage

Tanger, Tétouan, Al Hoceima, Nador, Oujda, Kenitra, Rabat, Mohammedia, Casablanca, Meknès, Fès, Taza, El Jadida, Khouribga, Safi, Beni-Mellal, Figuig, Marrakech, Essaouira, Erfoud, Agadir, Ouarzazate, Zagora, Tiznit, Guelmine, Tarfaya, Laâyoune, Es Semara

B. MINES, INDUSTRIE ET TOURISME
1 : 10 000 000

Tanger, Smir-Restinga, Asilah, Tétouan, Al Hoceima, Nador, Larache, Chaouén, Oujda, Jerada, Rabat-Salé, Kenitra, Sidi-Kacem, Mohammedia, Casablanca, Temara, Meknès, Fès, Tit-Mellil, Azrou, El Jadida, El Jorf-Lasfar, Sidi-Hajjaj, Khouribga, Midelt, Safi, Beni-Mellal, Bouârfa, Youssoufia, Benguerir, Bine el Ouidane, Essaouira, Marrakech, Meskala, Iminni, Mfis, Oukaimeden, Agadir, Taroudannt, Bou-Skour, Bou-Azzer

- Charbon
- Pétrole
- Gaz naturel
- Centrale thermique
- Centrale hydro-électrique
- Oléoduc
- Gazoduc
- Ville industrielle
- Raffinage pétrolier
- Minerai de fer
- Cobalt
- Manganèse
- Cuivre
- Plomb et zinc
- Zone phosphatière
- Phosphate
- Bande transporteuse de phosphate
- Centre touristique

Tarfaya, Laâyoune, Es Semara, Boukra

C. DENSITÉ DE LA POPULATION
1 : 15 000 000

Habitants par km²
- moins de 10
- 10 - 50
- 50 - 100
- 100 - 200
- 200 ou plus

- Agglomération ou ville de 1 - 5 M d'habitants
- 500 000 - 1 M d'habitants
- 100 000 - 500 000 habitants

Rabat, Casablanca

D. ACCROISSEMENT DE LA POPULATION
1 : 15 000 000

Augmentation moyenne annuelle de la population durant la période 1982-1992, par province
- moins de 1%
- 1 - 2%
- 2 - 3%
- 3% ou plus
- Diminution
- Pas de données

E. CONSOMMATION ÉLECTRIQUE
1 : 15 000 000

Consommation d'électricité par province, en kWh par habitant (1992)
- moins de 35
- 35 - 70
- 70 - 140
- 140 - 280
- 280 ou plus

F. STRUCTURE DES RECETTES EXTÉRIEURES
(milliards de dollars)

- Tourisme
- Phosphate
- Envois des travailleurs émigrés

1973, 1979, 1985, 1993

G. MARRAKECH
1 : 125 000

Médina : partie musulmane d'une ville
Mellah : quartier juif d'une ville
Kashba : place forte

Légende du carton G:
- Médina, mellah, kashba
- Centre de la ville européenne
- Quartier illégal (bidonville)
- Périphérie de la ville européenne
- Extension récente (habitat bas)
- Ville satellite (classes populaire et moyenne)
- Espace militaire
- Espace industriel
- Important espace public ou monument
- Mur d'enceinte de la ville
- Route importante
- Limite municipale

Légende du carton H:
- Constructions arabes
- Constructions européennes
- Parc
- Important espace public ou monument
- Autre espace
- Mur d'enceinte de la ville

Cité Mohammedia, Akioud, Koudiat, Tagouriant, Aïn Itti, Sidi M'barek, Guéliz, El Harch, Iziki, El Askar, Laarab, Hivernage, Médina, Mellah, Kashba, Sidi Youssef Ben Ali

H. MARRAKECH (plan urbain)
1 : 15 000

Bab Doukkala, MÉDINA, Mosquée Ben Youssef, Mosquée de Bab Doukkala, Medersa Ben Youssef, Dar el Glaoui, SOUKS, Place de la Liberté, Bab Larissa, Hôtel-de-Ville, Mosquée el Mouassine, Place Hanba Kedima, Place Djemaa el Fna, Koutoubia, HIVERNAGE

Rue Mohammed el Mellah, Avenue Mohammed V, Boulevard el Yamani, Rue Abdou el Abbas

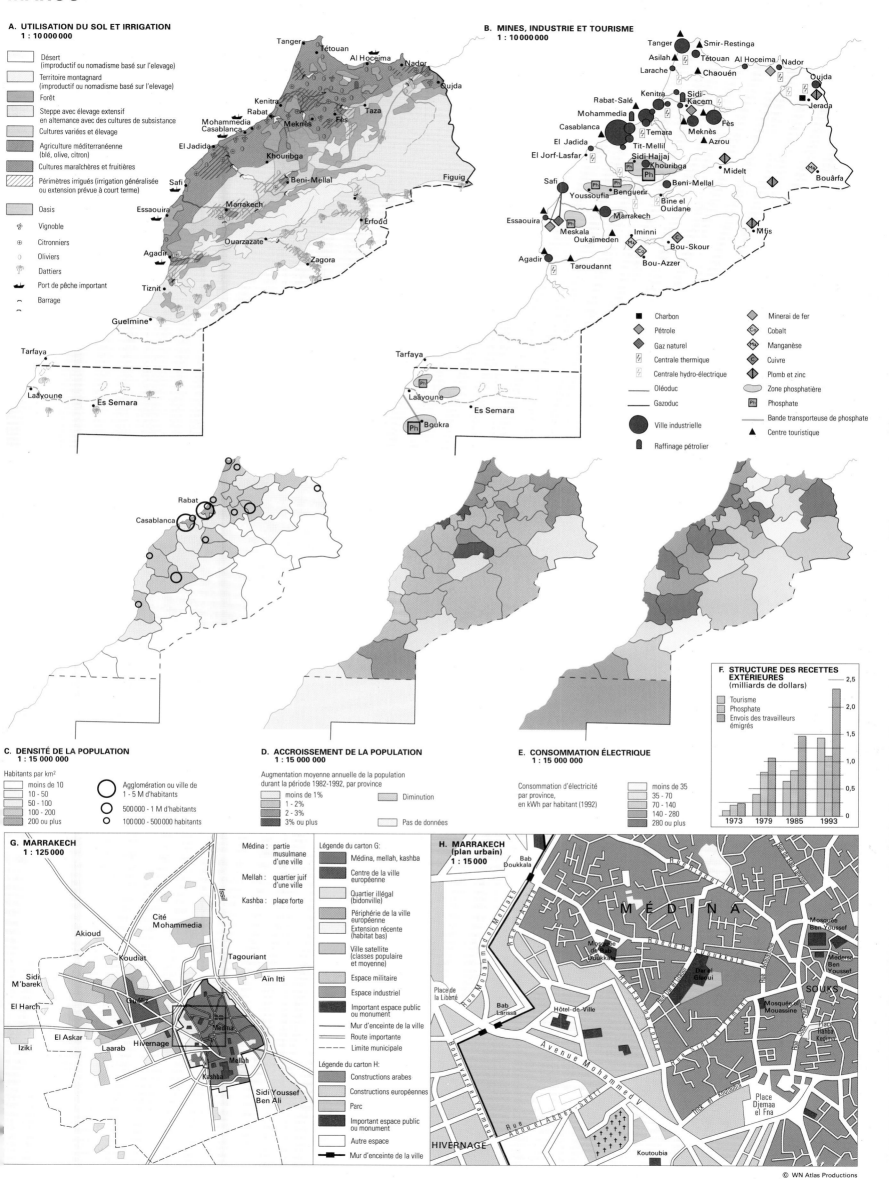

© WN Atlas Productions

AFRIQUE DU NORD ET DE L'OUEST

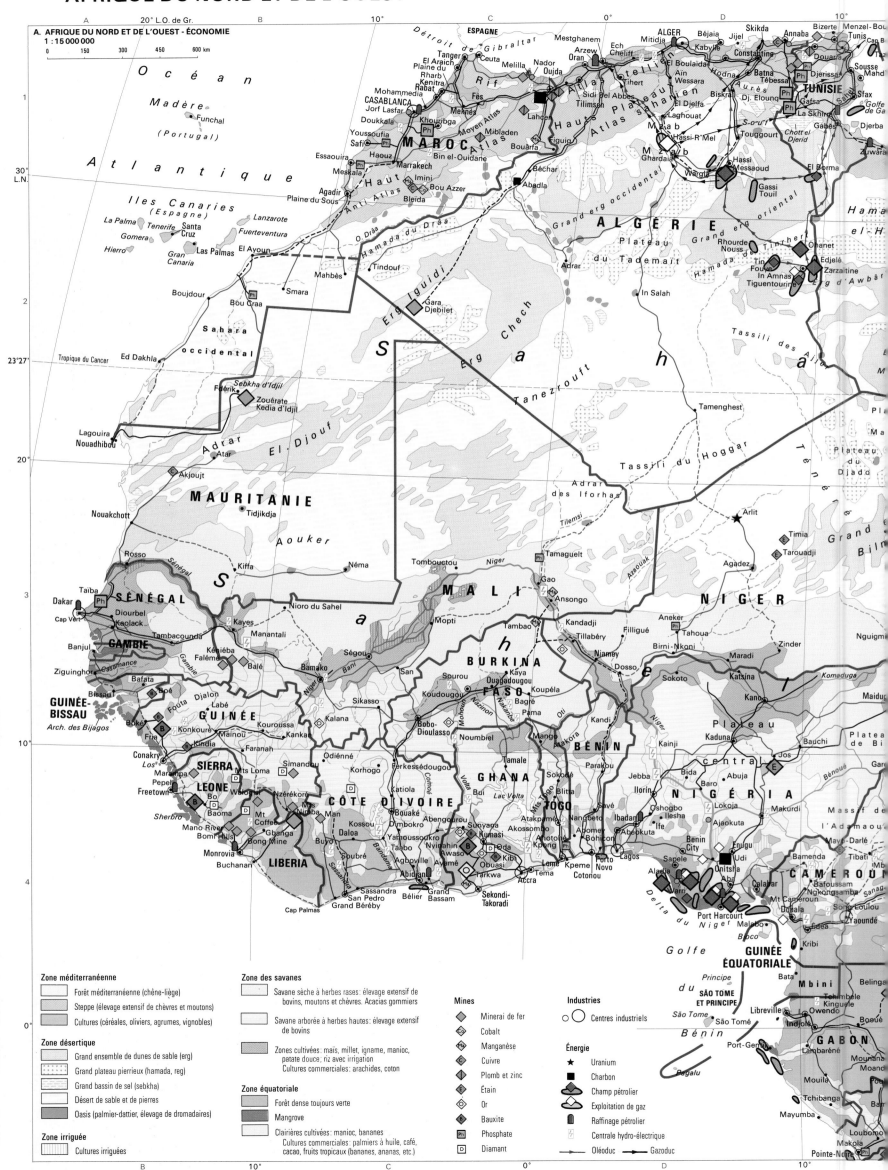

A. AFRIQUE DU NORD ET DE L'OUEST - ÉCONOMIE

1 : 15 000 000

0   150   300   450   600 km

Zone méditerranéenne
- Forêt méditerranéenne (chêne-liège)
- Steppe (élevage extensif de chèvres et moutons)
- Cultures (céréales, oliviers, agrumes, vignobles)

Zone désertique
- Grand ensemble de dunes de sable (erg)
- Grand plateau pierreux (hamada, reg)
- Grand bassin de sel (sebkha)
- Désert de sable et de pierres
- Oasis (palmier-dattier, élevage de dromadaires)

Zone irriguée
- Cultures irriguées

Zone des savanes
- Savane sèche à herbes rases: élevage extensif de bovins, moutons et chèvres. Acacias gommiers
- Savane arborée à herbes hautes: élevage extensif de bovins
- Zones cultivées: maïs, millet, igname, manioc, patate douce; riz avec irrigation
  Cultures commerciales: arachides, coton

Zone équatoriale
- Forêt dense toujours verte
- Mangrove
- Clairières cultivées: manioc, bananes
  Cultures commerciales: palmiers à huile, café, cacao, fruits tropicaux (bananes, ananas, etc.)

Mines
- ◆ Minerai de fer
- ◇ Cobalt
- ◈ Manganèse
- ◇ Cuivre
- ◆ Plomb et zinc
- ◈ Étain
- ◇ Or
- ◆ Bauxite
- Ph Phosphate
- D Diamant

Industries
- ○ ◯ Centres industriels

Énergie
- ★ Uranium
- ■ Charbon
- ◗ Champ pétrolier
- ◈ Exploitation de gaz
- ▮ Raffinage pétrolier
- ⚡ Centrale hydro-électrique
- → Oléoduc
- ⟶ Gazoduc

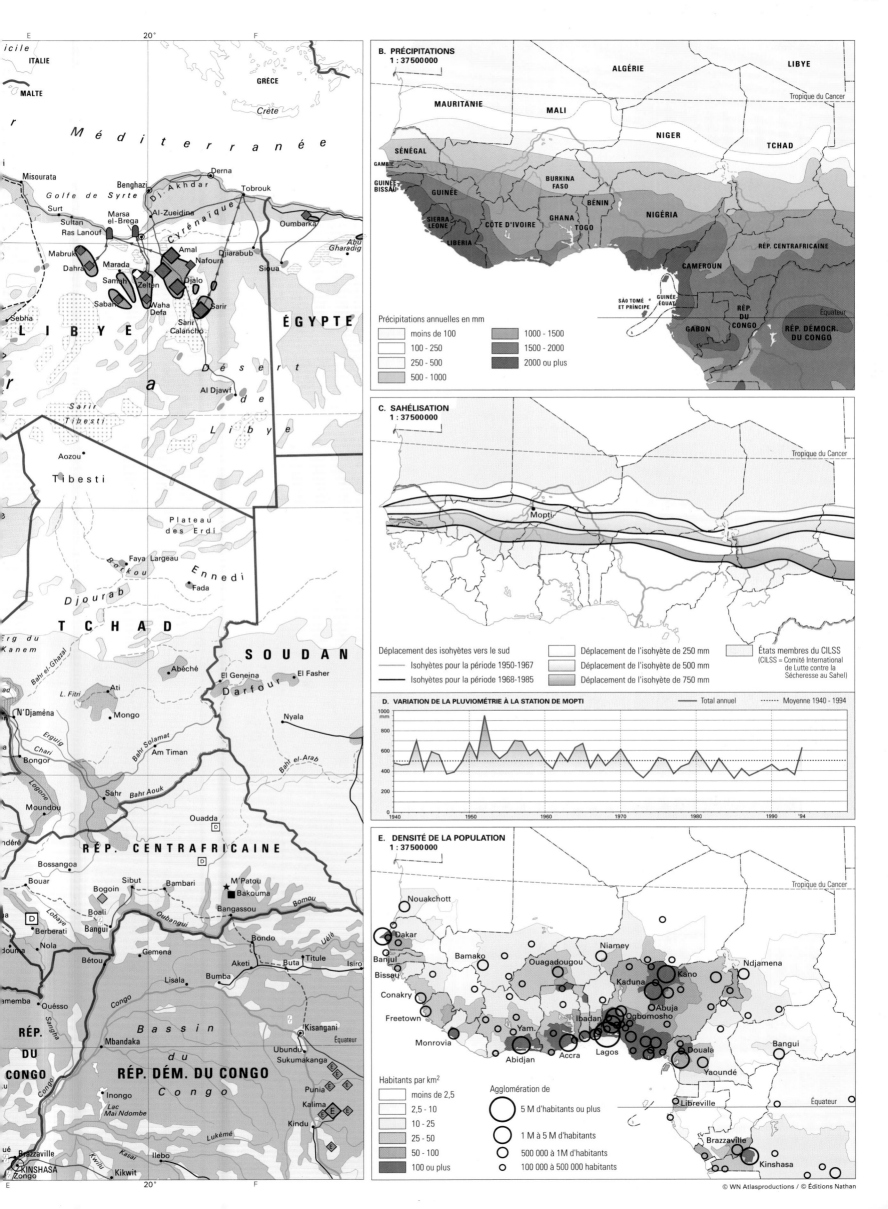

B. PRÉCIPITATIONS
1 : 37 500 000

Précipitations annuelles en mm

- moins de 100
- 100 - 250
- 250 - 500
- 500 - 1000
- 1000 - 1500
- 1500 - 2000
- 2000 ou plus

C. SAHÉLISATION
1 : 37 500 000

Déplacement des isohyètes vers le sud
- Isohyètes pour la période 1950-1967
- Isohyètes pour la période 1968-1985

Déplacement de l'isohyète de 250 mm
Déplacement de l'isohyète de 500 mm
Déplacement de l'isohyète de 750 mm

États membres du CILSS
(CILSS = Comité International de Lutte contre la Sécheresse au Sahel)

D. VARIATION DE LA PLUVIOMÉTRIE À LA STATION DE MOPTI
— Total annuel ····· Moyenne 1940 - 1994

E. DENSITÉ DE LA POPULATION
1 : 37 500 000

Habitants par km²

- moins de 2,5
- 2,5 - 10
- 10 - 25
- 25 - 50
- 50 - 100
- 100 ou plus

Agglomération de
- 5 M d'habitants ou plus
- 1 M à 5 M d'habitants
- 500 000 à 1M d'habitants
- 100 000 à 500 000 habitants

RÉPUBLIQUE DÉMOCRATIQUE DU CONGO

-2000 -200 0 200 500 1000 1500 m

A. CONGO
1 : 12 000 000

NIGÉRIA
Calabar
Nkongsamba
CAMEROUN
Mt Cameroun +4070
DOUALA
Sanaga
Yaoundé
Malabo
Bioko (Guinée Eq.)
Príncipe
SÃO TOMÉ ET PRÍNCIPE
São Tomé
Équateur
Bata
Kribi
Lomié
GUINÉE ÉQUATORIALE
Libreville
Ouesso
Sanga
CONGO
Port-Gentil
Lambaréné
GABON
Ogooué
Moanda
Masuku
Mbinda
Loubomo
Pointe-Noire
Monts de Cristal
Mayumbe
Tshela
Chutes Zongo
Mbanza-Ngungu
Brazzaville
Pool Malebo
KINSHASA
Cabinda (Ang.)
Cabinda
Boma
Inga
Banana
Matadi
Bas Congo
Océan Atlantique
Nzeto
Uige
ANGOLA
LUANDA

RÉP. CENTRAFRICAINE
SOUDAN
Bangui
Bangassou
Bomu
Gbadolite
Bondo
Libenge
Gemena
Uélé
Titule
Watsa
Aketi
Buta
Isiro
Mungbere
Itimbiri
Mongala
Congo
Bumba
Lisala
Province
Basankusu
Lulonga
Banalia
Aruwimi
orientale
Basoko
Yangambi
Mbandaka
Isangi
Kisangani
Chutes Wagenia
Équateur
Ruki
Busira
Boende
Ubundu
Butembo
Lac Albert 620
Ruwenzori +5119
OUGANDA
Lac Tumba
Tshuapa
Lomela
Lac Édouard
Lac George
Lowa
Lac Mai-Ndombe
Momboyo
Nord-Kivu
Vituna
Goma
Lac Kivu 1460
Inongo
Lac
Lokoro
RÉP. DÉM.
Kabare
RWANDA
Kigali
Kwa
Kutu
Bandundu
Lukenie
Lodja
Kasaï
Kindu
Bukavu
Sud-Kivu
Uvira
BURUNDI
Bujumbura
Lukenie
Sankuru
Maniema
Kibombo
DU CONGO
Kenge
Kikwit
Ilebo
Kasongo
Kasaï
Kigoma
Kuilu
Idiofa
Luebo
Kongolo
orient.
Kabalo
Portes d'Enfer
TANZANIE
Chutes Mai Mynene
Kananga
Kabinda
Lukuga
Lac Tanganyika 771
Kahemba
occid.
Mbuji-Mayi
Gandajika
Mwene-Ditu
Manono
Mpanda
Karema
Luachimo
Kamina
Lac Upemba
Mts Hakansson
Moba
Lunda
Saurimo
Sandoa
Bukama
Lac Mweru
ZAMBIE
Mpulungu
Mbala
Mts Kibara
Kasama
Mts Manika
Plateau de
Katanga
Tenke
Kasenga
920
Dilolo
Kolwezi
Likasi
Lac Bangweulu
Luena
Zambèze
Kipushi
Lubumbashi
ZAMBIE
Mufulira
Chingola
Sakania
Kitwe-Nkana
Ndola
Luanshya

B. PRÉCIPITATIONS
1 : 25 000 000

Gemena
Mbandaka
Kisangani
Kinshasa
Bandundu
Matadi
Kananga
Mbuji-Mayi
Lubumbashi

Précipitations annuelles
moins de 1000 mm
1000 à 1200 mm
1200 à 1400 mm
1400 à 1600 mm
1600 à 1800 mm
1800 à 2000 mm
2000 mm ou plus

D. VÉGÉTATION NATURELLE
1 : 25 000 000

Mbandaka
Kisangani
Kinshasa
Bandundu
Matadi
Kananga
Mbuji-Mayi
Lubumbashi

Forêt inondée
Forêt dense humide équatoriale
Forêt dense humide guinéenne
Savane boisée guinéenne

Forêt claire tropicale et savane boisée
Forêt claire et savane herbeuse
Steppe
Forêt de montagne
Savane et prairie de montagne
Mangrove littorale / marais à papyrus

d'après R. Devred

C. AGRICULTURE, ÉLEVAGE ET PÊCHE
1 : 17 500 000

Bomu
Plateaux de l'Ubangi
Uélé
Aketi
Isiro
Ubangi
Aruwimi
Bassin
Congo
du
Mbandaka
Kisangani
Butembo
Lac Albert
Congo
Ubundu
Lomami
Lac Édouard
Lac Mai-Ndombe
Goma
Lac Kivu
Kwa
Bukavu
Kinshasa
Congo
Kasaï
Kindu
Uvira
Ilebo
Boma
Matadi
Kikwit
Kwilu
Kananga
Mbuji-Mayi
Lac Tanganyika
Plateau Kwango
Tshikapa
Kasaï
Kongolo
Kwango
Lualaba
Mwene-Ditu
Lulua
Kamina
Monts Mitumba
Bukama
Lac Mweru
Shaba
Likasi
Kolwezi
Lubumbashi

Domaine de la forêt dense
Agriculture vivrière extensive (manioc, maïs, mils)
Cultures vivrières intensives en terrasses (mils, maïs, bananes)
Élevage bovin extensif
Pêche traditionnelle
Aire de culture du coton
Canne à sucre
Café
Cacao
Palmier à huile
Hévéa

RÉPUBLIQUE DÉMOCRATIQUE DU CONGO

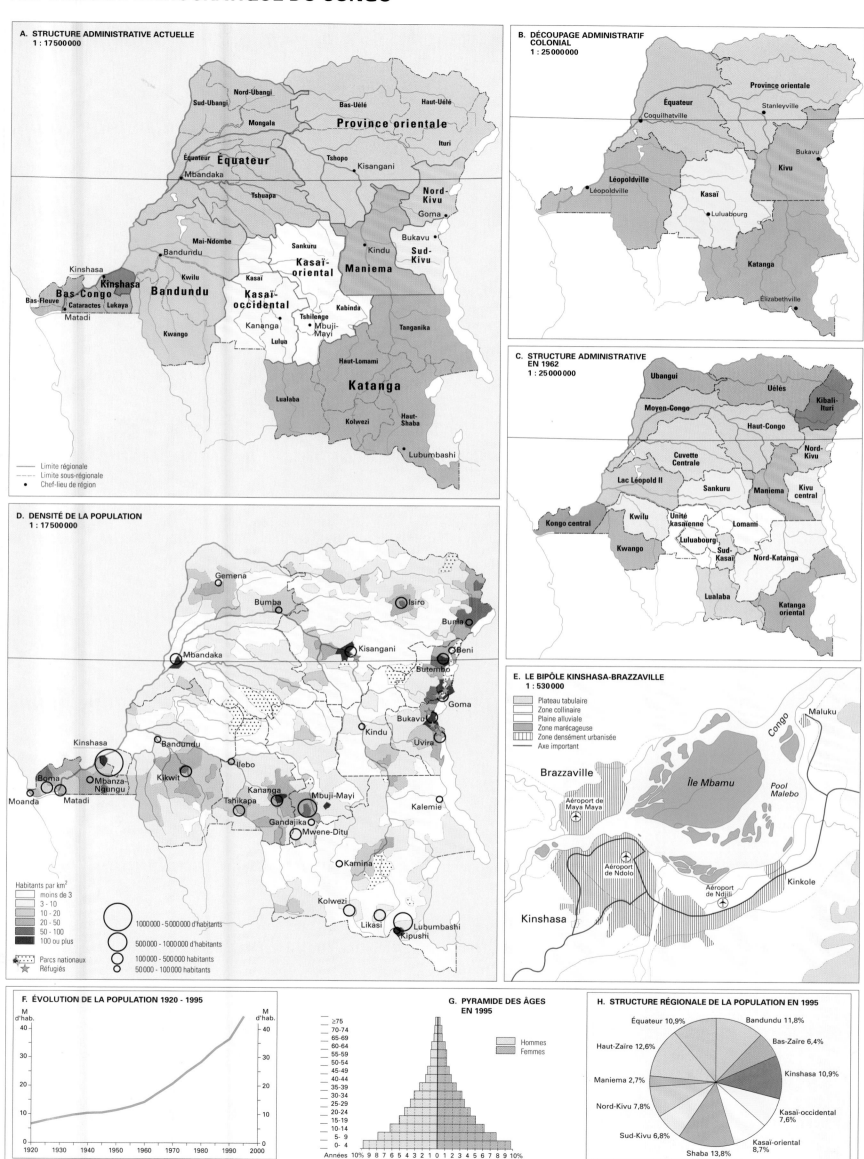

A. STRUCTURE ADMINISTRATIVE ACTUELLE
1 : 17 500 000

Nord-Ubangi
Sud-Ubangi
Mongala
Bas-Uélé
Haut-Uélé
Province orientale
Ituri
Équateur
Équateur
Mbandaka
Tshopo
Kisangani
Tshuapa
Nord-Kivu
Goma
Mai-Ndombe
Bandundu
Sankuru
Kasaï
Bukavu
Kindu
Sud-Kivu
Kinshasa
Kasaï-oriental
Maniema
Kinshasa
Kwilu
Bas-Congo
Bandundu
Kasaï-occidental
Bas-Fleuve
Cataractes
Lukaya
Kabinda
Matadi
Tshilenge
Mbuji-Mayi
Kananga
Tanganika
Kwango
Lulua
Haut-Lomami
Katanga
Lualaba
Kolwezi
Haut-Shaba
Lubumbashi

Limite régionale
Limite sous-régionale
Chef-lieu de région

B. DÉCOUPAGE ADMINISTRATIF COLONIAL
1 : 25 000 000

Équateur
Coquilhatville
Province orientale
Stanleyville
Bukavu
Léopoldville
Léopoldville
Kivu
Kasaï
Luluabourg
Katanga
Élisabethville

C. STRUCTURE ADMINISTRATIVE EN 1962
1 : 25 000 000

Ubangui
Uélés
Kibali-Ituri
Moyen-Congo
Haut-Congo
Cuvette Centrale
Nord-Kivu
Lac Léopold II
Sankuru
Maniema
Kivu central
Kongo central
Kwilu
Unité kasaïenne
Lomami
Kwango
Luluabourg
Sud-Kasaï
Nord-Katanga
Lualaba
Katanga oriental

D. DENSITÉ DE LA POPULATION
1 : 17 500 000

Gemena
Bumba
Isiro
Bunia
Mbandaka
Kisangani
Beni
Butembo
Goma
Bukavu
Kindu
Uvira
Kinshasa
Bandundu
Ilebo
Boma
Mbanza-Ngungu
Kikwit
Kananga
Moanda
Matadi
Tshikapa
Mbuji-Mayi
Kalemie
Gandajika
Mwene-Ditu
Kamina
Kolwezi
Likasi
Lubumbashi
Kipushi

Habitants par km²
moins de 3
3 - 10
10 - 20
20 - 50
50 - 100
100 ou plus

1 000 000 - 5 000 000 d'habitants
500 000 - 1 000 000 d'habitants
100 000 - 500 000 habitants
50 000 - 100 000 habitants

Parcs nationaux
Réfugiés

E. LE BIPÔLE KINSHASA-BRAZZAVILLE
1 : 530 000

Plateau tabulaire
Zone collinaire
Plaine alluviale
Zone marécageuse
Zone densément urbanisée
Axe important

Brazzaville
Congo
Maluku
Île Mbamu
Pool Malebo
Aéroport de Maya Maya
Aéroport de Ndolo
Aéroport de Ndjili
Kinkole
Kinshasa

F. ÉVOLUTION DE LA POPULATION 1920 - 1995

M d'hab.
40
30
20
10
1920 1930 1940 1950 1960 1970 1980 1990 2000

G. PYRAMIDE DES ÂGES EN 1995

≥75
70-74
65-69
60-64
55-59
50-54
45-49
40-44
35-39
30-34
25-29
20-24
15-19
10-14
5-9
0-4
Années 10% 9 8 7 6 5 4 3 2 1 0 1 2 3 4 5 6 7 8 9 10%

Hommes
Femmes

H. STRUCTURE RÉGIONALE DE LA POPULATION EN 1995

Équateur 10,9%
Bandundu 11,8%
Haut-Zaïre 12,6%
Bas-Zaïre 6,4%
Maniema 2,7%
Kinshasa 10,9%
Nord-Kivu 7,8%
Kasaï-occidental 7,6%
Sud-Kivu 6,8%
Kasaï-oriental 8,7%
Shaba 13,8%

RÉPUBLIQUE DÉMOCRATIQUE DU CONGO

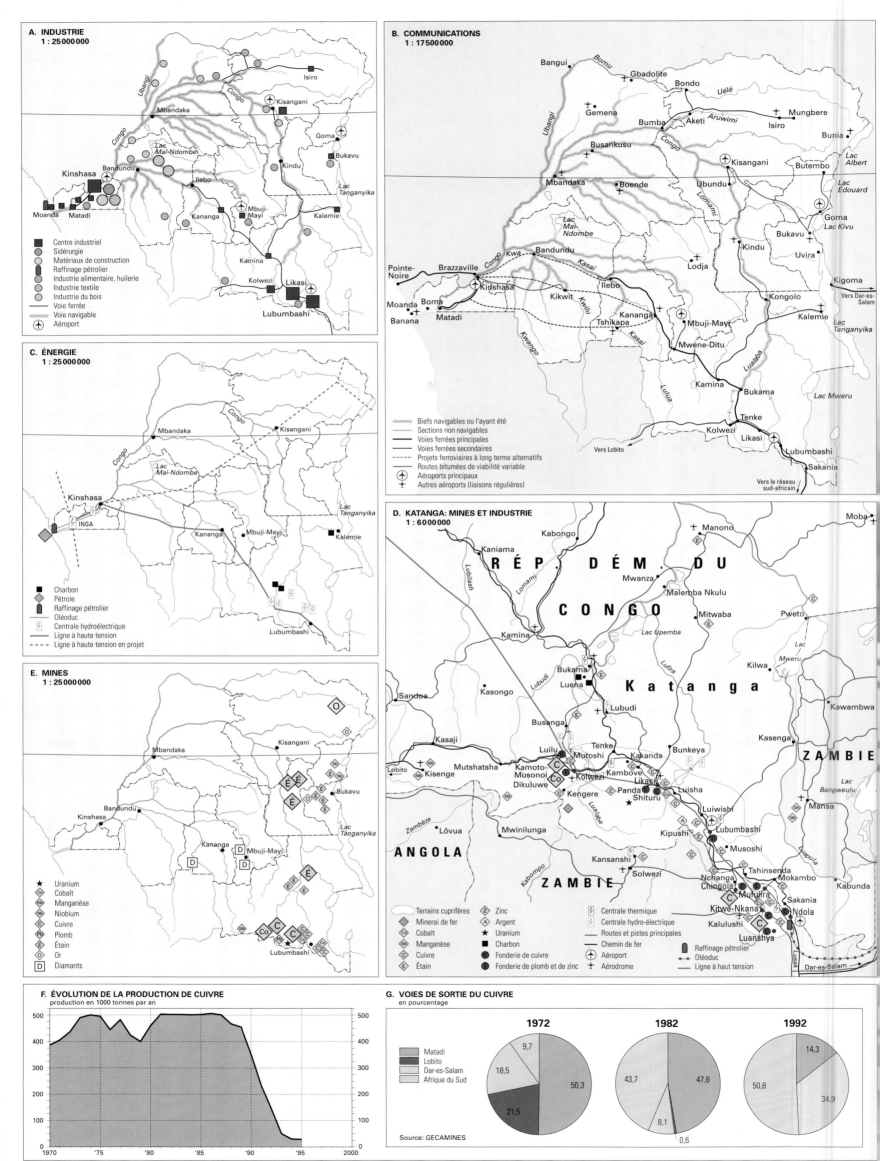

A. INDUSTRIE
1 : 25 000 000

Isiro
Ubangi
Congo
Mbandaka
Kisangani
Goma
Lac Mai-Ndombe
Kindu
Bukavu
Kinshasa
Bandundu
Congo
Ilebo
Moanda
Matadi
Kananga
Mbuji-Mayi
Lac Tanganyika
Kalemie
Kamina
Kolwezi
Likasi
Lubumbashi

- Centre industriel
- Sidérurgie
- Matériaux de construction
- Raffinage pétrolier
- Industrie alimentaire, huilerie
- Industrie textile
- Industrie du bois
- Voie ferrée
- Voie navigable
- Aéroport

C. ÉNERGIE
1 : 25 000 000

Mbandaka
Congo
Kisangani
Lac Mai-Ndombe
Lac Tanganyika
Kinshasa
INGA
Kananga
Mbuji-Mayi
Kalemie
Lubumbashi

- Charbon
- Pétrole
- Raffinage pétrolier
- Oléoduc
- Centrale hydroélectrique
- Ligne à haute tension
- Ligne à haute tension en projet

E. MINES
1 : 25 000 000

Kisangani
Mbandaka
O
E E
E
Bukavu
Bandundu
Kinshasa
Lac Tanganyika
Kananga
D
Mbuji-Mayi
D
D
E
Co C C
Lubumbashi

- ★ Uranium
- Cobalt
- Manganèse
- Niobium
- Cuivre
- Plomb
- Étain
- Or
- D Diamants

B. COMMUNICATIONS
1 : 17 500 000

Bangui
Bomu
Gbadolite
Bondo
Uélé
Gemena
Bumba
Aketi
Aruwimi
Mungbere
Busankusu
Isiro
Bunia
Ubangi
Congo
Kisangani
Butembo
Lac Albert
Mbandaka
Boende
Ubundu
Lac Édouard
Lomami
Goma
Lac Mai-Ndombe
Lac Kivu
Bukavu
Kwa
Bandundu
Kasai
Kindu
Uvira
Pointe-Noire
Brazzaville
Congo
Lodja
Kigoma
Kinshasa
Ilebo
Kongolo
Vers Dar-es-Salam
Moanda
Boma
Kikwit
Kwilu
Kananga
Mbuji-Mayi
Kalemie
Banana
Matadi
Tshikapa
Kasai
Mwene-Ditu
Lac Tanganyika
Kwango
Lulua
Kamina
Lualaba
Lac Mweru
Bukama
Tenke
Vers Lobito
Kolwezi
Likasi
Lubumbashi
Sakania
Vers le réseau sud-africain

- Biefs navigables ou l'ayant été
- Sections non navigables
- Voies ferrés principales
- Voies ferrées secondaires
- Projets ferroviaires à long terme alternatifs
- Routes bitumées de viabilité variable
- Aéroports principaux
- Autres aéroports (liaisons régulières)

D. KATANGA: MINES ET INDUSTRIE
1 : 6 000 000

Moba
Kabongo
Manono
Kaniama
Lubilash
Lomami
R É P. D É M. D U
Mwanza
Malemba Nkulu
C O N G O
Mitwaba
Pweto
Kamina
Lac Upemba
Kilwa
Lac Mweru
Bukama
Luena
K a t a n g a
Kawambwa
Lubudi
Sandoa
Kasongo
Lubudi
Busanga
Kasaji
Tenke
Bunkeya
Kasenga
Z A M B I E
Luilu
Mutoshi
Kakanda
Lobito
Kisenge
Mutshatsha
Kamoto-Musonoi
Kolwezi
Kambove
Luisha
Lac Bangweulu
Dikuluwe
Likasi
Panda
Luiwishi
Mansa
Kengere
Shituru
Zambèze
Lôvua
Mwinilunga
Kipushi
Lubumbashi
A N G O L A
Kansanshi
Musoshi
Kabunda
Solwezi
Tshinsenda
Mokambo
Z A M B I E
Nchanga
Sakania
Kabompo
Chingola
Mufulira
Kitwe-Nkana
Ndola
Kalulushi
Luanshya
Vers Dar-es-Salam

- Terrains cuprifères
- Minerai de fer
- Cobalt
- Manganèse
- Cuivre
- Étain
- Z Zinc
- A Argent
- ★ Uranium
- Charbon
- Fonderie de cuivre
- Fonderie de plomb et de zinc
- Centrale thermique
- Centrale hydro-électrique
- Routes et pistes principales
- Chemin de fer
- Aéroport
- Aérodrome
- Raffinage pétrolier
- Oléoduc
- Ligne à haut tension

F. ÉVOLUTION DE LA PRODUCTION DE CUIVRE
production en 1000 tonnes par an

1970 '75 '80 '85 '90 '95 2000

G. VOIES DE SORTIE DU CUIVRE
en pourcentage

1972
9,7
18,5
21,5
50,3

1982
43,7
47,6
8,1
0,6

1992
14,3
50,8
34,9

- Matadi
- Lobito
- Dar-es-Salam
- Afrique du Sud

Source: GECAMINES

AFRIQUE DU SUD

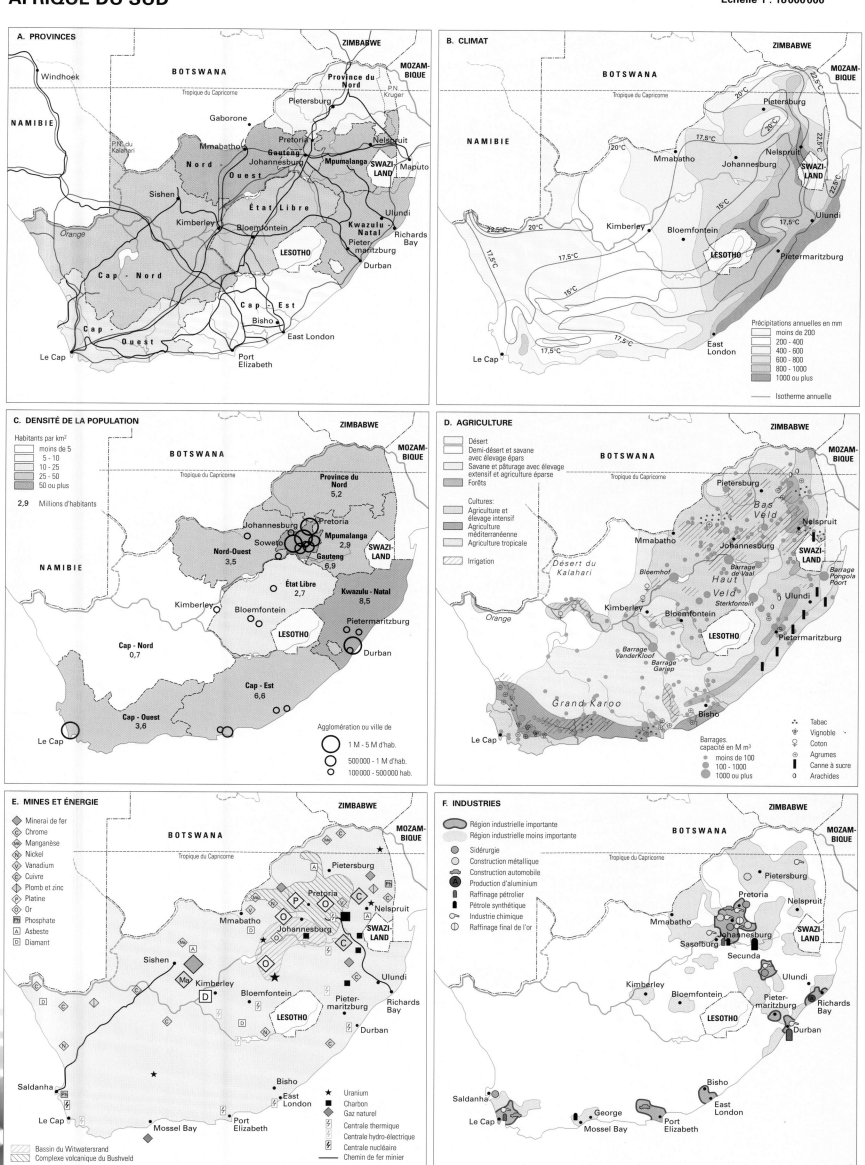

A. PROVINCES

B. CLIMAT

Précipitations annuelles en mm
- moins de 200
- 200 - 400
- 400 - 600
- 600 - 800
- 800 - 1000
- 1000 ou plus

— Isotherme annuelle

C. DENSITÉ DE LA POPULATION

Habitants par km²
- moins de 5
- 5 - 10
- 10 - 25
- 25 - 50
- 50 ou plus

2,9 Millions d'habitants

Agglomération ou ville de
- 1 M - 5 M d'hab.
- 500 000 - 1 M d'hab.
- 100 000 - 500 000 hab.

D. AGRICULTURE

- Désert
- Demi-désert et savane avec élevage épars
- Savane et pâturage avec élevage extensif et agriculture éparse
- Forêts

Cultures:
- Agriculture et élevage intensif
- Agriculture méditerranéenne
- Agriculture tropicale
- Irrigation

Barrages. capacité en M m³
- moins de 100
- 100 - 1000
- 1000 ou plus

- Tabac
- Vignoble
- Coton
- Agrumes
- Canne à sucre
- Arachides

E. MINES ET ÉNERGIE

- Minerai de fer
- C Chrome
- Mn Manganèse
- N Nickel
- V Vanadium
- Cuivre
- Plomb et zinc
- Platine
- O Or
- PH Phosphate
- A Asbeste
- D Diamant

- ★ Uranium
- ■ Charbon
- ◆ Gaz naturel
- Centrale thermique
- Centrale hydro-électrique
- Centrale nucléaire
- Chemin de fer minier

- Bassin du Witwatersrand
- Complexe volcanique du Bushveld

F. INDUSTRIES

- Région industrielle importante
- Région industrielle moins importante
- Sidérurgie
- Construction métallique
- Construction automobile
- A Production d'aluminium
- Raffinage pétrolier
- Pétrole synthétique
- Industrie chimique
- Raffinage final de l'or

© WN Atlas Productions

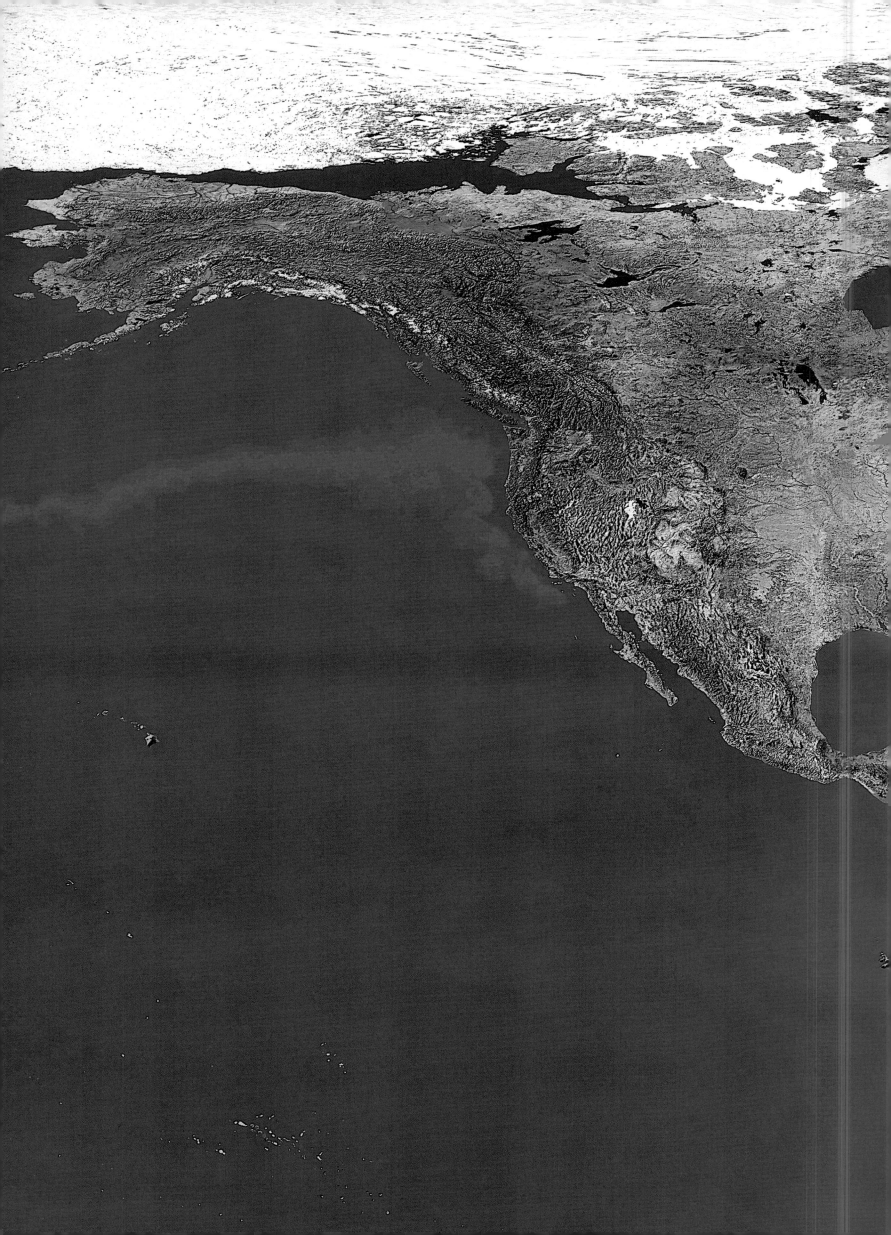

AMÉRIQUE
DU NORD

AMÉRIQUE DU NORD

Échelle 1 : 25 000 000

1000 km
800
600
400
200
0

Échelle altitudinale (m)
5000
3000
2000
1000
500
200
0
au-dessous du niveau de la mer
-200
-2000

Londres · 50 · Rome · 40 · Le Caire · 30

OCÉAN ATLANTIQUE

HÉBRIDES
Dorsale d'Islande
Dorsale de Reykjanes
ISLANDE
Reykjavik
HEKLA
Cercle polaire arctique
Dt. du Danemark
MER DU GROENLAND
Côte de Frédéric VI
T. de Christian IX
Groenland oriental
Groenland occidental
Groenland
(Dan.)
Groenland du Nord
Terre de Knud-Rasmussen
Cap Farvel
Presqu'île de Labrador
MER DU LABRADOR
Bassin du Labrador
Dt. de Davis
Baie de Baffin
Terre de Baffin
B. de Cumberland
B. de Frobisher
Dt. d'Hudson

Cap Morris Jesup
MER DE LINCOLN
Cap Columbia
Dt. de Nares
TERRE DE LA REINE ÉLISABETH
I. de Parry
Melville
Dt. de Melville
Dt. de Mac Clure
Banks
Victoria
Pôle Nord magnétique
Canal Mac Clintock
Boothia
Golfe de Boothia
Dt. de Lancaster
Devon
Brodeur
Bassin de Foxe
Dt. de Foxe
Péninsule de Melville
Repulse Bay
Southampton
Coral Harbour
Chesterfield

OCÉAN GLACIAL ARCTIQUE
MER DE BEAUFORT
Golfe d'Amundsen
Cap Bathurst
Baie de Mackenzie
Prudhoe Bay
Pte. Barrow
Barrow
CHAINE DE BROOKS
Wrangel
Dt. de De Long
MER DES TCHOUKTCHES
Baie de Kotzebue
Cap Dejnev
RUSSIE
Providenia
Anadyr
Golfe d'Anadyr
MTS KORIATSKI
I. St-Laurent
Nunivak
I. PRIBILOF
MER DE BÉRING
Fosse des Aléoutiennes
ALÉOUTIENNES
Dutch Harbor
Unalaska
Baie de Bristol
Kodiak
Golfe d'Alaska
ARCH. ALEXANDRE
Dt. d'Hécate
Dt. de la Reine Charlotte
I. DE LA REINE CHARLOTTE
Prince Rupert
Baie d'Alaska
Seward
Anchorage
Cook Inlet
Valdez
Fairbanks
Yukon
Tanana
Koyukuk
Nome
Baie de Norton
CHAINE D'ALASKA
Alaska (É.-U.)
MTS MACKENZIE
MONTAGNES ROCHEUSES
Fort Simpson
Fort Nelson
Mackenzie
Normann Wells
Grand Lac de l'Ours
Grand Lac des Esclaves
Yellowknife
Fort Smith
P.N. des Wood Buffalo
Pine Point
Lac Athabasca
Fort McMurray
Lac Caribou
Lac la Martre
Coppermine
G. du Couronnement
Cambridge Bay
Baker Lake
Uranium City
Lac Dubawnt
Lynn Lake
Thompson
Flin Flon
Lac Winnipeg
Lac Manitoba
Winnipeg
CANADA
Baie d'Hudson
Baie James
Moosonee
Albany
I. BELCHER
Inoucdjouak
Pén. d'Ungava
Baie d'Ungava
Rivière Koksoak
Schefferville
LABRADOR
Anse au Loup
Dt. de Belle Isle
Terre-Neuve
Gander
St-John's
Grand Banc de Terre-Neuve
Cap Race
Cap Canso
Halifax
Cap Sable
Cap Cod
Nantucket
BOSTON
NEW YORK
PHILADELPHIE
BALTIMORE
WASHINGTON
B. de la Delaware
B. de Chesapeake
Cap Hatteras
Norfolk
Bermudes
OCÉAN ATLANTIQUE

MONTRÉAL
Québec
Ottawa
TORONTO
Lac Ontario
Lac Érié
Buffalo
Hamilton
London
Kitchener
Windsor
DÉTROIT
CLEVELAND
PITTSBURGH
Lac Huron
Lac Michigan
Sudbury
Lac Nipigon
Lac Supérieur
Thunder Bay
Duluth
St-Paul
MINNEAPOLIS
MILWAUKEE
CHICAGO
INDIANAPOLIS
CINCINNATI
Louisville
Ohio
Mississippi
Lac des Bois
Fargo
Red Riv.
Winnipeg
Omaha
KANSAS CITY
Missouri
Platte Riv.
DENVER
BLACK HILLS
Billings
Yellowstone
Great Falls
Medicine Hat
Moose Jaw
Regina
Saskatoon
Edmonton
Calgary
Lethbridge
Saskatchewan
North Saskatchewan
South Saskatchewan
Assiniboine
Spokane
Snake Riv.
Boise
Salt Lake City
Grand Lac Salé
Bassin
MT ELBERT
MTS SHASTA
CHAINE DES CASCADES
PORTLAND
SEATTLE
Vancouver
Victoria
Dt. de Juan de Fuca
I. de Vancouver
CHAINE CÔTIÈRE
Fraser
Kamloops
Prince George
Stikine
Skagway
Whitehorse
Pelly
Dawson
Golden Gate
SAN FRANCISCO
Cap Mendocino
Cap Blanco
Sacramento
OCÉAN PACIFIQUE

MER DE BÉRING
L.N.
Irkoutsk

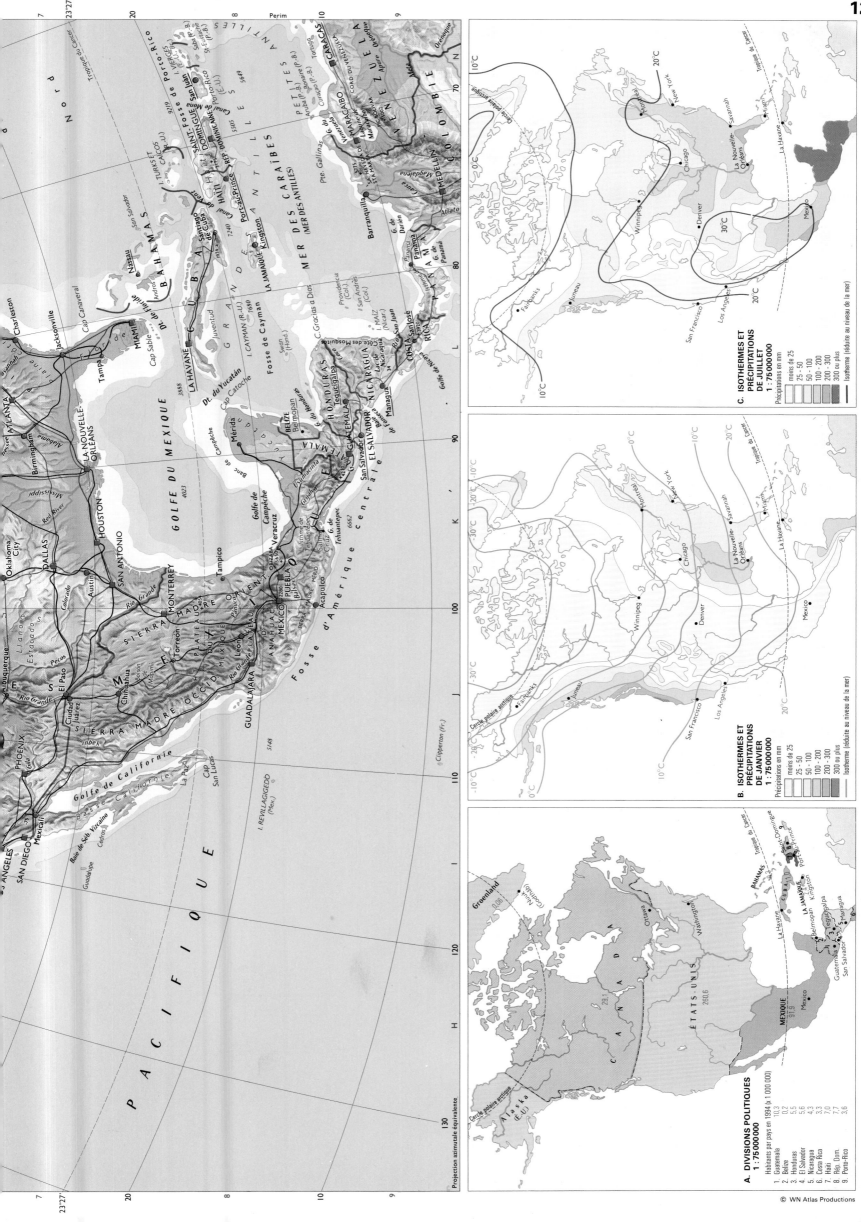

C. ISOTHERMES ET PRÉCIPITATIONS DE JUILLET
1 : 75 000 000

Précipitations en mm
- moins de 25
- 25 - 50
- 50 - 100
- 100 - 200
- 200 - 300
- 300 ou plus

— Isotherme (réduite au niveau de la mer)

B. ISOTHERMES ET PRÉCIPITATIONS DE JANVIER
1 : 75 000 000

Précipitations en mm
- moins de 25
- 25 - 50
- 50 - 100
- 100 - 200
- 200 - 300
- 300 ou plus

— Isotherme (réduite au niveau de la mer)

A. DIVISIONS POLITIQUES
1 : 75 000 000

Habitants par pays en 1994 (x 1 000 000)
1. Guatemala 10,3
2. Belize 0,2
3. Honduras 5,5
4. El Salvador 5,6
5. Nicaragua 4,3
6. Costa Rica 3,3
7. Haïti 7,0
8. Rép. Dom. 7,7
9. Porto-Rico 3,6

Projection azimutale équivalente

© WN Atlas Productions

CANADA

−2000 −200 0 100 200 500 1000 2000 3000 m

170° L.O. de Gr.   160   150   140   130   120   110   100   90   80   70   60   50   40

70° L.N.

OCEAN GLACIAL ARCTIQUE

MER DE BEAUFORT

Baie de Baffin

ILS SVERDRUP

DE LA REINE ELISABETH

Devon

Terre de Grant   Terre de Knud Rasmussen
Bassin de Kane   Glacier de Humboldt
Pôle Nord magnétique
Can. Belcher
Dt. de Jones
Dt. de Lancaster
Resolute
Dt. de Barrow
Somerset
Arctic Bay
Bylot
Pond Inlet
Brodeur
Borden
Cap York
Baie de Melville

Barrow   Pte. Barrow   B. de Prudhoe   Prudhoe Bay
Sachs Harbour
Cap Pr. Alfred   Dt. de MacClure
Baie de Liverpool   Cap Bathurst
Golfe d'Amundsen
Holman   B. du Pr. Albert
Victoria
Golfe de Boothia
Dt. Fury et Hecla
Igloolik
Hall Lake

CHAINE DE BROOKS
Colville
Tanana
College   Fairbanks
Circle
Ft. Yukon
Porcupine
Aklavik   Inuvik
Arctic Red River
Ft. McPherson
Ft. Good Hope
Territoires du Nord-Ouest
Cambridge Bay
Lady Franklin Point
Kugluktuk
Bathurst Inlet
G. du Couronnement
Dt. de Dease
Gjoa Haven
Pelly Bay
B. du Comité
Taloyoak
Repulse Bay
B. de Wager

CHAINE D'ALASKA
MT. FAIRWEATHER
Glacier Malaspina
Whitehorse
Skagway
Juneau
Sitka
Wrangell
Dawson
Mayo
Norman Wells
Tulita   Deline
Grand Lac de l'Ours
Echo Bay
Coppermine
Wrigley
Rae
Yellowknife
Lac La Martre
Nunavut
Baker Lake
Lac Dubawnt
Thelon
Back Riv.
Lac Garry
Chesterfield Inlet
Rankin Inlet
Whale Cove
Arviat
Baie d'Hudson

Allin   Atlin
Watson Lake
Ft. Simpson
Ft. Providence
Ft. Liard
Hay River
Gd Lac des Esclaves
Ft. Resolution
Pine Point
Ft. Smith
Fort Smith
Uranium City
Lac Athabasca
Ft. Chipewyan
Lac Wollaston
Lac du Caribou
Lynn Lake
Churchill
Thompson
MONTAGNES ROCHEUSES
Ft. Nelson
Ft. St. John
MONTS CARIBOU
Wood Buffalo
Ft. Vermilion
Fort McMurray
Waterways
Saskatchewan
La Ronge
Sherridon
Flin Flon
Lac Sud des Indiens
Nelson
Winisk

Prince Rupert
Kitimat
Kemano
Hazelton
Terrace
Smithers
Quesnel
Pr. George
Grande Prairie
Dawson Creek
Grimshaw
Peace River
Petit Lac des Esclaves
Athabasca
Alberta
Manitoba
Lac Wollaston
The Pas
Grand Rapids
Lac Winnipegosis
Pr. Albert
North Battleford
Saskatoon
Yorkton
Dauphin
Lac Manitoba
Lac Winnipeg
Red Lake
Ontario
Attawapiska

Nanaimo
Victoria
VANCOUVER
SEATTLE
Tacoma
Olympia
PORTLAND
Astoria
Kamloops
Kelowna
Penticton
Nelson
MT. ROBSON
Banff
Calgary
Red Deer
Edmonton
Leduc
Drumheller
Medicine Hat
Lethbridge
Moose Jaw
Swift Current
Regina
Brandon
Winnipeg
Kenora
Portage la Prairie
Emerson
Estevan
Lac des Bois
Lac à la Pluie
Thunder Bay
Lac Supérieur
Duluth

Spokane
Coeur d'Alene
Missoula
Helena
Butte
Anaconda
Great Falls
Res. de Fort Peck
Minot
Grand Forks
Fargo
Bismarck
Miles Cy
Billings
Sheridan
Casper
Pierre
Sioux Falls
MINNEAPOLIS
St. Paul
Green Bay
MILWAUKEE
Madison
Rockford
CHICAGO

ÉTATS-UNIS
Medford
Klamath Falls
Boise
Idaho Falls
Pocatello
Ogden
Twin Falls
Yellowstone
Black Hills
Cheyenne
Sioux City
Waterloo
Cedar Rapids

Cap Mendocino
Cap Blanco
Eugene
Salem
PORTLAND
CHAINE DES CASCADES
MT. SHASTA
Sacramento

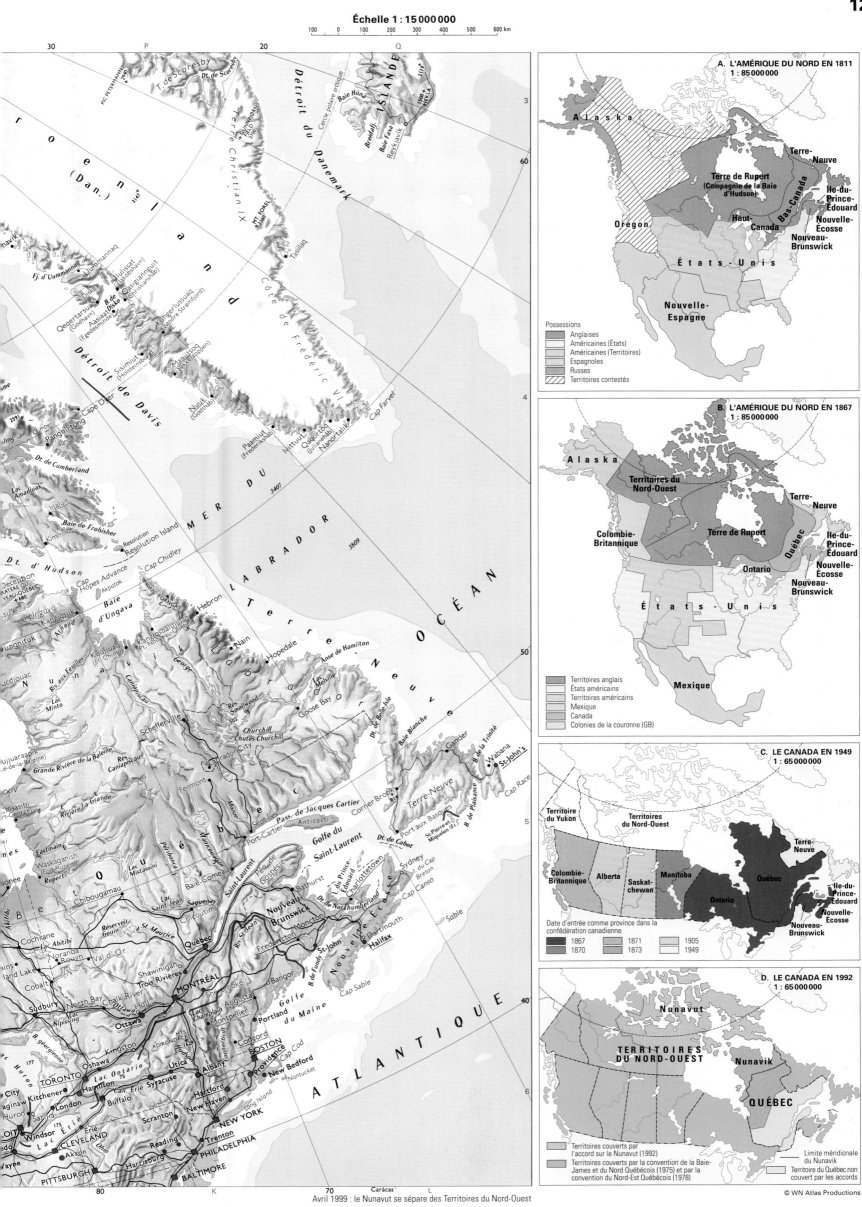

Échelle 1 : 15 000 000

A. L'AMÉRIQUE DU NORD EN 1811
1 : 85 000 000

Possessions
- Anglaises
- Américaines (États)
- Américaines (Territoires)
- Espagnoles
- Russes
- Territoires contestés

B. L'AMÉRIQUE DU NORD EN 1867
1 : 85 000 000

- Territoires anglais
- États américains
- Territoires américains
- Mexique
- Canada
- Colonies de la couronne (GB)

C. LE CANADA EN 1949
1 : 65 000 000

Date d'entrée comme province dans la confédération canadienne
- 1867
- 1870
- 1871
- 1873
- 1905
- 1949

D. LE CANADA EN 1992
1 : 65 000 000

- Territoires couverts par l'accord sur le Nunavut (1992)
- Territoires couverts par la convention de la Baie-James et du Nord Québécois (1975) et par la convention du Nord-Est Québécois (1978)
- Limite méridionale du Nunavik
- Territoire du Québec non couvert par les accords

Avril 1999 : le Nunavut se sépare des Territoires du Nord-Ouest

© WN Atlas Productions

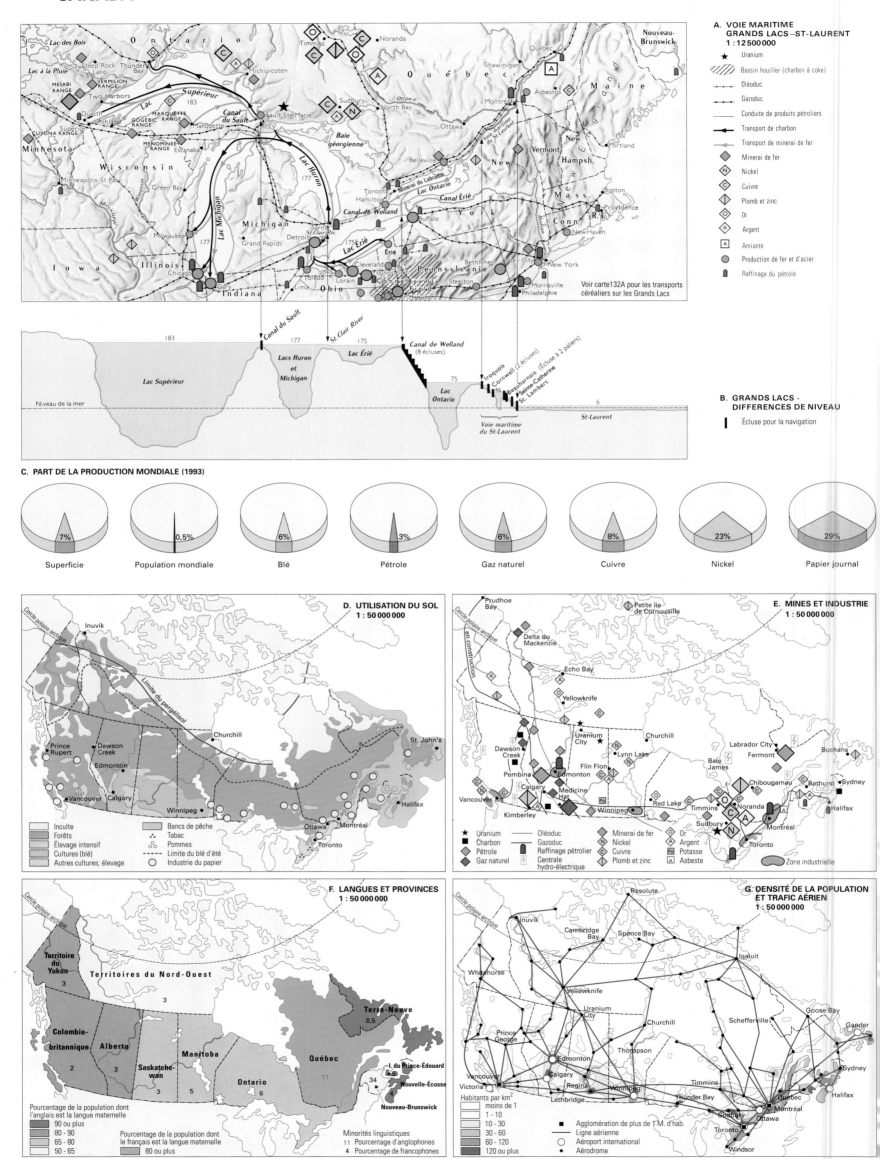

A. VOIE MARITIME GRANDS LACS—ST-LAURENT
1 : 12 500 000

★ Uranium
Bassin houiller (charbon à coke)
Oléoduc
Gazoduc
Conduite de produits pétroliers
Transport de charbon
Transport de minerai de fer
◆ Minerai de fer
Ⓝ Nickel
Ⓒ Cuivre
Plomb et zinc
Or
Ⓐ Argent
Ⓐ Amiante
● Production de fer et d'acier
Raffinage du pétrole

Voir carte132A pour les transports céréaliers sur les Grands Lacs

B. GRANDS LACS - DIFFÉRENCES DE NIVEAU
▮ Écluse pour la navigation

C. PART DE LA PRODUCTION MONDIALE (1993)

Superficie	Population mondiale	Blé	Pétrole	Gaz naturel	Cuivre	Nickel	Papier journal
7%	0,5%	6%	3%	6%	8%	23%	29%

D. UTILISATION DU SOL
1 : 50 000 000

Inculte
Forêts
Élevage intensif
Cultures (blé)
Autres cultures; élevage
Bancs de pêche
Tabac
Pommes
Limite du blé d'été
Industrie du papier

E. MINES ET INDUSTRIE
1 : 50 000 000

★ Uranium
■ Charbon
◆ Pétrole
◆ Gaz naturel
Oléoduc
Gazoduc
Raffinage pétrolier
Centrale hydro-électrique
◆ Minerai de fer
Ⓝ Nickel
Ⓒ Cuivre
Plomb et zinc
Or
Argent
Potasse
Ⓐ Asbeste
Zone industrielle

F. LANGUES ET PROVINCES
1 : 50 000 000

Pourcentage de la population dont l'anglais est la langue maternelle
90 ou plus
80 - 90
65 - 80
50 - 65

Pourcentage de la population dont le français est la langue maternelle
80 ou plus

Minorités linguistiques
11 Pourcentage d'anglophones
4 Pourcentage de francophones

G. DENSITÉ DE LA POPULATION ET TRAFIC AÉRIEN
1 : 50 000 000

Habitants par km²
moins de 1
1 - 10
10 - 30
30 - 60
60 - 120
120 ou plus

■ Agglomération de plus de 1 M. d'hab.
Ligne aérienne
○ Aéroport international
• Aérodrome

© WN Atlas Productions

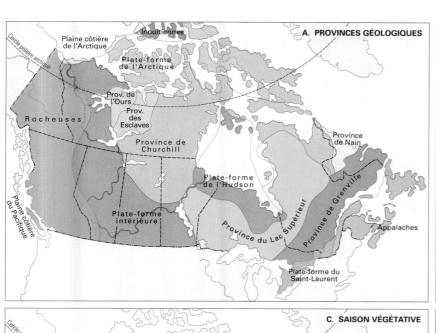

A. PROVINCES GÉOLOGIQUES

Cercle polaire arctique

Inuitiennes
Plaine côtière de l'Arctique
Plate-forme de l'Arctique
Prov. de l'Ours
Prov. des Esclaves
Rocheuses
Province de Churchill
Province de Nain
Plate-forme de l'Hudson
Plate-forme intérieure
Plate-forme du Saint-Laurent
Province du Lac Supérieur
Province de Grenville
Appalaches
Plaine côtière du Pacifique

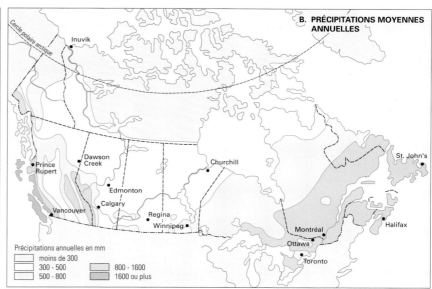

B. PRÉCIPITATIONS MOYENNES ANNUELLES

Cercle polaire arctique

Inuvik · Prince Rupert · Dawson Creek · Churchill · St. John's · Edmonton · Calgary · Vancouver · Regina · Winnipeg · Montréal · Halifax · Ottawa · Toronto

Précipitations annuelles en mm
- moins de 300
- 300 - 500
- 500 - 800
- 800 - 1600
- 1600 ou plus

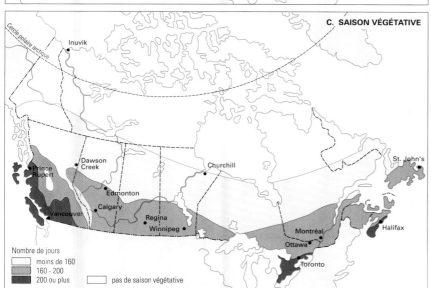

C. SAISON VÉGÉTATIVE

Cercle polaire arctique

Inuvik · Prince Rupert · Dawson Creek · Churchill · St. John's · Edmonton · Calgary · Vancouver · Regina · Winnipeg · Montréal · Halifax · Ottawa · Toronto

Nombre de jours
- moins de 160
- 160 - 200
- 200 ou plus
- pas de saison végétative

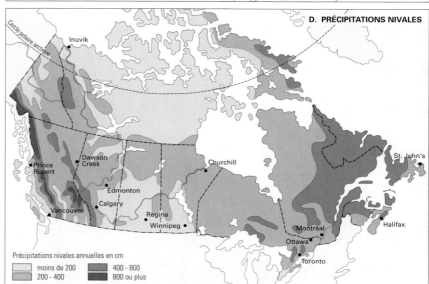

D. PRÉCIPITATIONS NIVALES

Cercle polaire arctique

Inuvik · Prince Rupert · Dawson Creek · Churchill · St. John's · Edmonton · Calgary · Vancouver · Regina · Winnipeg · Montréal · Halifax · Ottawa · Toronto

Précipitations nivales annuelles en cm
- moins de 200
- 200 - 400
- 400 - 800
- 800 ou plus

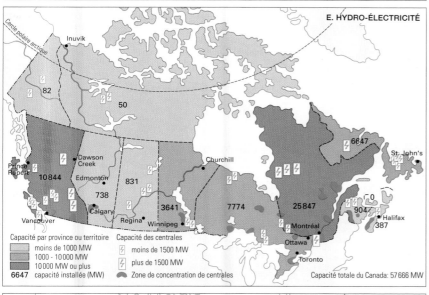

E. HYDRO-ÉLECTRICITÉ

Cercle polaire arctique

Inuvik 82 · 50 · 10844 · Prince Rupert · Dawson Creek · Edmonton 738 · 831 · Calgary · 3641 · Churchill · 6647 · St. John's · 7774 · 25847 · 0 · 9042 · Halifax 387 · Vancouver · Regina · Winnipeg · Montréal · Ottawa · Toronto

Capacité par province ou territoire
- moins de 1000 MW
- 1000 - 10000 MW
- 10000 MW ou plus
- 6647 capacité installée (MW)

Capacité des centrales
- moins de 1500 MW
- plus de 1500 MW
- Zone de concentration de centrales

Capacité totale du Canada: 57 666 MW

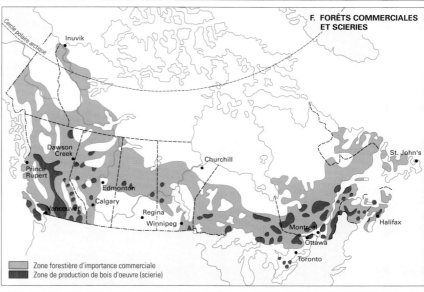

F. FORÊTS COMMERCIALES ET SCIERIES

Cercle polaire arctique

Inuvik · Prince Rupert · Dawson Creek · Churchill · St. John's · Edmonton · Calgary · Vancouver · Regina · Winnipeg · Montréal · Halifax · Ottawa · Toronto

- Zone forestière d'importance commerciale
- Zone de production de bois d'oeuvre (scierie)

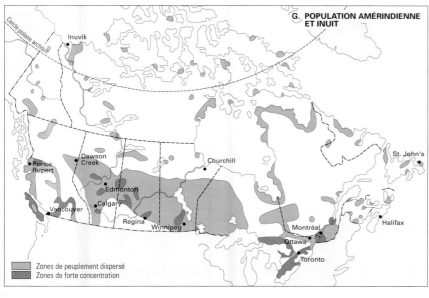

G. POPULATION AMÉRINDIENNE ET INUIT

Cercle polaire arctique

Inuvik · Prince Rupert · Dawson Creek · Churchill · St. John's · Edmonton · Calgary · Vancouver · Regina · Winnipeg · Montréal · Halifax · Ottawa · Toronto

- Zones de peuplement dispersé
- Zones de forte concentration

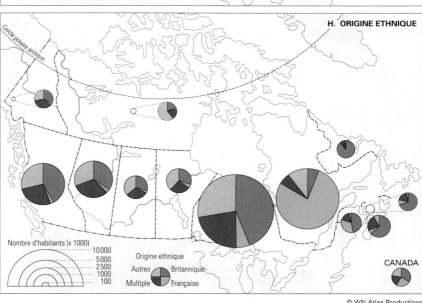

H. ORIGINE ETHNIQUE

Cercle polaire arctique

Nombre d'habitants (x 1000)
- 10000
- 5000
- 2500
- 1000
- 100

Origine ethnique
- Autres
- Britannique
- Multiple
- Française

CANADA

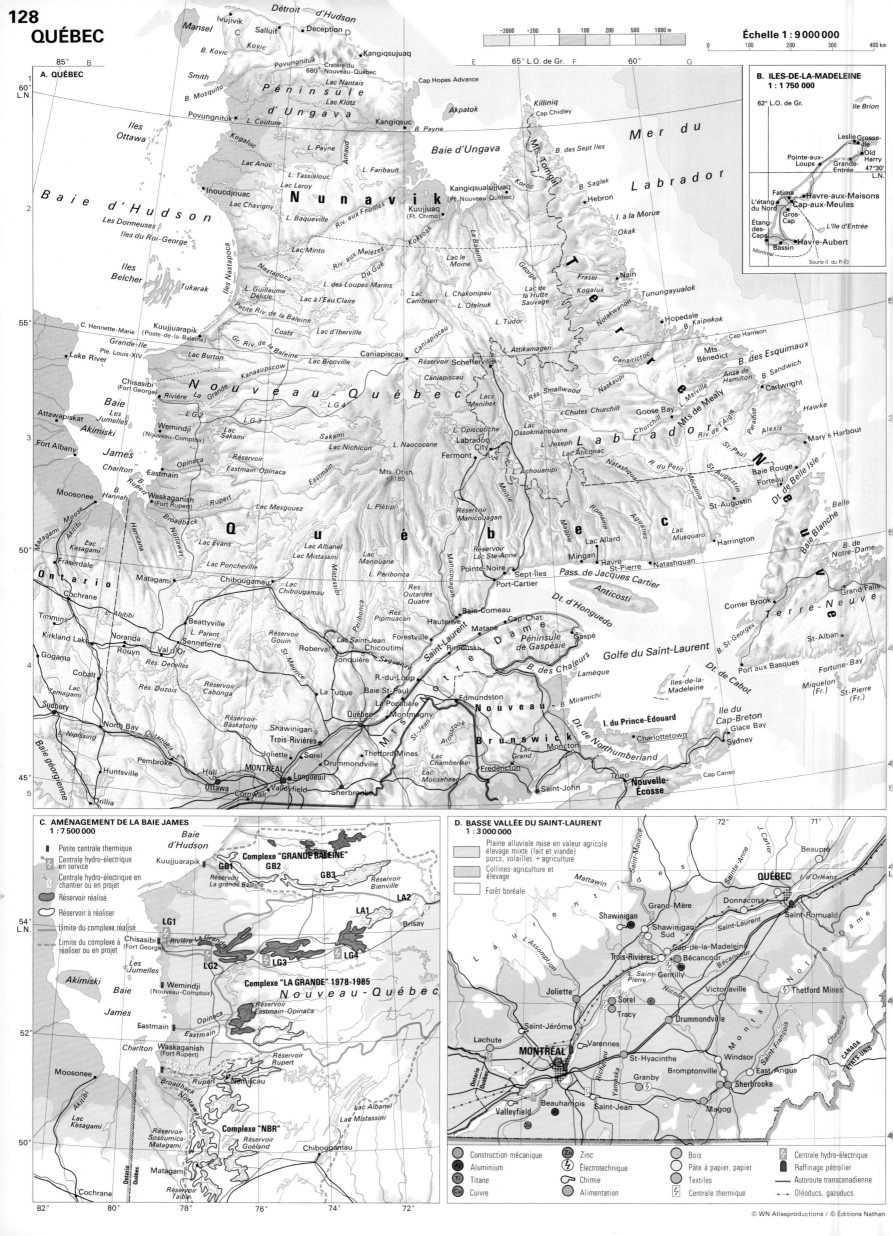

A. QUÉBEC

Échelle 1 : 9 000 000

B. ILES-DE-LA-MADELEINE
1 : 1 750 000

C. AMÉNAGEMENT DE LA BAIE JAMES
1 : 7 500 000

- ■ Petite centrale thermique
- ⚡ Centrale hydro-électrique en service
- ⚡ Centrale hydro-électrique en chantier ou en projet
- Réservoir réalisé
- Réservoir à réaliser
- Limite du complexe réalisé
- Limite du complexe à réaliser ou en projet

Complexe "GRANDE BALEINE"

Complexe "LA GRANDE" 1978-1985

Complexe "NBR"

D. BASSE VALLÉE DU SAINT-LAURENT
1 : 3 000 000

- Plaine alluviale mise en valeur agricole élevage mixte (lait et viande) porcs, volailles + agriculture
- Collines-agriculture et élevage
- Forêt boréale

- ● Construction mécanique
- Al Aluminium
- Ti Titane
- Cu Cuivre
- Zn Zinc
- ⚡ Électrotechnique
- Chimie
- Alimentation
- Bois
- Pâte à papier, papier
- Textiles
- ⚡ Centrale hydro-électrique
- ■ Raffinage pétrolier
- — Autoroute transcanadienne
- Oléoducs, gazoducs
- ⚡ Centrale thermique

© WN Atlasproductions / © Éditions Nathan

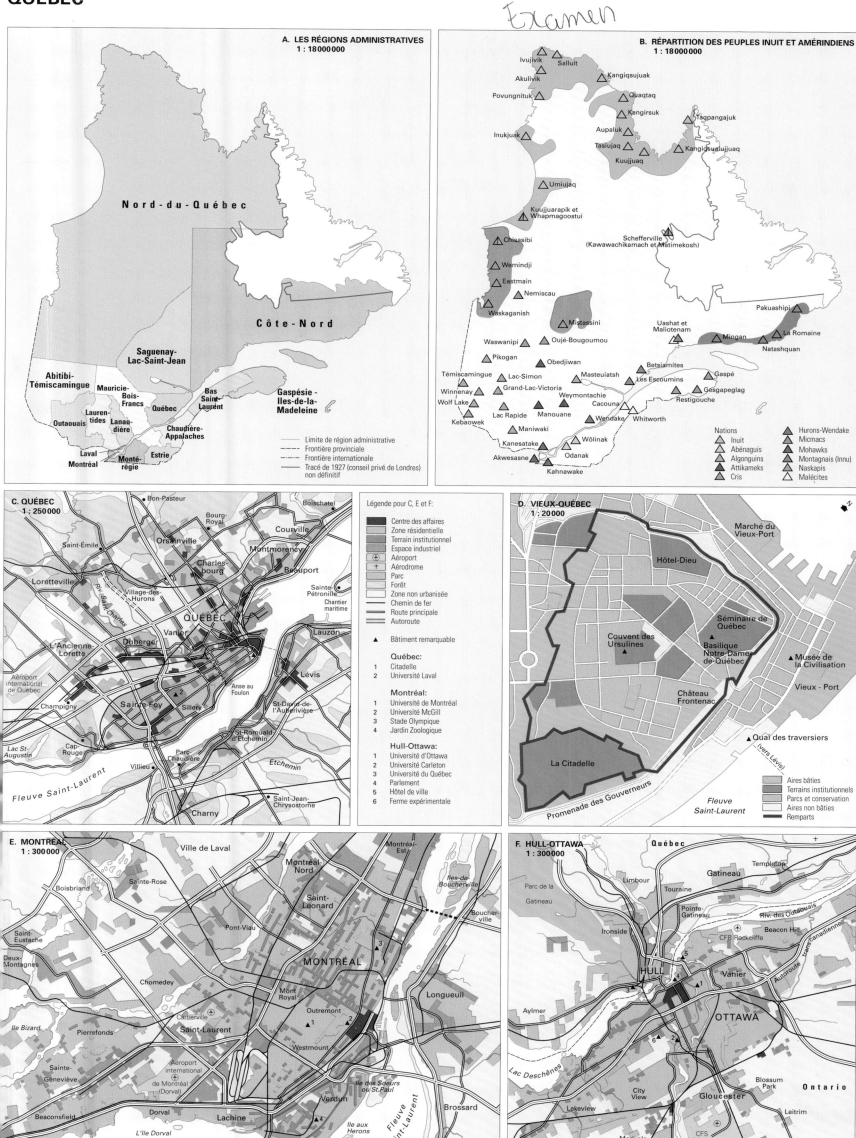

A. LES RÉGIONS ADMINISTRATIVES
1 : 18 000 000

Nord-du-Québec

Côte-Nord

Saguenay-Lac-Saint-Jean

Abitibi-Témiscamingue

Mauricie-Bois-Francs

Québec

Bas-Saint-Laurent

Gaspésie-Îles-de-la-Madeleine

Outaouais

Laurentides

Lanaudière

Chaudière-Appalaches

Laval

Montérégie

Montréal

Estrie

Limite de région administrative
Frontière provinciale
Frontière internationale
Tracé de 1927 (conseil privé de Londres) non définitif

B. RÉPARTITION DES PEUPLES INUIT ET AMÉRINDIENS
1 : 18 000 000

Ivujivik, Salluit, Akulivik, Kangiqsujuaq, Povungnituk, Quaqtaq, Kangirsuk, Tagpangajuk, Inukjuak, Aupaluk, Tasiujaq, Kangiqsualujjuaq, Kuujjuaq, Umiujaq, Kuujjuarapik et Whapmagoostui, Schefferville (Kawawachikamach et Matimekosh), Chisasibi, Wemindji, Eastmain, Nemiscau, Waskaganish, Mistassini, Pakuashipi, Uashat et Maliotenam, Mingan, La Romaine, Natashquan, Waswanipi, Oujé-Bougoumou, Pikogan, Obedjiwan, Betsiamites, Gaspé, Témiscamingue, Lac-Simon, Masteuiatsh, Les Escoumins, Gesgapegiag, Winnenay, Grand-Lac-Victoria, Weymontachie, Cacouna, Restigouche, Wolf Lake, Lac Rapide, Manouane, Wendake, Whitworth, Kebaowek, Maniwaki, Wôlinak, Kanesatake, Odanak, Akwesasne, Kahnawake

Nations
Inuit
Abénaquis
Algonquins
Attikameks
Cris
Hurons-Wendake
Micmacs
Mohawks
Montagnais (Innu)
Naskapis
Malécites

C. QUÉBEC
1 : 250 000

Bon-Pasteur, Boischatel, Bourg-Royal, Courville, Saint-Émile, Orsainville, Montmorency, Charlesbourg, Beauport, Loretteville, Village-des-Hurons, Sainte-Pétronille, Sainte-Foy, QUÉBEC, Vanier, Lauzon, L'Ancienne-Lorette, Duberger, Chantier maritime, Champigny, Lévis, Cap Rouge, Sillery, Anse au Foulon, St-David-de-l'Auberivière, Aéroport international de Québec, Lac St-Augustin, Parc Chaudière, St-Romuald-d'Etchemin, Villieu, Etchemin, Charny, Saint-Jean-Chrysostome, Fleuve Saint-Laurent

Légende pour C, E et F:
Centre des affaires
Zone résidentielle
Terrain institutionnel
Espace industriel
Aéroport
Aérodrome
Parc
Forêt
Zone non urbanisée
Chemin de fer
Route principale
Autoroute
Bâtiment remarquable

Québec:
1 Citadelle
2 Université Laval

Montréal:
1 Université de Montréal
2 Université McGill
3 Stade Olympique
4 Jardin Zoologique

Hull-Ottawa:
1 Université d'Ottawa
2 Université Carleton
3 Université du Québec
4 Parlement
5 Hôtel de ville
6 Ferme expérimentale

D. VIEUX-QUÉBEC
1 : 20 000

Marché du Vieux-Port, Hôtel-Dieu, Séminaire de Québec, Couvent des Ursulines, Basilique Notre-Dame-de-Québec, Musée de la Civilisation, Château Frontenac, Vieux-Port, La Citadelle, Quai des traversiers, (vers Lévis), Promenade des Gouverneurs, Fleuve Saint-Laurent

Aires bâties
Terrains institutionnels
Parcs et conservation
Aires non bâties
Remparts

E. MONTRÉAL
1 : 300 000

Ville de Laval, Montréal-Est, Sainte-Rose, Montréal-Nord, Boisbriand, Saint-Léonard, Îles-de-Boucherville, Saint-Eustache, Pont-Viau, Boucherville, Deux-Montagnes, MONTRÉAL, Chomedey, Mont Royal, Longueuil, Île Bizard, Cartierville, Outremont, Pierrefonds, Saint-Laurent, Westmount, Sainte-Geneviève, Aéroport international de Montréal (Dorval), Île des Soeurs ou St-Paul, Beaconsfield, Dorval, L'Île Dorval, Verdun, Brossard, Lachine, Lasalle, Île aux Hérons, Kahnawake, Lac Saint Louis, Sainte-Catherine, Voie maritime, La Prairie, Fleuve Saint-Laurent

F. HULL-OTTAWA
1 : 300 000

Québec, Templeton, Parc de la Gatineau, Limbour, Gatineau, Touraine, Riv. des Outaouais, Pointe-Gatineau, Ironside, Beacon Hill, CFB Rockcliffe, HULL, Vanier, Autoroute Transcanadienne, Aylmer, OTTAWA, Lac Deschênes, City View, Gloucester, Lakeview, Blossom Park, Bells Corners, Merivale, CFS Uplands, Leitrim, Aéroport international d'Ottawa, Ontario

© WN Atlas Productions

ÉTATS-UNIS ET MEXIQUE

Échelle 1 : 12 500 000

© WN Atlas Productions

A. RÉGIONS ÉCONOMIQUES
1 : 70 000 000

Les Vallées Côtières
Les Grandes Plaines
Les Montagnes et les Déserts
Le Nord-Est
Le Bassin Central
Le Sud-Est

B. EXPANSION DU TERRITOIRE
1 : 70 000 000

B1. 1783 Traité de Versailles

Les 13 États unis lors de la déclaration d'indépendance (1776)
Cédé par la Grande Bretagne lors du traité de Versailles (1783)
Limites des États aujourd'hui

B2. 1803

États-Unis avant 1803
Achat à la France (1803)
Limites des États aujourd'hui

B3. 1818-1846

États-Unis avant 1818
Cédé par la Grande Bretagne (1818-1842)
Achat de la Floride à l'Espagne (1819)
Cession du Texas par le Mexique (1845)
Cession du territoire d'Oregon par la Grande Bretagne (1846)
Limites des États aujourd'hui

B4. 1848-1853

États-Unis avant 1848
Cédé par le Mexique (1848)
Achat au Mexique (1853)
Limites des États aujourd'hui

Expansion du territoire après 1853:
1876 Achat de l'Alaska à la Russie
1898 Cession de Puerto Rico et Guam par l'Espagne ; Annexion d'Hawaï
1898-1946 Philippines
1900 Samoa américaine
1903-1979 Zone du Canal de Panamá
1917 Achat des Iles Vierges au Danemark
1947 Mandat des Iles du Pacifique (au nom des Nations-Unies)

Susq. = Susquehanna
Conn. = Connecticut
D.C. = District of Columbia
Mass. = Massachusetts
R.I. = Rhode Island

ÉTATS-UNIS

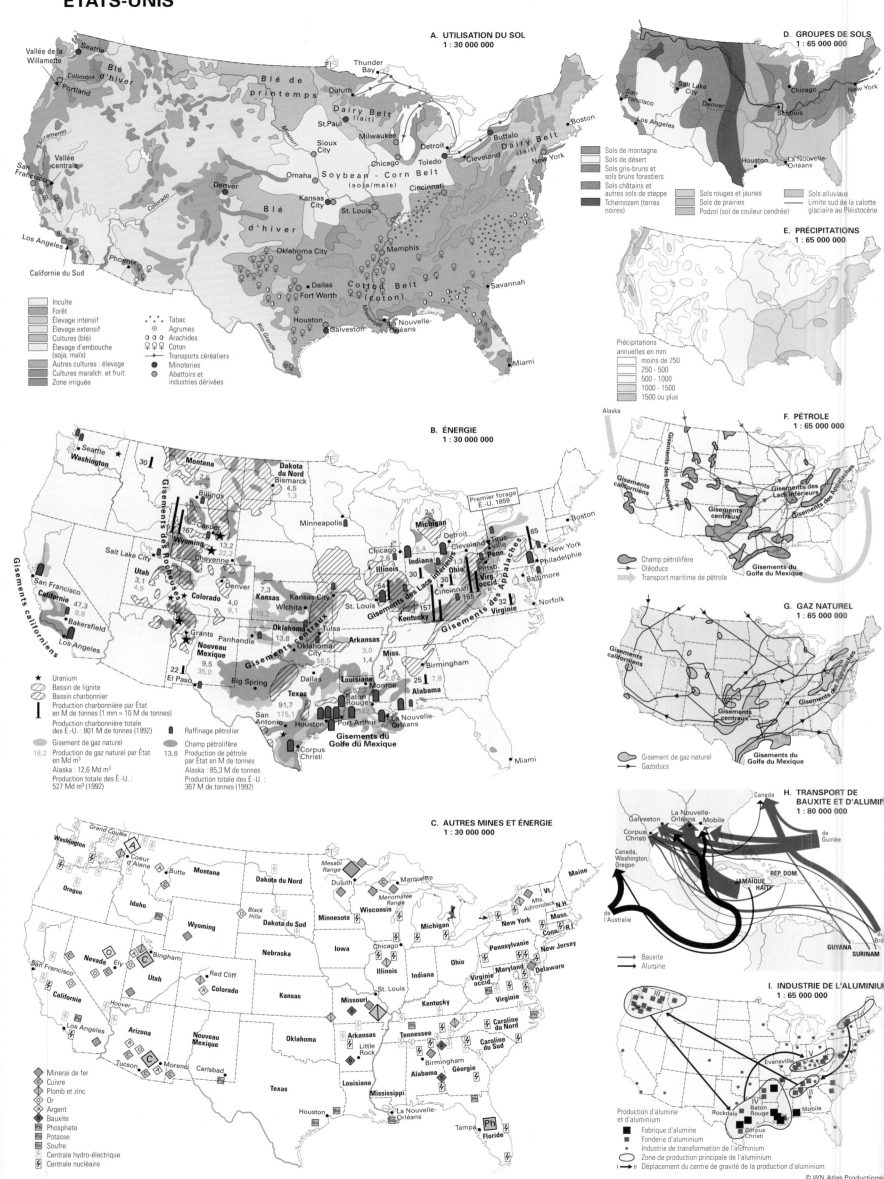

A. UTILISATION DU SOL
1 : 30 000 000

Vallée de la Willamette
Seattle
Blé d'hiver
Columbia
Portland
Blé de printemps
Thunder Bay
Duluth
Dairy Belt (lait)
St. Paul
Milwaukee
Sioux City
Chicago
Detroit
Toledo
Cleveland
Buffalo
Dairy Belt (lait)
Boston
New York
Sacramento
Vallée centrale
San Francisco
Omaha
Soybean - Corn Belt (soja/maïs)
Denver
Colorado
Kansas City
St. Louis
Cincinnati
Ohio
Los Angeles
Blé d'hiver
Phoenix
Californie du Sud
Oklahoma City
Memphis
Dallas
Fort Worth
Cotton Belt (coton)
Savannah
Río Grande
Houston
Galveston
La Nouvelle-Orléans
Mississippi
Miami

Inculte
Forêt
Élevage intensif
Élevage extensif
Cultures (blé)
Élevage d'embouche (soja, maïs)
Autres cultures : élevage
Cultures maraîch. et fruit.
Zone irriguée

Tabac
Agrumes
Arachides
Coton
Transports céréaliers
Minoteries
Abattoirs et industries dérivées

D. GROUPES DE SOLS
1 : 65 000 000

San Francisco
Salt Lake City
Chicago
New York
Denver
St. Louis
Los Angeles
Houston
La Nouvelle-Orléans

Sols de montagne
Sols de désert
Sols gris-bruns et sols bruns forestiers
Sols châtains et autres sols de steppe
Tchernozem (terres noires)
Sols rouges et jaunes
Sols de prairies
Podzol (sol de couleur cendrée)
Sols alluviaux
Limite sud de la calotte glaciaire au Pléistocène

E. PRÉCIPITATIONS
1 : 65 000 000

Précipitations annuelles en mm
moins de 250
250 - 500
500 - 1000
1000 - 1500
1500 ou plus

B. ÉNERGIE
1 : 30 000 000

Alaska

Seattle
Washington
30
Montana
2,5
Billings
Dakota du Nord
Bismarck
4,5
1,3
Casper
Wyoming
167
13,2
22,2
Salt Lake City
Chevenne
Minneapolis
2,1
Premier forage É.-U. 1859
Michigan
Detroit
5,4
Boston
65
Utah
3,1
4,9
Denver
Colorado
4,0
9,1
Kansas
7,3
2,6
Chicago
Illinois
1,3
Indiana
30
Cleveland
Titus-ville
Penn.
Pittsb.
New York
Philadelphie
Baltimore
Grants
Panhandle
Nouveau Mexique
9,5
35,0
El Paso
22
Big Spring
Oklahoma
13,8
Tulsa
Oklahoma City
56,5
Arkansas
3,0
1,4
Miss.
3,4
2,6
Birmingham
Alabama
25
7,8
Kansas City
Wichita
18,2
St. Louis
Gisements des Lacs inférieurs
Kentucky
157
Cincinnati
Ohio
30
4,4
155
Virg. occid.
32
Gisements des Appalaches
Virginie
Norfolk
Dallas
Louisiane
Monroe
57,2
Baton Rouge
Texas
91,7
175,1
San Antonio
Houston
Port Arthur
La Nouvelle-Orléans
Gisements du Golfe du Mexique
Corpus Christi
Miami

Gisements des Rocheuses
Gisements californiens
Gisements centraux
California
47,3
9,8
Bakersfield
Los Angeles

Uranium
Bassin de lignite
Bassin charbonnier
Production charbonnière par État en M de tonnes (1 mm = 10 M de tonnes)
Production charbonnière totale des É.-U. : 801 M de tonnes (1992)
Gisement de gaz naturel
18,2 Production de gaz naturel par État en Md m³
Alaska : 12,6 Md m³
Production totale des É.-U. : 527 Md m³ (1992)
Raffinage pétrolier
Champ pétrolifère
13,8 Production de pétrole par État en M de tonnes
Alaska : 85,3 M de tonnes
Production totale des É.-U. : 367 M de tonnes (1992)

F. PÉTROLE
1 : 65 000 000

Gisements des Rocheuses
Gisements californiens
Gisements centraux
Gisements des Lacs inférieurs
Gisements des Appalaches
Gisements du Golfe du Mexique

Champ pétrolifère
Oléoducs
Transport maritime de pétrole

G. GAZ NATUREL
1 : 65 000 000

Gisements californiens
Gisements centraux
Gisements des Appalaches
Gisements du Golfe du Mexique

Gisement de gaz naturel
Gazoducs

C. AUTRES MINES ET ÉNERGIE
1 : 30 000 000

Grand Coulée
Washington
Coeur d'Alene
Butte
Montana
Oregon
Idaho
Wyoming
Black Hills
Dakota du Nord
Dakota du Sud
Mesabi Range
Duluth
Marquette
Menominee Range
Wisconsin
Minnesota
Maine
Mts. Adirondack
Vt.
N.H.
Mass.
Conn. R.I.
New York
Michigan
Nevada
Ely
Bingham
Utah
Red Cliff
Colorado
Nebraska
Iowa
Chicago
Illinois
Indiana
Ohio
Pennsylvanie
New Jersey
Maryland
Delaware
Virginie occid.
Hoover
San Francisco
Californie
Los Angeles
Arizona
Tucson
Morenci
Nouveau Mexique
Carlsbad
Kansas
Oklahoma
St. Louis
Missouri
Arkansas
Little Rock
Kentucky
Tennessee
Virginie
Caroline du Nord
Caroline du Sud
Birmingham
Géorgie
Alabama
Mississippi
Louisiane
Texas
Houston
La Nouvelle-Orléans
Ph
Floride
Tampa

Minerai de fer
Cuivre
Plomb et zinc
Or
Argent
Bauxite
Phosphate
Potasse
Soufre
Centrale hydro-électrique
Centrale nucléaire

H. TRANSPORT DE BAUXITE ET D'ALUMINI...
1 : 80 000 000

Canada
Galveston
La Nouvelle-Orléans
Mobile
Corpus Christi
Canada, Washington, Oregon
de Guinée
JAMAÏQUE HAÏTI
RÉP. DOM.
de l'Australie
GUYANA
SURINAM
de Br...

Bauxite
Alumine

I. INDUSTRIE DE L'ALUMINIU...
1 : 65 000 000

III
I
IV
Evansville
Baton Rouge
Mobile
Rockdale
Corpus Christi
II

Production d'alumine et d'aluminium
Fabrique d'alumine
Fonderie d'aluminium
Industrie de transformation de l'aluminium
Zone de production principale de l'aluminium
Déplacement du centre de gravité de la production d'aluminium

© WN Atlas Productions

ÉTATS-UNIS

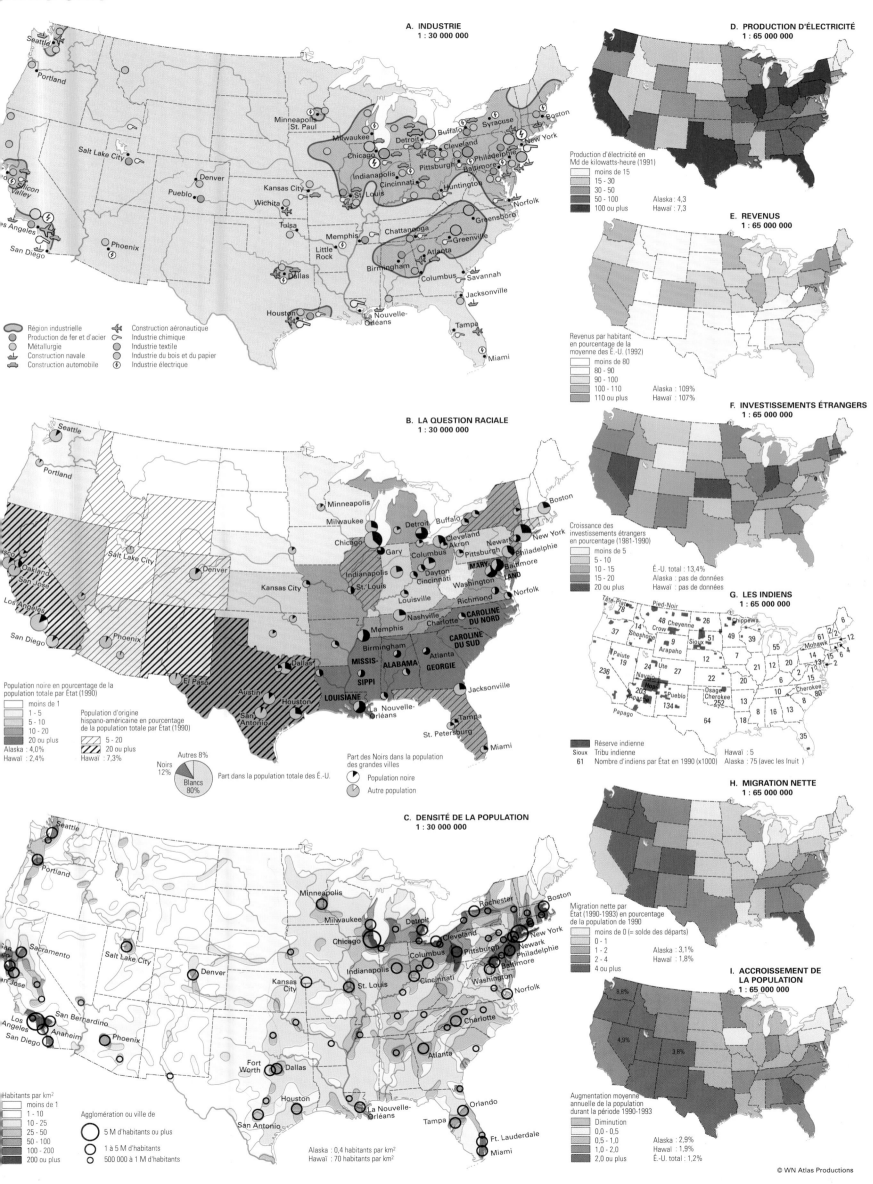

A. INDUSTRIE
1 : 30 000 000

Région industrielle — Construction aéronautique
Production de fer et d'acier — Industrie chimique
Métallurgie — Industrie textile
Construction navale — Industrie du bois et du papier
Construction automobile — Industrie électrique

B. LA QUESTION RACIALE
1 : 30 000 000

Population noire en pourcentage de la population totale par État (1990)
moins de 1
1 - 5
5 - 10
10 - 20
20 ou plus
Alaska : 4,0%
Hawaï : 2,4%

Population d'origine hispano-américaine en pourcentage de la population totale par État (1990)
5 - 20
20 ou plus
Hawaï : 7,3%

Part dans la population totale des É.-U.
Autres 8%
Noirs 12%
Blancs 80%

Part des Noirs dans la population des grandes villes
Population noire
Autre population

C. DENSITÉ DE LA POPULATION
1 : 30 000 000

Habitants par km²
moins de 1
1 - 10
10 - 25
25 - 50
50 - 100
100 - 200
200 ou plus

Agglomération ou ville de
5 M d'habitants ou plus
1 à 5 M d'habitants
500 000 à 1 M d'habitants

Alaska : 0,4 habitants par km²
Hawaï : 70 habitants par km²

D. PRODUCTION D'ÉLECTRICITÉ
1 : 65 000 000

Production d'électricité en Md de kilowatts-heure (1991)
moins de 15
15 - 30
30 - 50
50 - 100
100 ou plus
Alaska : 4,3
Hawaï : 7,3

E. REVENUS
1 : 65 000 000

Revenus par habitant en pourcentage de la moyenne des É.-U. (1992)
moins de 80
80 - 90
90 - 100
100 - 110
110 ou plus
Alaska : 109%
Hawaï : 107%

F. INVESTISSEMENTS ÉTRANGERS
1 : 65 000 000

Croissance des investissements étrangers en pourcentage (1981-1990)
moins de 5
5 - 10
10 - 15
15 - 20
20 ou plus
É.-U. total : 13,4%
Alaska : pas de données
Hawaï : pas de données

G. LES INDIENS
1 : 65 000 000

Réserve indienne
Sioux — Tribu indienne
61 — Nombre d'indiens par État en 1990 (x1000)
Hawaï : 5
Alaska : 75 (avec les Inuit)

H. MIGRATION NETTE
1 : 65 000 000

Migration nette par État (1990-1993) en pourcentage de la population de 1990
moins de 0 (= solde des départs)
0 - 1
1 - 2
2 - 4
4 ou plus
Alaska : 3,1%
Hawaï : 1,8%

I. ACCROISSEMENT DE LA POPULATION
1 : 65 000 000

Augmentation moyenne annuelle de la population durant la période 1990-1993
Diminution
0,0 - 0,5
0,5 - 1,0
1,0 - 2,0
2,0 ou plus
Alaska : 2,9%
Hawaï : 1,9%
É.-U. total : 1,2%

© WN Atlas Productions

CALIFORNIE IRRIGATION

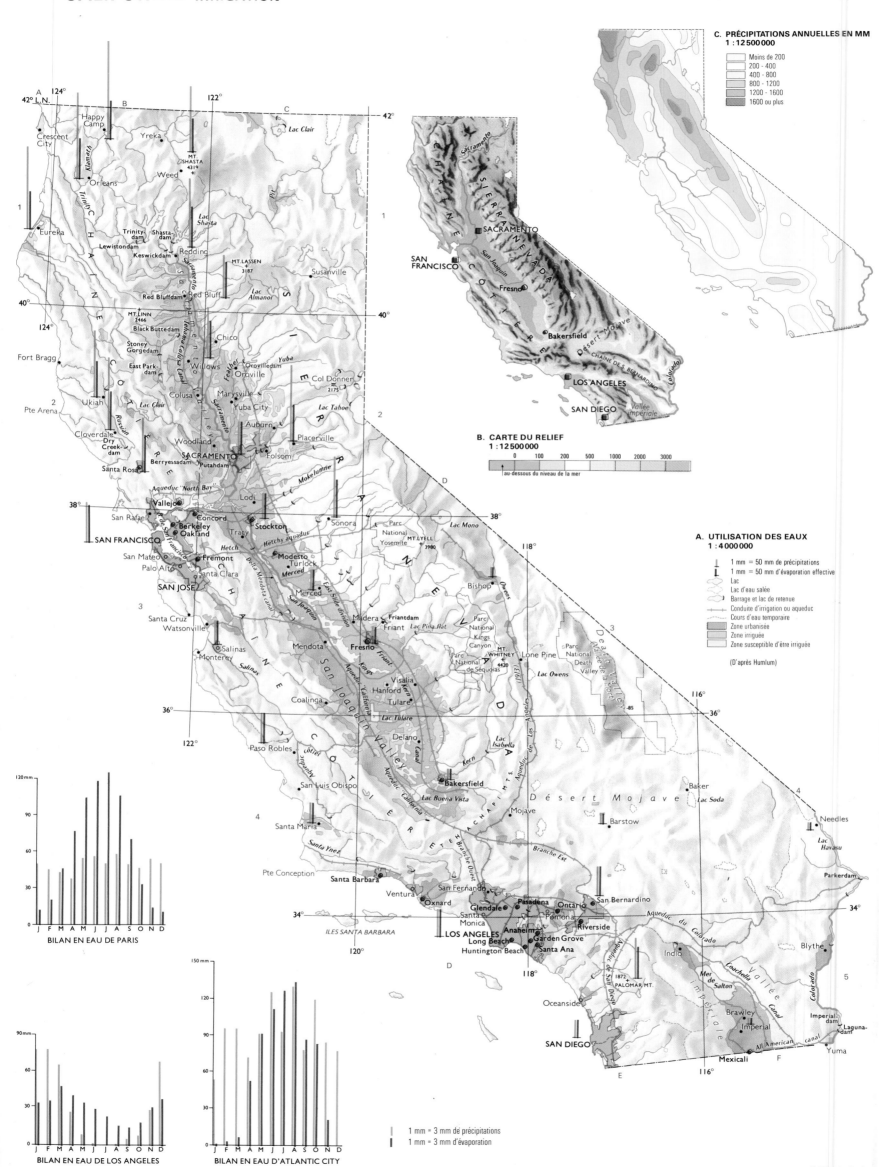

C. PRÉCIPITATIONS ANNUELLES EN MM
1 : 12 500 000

- Moins de 200
- 200 - 400
- 400 - 800
- 800 - 1200
- 1200 - 1600
- 1600 ou plus

B. CARTE DU RELIEF
1 : 12 500 000

0   100   200   500   1000   2000   3000

au-dessous du niveau de la mer

A. UTILISATION DES EAUX
1 : 4 000 000

- 1 mm = 50 mm de précipitations
- 1 mm = 50 mm d'évaporation effective
- Lac
- Lac d'eau salée
- Barrage et lac de retenue
- Conduite d'irrigation ou aqueduc
- Cours d'eau temporaire
- Zone urbanisée
- Zone irriguée
- Zone susceptible d'être irriguée

(D'après Humlum)

BILAN EN EAU DE PARIS

BILAN EN EAU DE LOS ANGELES

BILAN EN EAU D'ATLANTIC CITY

- 1 mm = 3 mm dé précipitations
- 1 mm = 3 mm d'évaporation

© WN Atlas Productions

MÉGALOPOLES

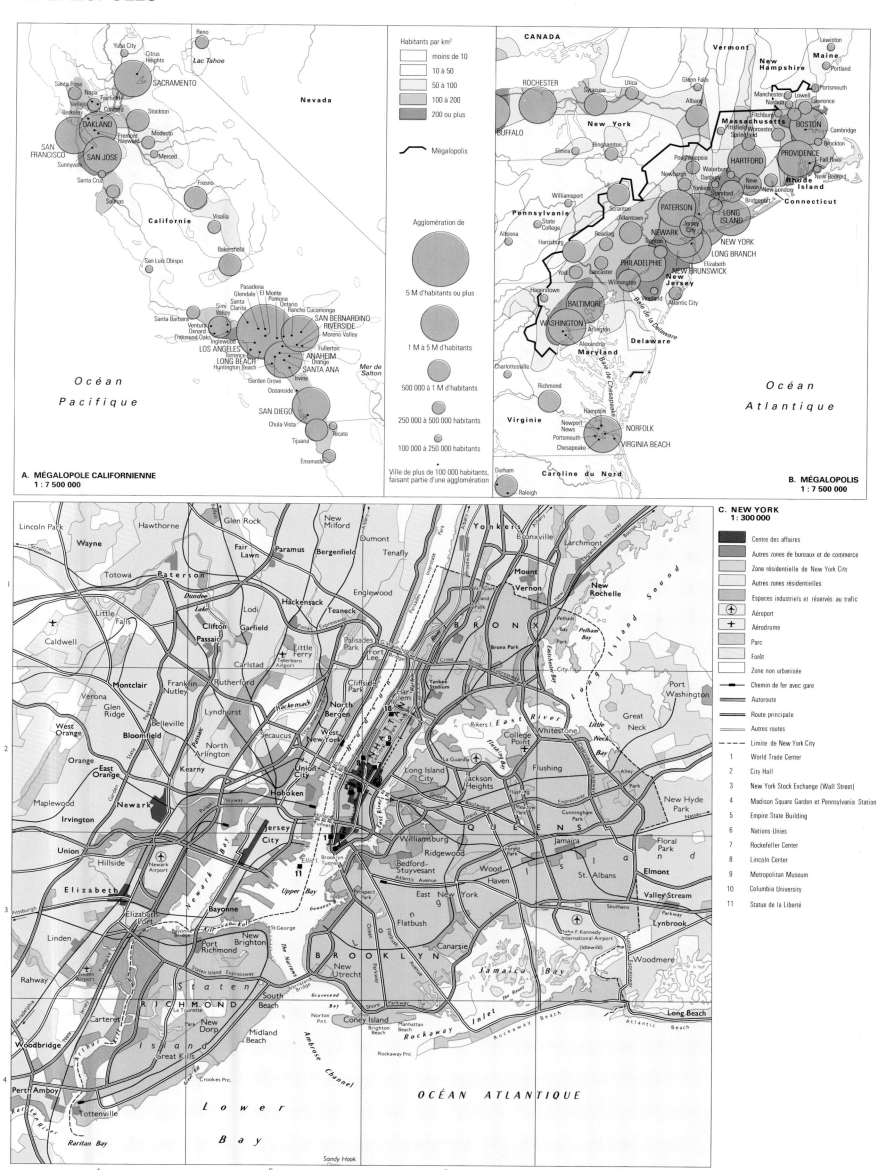

Habitants par km²
- moins de 10
- 10 à 50
- 50 à 100
- 100 à 200
- 200 ou plus

— Mégalopolis

Agglomération de
- 5 M d'habitants ou plus
- 1 M à 5 M d'habitants
- 500 000 à 1 M d'habitants
- 250 000 à 500 000 habitants
- 100 000 à 250 000 habitants
- · Ville de plus de 100 000 habitants, faisant partie d'une agglomération

A. MÉGALOPOLE CALIFORNIENNE
1 : 7 500 000

B. MÉGALOPOLIS
1 : 7 500 000

C. NEW YORK
1 : 300 000

- Centre des affaires
- Autres zones de bureaux et de commerce
- Zone résidentielle de New York City
- Autres zones résidentielles
- Espaces industriels et réservés au trafic
- ✈ Aéroport
- + Aérodrome
- Parc
- Forêt
- Zone non urbanisée
- Chemin de fer avec gare
- Autoroute
- Route principale
- Autres routes
- — Limite de New York City

1 World Trade Center
2 City Hall
3 New York Stock Exchange (Wall Street)
4 Madison Square Garden et Pennsylvania Station
5 Empire State Building
6 Nations-Unies
7 Rockefeller Center
8 Lincoln Center
9 Metropolitan Museum
10 Columbia University
11 Statue de la Liberté

© WN Atlas Productions

MEXIQUE

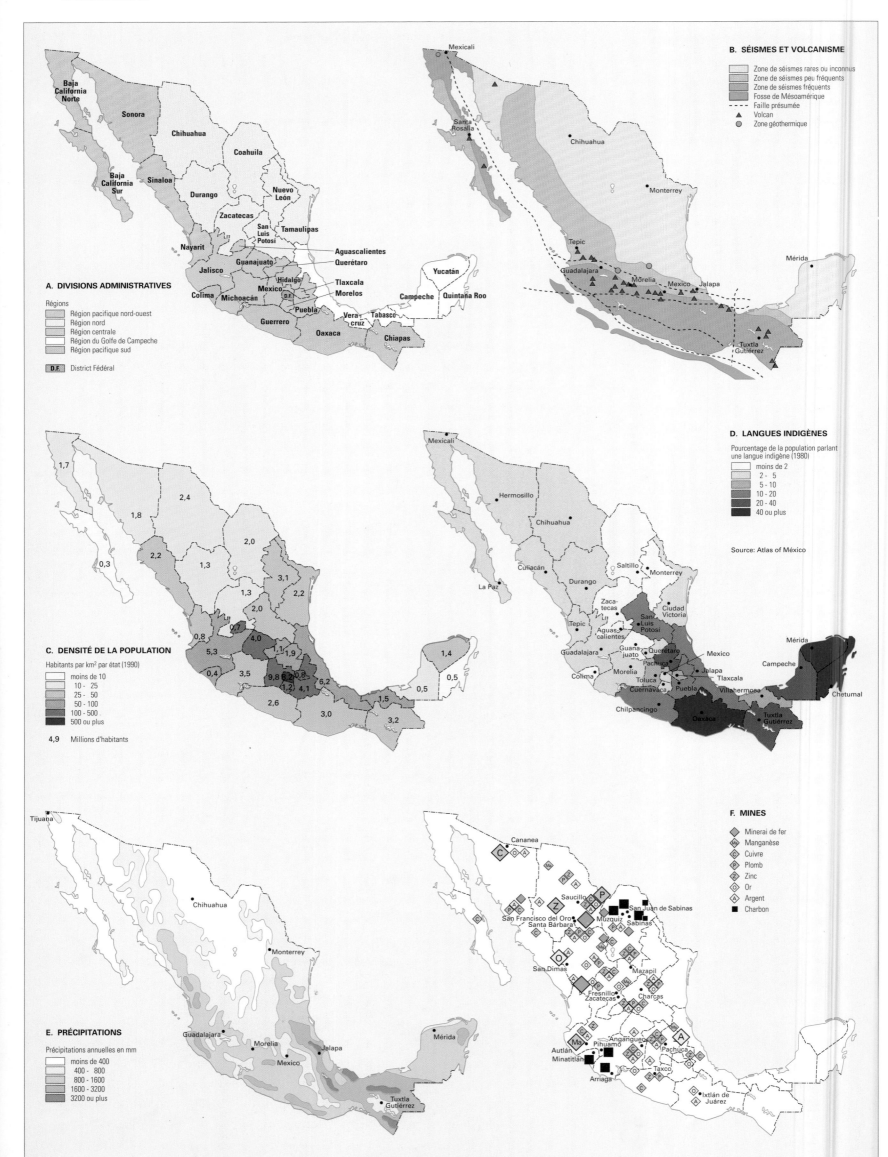

A. DIVISIONS ADMINISTRATIVES

Régions
- Région pacifique nord-ouest
- Région nord
- Région centrale
- Région du Golfe de Campeche
- Région pacifique sud

D.F. District Fédéral

Baja California Norte, Sonora, Chihuahua, Coahuila, Baja California Sur, Sinaloa, Durango, Nuevo León, Zacatecas, Tamaulipas, San Luis Potosí, Nayarit, Aguascalientes, Querétaro, Guanajuato, Jalisco, Hidalgo, Tlaxcala, Morelos, Yucatán, Colima, Michoacán, Mexico, D.F., Puebla, Campeche, Quintana Roo, Guerrero, Vera cruz, Tabasco, Oaxaca, Chiapas

B. SÉISMES ET VOLCANISME

- Zone de séismes rares ou inconnus
- Zone de séismes peu fréquents
- Zone de séismes fréquents
- Fosse de Mésoamérique
- Faille présumée
- Volcan
- Zone géothermique

Mexicali, Santa Rosalia, Chihuahua, Monterrey, Tepic, Guadalajara, Morelia, Mexico, Jalapa, Mérida, Tuxtla Gutiérrez

C. DENSITÉ DE LA POPULATION

Habitants par km² par état (1990)
- moins de 10
- 10 - 25
- 25 - 50
- 50 - 100
- 100 - 500
- 500 ou plus

4,9   Millions d'habitants

1,7 1,8 2,4 2,0 0,3 2,2 1,3 3,1 1,3 2,2 2,0 0,7 4,0 0,8 5,3 1,1 1,9 0,4 3,5 9,8 8,2 0,8 6,2 1,4 1,2 4,1 2,6 1,5 0,5 3,0 0,5 3,2

D. LANGUES INDIGÈNES

Pourcentage de la population parlant une langue indigène (1980)
- moins de 2
- 2 - 5
- 5 - 10
- 10 - 20
- 20 - 40
- 40 ou plus

Source: Atlas of México

Mexicali, Hermosillo, Chihuahua, Culiacán, Saltillo, Monterrey, La Paz, Durango, Ciudad Victoria, Zacatecas, San Luis Potosí, Tepic, Aguascalientes, Guadalajara, Guanajuato, Querétaro, Mexico, Mérida, Campeche, Colima, Morelia, Pachuca, Jalapa, Tlaxcala, Toluca, Puebla, Villahermosa, Cuernavaca, Chetumal, Chilpancingo, Oaxaca, Tuxtla Gutiérrez

E. PRÉCIPITATIONS

Précipitations annuelles en mm
- moins de 400
- 400 - 800
- 800 - 1600
- 1600 - 3200
- 3200 ou plus

Tijuana, Chihuahua, Monterrey, Guadalajara, Morelia, Jalapa, Mexico, Mérida, Tuxtla Gutiérrez

F. MINES

- Minerai de fer
- Manganèse
- Cuivre
- Plomb
- Zinc
- Or
- Argent
- Charbon

Cananea, Saucillo, San Juan de Sabinas, San Francisco del Oro, Muzquiz, Sabinas, Santa Bárbara, San Dimas, Mazapil, Fresnillo, Zacatecas, Charcas, Autlán, Anganguero, Pihuamo, Pachuca, Minatitlán, Taxco, Arriaga, Ixtlán de Juárez

MEXIQUE / AMÉRIQUE CENTRALE

A. ÉTAPES DE CROISSANCE DE MEXICO
1 : 500 000

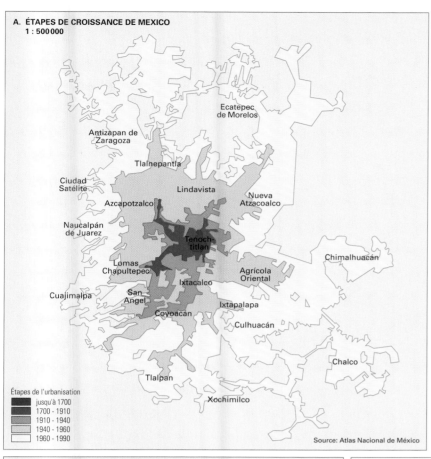

Ecatepec de Morelos
Antizapan de Zaragoza
Tlalnepantla
Ciudad Satélite
Lindavista
Nueva Atzacoalco
Azcapotzalco
Naucalpán de Juarez
Tenoch-titlan
Chimalhuacán
Lomas Chapultepec
Agrícola Oriental
Cuajimalpa
San Ángel
Ixtacalco
Coyoacán
Ixtapalapa
Culhuacán
Tlalpan
Chalco
Xochimilco

Étapes de l'urbanisation
- jusqu'à 1700
- 1700 - 1910
- 1910 - 1940
- 1940 - 1960
- 1960 - 1990

Source: Atlas Nacional de México

B. GUATÉMALA: POPULATION INDIENNE
1 : 4 000 000

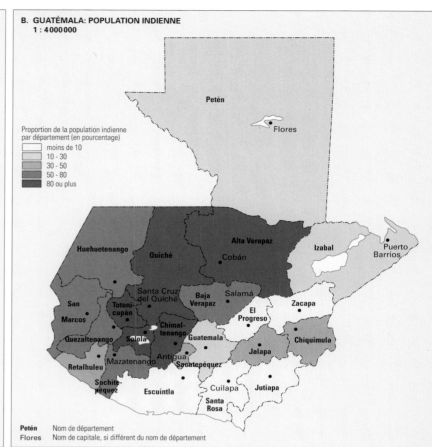

Proportion de la population indienne par département (en pourcentage)
- moins de 10
- 10 - 30
- 30 - 50
- 50 - 80
- 80 ou plus

Petén
Flores
Huehuetenango
Quiché
Alta Verapaz
Izabal
Cobán
Puerto Barrios
Santa Cruz del Quiché
Baja Verapaz
Salamá
San Marcos
Totoni-capán
El Progreso
Zacapa
Chimal-tenango
Quezaltenango
Sololá
Guatemala
Chiquimula
Jalapa
Retalhuleu
Mazatenango
Antigua
Sacatepéquez
Suchité-péquez
Cuilapa
Escuintla
Jutiapa
Santa Rosa

Petén — Nom de département
Flores — Nom de capitale, si différent du nom de département

C. AGGLOMÉRATION URBAINE DE SAN DIEGO - TIJUANA
1 : 750 000

C1. Vers 1960 **C2. Vers 1990**

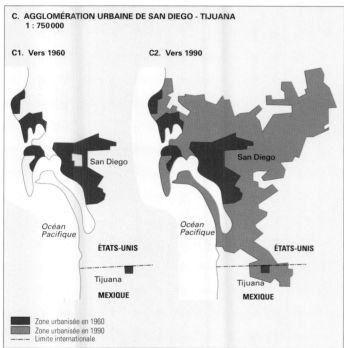

San Diego
Océan Pacifique
ÉTATS-UNIS
Tijuana
MEXIQUE

San Diego
Océan Pacifique
ÉTATS-UNIS
Tijuana
MEXIQUE

- Zone urbanisée en 1960
- Zone urbanisée en 1990
- Limite internationale

D. CANAL DE PANAMÁ
1 : 870 000

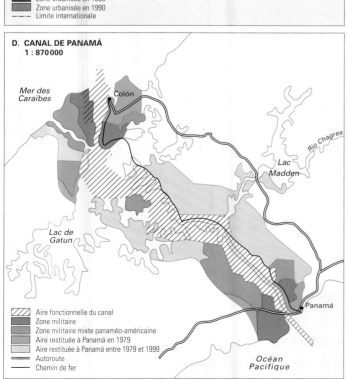

Mer des Caraïbes
Colón
Rio Chagres
Lac Madden
Lac de Gatun
Panamá
Océan Pacifique

- Aire fonctionnelle du canal
- Zone militaire
- Zone militaire mixte panaméo-américaine
- Aire restituée à Panamá en 1979
- Aire restituée à Panamá entre 1979 et 1999
- Autoroute
- Chemin de fer

E. CUBA: DENSITÉ DE LA POPULATION
1 : 8 500 000

La Havane 2,1
Océan Atlantique
Pinar del Río 0,7
0,6
La Havane
Matanzas
Villa Clara 0,8
Santa Clara
0,6
Cienfuegos 0,4
Ciego de Avila 0,4
Nueva Gerona
Sancti Spíritus 0,4
Isla de la Juventud 0,1
Camagüey 0,7
Mer des Caraïbes
Las Tunas 0,5
1,0
Holguín
Bayamo
1,0
Guantánamo 0,5
Granma 0,8
Santiago de Cuba

Agglomération ou ville de:
- 1 - 5 M d'habitants
- 500 000 - 1 M d'habitants
- 250 000 - 500 000 habitants
- 100 000 - 250 000 habitants
- moins de 100 000 habitants

Habitants par km²
- moins de 50
- 50 - 75
- 75 - 100
- 100 - 200
- 200 ou plus

1,3 — Millions d'habitants
Villa Clara — Nom de province
Santa Clara — Nom de capitale, si différent du nom de province

F. CUBA: PRÉCIPITATIONS
1 : 8 500 000

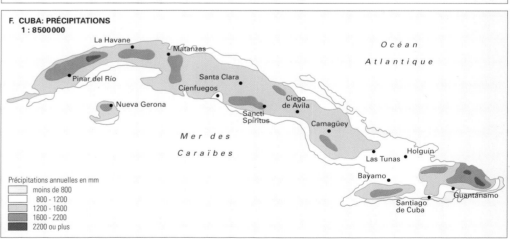

La Havane
Matanzas
Océan Atlantique
Pinar del Río
Santa Clara
Cienfuegos
Nueva Gerona
Ciego de Avila
Sancti Spíritus
Camagüey
Holguín
Mer des Caraïbes
Las Tunas
Bayamo
Guantánamo
Santiago de Cuba

Précipitations annuelles en mm
- moins de 800
- 800 - 1200
- 1200 - 1600
- 1600 - 2200
- 2200 ou plus

G. CUBA: CULTURES ET ACTIVITÉS DOMINANTES
1 : 8 500 000

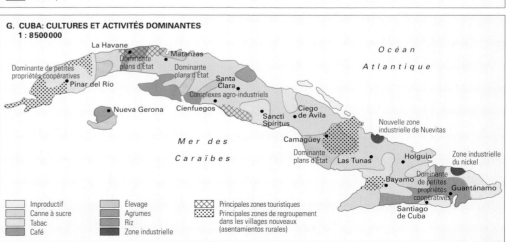

La Havane
Dominante plans d'État
Matanzas
Dominante de petites propriétés coopératives
Dominante plans d'État
Pinar del Río
Santa Clara
Complexes agro-industriels
Nueva Gerona
Cienfuegos
Ciego de Avila
Sancti Spíritus
Nouvelle zone industrielle de Nuevitas
Camagüey
Océan Atlantique
Dominante plans d'État
Las Tunas
Holguín
Zone industrielle du nickel
Dominante de petites propriétés coopératives
Bayamo
Guantánamo
Mer des Caraïbes
Santiago de Cuba

- Improductif
- Canne à sucre
- Tabac
- Café
- Élevage
- Agrumes
- Riz
- Zone industrielle
- Principales zones touristiques
- Principales zones de regroupement dans les villages nouveaux (asentamientos rurales)

© WN Atlas Productions

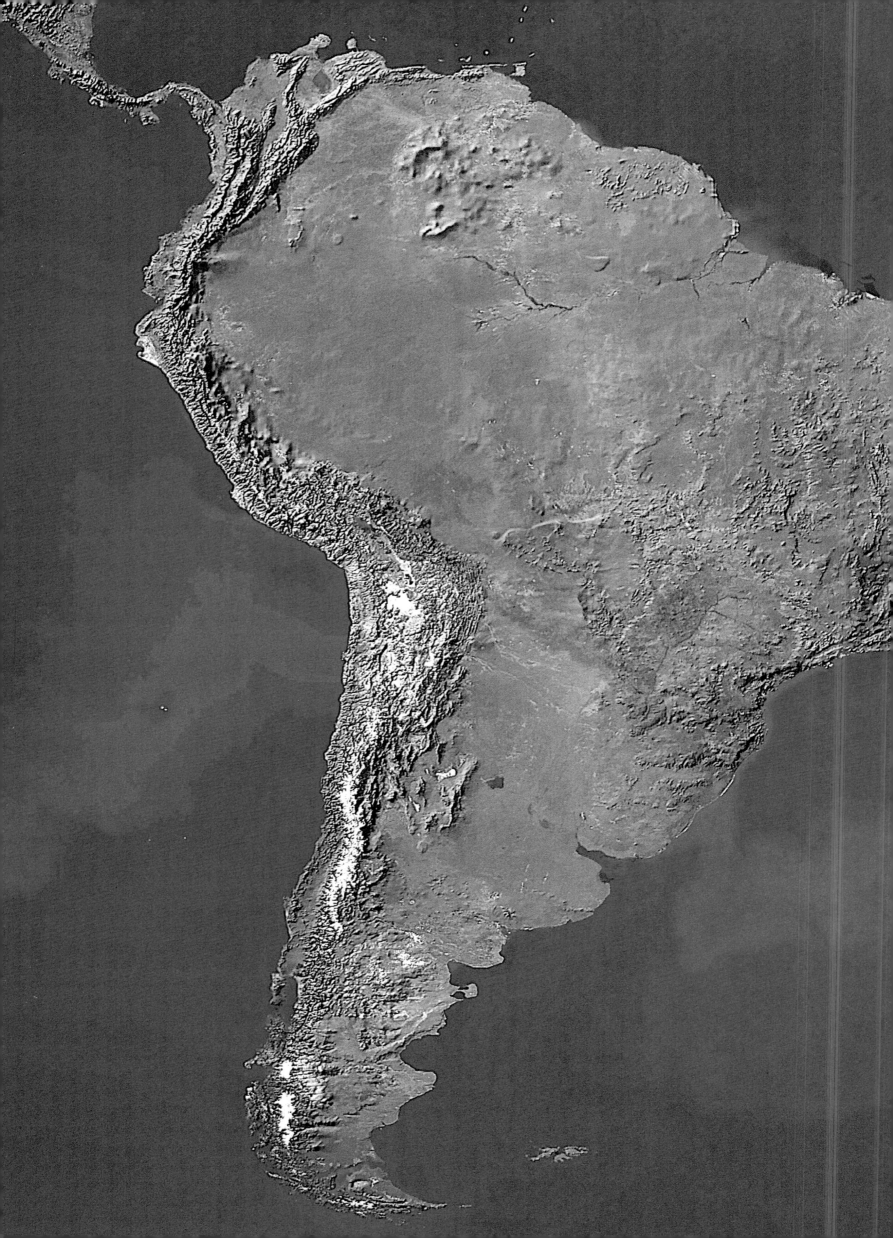

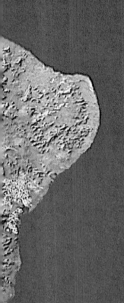

AMÉRIQUE DU SUD

AMÉRIQUE DU SUD

-8000 -6000 -4000 -2000 -200 0 100 200 500 1000 2000 3000 5000m

Échelle 1 : 25 000 000

0 200 400 600 800 1000km

| B | 80° L.O. de Gr. | C | New York | 70 | D | 60 | E | 50 | F | Extrémité sud du Groenland | 40 | G |

MER DES CARAÏBES
(MER DES ANTILLES)

Bassin des Guyanes

Dorsale médio-atlantique

OCÉAN

Seuil du Para

ATLANTIQUE

Canal de Panamá
Golfe de Panamá
Isthme de Panamá
Golfe de Mosquito
L.N.
Golfe de Darien
Baie de Buenaventura
Singapour

Pte. Gallinas
Aruba
Bonaire
Curaçao
Tartuga
Margarita
Grenade
Barbade
St.Vincent
Barranquilla
Maracaibo
G. du Venezuela
Lague de Maracaibo
P. BOLÍVAR
SA. NEVADA DE STA.MARTA
Magdalena
Cauca
CORDILLÈRE OCCID.
CORDILLÈRE CENTRALE
CORDILLÈRE ORIENTALE
HUILA
RUIZ
Bogotá
Quito
CAYAMBÉ
COTOPAXI
CHIMBORAZO
Golfe de Guayaquil

Caracas
CORD. DU VENEZUELA
Apure
Meta
Orénoque
SA. IMATACA
Caura
Chute Angel
RORAIMA
SA. PACARAIMA
LA NEBLINA
CORD. DE MÉRIDA
Guaviare
Inírida
Guainía
Vaupés
Caquetá
Putumayo
Napo
Tigre
Marañón
Huallaga
Ucayali
Pongo de Manseriche
Iquitos
Yavarí
Juruá
Purús

Chutes Angostura
Rio Negro
Amazone (Solimões)
Japurá
Içá
Jutaí
Juruá
Selva

St.Vincent
Trinidad
G. de Paria
Paramaribo
C. d'Orange
SA. ACARAI
Branco
Trombetas
Amazone
Óbidos
Manaus
Madeira
Purús

GUYANES
Maroni
Sinnamary
Oyapok
Jari
Pará
Marajó
Belém
Baie São Marcos
Tocantins
Xingu
Tapajós

OCÉAN
ATLANTIQUE
Fortaleza
Cap San Roque
Recife
Salvador
Baie Tous les Saints

PLATEAU
DU
BRÉSIL
SA DOS CARAJÁS
SERRA
Caatinga
SA DO RONCADOR
PLATEAU DU MATO-GROSSO
Brasília
ITAMBÉ
Belo Horizonte
PICO DA BANDEIRA
ITATIAIA
SA DA MANTIQUEIRA
S. Francisco
Sertão
CHAPADA DIAMANTINA
ESPINHAÇO
Jequitinhonha
Doce
Paraíba
S. Paulo
SERRA DO MAR
Rio de Janeiro
Cap Frio
Santos

Chute Paulo Alfonso
Jaguaribe
Parnaíba
Gurupi
Itapicuru

Dorsale de Juan Fernández
ÎLES JUAN FERNANDEZ
Île Robinson Crusoé
S. Félix
S. Ambrosio
Crête de Nazca
Bassin du Pérou
Bassin du Chili
OCÉAN
PACIFIQUE
Fosse de l'Atacama

Lima
Cuzco
Lac Titicaca
ILLAMPU
La Paz
ILLIMANI
SAJAMA
Lac Poopó
DE BOLIVIE
Salar de Uyuni
Salar de Atacama
LLULLAILLACO
OJOS DEL SALADO
Salinas Grandes
ACONCAGUA
TUPUNGATO
Valparaíso
Santiago
Concepción
COROPUNA
AMPATO
MISTI
Puna del Tamarugal
CORDILLÈRE DES ANDES
YUNGAS
Madre de Dios
Beni
Mamoré
Guaporé
S. Miguel
Rio Grande
Pilcomayo
Bermejo
Grand Chaco
Paraguay
Salado
Pampa
Asunción
Chutes de Sete Quedas
Chutes de Guaíra
Paraná
Chutes d'Iguaçu
Iguaçu
Paranapanema
Paraná
Uruguay
Entre Rios
Pôrto Alegre
Lag. dos Patos
Lag. Mirim
CUCHILLA GRANDE
Rosario
Buenos Aires
Montevideo
Punta del Este
Rio de la Plata
Cap San Antonio
Bahía Blanca
Cap Corrientes
Colorado

Tropique du Capricorne

Seuil du Rio Grande

OCÉAN
ATLANTIQUE
argentin
Bassin

Río Negro
LANIN
Lac Nahuel Huapi
TRONADOR
Chiloé
G. de Corcovado
ARCH. DES CHONOS
Taitao
S. VALENTIN
G. de Penas
Wellington
Hanover
Santa Inés
Lago Argentino
Bahía Grande
Dt. de Magellan
CORD. DARWIN
Dt. de Drake
Cap Horn
Tierra del Fuego
(Terre de Feu)
Isla de los Estados
(Île des États)
Dt. de Le Maire
Chubut
G. de San Jorge
Deseada
Cap Tres Puntas
Lac Buenos Aires
Chico
G. de San Matías
Valdés
ÎLES FALKLAND
(ÎLES MALOUINES)
Géorgie du Sud

PAMPAS
SIERRA DE CÓRDOBA
Col de la Cumbre
Salado

Terre de Graham

Projection azimutale conforme

© WN Atlas Productions

AMÉRIQUE DU SUD POLITIQUE

Échelle 1 : 25 000 000

0 200 400 600 800 1000 km

MER DES CARAÏBES
(MER DES ANTILLES)

Pte. Gallinas
Aruba (P.-B.) Bonaire (P.-B.)
Curaçao (P.-B.)
G. du Venezuela
Margarita
ST. VINCENT BARBADE
GRENADE
Tobago
TRINIDAD ET TOBAGO
Port of Spain 1,3

OCÉAN

Santa Marta
Barranquilla
Cartagena
Colón Panamá
G. de Darien
Golfe de Darien
PANAMÁ 2,5
G. de Panamá
Monteria
MEDELLÍN
Manizales
Ibagué
BOGOTÁ
Buenaventura
CALI Neiva 33
COLOMBIE
Popayán
Pasto
Tumaco
San Lorenzo
Esmeraldas
QUITO
Portoviejo
Manta
ÉQUATEUR
GUAYAQUIL
Golfe de Guayaquil
Machala
Cuenca
Malpelo (Col.)

Cúcuta
Bucaramanga
San Cristóbal
Mérida
VENEZUELA 20
Valencia CARACAS
Barquisimeto
Coro Pto Cabello
La Guaira
Cabimas
MARACAIBO
Lagune de Maracaibo
Cumaná
G. de Paria
Maturín
Cd. Guayana
Cd. Bolívar
Barrage de Guri
Puerto Ayacucho

Georgetown
New Amsterdam
GUYANA 0,8
Paramaribo
SURINAM 0,4
Cayenne
Guyane française 0,1

Boa Vista
Roraima
Amapá
Macapá

OCÉAN ATLANTIQUE

Équateur

Ambato
Riobamba
Iquitos
Leticia
Tabatinga
Benjamin-Constant
Yavari
PÉROU
Cajamarca
Chiclayo
Trujillo
Chimbote
Huaraz
Callao LIMA
Chorrillos
Pisco Ica
San Juan

Amazonie
Tefé
Içá
Japurá
Barcelos
Rio Negro
MANAUS
Amazone (Solimões)
Itaitúba
Santarém
Óbidos
Marajó Pará Bragança
BELÉM
São Luís Parnaíba
Maranhão
FORTALEZA
Sobral
Teresina Ceará
Quixada
Caxias
Natal
Rio Grande do Norte
João Pessoa
Paraíba Campina Grande
Olinda
RECIFE
Pernambouc
Alagoas
Maceió
Sergipe
Aracajú
SALVADOR
B. de Tous les Saints

Pará
Marabá
Imperatriz
Carajás
São Félix do Xingu
Porto Franco
Route transamazonienne
Juàzeiro do Norte
Paulistana

Acre
Cruzeiro do Sul
Rio Branco
Pôrto Velho
Rondônia
Guajará Mirim
Ji-Paraná
Vilhena
BRÉSIL 156
Palmas
Mato Grosso
Goiás
Bahia

Cobija
Riberalta
Trinidad 7,8
Lac Titicaca
LA PAZ
BOLIVIE
Cochabamba
Santa Cruz
Oruro
Lac Poopó
Sucre
Potosí
Uyuni
Tarija
Cuiabá
Mato Grosso
Rondonópolis
Corumbá
Pto. Suarez
Pto. Esperança
Mato Grosso
Campo Grande do Sul
Ponta Porã
Filadelfia
PARAGUAY 4,5
Concepción

Anápolis
BRASÍLIA
Distrito Federal
Goiânia
Januária
Minas Gerais
Montes Claros
Teófilo Otóni
Diamantina
Uberlândia
Uberaba
BELO HORIZONTE
Governador Valadares
Caravelas
Vitória da Conquista
Ilhéus

Ribeirão Preto
Tres Lagoas
Bauru
São Paulo
Londrina
Maringá
Campinas
Jundiaí
Volta Redonda
Juiz de Fora
Petrópolis
Campos
Rio de Janeiro
Vitória
Espírito

Iquique
Tocopilla
Antofagasta
Taltal
S. Felix (Ch.) S. Ambrosio (Ch.)
Caldera
Copiapó
La Serena
Coquimbo

Calama
Chuquicamata
San Salvador de Jujuy
Salta
San Miguel de Tucumán
Catamarca
La Rioja
ARGENTINE

Asunción
Formosa
Chutes de Guaira
Cuidad del Este
Barrage d'Itaipu
Villarrica
Encarnación
Resistencia
Corrientes
Barrage de Yacyretá
Posadas
Santiago del Estero

Ponta Grossa
CURITIBA
Paranaguá
Joinville
São Francisco do Sul
Santa Catarina
Blumenau
Florianópolis
Lajes
Rio Grande do Sul
Santa Maria
Caxias do Sul
PÔRTO ALEGRE
Pelotas
Rio Grande

SÃO PAULO
Santos
S. José dos Campos
Niterói
RIO DE JANEIRO
NOVA IGUAÇU
Tropique du Capricorne 23°27'

OCÉAN PACIFIQUE

San Juan
Mendoza
SANTIAGO
San Luis
Viña del Mar
Valparaíso
San Antonio
Rancagua
Constitución
Talca
Chillán
Talcahuano
Concepción
Lota Los Angeles
Temuco
Valdivia
Corral
Osorno
Puerto Montt
Chiloé

CÓRDOBA 14
Río Cuarto
ROSARIO
San Nicolás
BUENOS AIRES
Junín Chivilcoy
La Plata
33
Santa Rosa
Azul
Olavarría
Tres Arroyos
Tandil
Mar del Plata
Miramar
Necochea
Bahía Blanca
Neuquén
Río Negro
Colorado
San Antonio Oeste
Viedma
G. de San Matías
San Carlos de Bariloche
Puerto Madryn
Chubut
Rawson

Santa Fé
Paraná
Concordia
Rivera
Salto
Paysandú
Fray Bentos 3,1
Colonia
URUGUAY
Minas
MONTEVIDEO
Rivera
Uruguaiana
Río de la Plata

OCÉAN ATLANTIQUE

ILES JUAN FERNANDEZ (Ch.)
Ile Robinson Crusoé

ARCH. DES CHONOS
Puerto Aisen
Sarmiento
Comodoro Rivadavia
G. de San Jorge
Deseado
Deseado
Wellington
Santa Cruz
Río Gallegos
ILES FALKLAND (R.-U.)
Stanley
(ILES MALOUINES)
Dt. de Magellan
Dt. de Magellan
Clarence
Tierra del Fuego
(Terre de Feu)
Punta Arenas
Ushuaia
Dt. de Maire
Isla de los Estados
(Ile des États)
Dt. de Drake Cap Horn
Shetland du Sud
Géorgie du Sud (R.U.)

L'importance de la population — en millions
d'hab. — de chaque pays est indiquée en rouge (1992)

© WN Atlas Productions

AMÉRIQUE LATINE

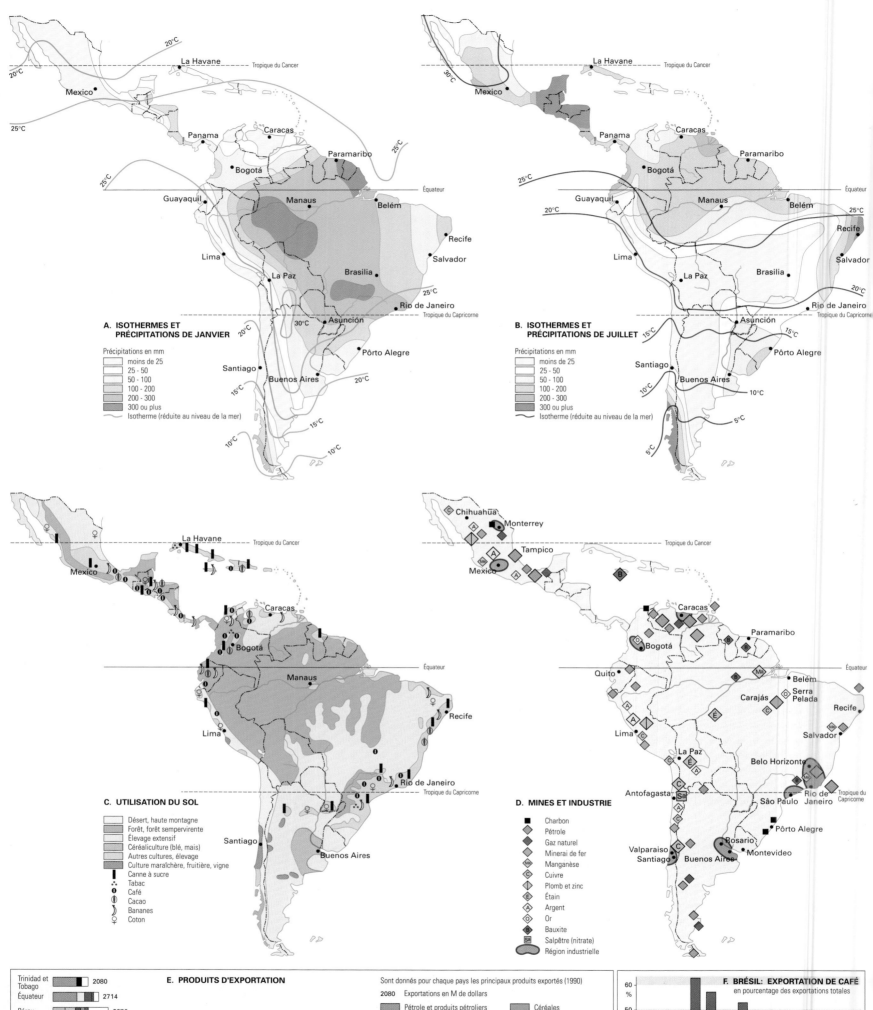

A. ISOTHERMES ET PRÉCIPITATIONS DE JANVIER

Précipitations en mm
- moins de 25
- 25 - 50
- 50 - 100
- 100 - 200
- 200 - 300
- 300 ou plus
- Isotherme (réduite au niveau de la mer)

B. ISOTHERMES ET PRÉCIPITATIONS DE JUILLET

Précipitations en mm
- moins de 25
- 25 - 50
- 50 - 100
- 100 - 200
- 200 - 300
- 300 ou plus
- Isotherme (réduite au niveau de la mer)

C. UTILISATION DU SOL

- Désert, haute montagne
- Forêt, forêt sempervirente
- Élevage extensif
- Céréaliculture (blé, maïs)
- Autres cultures, élevage
- Culture maraîchère, fruitière, vigne
- Canne à sucre
- Tabac
- Café
- Cacao
- Bananes
- Coton

D. MINES ET INDUSTRIE

- Charbon
- Pétrole
- Gaz naturel
- Minerai de fer
- Manganèse
- Cuivre
- Plomb et zinc
- Étain
- Argent
- Or
- Bauxite
- Salpêtre (nitrate)
- Région industrielle

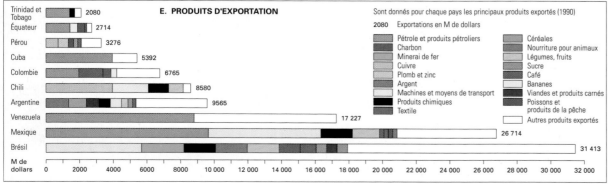

E. PRODUITS D'EXPORTATION

Sont donnés pour chaque pays les principaux produits exportés (1990)

2080 Exportations en M de dollars

- Pétrole et produits pétroliers
- Charbon
- Minerai de fer
- Cuivre
- Plomb et zinc
- Argent
- Machines et moyens de transport
- Produits chimiques
- Textile
- Céréales
- Nourriture pour animaux
- Légumes, fruits
- Sucre
- Café
- Bananes
- Viandes et produits carnés
- Poissons et produits de la pêche
- Autres produits exportés

Pays	Exportations en M de dollars
Trinidad et Tobago	2080
Équateur	2714
Pérou	3276
Cuba	5392
Colombie	6765
Chili	8580
Argentine	9565
Venezuela	17 227
Mexique	26 714
Brésil	31 413

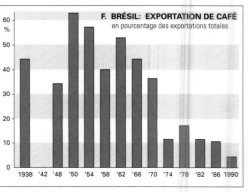

F. BRÉSIL: EXPORTATION DE CAFÉ
en pourcentage des exportations totales

1938 '42 '46 '50 '54 '58 '62 '66 '70 '74 '78 '82 '86 1990

© WN Atlas Productions

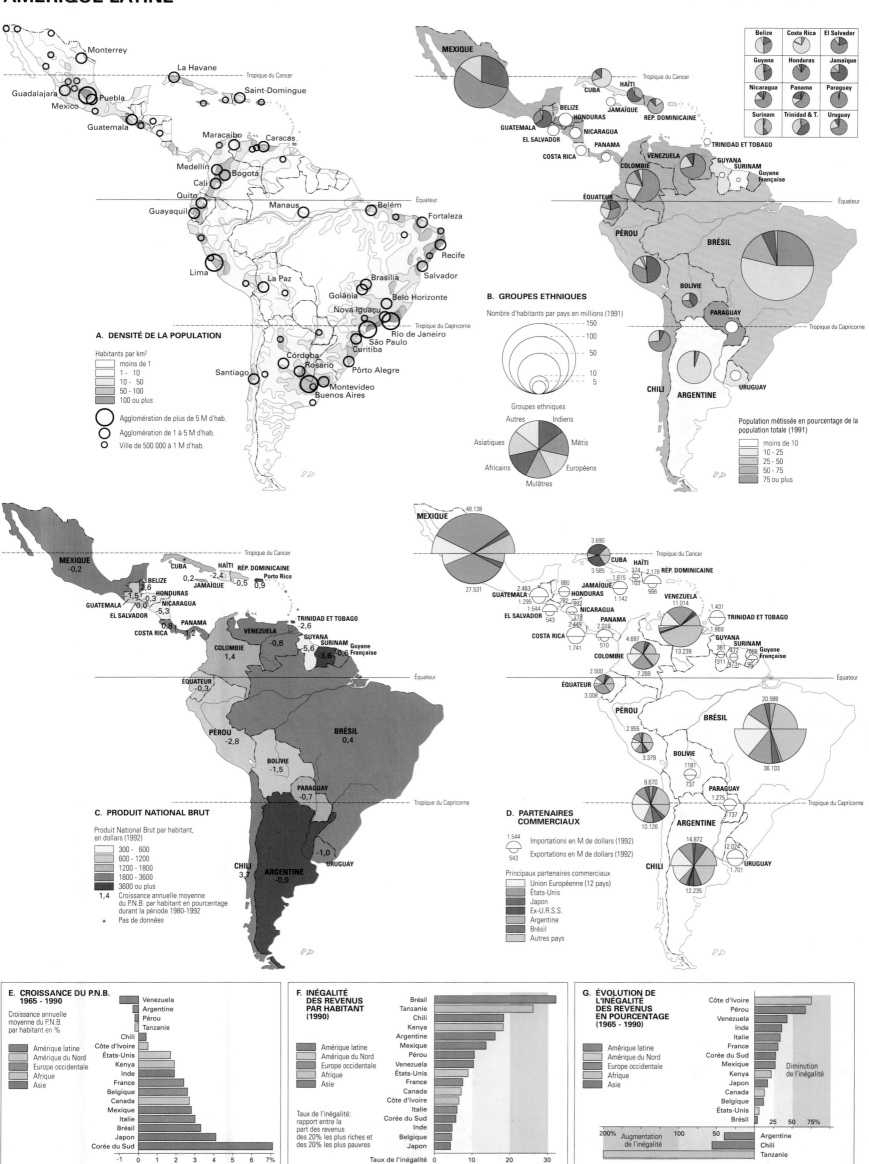

A. DENSITÉ DE LA POPULATION

Habitants par km²
- moins de 1
- 1 - 10
- 10 - 50
- 50 - 100
- 100 ou plus

○ Agglomération de plus de 5 M d'hab.
○ Agglomération de 1 à 5 M d'hab.
○ Ville de 500 000 à 1 M d'hab.

B. GROUPES ETHNIQUES

Nombre d'habitants par pays en millions (1991)
- 150
- 100
- 50
- 10
- 5

Groupes ethniques
- Autres
- Indiens
- Métis
- Européens
- Mulâtres
- Africains
- Asiatiques

Population métissée en pourcentage de la population totale (1991)
- moins de 10
- 10 - 25
- 25 - 50
- 50 - 75
- 75 ou plus

C. PRODUIT NATIONAL BRUT

Produit National Brut par habitant, en dollars (1992)
- 300 - 600
- 600 - 1200
- 1200 - 1800
- 1800 - 3600
- 3600 ou plus

1,4 Croissance annuelle moyenne du P.N.B. par habitant en pourcentage durant la période 1980-1992
* Pas de données

D. PARTENAIRES COMMERCIAUX

1.544 Importations en M de dollars (1992)
543 Exportations en M de dollars (1992)

Principaux partenaires commerciaux
- Union Européenne (12 pays)
- États-Unis
- Japon
- Ex-U.R.S.S.
- Argentine
- Brésil
- Autres pays

E. CROISSANCE DU P.N.B. 1965 - 1990

Croissance annuelle moyenne du P.N.B. par habitant en %

- Amérique latine
- Amérique du Nord
- Europe occidentale
- Afrique
- Asie

Venezuela, Argentine, Pérou, Tanzanie, Chili, Côte d'Ivoire, États-Unis, Kenya, Inde, France, Belgique, Canada, Mexique, Italie, Brésil, Japon, Corée du Sud

-1 0 1 2 3 4 5 6 7%

F. INÉGALITÉ DES REVENUS PAR HABITANT (1990)

- Amérique latine
- Amérique du Nord
- Europe occidentale
- Afrique
- Asie

Brésil, Tanzanie, Chili, Kenya, Argentine, Mexique, Pérou, Venezuela, États-Unis, France, Canada, Côte d'Ivoire, Italie, Corée du Sud, Inde, Belgique, Japon

Taux de l'inégalité: rapport entre la part des revenus des 20% les plus riches et des 20% les plus pauvres

Taux de l'inégalité 0 10 20 30

G. ÉVOLUTION DE L'INÉGALITÉ DES REVENUS EN POURCENTAGE (1965 - 1990)

- Amérique latine
- Amérique du Nord
- Europe occidentale
- Afrique
- Asie

Côte d'Ivoire, Pérou, Venezuela, Inde, Italie, France, Corée du Sud, Mexique, Kenya, Japon, Canada, Belgique, États-Unis, Brésil

Diminution de l'inégalité

25 50 75%

200% Augmentation de l'inégalité 100 50

Argentine, Chili, Tanzanie

© WN Atlas Productions

BRÉSIL

A. DENSITÉ DE LA POPULATION
1 : 35 000 000

Habitants par km² par État (1991)

moins de 2
2 - 10
10 - 25
25 - 50
50 - 100
100 ou plus

4,9 ▸ Millions d'habitants

Roraima 0,2
Amazonas 2,1
Acre 0,4
Rondônia 1,1
Amapá 0,3
Pará 5,1
Mato Grosso 2,0
Mato Grosso do Sul 1,8
Maranhão 4,9
Tocantins 0,9
Goiás 4,0
District Federal 1,6
Minas Gerais 15,7
São Paulo 31,2
Paraná 8,4
Santa Catarina 4,5
Rio Grande do Sul 9,1
Piauí 2,6
Bahia 11,8
Espírito Santo 2,6
Rio de Janeiro 12,6
Ceará 6,4
Rio Grande do Norte 2,4
Paraíba 3,2
Pernambuco 7,1
Alagoas 2,5
Sergipe 1,5

Boa Vista, Manaus, Pôrto Velho, Rio Branco, Macapá, Belém, São Luís, Teresina, Palmas, Cuiabá, Campo Grande, Goiânia, Brasília, Belo Horizonte, Curitiba, Florianópolis, Pôrto Alegre, Fortaleza, Natal, João Pessoa, Recife, Maceió, Aracajú, Salvador, Vitória, Rio de Janeiro, São Paulo

Composition ethnique de la population
146 917 000 habitants (1991)

1. Blancs 54%
   a. Portugais 15%
   b. Italiens 11%
   c. Espagnols 10%
   d. Allemands 3%
   e. Autres blancs 15%
2. Mulâtres 22%
3. Métis 11%
4. Noirs 11%
5. Autres 2%

B. LIAISONS AÉRIENNES ET CHEMINS DE FER
1 : 35 000 000

Chemin de fer
Liaison aérienne

Transports par chemin de fer

Passagers (millions)
Marchandises (millions de tonnes)

1980 1985 1990

Transports par avion

Passagers (millions)
Marchandises (1000 tonnes)

1980 1985 1990

Passagers
Marchandises

Serra do Navio, Macapá, Belém, São Luís, Fortaleza, Teresina, Sobral, Parnaíba, Imperatriz, Araguaina, Marabá, Carajás, Santarém, Manaus, Boa Vista, Tefé, Tabatinga, Cruzeiro do Sul, Rio Branco, Guajará Mirim, Pôrto Velho, Cuiabá, Corumbá, Ponta Porã, Campo Grande, Tres Lagoas, Anápolis, Goiânia, Brasília, Palmas, Montes Claros, Governador Valadares, Belo Horizonte, Campinas, São Paulo, Paranaguá, Londrina, Maringá, Ponta Grossa, Curitiba, Lajes, Santa Maria, Caxias do Sul, Pôrto Alegre, Rio Grande, Pelotas, Florianópolis, Rio de Janeiro, Niterói, Campos, Vitória, Ilhéus, Salvador, Aracajú, Maceió, Recife, Olinda, João Pessoa, Natal, Juazeiro do Norte, Petrolina, Paulistana, Feira de Santana, Caxias

C. RIO DE JANEIRO
1 : 500 000

Centre des affaires
Zone résidentielle
Espace industriel
Aéroport
Aérodrome
Parc
Forêt
Zone non urbanisée
Chemin de fer
Route principale
Quartier de taudis (favela)

▸ Bâtiment remarquable
1 Palais impérial
2 Cathédrale
3 Dom Pedro
4 Jardin botanique

Campos Elyseos, Nova Iguaçu, Nilópolis, Duque de Caxias, São João de Meriti, São Gonçalo, Niterói, Baie de Guanabara, Guia de Pacobaiba, Île du Gouverneur, Aéroport du Galeão, Aéroport Santos Dumont, Rio de Janeiro, Copacabana, Ipanema, Tijuca, Parc National de Tijuca, Hauteurs de Bôa Vista, Lagune de Jacarepaguá, Laguna de Marapendi, Madureira, Irajá, Penha, Piedade, Engenho Novo, Cascadura, Realengo, Campo Grande, Bangu

D. SÃO PAULO
1 : 500 000

Zone résidentielle
Espace industriel
Aéroport
Parc
Forêt
Barrage, lac de barrage
Zone non urbanisée
Chemin de fer
Route principale
▸ Bâtiment remarquable

Guarulhos, São Miguel Paulista, Cangaíba, Guaianases, Mauá, Santo André, São Bernardo do Campo, São Caetano do Sul, Diadema, Vila Augusta, Aéroport de Cumbica, Aéroport de Congonhas, Ibirapuera, Morumbí, Osasco, Carapicuíba, Campo de Marte, Cidade universitaire, São Paulo, Réservoir du Rio Grande, Réservoir du Guarapiranga

E. BRASÍLIA
1 : 300 000

Centre des affaires
Bâtiments du gouvernement et ambassades
Espaces industrielle et réservés au trafic
Aéroport
Zone résidentielle
Parc
Forêt
Zone non urbanisée avec gare
Autoroute
Route principale
Chemin de fer avec gare

▸ Bâtiment remarquable
1 Palais présidentiel
2 Université
3 Théâtre national
4 Observatoire

Peninsula, Jardin des Plantes, Lac Paranoá, Rasgado, Gema, Dom Bosco, Bandeirante, Zoo, Terrain militaire

© WN Atlas Productions

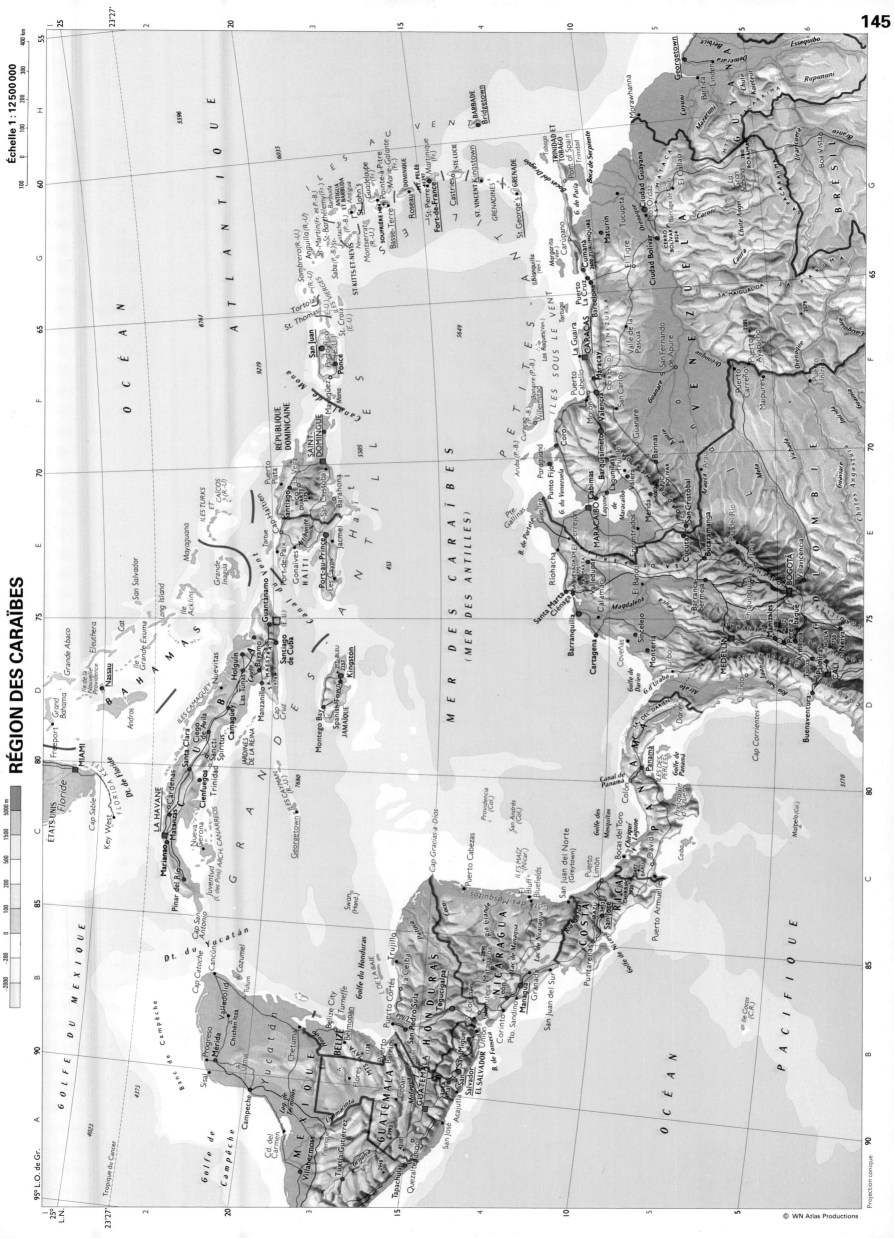

RÉGION DES CARAÏBES

Échelle 1 : 12 500 000

Projection conique

© WN Atlas Productions

LE PACIFIQUE

plate-forme continentale
-8000 -6000 -4000 -2000 -200 0 100 200 500 1500 5000 m
au-dessous du niveau de la mer

RUSSIE

Océan Arctique
Mer de Sibérie orientale
Mer des Tchouktches
Détr. de De Long
Mer de Béring
Cercle polaire arctique

Norilsk
Igarka
Estuaire de l'Ob
Ob
Iénisseï
Tiksi
Olenek
Léna
Verkhoiansk
Mts de Verkhoiansk
Indighirka
Kolyma
Mts de la Kolyma
Ambartchik
Wrangel
Pevek
Pén. des Tchouktches
Chaîne de Brooks
Prudhoe Bay

Plateau de Toungouska inférieure
Sibérie centrale
Vilioui
Iakoutsk
Oimiakon
Mts Stanovoï
Aldan
Okhotsk
Magadan
Anadyr
Golfe d'Anadyr
Détr. de Bering
Nome
Yukon
Fairbanks
Alaska (É.-U.)
Chaîne de l'Alaska
Anchor...

Novosibirsk
Krasnoïarsk
Bratsk
Barnaoul
Angara
Irkoutsk
Lac Baïkal
Tchita
Aïan
Komsomolsk
Amour
Sakhaline
Mer d'Okhotsk
Kamtchatka
Petropavlovsk-Kamtchatski
I. du Commandeur
I. St-Laurent
Baie de Bristol
Kodiak
7822
J. Aléoutiennes
Fosse des Aléoutiennes
Dutch Harbor

KAZ.
Dzoungarie
Altaï mongol
MONGOLIE
Oulan-Oude
Oulan-Bator
Gobi
Mandchourie
Harbin
Khabarovsk
Sapporo
Hokkaido
Vladivostok
Mer du Japon
Kouriles
Fosse des Kouriles
10540

Ûrümqi
Yumen
Tsaïdam
Mts Kunlun
Beijing (Pékin)
Shenyang
CORÉE DU NORD
Pyongyang
JAPON
Honshu
Tokyo
Yokohama
Fosse du Japon
Bassin du Pacifique nord-occidental
Bassin du Pacifique nord-oriental
Zone f...

Lhasa
CHINE
Lanzhou
Tianjin
Séoul
CORÉE DU SUD
Kyoto
Osaka
HIMALAYA
BHOUTAN
Xi'an
Chengdu
Nanjing
Shanghai
Mer Jaune
Fosse des Bonins
10595
I. Midway (É.-U.)
6300

INDE
Brahmapoutre
Chongqing
Wuhan
Chang Jiang
Mer de Chine orientale
Iles Bonin (Jap.)
Minami-Tori (Jap.)
Crête d'Hawaï
Iles Hawaï

BANGLADESH
Irrawaddy
Guangzhou (Canton)
Huang He
Taipei
TAIWAN
Iles Ryu Kyu
Fosse des Ryu Kyu
7505
Iles Volcano (Jap.)
9155
Hawaï (É.-U.)
Oahu
Honolulu
Kauai
Hawaï

LAOS
Hanoi
Hongkong
Hainan
Luçon
Bassin des Philippines
Mariannes du Nord (É.-U.)
Wake (É.-U.)
Crête du Pacifique central

MYANMAR (BIRMANIE)
Yangon (Rangoon)
THAÏLANDE
VIÊT-NAM
Mer de Chine méridionale
Manille
Saipan
Johnston (É.-U.)
Bassin

Bangkok
CAMBODGE
Golfe de Thaïlande
Isthme de Kra
Hô Chi Minh-ville
Davao
PHILIPPINES
Fosse des Philippines
10830
Guam (É.-U.)
11020
Fosse des Mariannes
ILES MARSHALL
EneWetak
Bikini
Micronésie
Pacif...
du Pacifique central

Détr. de Malacca
MALAYSIA
BRUNEI
Babelthuap
Iles Palau
PALAU
ÉTATS FÉDÉRÉS DE MICRONÉSIE
Iles Yap
Truk
Pohnpei
Kwajalein
Iles Ralik
Iles Ratak
Jaluit
Palmyra (É.-U.)
Teraina
Tabuaeran
Kiritimati

Medan
Kuala Lumpur
Singapour
Kalimantan
Mer de Sulawesi
Halmahera
Carolines
Bassin des Carolines
Tarawa
Iles Gilbert
Howland (É.-U.)
Baker (É.-U.)
Jarvis (É.-U.)
Iles Line

Équateur
Sumatra
Palembang
Jakarta
Java
INDONÉSIE
Mer de Java
Sulawesi
Ujung Pandang
Moluques
Jayapura
Nouvelle-Guinée
Irian Jaya
Arch. Bismarck
NAURU
Banaba
Iles Phoenix
Abariringa Enderbury
KIRIBATI
Polyné...
Malden

Iles Cocos (Austr.)
Iles Christmas (Austr.)
7450
Mer de Banda
PAPOUASIE-NOUVELLE-GUINÉE
Lae
Port Moresby
Nouvelle-Bretagne
9140
Bougainville
ILES SALOMON
Honiara
Guadalcanal
TUVALU
Funafuti
Iles Phoenix
Starbuck
Caroline

Fosse de Java
Nusa Tenggara
Mer de Timor
Merauke
Détr. de Torres
Golfe de Carpentarie
Arch. Louisiade
Iles Santa Cruz
Rotuma
WALLIS ET FUTUNA (Fr.)
SAMOA
Apia
Tokelau (N.-Z.)
Penrhyn
Manihiki
Suwarrow
Flint

Bassin de Wharton
Darwin
Bassin de Corail
Cairns
Mer de Corail
VANUATU
Nouvelles-Hébrides
Port-Vila
Viti Levu
Vanua Levu
Samoa (É.-U.)
Pago Pago
I. Cook (N.-Z.)
Papeete
Iles de la Société

Alice Springs
Mount Isa
AUSTRALIE
Cordillère australienne
NOUVELLE-CALÉDONIE (Fr.)
Nouméa
Iles Loyauté
7570
Suva
FIDJI
TONGA
Tongatapu
Niue (N.-Z.)
Aitutaki
6492
10882
Fosse des Tonga
Rarotonga
Iles Tubuai

Tropique du Capricorne
Océan Indien
Geraldton
Perth
Brisbane
Norfolk (Austr.)
Bassin des Fidji
Lord Howe (Austr.)
Crête de Lord Howe
Kermadec
10045
Fosse des Kermadec

Grande Baie australienne
Murray
Sydney
Canberra
Adelaide
Melbourne
Mer de Tasman
Auckland
Ile du Nord
8300

Détr. de Bass
Tasmanie
Hobart
Bassin de l'Australie méridionale
Bassin de Tasman
NOUVELLE-ZÉLANDE
Wellington
Ile du Sud
Christchurch
Iles Chatham
Détr. de Cook
Dunedin
Bassin du Pacifique...

Crête de l'Océan Indien méridional
Plateau de Tasman
Stewart
Iles Bounty
Iles Antipodes
Iles Auckland
Campbell
Iles Macquarie

Bassin de l'Océan Indien Sud-Est
Crête de Macquarie

Océan Pacifique
Micronésie
Mélanésie
Polynésie
Ligne de changement de date

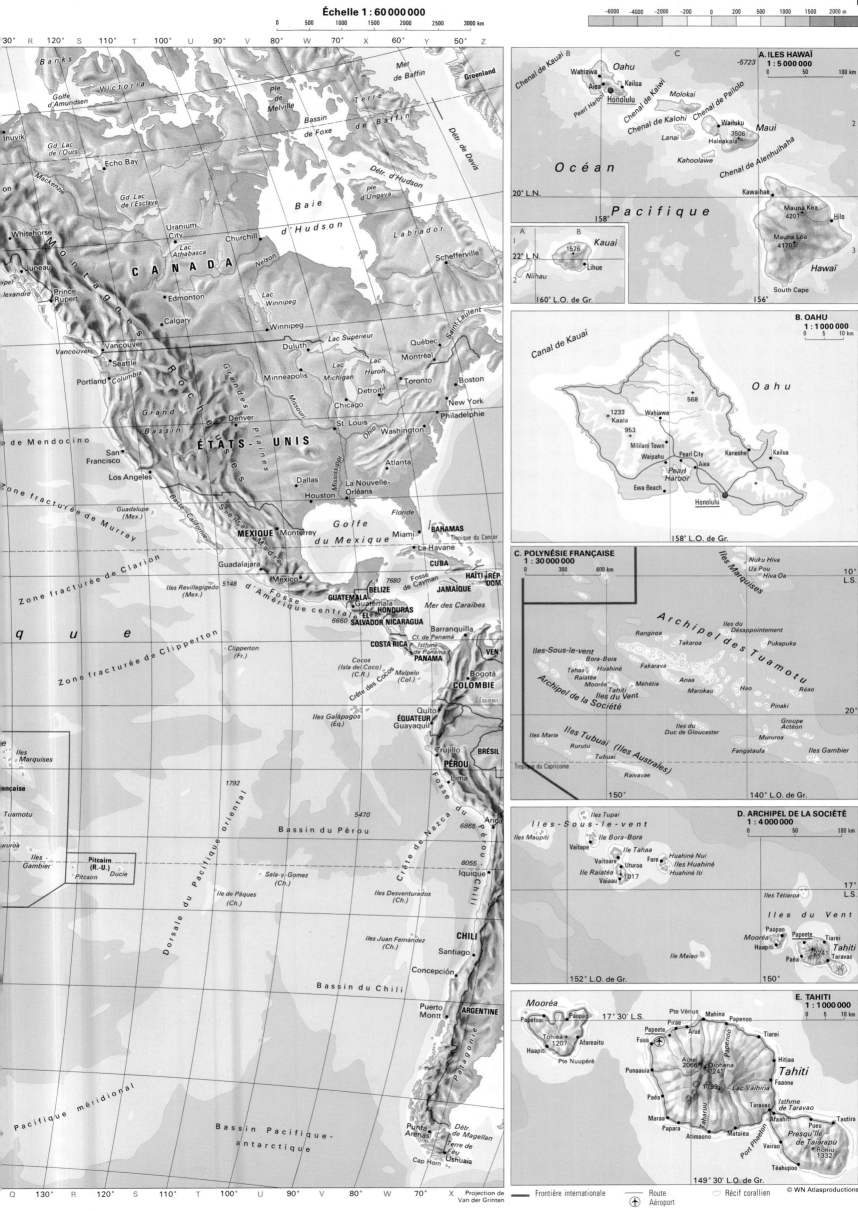

Échelle 1 : 60 000 000

0 500 1000 1500 2000 2500 3000 km

-6000 -4000 -2000 -200 0 200 500 1000 1500 2000 m

A. ILES HAWAÏ
1 : 5 000 000
0 50 100 km

Chenal de Kauai · Oahu · Wahiawa · Aiea · Kailua · Honolulu · Pearl Harbor · Chenal de Kaiwi · Molokai · Chenal de Pailolo · Chenal de Kalohi · Lanai · Wailuku · 3506 · Maui · Haleakala · Kahoolawe · Chenal de Alenhuihaha

Océan · Pacifique

20° L.N. · 158°

Kawaihaa · Mauna Kea · 4201 · Hilo · Mauna Loa · 4170 · Hawaï · South Cape

22° L.N. · Kauai · 1576 · Lihue · Niihau · 160° L.O. de Gr. · 156°

Canada
Banks · Golfe d'Amundsen · Victoria · Pie de Melville · Mer de Baffin · Groenland · Inuvik · Gd Lac de l'Ours · Bassin de Foxe · Terre de Baffin · Dét. de Davis · Echo Bay · Mackenzie · Gd Lac de l'Esclave · Baie d'Hudson · Dét. d'Hudson · pie d'Ungava · Labrador · Whitehorse · Uranium City · Lac Athabasca · Churchill · Scheffeville · Juneau · lexandre · Prince Rupert · Edmonton · Nelson · Lac Winnipeg · Saint-Laurent · Montagnes · Calgary · Winnipeg · Vancouver · Seattle · Columbia · Duluth · Lac Supérieur · Québec · Montréal · Portland · Lac Michigan · Lac Huron · Toronto · Boston · Minneapolis · Detroit · Chicago · New York · de Mendocino · ÉTATS-UNIS · Denver · St. Louis · Ohio · Washington · Philadelphie · San Francisco · Missouri · Atlanta · Los Angeles · Dallas · Zone fracturée de Murray · Guadalupe (Mex.) · Sierra · La Nouvelle-Orléans · Houston · Floride · Miami · Tropique du Cancer · Zone fracturée de Clarion · MEXIQUE · Monterrey · Golfe du Mexique · BAHAMAS · La Havane · Mexico · CUBA · HAÏTI RÉP. DOM. · Guadalajara · Iles Revillagigedo (Mex.) · 5148 · 7680 · Fosse de Cayman · JAMAÏQUE · BELIZE · GUATEMALA · HONDURAS · Mer des Caraïbes · EL SALVADOR · NICARAGUA · Zone fracturée de Clipperton · Clipperton (Fr.) · COSTA RICA · Cl. de Panamá · Barranquilla · Isthme de Panamá · PANAMA · VEN. · Cocos (Isla del Coco) (C.R.) · Malpelo (Col.) · COLOMBIE · Bogotá · Crête des Cocos · Équateur · Iles Galápagos (Éq.) · ÉQUATEUR · Quito · Guayaquil · Trujillo · BRÉSIL · PÉROU · Lima · 1792 · Fosse du Pérou · Iles Marquises · 5470 · Bassin du Pérou · Arica · 6865 · ançaise · Tuamotu · 8055 · Iquique · ururoa · Iles Gambier · Pitcairn (R.-U.) · Pitcairn · Ducie · Sala-y-Gomez (Ch.) · Iles Desventurados (Ch.) · CHILI · Ile de Pâques (Ch.) · Santiago · Dorsale du Pacifique oriental · Concepción · Crête de Nazca · Iles Juan Fernández (Ch.) · Bassin du Chili · Puerto Montt · ARGENTINE · Pacifique méridional · Punta Arenas · Dét. de Magellan · Terre de Feu · Ushuaia · Cap Horn · Bassin Pacifique-antarctique

B. OAHU
1 : 1 000 000
0 5 10 km

Canal de Kauai · Oahu · 568 · 1233 Kaala · 953 · Wahiawa · Mililani Town · Waipahu · Pearl City · Aiea · Kaneohe · Kailua · Ewa Beach · Pearl Harbor · Honolulu · 158° L.O. de Gr.

C. POLYNÉSIE FRANÇAISE
1 : 30 000 000
0 300 600 km

Nuku Hiva · Ua Pou · Hiva Oa · Iles Marquises · 10° L.S. · Archipel des Tuamotu · Iles du Désappointement · Rangiroa · Takaroa · Pukapuka · Iles-Sous-le-vent · Bora-Bora · Tahaa · Huahiné · Fakarava · Raiatéa · Tahiti · Méhétia · Anaa · Marokau · Hao · Réao · Mooréa · Pinaki · Archipel de la Société · Iles du Vent · 20° · Iles du Duc de Gloucester · Groupe Actéon · Iles Maria · Rurutu · Iles Tubuai (Iles Australes) · Mururoa · Fangataufa · Iles Gambier · Tropique du Capricorne · Tubuai · Raivavae · 150° · 140° L.O. de Gr.

D. ARCHIPEL DE LA SOCIÉTÉ
1 : 4 000 000
0 50 100 km

Iles Tupai · Iles-Sous-le-vent · Ile Bora-Bora · Iles Maupiti · Ile Tahaa · Vaitape · Vaitoare · Huahiné Nui · Uturoa · Fare · Iles Huahiné · Huahiné Iti · Ile Raiatéa · 1017 · Vaiaau · 17° L.S. · Iles Tétiaroa · Iles du Vent · Paopao · Mooréa · Papeete · Tiarei · Haapiti · Ile Maiao · Paéa · Tahiti · 2241 · Taravao · 150°

E. TAHITI
1 : 1 000 000
0 5 10 km

Mooréa · Papetoai · Paopao · Pte Vénus · Mahina · Pirae · Papenoo · 17° 30' L.S. · Tohiea 1207 · Afareaitu · Papeete · Arué · Tiarei · Faaa · Haapiti · Pte Nuupéré · Punauuia · Aorai 2066 · Orohena 2241 · Hitiaa · Tahiti · Faaone · Paéa · 1799 · Lac Vaihiria · Maraa · Papara · Mataiea · Atimaono · Vairao · Port Phaeton · Isthme de Taravao · Tautira · Afaahiti · Pueu · Presqu'île de Taiarapu · Roniu 1332 · Téahupoo · 149° 30' L.O. de Gr.

Frontière internationale · Route · Récif corallien
Aéroport

Projection de Van der Grinten

© WN Atlasproductions

AUSTRALIE ET NOUVELLE-ZÉLANDE

-8000 -6000 -4000 -2000 -200 0 100 200 500 1000 2000 3000 5000 m
au-dessous du niveau de la mer

Tokyo 140

120° L.E. de Gr. 130 150

B C D E

Gorontalo
MER DES MOLUQUES
Halmahera
Waigeo
Manokwari
Biak
I. DE L'AMIRAUTÉ
I. ST MATTHIAS
Samarinda
Palu
Golfe de Tomini
Sorong
Cendrawasih
C. Perkam
Sarmi
Manus
Lavongai
Kavieng
ARCH. BISMARCK
Balikpapan
Poso
I. SULA
Misool
Golfe de Cendrawasih
Yapen
Jayapura
Irian
Wewak
MER DE BISMARCK
Palopop
G. de
Kendari
MER DE SERAM
Fakfak
Bomberai
Kaimana
Jaya
PUNCAKJAYA
MONTS MAOKE
Madang
Baie d'Astrolabe
Rabaul
Bone
G. de Mandar
Butung
Buru
Amboine
CHAÎNE CENTRALE
MT WILHELM
Goroka
Talasea
Nlle-Bretagne
Ujung Pandang
Kabia
MER DE BANDA
I. BANDA
I. KAI
Tual
Dobo
I. ARU
Agats
Eilandeni
Tanahmerah
Digul
PAPOUASIE
NOUVELLE-GUINÉE
Kikori
Lae
Golfe Huon
Wau
Morobe
Finschhafen
MER DES SALOMON
I. TANIMBAR
Saumlaki
Plate-forme
Kolepom
Merauke
Daru
MT VICTORIA OWEN STANLEY
Popondetta
I. TROBIAND
I. D'ENTRE CASTI
Samarai
Wetar
MER D'ARAFURA
Dt de Torres
Port-Moresby
Zanzibar
INDONÉSIE
MER DE FLORES
PETITES ÎLES DE LA SONDE
Sahul
Thursday
C. York
Wogi
Lombok
Sumbawa
Flores
Dili
MER DE SAVU
Sumba
Sawu
Roti
Kupang
MER DE TIMOR
Melville
Bathurst
Golfe de Diemen
Darwin
Terre d'Arnhem
Gove
C. Arnhem
Golfe de
Weipa
Pén. du
Cap
Archet
York
C. Melville
Bassin de la Mer de Co
Ashmore Cartier (Austr.)
Golfe Beagle
Rum Jungle
Pine Creek
Groote Eylandt
Carpentarie
I. WESSEL
Katherine
Roper
I. WELLESLEY
Laura
Cooktown
M E R
Golfe Joseph Bonaparte
Daly
Birdum
Daly Waters
Borroloola
Mitchell
Cairns
Territoire des Iles de
la Mer de Corail
Dt d'York
Wyndham
MT.HANN
Kununurra
Victoria
Newcastle Waters
Gilbert
Normanton
Herberton
Baie Collier
Yampi So.
Dt de King
Derby
PLATEAU DE KIMBERLEY
MT ORD
Fitzroy Crossing
Ord River
Wave Hill
Stuart
PLATEAU BARKLY
Croydon
Forsayth
Townsville
Pays de Tasman
Halls Cr.
Sturt Cr.
Tennant Creek
Barkly Highway
Mt.Isa
Charters Towers
Bowen
Broome
Fitzroy
Pays de Dampier
Territoire
du
Nord
Barrow Creek
Cloncurry
Hughenden
Mackay
Baie Roebuck
Désert
Tanami
Highway
Winton
Clermont
Dt. Broad
Plage des 80 milles
Grand Désert de sable
Barrow Creek
Queensland
Longreach
Emerald
Rockhampton
Port Hedland
MT.GOLDSWORTHY
Lac Mackay
1511 MT.ZIEL
Alice Springs
Hay
Grand
Blackall
Mt.Morgan
Gladstone
I. MONTE BELLO
Dampier
De Grey
Marble Bar
MTS MAC DONNELL
Diamantina
Bassin
Barcoo
Moura
Bundaberg
I. Barrow
Pilbara
Lac Macdonald
Désert de Simpson
Thomson
Maryborough
Onslow
Roebourne
Fortescue
Désert de Gibson
Lac Amadeus
Birdsville
artésien
Charleville
Gympie
MT.ENID
MTS HAMERSLEY
MT.BRUCE
AYERS ROCK
MTS MUSGRAVE
Finke
Quilpie
Roma
Dalby
MT.NEWMAN
Australie
occidentale
MT.ALOYSIUS
Alberga
Cooper Cr.
Bulloo
BRIS
Lac Macleod
Carnarvon
Ashburton
Oodnadatta
Dés. de Sturt
Cunnamulla
Toowoomba
MT.AUGUSTUS
Gascoyne
Lora
Lac Eyre
Warburton
Paroo
Moonie
Warwick
Baie du Requin
Murchison
Lac Carnegie
Australie
du Sud
Lac Blanche
Bourke
Moree
Dt de la Limite
Meekatharra
Wiluna
Grand Désert de Victoria
Tarcoola
Lac Torrens
Broken Hill
Cobar
Darling
Nouvelle-
Récifs de Houtman
Sandstone
Laverton
Woomera
MTS FLINDERS
Nyngan
Galles du Sud
Lac Austin
Mt.Magnet
Lac Minigwal
Lac Gairdner
Pt.Augusta
Radium Hill
Dubbo
Geraldton
Dongara
Lac Barlee
Menzies
Forrest
MTS GAWLER
Iron Knob
Peterborough
Cessnock
Newcastle
Lac Moore
Kalgoorlie
Plaine Nullarbor
Penong
Ceduna
Eyre
Wallaroo
Wentworth
Hay
Orange
SYDNEY
Baie Botany
Northam
Boulder
Eyre Highway
Eucla
Pt Pirie
Whyalla
Mildura
Lachlan
Wollongong
Pt. Kembla
PERTH
Fremantle
Coolgardie
Kambalda
Lac Cowan
Norseman
Grande Baie australienne
Pt.Lincoln
Golfe Spencer
ADÉLAÏDE
Murray
Wagga Wagga
Canberra
Baie Jervis
Narrogin
Lac Dundas
Esperance
C. Spencer
Golfe de St Vincent
Riverina
Albury Wodonga
Territoire de la capitale d'Australie
Bunbury
Collie
Kangaroo
Baie de la Rencontre
Kingston
Wimmera
Victoria
MT KOSCIUSKO
ALPES AUST.
Busselton
Augusta
BLUFF KNOLL
Ararat
Ballarat
MELBOURNE
C. Howe
C. Leeuwin
Albany
Mt.Gambier
Portland
Geelong
Port Phillip
Sale
Bairnsdale
Warrnambool
C. Otway
Dt de Bass
Cap du Sud-Est
King
Flinders
I. FURNEAUX
OCÉAN
Burnie
Devonport
Launceston
Bassin de l'Australie méridionale
MT.OSSA
Queenstown
INDIEN
Port Macquarie
Tasmanie
Hobart
Plateau de
Tasmanie

Projection azimutale équivalente 110 B 120 C 130 D 140 E 150

T. de Wilkes

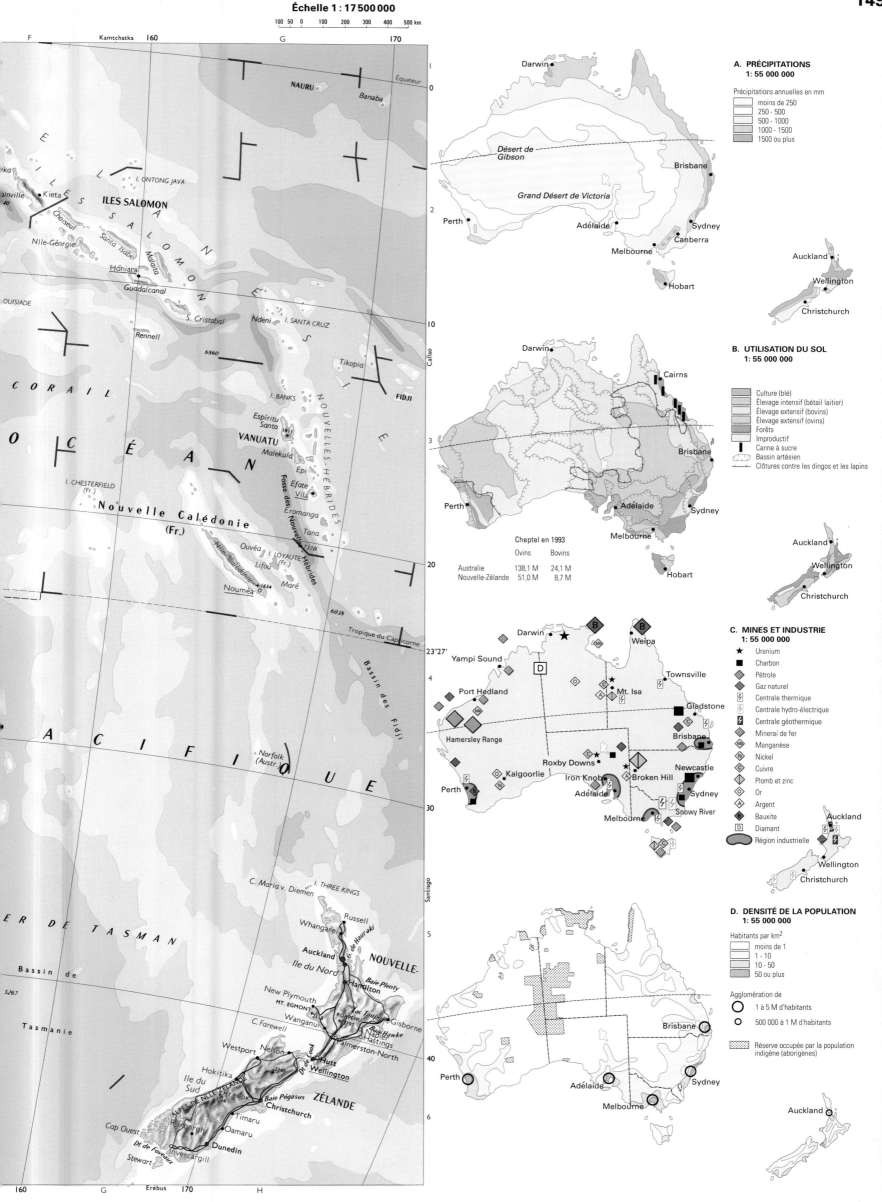

Échelle 1 : 17 500 000

100 50 0 100 200 300 400 500 km

A. PRÉCIPITATIONS
1 : 55 000 000

Précipitations annuelles en mm

- moins de 250
- 250 - 500
- 500 - 1000
- 1000 - 1500
- 1500 ou plus

Désert de Gibson

Grand Désert de Victoria

Darwin
Brisbane
Perth
Adélaïde
Sydney
Canberra
Melbourne
Hobart

Auckland
Wellington
Christchurch

B. UTILISATION DU SOL
1 : 55 000 000

- Culture (blé)
- Élevage intensif (bétail laitier)
- Élevage extensif (bovins)
- Élevage extensif (ovins)
- Forêts
- Improductif
- Canne à sucre
- Bassin artésien
- Clôtures contre les dingos et les lapins

Darwin
Cairns
Brisbane
Perth
Adélaïde
Sydney
Melbourne
Hobart

Auckland
Wellington
Christchurch

Cheptel en 1993

	Ovins	Bovins
Australie	138,1 M	24,1 M
Nouvelle-Zélande	51,0 M	8,7 M

C. MINES ET INDUSTRIE
1 : 55 000 000

- ★ Uranium
- ■ Charbon
- ◆ Pétrole
- ◆ Gaz naturel
- Centrale thermique
- Centrale hydro-électrique
- Centrale géothermique
- Minerai de fer
- Manganèse
- Nickel
- Cuivre
- Plomb et zinc
- Or
- Argent
- Bauxite
- D Diamant
- Région industrielle

Darwin
Weipa
Yampi Sound
Townsville
Port Hedland
Mt. Isa
Gladstone
Hamersley Range
Brisbane
Roxby Downs
Newcastle
Kalgoorlie
Broken Hill
Perth
Iron Knob
Sydney
Adélaïde
Snowy River
Melbourne

Auckland
Wellington
Christchurch

23°27'

D. DENSITÉ DE LA POPULATION
1 : 55 000 000

Habitants par km²

- moins de 1
- 1 - 10
- 10 - 50
- 50 ou plus

Agglomération de

- ◯ 1 à 5 M d'habitants
- ◦ 500 000 à 1 M d'habitants
- Réserve occupée par la population indigène (aborigènes)

Perth
Brisbane
Adélaïde
Sydney
Melbourne

Auckland

ILES SALOMON
Kieta
I. ONTONG JAVA
Choiseul
Nlle-Géorgie
Santa Isabel
Malaita
Honiara
Guadalcanal
S. Cristobal
Rennell
Ndeni
I. SANTA CRUZ
Tikopia
FIDJI
I. BANKS
Espíritu Santo
VANUATU
Malekula
Epi
Efate
Vila
Eromanga
Tana
I. CHESTERFIELD (Fr.)

Nouvelle Calédonie (Fr.)
Ouvéa
I. LOYAUTÉ (Fr.)
Lifou
Maré
Nouméa

OCÉAN
CORAIL
PACIFIQUE

Tropique du Capricorne

Norfolk (Austr.)

Bassin des Fidji

MER DE TASMAN

C. Maria v. Diemen
I. THREE KINGS
Russell
Whangarei
Baie de Hauraki
Auckland
NOUVELLE-
Ile du Nord
Baie Plenty
Hamilton
New Plymouth
MT. EGMONT
Lac Taupo
RUAPEHU
Gisborne
Wanganui
Baie Hawke
Hastings
C. Farewell
Palmerston-North
Westport
Nelson
Hutt
Wellington
Hokitika
ZÉLANDE
Ile du Sud
ALPES DE NLLE-ZÉLANDE
Baie Pégasus
Christchurch
Cap Ouest
Timaru
Oamaru
Dt de Foveaux
Dunedin
Invercargill
Stewart

Tasmanie

LE MONDE

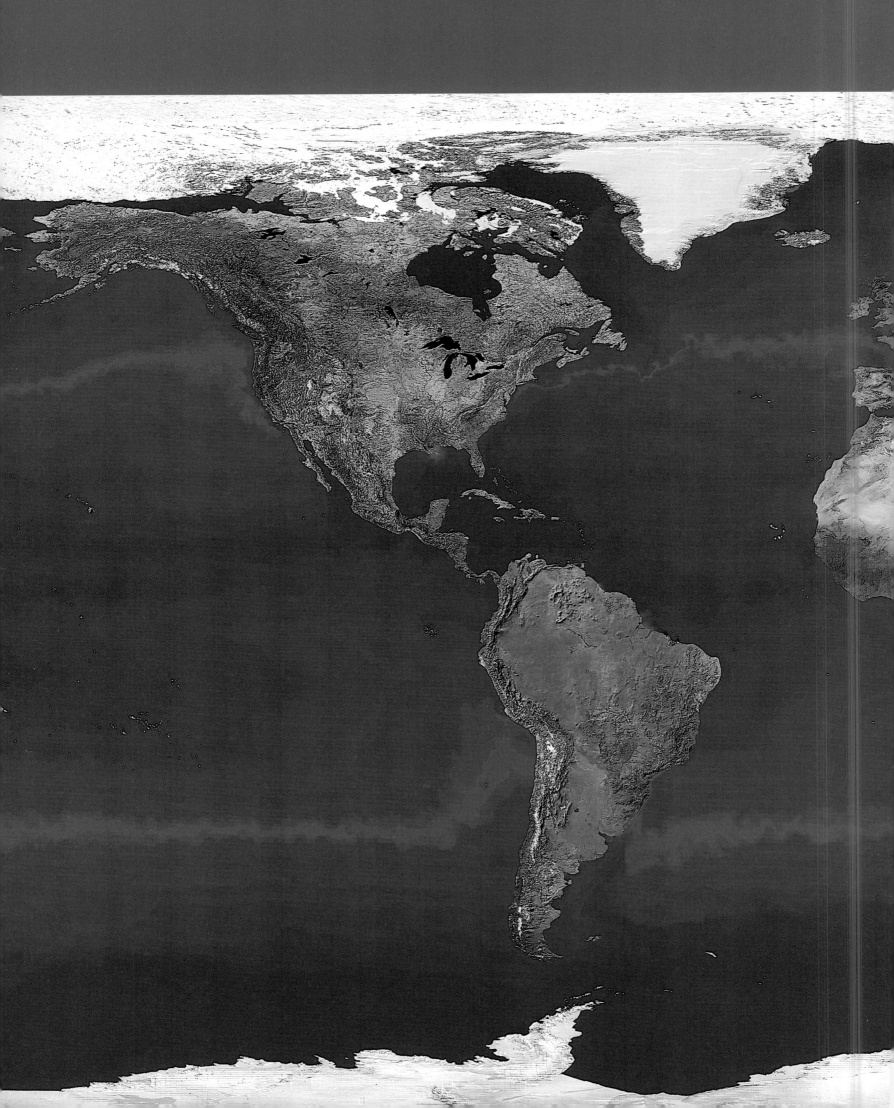

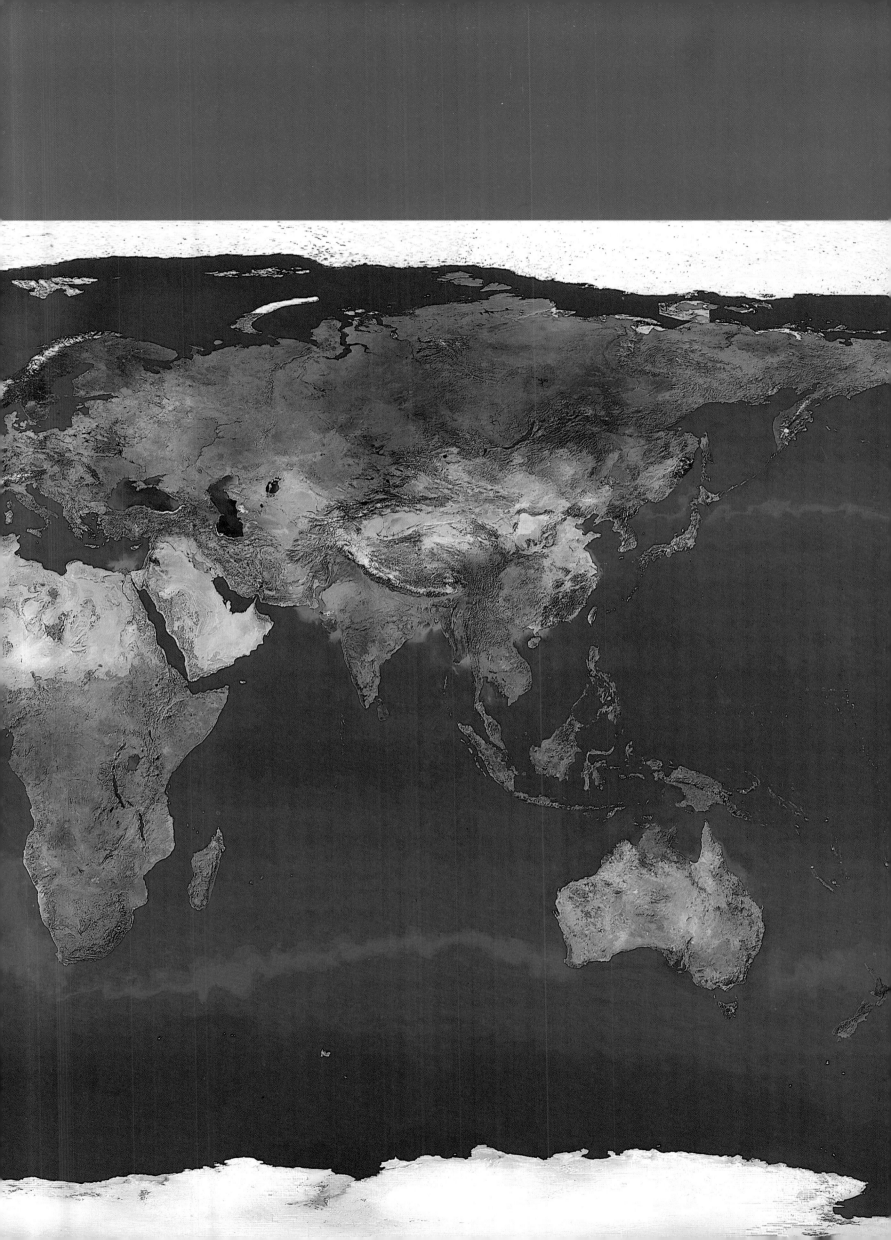

LE MONDE PHYSIQUE

-8000 -6000 -4000 -2000 -200 | 0 200 500 1000 2000 3000 4000 5000 m
au-dessous du niveau de la mer

MER DES TCHOUKTCHES

Cercle polaire arctique

OCÉAN GLACIAL

Golfe d' Anadyr
I. St-Laurent
Détroit de Béring
Alaska
Yukon
CHAÎNE D'ALASKA
MT McKINLEY 6187
Anchorage
MT LOGAN 6050
Baie de Bristol
Kodiak
Golfe d'Alaska
Fosse des Aléoutiennes
Arch. Alexandre
I. de la Reine-Charlotte
Vancouver
Seattle

Bassin canadien
Golfe d'Amundsen
Banks
Victoria
Melville
I. de la Reine-Elizabeth
Devon
Somerset
Détroit de Lancaster
Terre de Boothia
Golfe de Boothia
Bassin de Foxe
Baie de Baffin
Base aér. de Thulé
Ellesmere
MER DE LINCOLN
Groenland
Nuuk

Bassin du Pacifique nord-oriental
Escarpement de Mendocino
San Francisco
MT WHITNEY 4420
Los Angeles
Escarpement de Murray
Monterrey
Tropique du Cancer
HT PLATEAU DU MEXIQUE
I. Revillagigedo
Mexico +5650
ORIZABA
Golfe de Californie
Rio Grande

MONTAGNES ROCHEUSES
CHAÎNE CÔTIÈRE
Grand Lac Salé
Grand Bassin
Denver
Dallas
La Nouvelle-Orléans
Golfe de Campêche
Yucatán

Edmonton
Grand Lac de l'Ours
Grand Lac des Esclaves
Lac Athabasca
Lac Winnipeg
AMÉRIQUE DU NORD
Winnipeg
Minneapolis
Lac Supérieur
Lac Michigan
Lac Huron
Chicago
St. Louis
Grandes plaines
Missouri
Mississippi
MT MITCHELL +2038
Bermudes

Churchill
Baie d'Hudson
Lac Winnipeg
Montréal
St-Laurent
New York
Washington
APPALACHES
Floride
Cuba
I. Bahamas

MER DU LABRADOR
Labrador
Bassin du Labrador
Terre-Neuve 4459
Bassin d'Amérique du Nord
6995

Groenland
Jan Mayen
3930
Bassin norvégien
HEKLA 1491
Islande
I. Féroé
Dorsale de Reykjanes
I. Shetland
Grande-Bretagne
Irlande
Londres
Amsterdam
Berlin
Paris
EUROPE
Vienne
Bassin de l'Europe occidentale
5858
Golfe de Gascogne
Açores
Lisbonne
PLATEAU DE CASTILLE
Baléares
Alger
Tunis
Sicile
Madère
Casablanca
ATLAS
TOUBKAL +4165
I. Canaries

MASSIF DU HOGGAR
TIBESTI
Sahara
AFRIQUE
Sahel
Lac Tchad
Ndjamena
Niger
Dakar
I. du Cap Vert 7292
Cap Vert
Lagos
Abidjan
MONT CAMEROUN 4070
São Tomé
Bassin de Guinée
Kinshasa
Bassin du Congo
Lubum
6040

Fosse de Porto-Rico 9219
Fosse de Cayman
Grandes Antilles
Haïti
MER DES CARAÏBES
6669
Clipperton
Zone fracturée de Clipperton
Équateur
I. Galapagos
Seuil des Galapagos
Panamá
Isthme de Panamá
Curaçao
Caracas
Trinidad
Petites Antilles
Orénoque
Paramaribo
Seuil du Para
Bassin des Guyanes

Bogotá
Quito +6267
CHIMBORAZO
CORDILLÈRE
MASSIF DES GUYANES
Rio Negro
Manaus
Belém
Amazone
Bassin de l'Amazonie
6262
Lima
Madre de Dios
AMÉRIQUE DU SUD
PLATEAU DU BRÉSIL
Brasília
São Francisco
Recife
Ascension
Sainte-Hélène 6013
Bassin du Brésil
6005

OCÉAN ATLANTIQUE
Dorsale médio-atlantique

Bassin du Pérou 5470
Crête de Nazca
La Paz
ILLIMANI +6882
Fosse de
ANDES
Tropique du Capricorne
Sala-y-Gomez
I. de Pâques
8064
Désert d'Atacama
ACONCAGUA +6958
Valparaíso
I. Juan Fernandez
Dorsale de Juan Fernandez
Asunción
Rio de Janeiro
São Paulo
SERRA DO MAR
Buenos Aires
Pôrto Alegre
Seuil du Rio Grande
Colorado
Rio de la Plata
Bassin argentin
Crête de Walvis
Walvis Bay
Bassin d'Angola
Tristan da Cunha
Namib
Désert de Namib
Johannes
Le Cap
Bassin du Cap
Kalahar

OCÉAN PACIFIQUE
Seuil du Pacifique méridional
Bassin du Chili
Puerto Montt
Patagonie
I. Falkland
6212
Détroit de Magellan
Punta Arenas
Terre de Feu
Bassin des Antilles du Sud
Géorgie du Sud
Fosse des Sandwich du Sud 8264
I. Sandwich du Sud
Bassin des Aiguil
Crête Indien-Atl
Bouvet

Bassin du Pacifique méridional
Détroit de Drake
I. Shetland du Sud
I. Orcades du Sud
Bassin du Pacifique
5290
Bassin Indien-Atlantique-A
Pacifique-Antarctique
Cercle polaire antarctique
I. Adélaïde
MER DE WEDDELL

● Tremblement de terre important (catastrophe)
▲ Volcan en activité

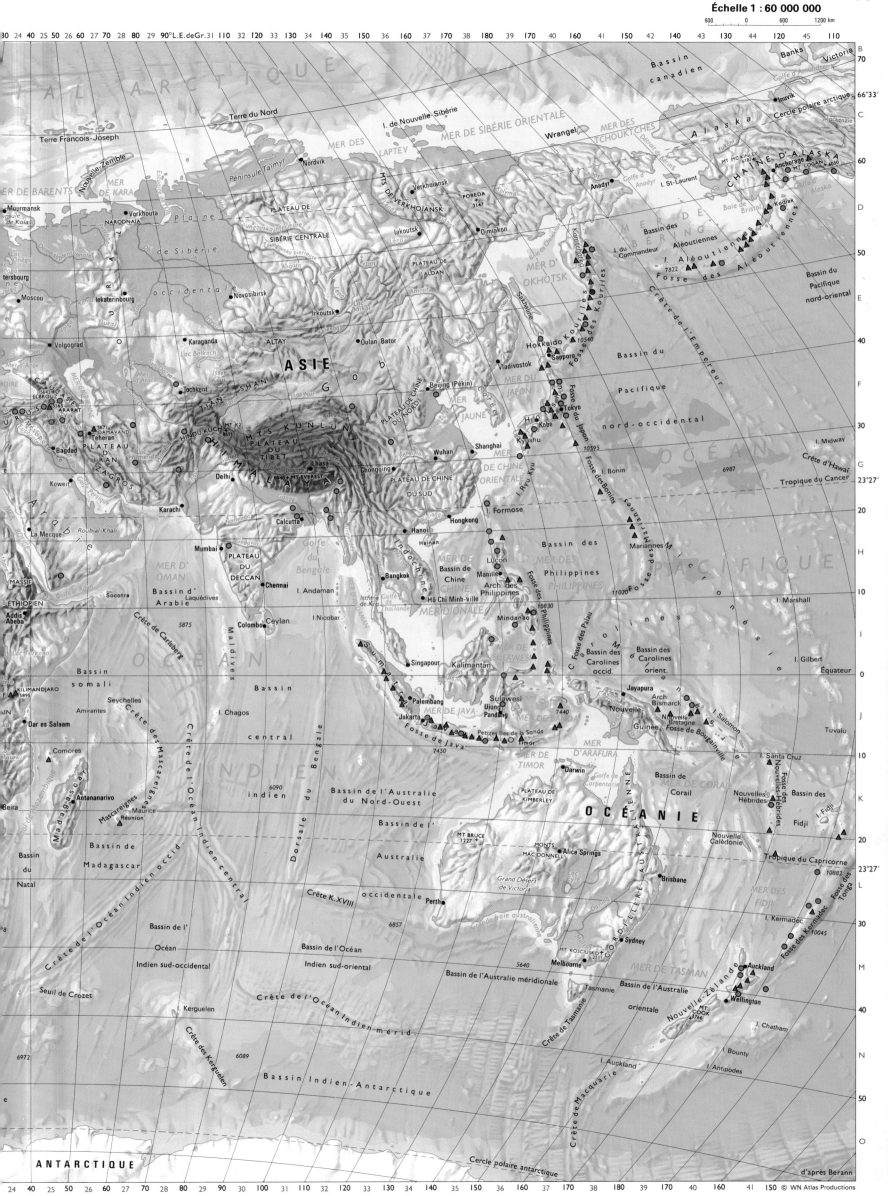

Échelle 1 : 60 000 000

600   0   600   1200 km

Glacial Arctique

Golfe d'Amundsen

Inuvik   Cercle polaire arctique   66°33'

Terre du Nord   I. de Nouvelle-Sibérie   Mer de Sibérie orientale   Mer des Tchouktches   Alaska (É.-U.)   Mackenzie

Terre François-Joseph   Mer des Laptev   Wrangel   Mer de Bering   Nome   Fairbanks   Dawson   CANADA

Nouvelle-Zemble   Mer de Kara   Nordvik   Tiksi   Pevek   Anadyr   Dt. de Béring   Anchorage   Whitehorse   60° L.N.

Mer de Barents   Estuaire de l'Ob   Dikson   Verkhoïansk   Kolyma   Golfe d'Anadyr   Yukon   Seward   Golfe d'Alaska

Kolguiev   Vorkouta   Iénisseï   Léna   Aldan   I. St-Laurent (É.-U.)   Kodiak

Mourmansk   Petchora   Ob   Toungouska inférieure   Léna   Iakoutsk   Magadan   Baie de Chelekhov   Mer de Béring   Nunivak   Baie de Bristol

Arkhangelsk   Dvina septentr.   RUSSIE   Toungouska pierreuse   Okhotsk   I. du Commandeur   I. Pribilof (É.-U.)   Dutch Harbor

Lac Onega   Perm   Tioumen   Tomsk   Angara   Tchita   Mer d'Okhotsk   Petropavlovsk-Kamtchatski   Iles Aléoutiennes (É.-U.)

Pétersbourg   Nijni Novgorod   Kazan   Iekaterinbourg   Omsk   Novossibirsk   Krasnoïarsk   Irkoutsk   Komsomolsk   Kouriles

Moscou   Volga   Kama   Oufa   Tcheliabinsk   Novokouznetsk   Lac Baïkal   Amour   Ioujno-Sakhalinsk   Océan

Voronej   Samara   Oural   Magnitogorsk   Orsk   Akmola   Selenga   Qiqihar   Jiang   Khabarovsk   Sapporo

Saratov   KAZAKHSTAN   Karaghandy   Semeï   Oulan-Bator   Changchun   Harbin   Vladivostok

Kharkiv   Volgograd   Atyraou   Baïkonyr   Lac Zaïsan   MONGOLIE   Songhua   Fushun   CORÉE DU N.   Mer du Japon   JAPON

Don   Rostov   Astrakhan   Syr-Daria   Lac Balkach   Ürümqi   Shengyang   Pyongyang   Honshu

Mer d'Azov   Mer d'Aral   Almaty   Ysyk-Köl   Baotou   Beijing   Luda   Séoul

Sébastopol   Mer Caspienne   OUZBÉKISTAN   Bichkek   KIRGHIZISTAN   Tarim   Lop Nur   Yinchuan   Tianjin   CORÉE DU S.   Kyoto   Tokyo

Mer Noire   GÉORGIE   Bakou   Türkmen-bachy   Tochkent   Lac Qinghai   Taiyuan   Jinan   Qingdao   Kita-Kyushu   Osaka   Nagoya   Yokohama

ARMÉNIE   AZER.   TURKMÉNISTAN   Achgabat   TADJIKISTAN   Douchanbé   Lanzhou   He   Huang   Zhengzhou   Pusan   Kobe

BAIDJAN   Tbilissi   Boukhoro   Xi'an   Nanjing   Shanghai

SYRIE   IRAK   Tabriz   Lac d'Urmia   Méched   Kaboul   CHINE   Chengdu   Wuhan   Chang Jiang   Hangzhou

Beyrouth   Téhéran   AFGHANISTAN   Islamabad   Salouen   Lhassa   Nanchang   Mer de Chine orientale   I. Ryu Kyu (Jap.)

Damas   Bagdad   IRAN   Ispahan   Lac Hilmend   Kandahar   Lahore   Brahmapoutre   Chongqing   Changsha   I. Daito

Amman   Basra   Kerman   Zahedan   PAKISTAN   Delhi   NEPAL   Thimphu   Shillong   Kunming   Fuzhou   I. Volcano (Jap.)   Tropique du Cancer   23°27'

JORDANIE   KOWEIT   Hyderabad   Nouvelle-Delhi   Katmandou   BHOUTAN   Xi Jiang   Guangzhou   Taipei   Naha

Aqaba   Koweit   Golfe persique   QATAR   Karachi   Kandla   Ahmadabad   Kanpur   Ganga   Irrawaddy   Hongkong   TAIWAN

Médine   Riyad   Abou Dhabi   Surat   Varanasi   INDE   Mandalay   MYANMAR (BIRMANIE)   Hanoi   Mer de Chine méridionale   Marianne (É.-U.)   Wake (É.-U.)

La Mecque   ARABIE SAOUDITE   E.A.U.   Doha   Mascate   Nagpur   Mumbai   Godavari   Luang Prabang   VIÊT-NAM   Luçon   Philippines   ILES

Djedda   OMAN   Puna   Hyderabad   Golfe du Bengale   Yangon   LAOS   Hué   Quezon City   Guam (É.-U.)   ÉTATS FÉDÉRÉS   Bikini   MARSHALL

Port-Soudan   YEMEN   Bangalore   Chennai   Vientiane   Da Nang   Manille   DE MICRONÉSIE   Jaluit

ÉRYTHRÉE   Sanaa   Asmara   I. Laquedives (Inde)   Madurai   Menam   THAÏLANDE   Mer   Cebu   PHILIPPINES

Aden   Golfe d'Aden   Socotra (Yémen)   Bangkok   CAMBODGE   Phnom Penh   de Chine   Mindanao   Davao   PALAU   Carolines   Pacifique   Équateur

DJIBOUTI   Djibouti   I. Andaman (Inde)   Golfe de Thaïlande   Hô Chi Minh-ville   NAURU   KIRIBATI

Addis Abeba   I. Nicobar (Inde)   SRI LANKA   Bandar Seri Begawan   BRUNEI   Mer de Sulawesi   Jayapura   Arch. Bismarck

ÉTHIOPIE   Colombo   Medan   Kuala Lumpur   Mer de Celebes   Manado   PAPOUASIE-NOUVELLE-GUINÉE   Rabaul   ILES SALOMON   TUVALU

KENYA   MALDIVES   MALAYSIA   Singapour   Pontianak   Kapuas   Sulawesi   Irian Jaya   Port Moresby   Honiara   I. Santa Cruz

Nairobi   SOMALIE   Mogadiscio   Malé   Sumatra   Padang   Kalimantan   Banjarmasin   Merauke   Fly   VANUATU   Wallis et Futuna (Fr.)

Mombasa   SEYCHELLES   Océan   Palembang   Jakarta   INDONÉSIE   Mer de Banda   Dili   Darwin   Port Vila   FIDJI

Dar-es-Salam   Amirantes (Seych.)   Victoria   Arch. Chagos (R.-U.)   Bandar Lampung   Mer de Java   Bandung   Java   Surabaya   Mer de Corail   Nouméa   Suva   TONGA

Aldabra (Seych.)   I. Farquhar (Seych.)   Diégo Garcia   Indien   I. Christmas (Austr.)   Golfe de Carpentarie   Cairns   Nouvelle-Calédonie (Fr.)   I. Loyauté (Fr.)   Tropique du Capricorne   23°27'

COMORES   Moroni   I. Agalega (Maurice)   I. Cocos (Austr.)   Yampi Sound   Birdum   Townsville   Mer des Fidji

Mayotte (Fr.)   I. Cargados Carajos (Maurice)   Dampier   Mount Isa   Rockhampton   I. Kermadec (N.-Z.)

MADAGASCAR   Toamasina   MAURICE   Réunion (Fr.)   Wiluna   Alice Springs   AUSTRALIE   Quilpie   Brisbane

Antananarivo   Port Louis   Geraldton   Kalgoorlie   Lac Eyre   Broken Hill   Darling   Newcastle

I. Bassas da India (Fr.)   Perth   Port Augusta   Murray   Sydney   Canberra

Europa (Fr.)   Augusta   Grande Baie australienne   Adélaïde   Mer de Tasman   I. du Nord   Auckland

MOZAMBIQUE   Nouvelle-Amsterdam (Fr.)   St-Paul (Fr.)   Melbourne   Tasmanie   NOUVELLE-ZÉLANDE

I. Crozet (Fr.)   Hobart   Ile du Sud   Wellington   40° L.S.

Kerguelen (Fr.)   Christchurch   I. Chatham (N.-Z.)

I. Mac Donald (Austr.)   I. Heard (Austr.)   Dunedin   I. Bounty (N.-Z.)

Stewart   I. Antipodes (N.-Z.)

I. Auckland (N.-Z.)

I. Macquarie (Austr.)   Campbell (N.-Z.)

Antarctique   Cercle polaire antarctique   66°33'

LE MONDE POPULATION

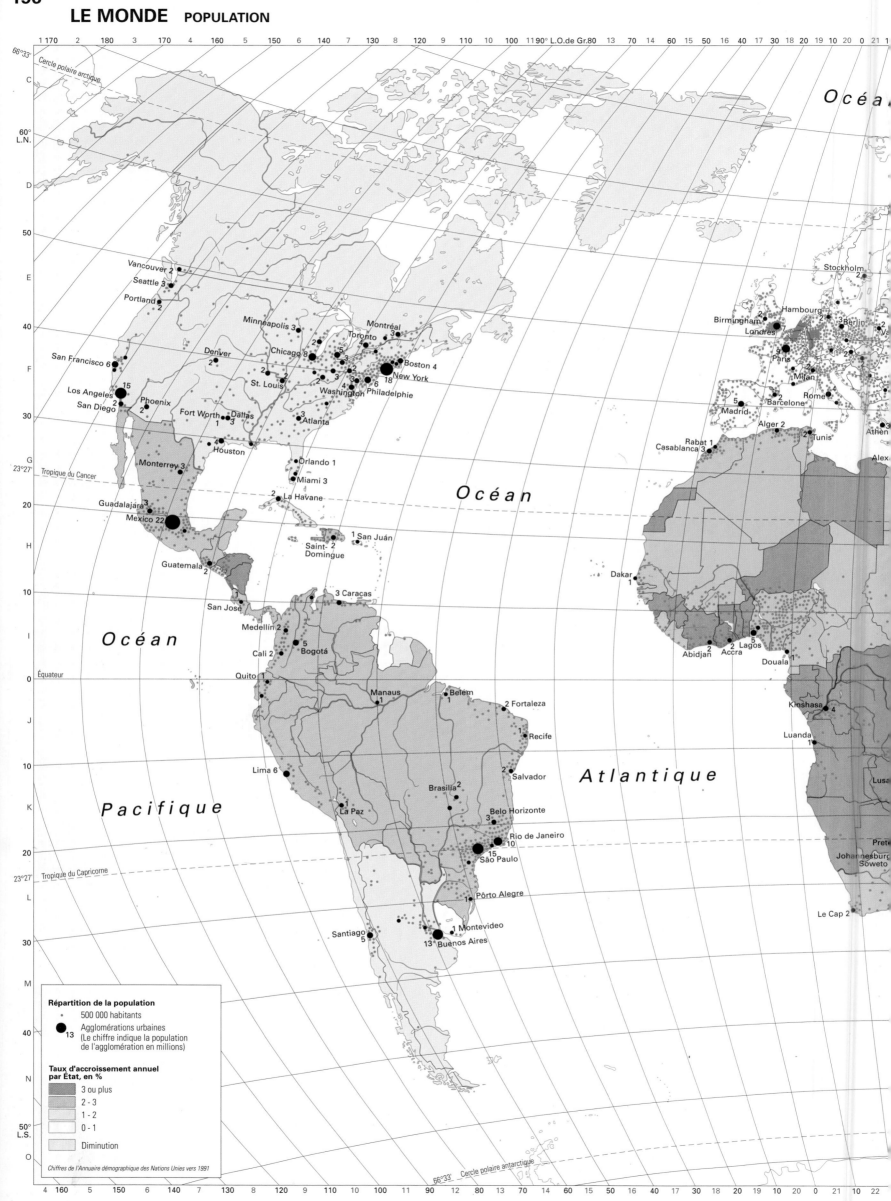

Océan

Océan

Océan

Atlantique

Pacifique

Vancouver 2
Seattle 3
Portland 2
San Francisco 6
Los Angeles 15
San Diego 2
Phoenix 2
Monterrey 3
Guadalajara 3
Mexico 22
Guatemala 2
San José 1
Minneapolis 3
Denver 2
Chicago 8
St. Louis 2
Fort Worth 1
Dallas 3
Atlanta 3
Houston 4
Orlando 1
Miami 3
La Havane 2
Saint-Domingue 2
San Juán 1
Montréal 3
Toronto 3
Boston 4
New York 18
Washington 3
Philadelphie 6
Caracas 3
Medellín 2
Cali 2
Bogotá 5
Quito 1
Manaus 1
Belém 1
Fortaleza 2
Recife 1
Lima 6
La Paz 1
Brasília 2
Salvador 2
Belo Horizonte 3
Rio de Janeiro 10
São Paulo 15
Pôrto Alegre
Santiago 5
Montevideo 1
Buenos Aires 13

Stockholm 2
Birmingham 2
Hambourg 2
Berlin 3
Londres
Paris
Milan 4
Rome
Madrid 5
Barcelone
Rabat 1
Casablanca 3
Alger 2
Tunis 2
Athèn
Dakar 1
Abidjan 2
Accra 2
Lagos
Douala 1
Kinshasa 4
Luanda 1
Le Cap 2
Johannesburg
Soweto
Pret

Légende

Répartition de la population

- · 500 000 habitants
- ● Agglomérations urbaines
  13 (Le chiffre indique la population de l'agglomération en millions)

Taux d'accroissement annuel par État, en %

- 3 ou plus
- 2 - 3
- 1 - 2
- 0 - 1
- Diminution

Chiffres de l'Annuaire démographique des Nations Unies vers 1991

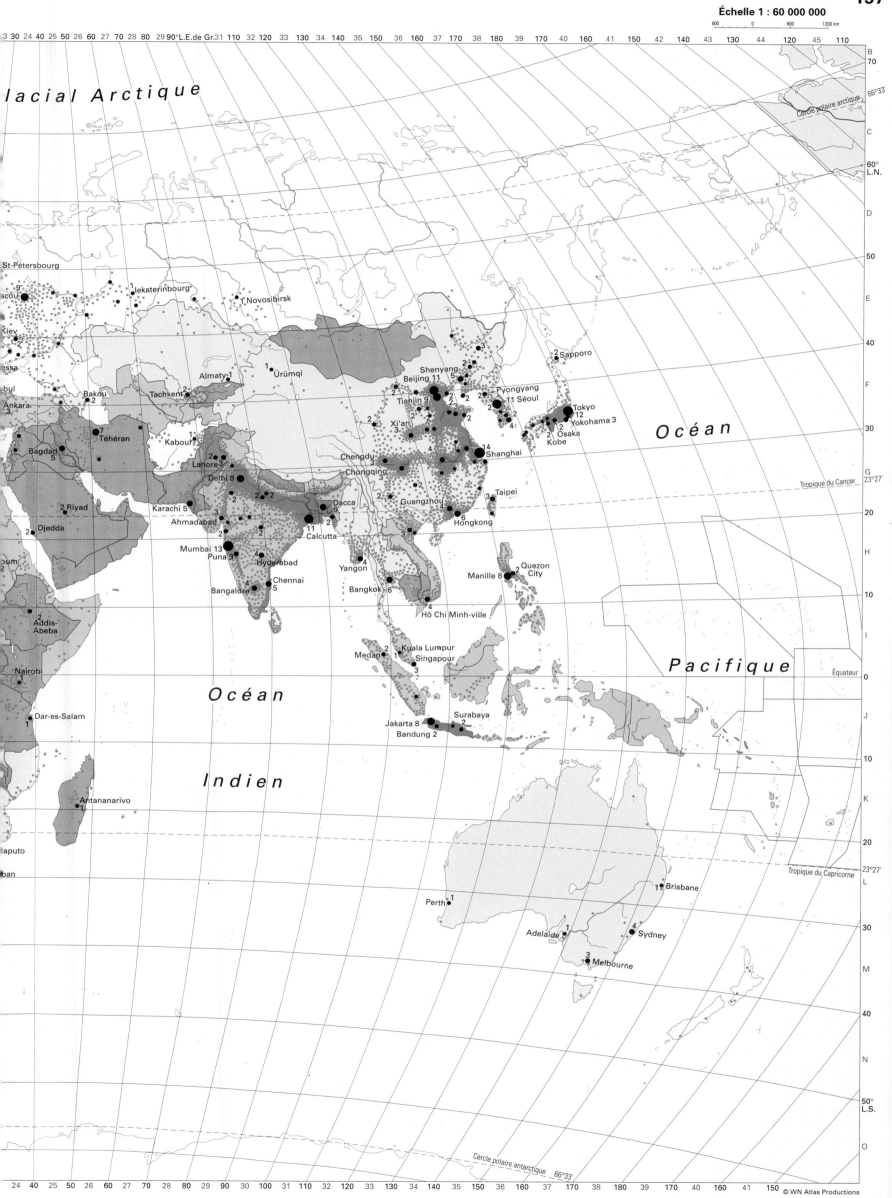

Échelle 1 : 60 000 000

600   0   600   1200 km

Océan Glacial Arctique

Cercle polaire arctique   66°33'

70

60° L.N.

St-Pétersbourg

9   1 Iekaterinbourg   1 Novosibirsk

Kiev

2

essa

bul   Almaty 1   Ürümqi

Ankara   Bakou   Tachkent 2   3 Sapporo

3   2

Téhéran 7   Kaboul   Shenyang   2 Sapporo

Bagdad   Kabul 1   Beijing 11   5 Pyongyang   Tokyo 12

5   Lahore 3   Tianjin 9   11 Séoul   Yokohama 3

Riyad 2   Delhi 8   Xi'an 3   2   Osaka 2   Kobe

Djedda 2   Karachi 5   4   14 Shanghai

Ahmadabad   Chengdu   Chongqing   Taipei 3

2   2   Dacca   3

Mumbai 13   Calcutta 11   Guangzhou   Hongkong

Puna 3   Hyderabad 4   Yangon   2 Quezon City

Addis-Abeba 2   Bangalore 4   Chennai 5   Bangkok 6   Manille 8

Nairobi   Hô Chi Minh-ville 4

Dar-es-Salam   Kuala Lumpur 2   Medan 1   Singapour 3

Antananarivo 1   Jakarta 8   Surabaya 2   Bandung 2

Océan Indien

Océan Pacifique

Équateur

Tropique du Cancer   23°27'

Tropique du Capricorne   23°27'

Perth 1   Brisbane 1

Adelaïde 1   Sydney 4

Melbourne 3

Cercle polaire antarctique   66°33'

© WN Atlas Productions

LA TERRE GÉOLOGIE

Échelle 1 : 200 000 000

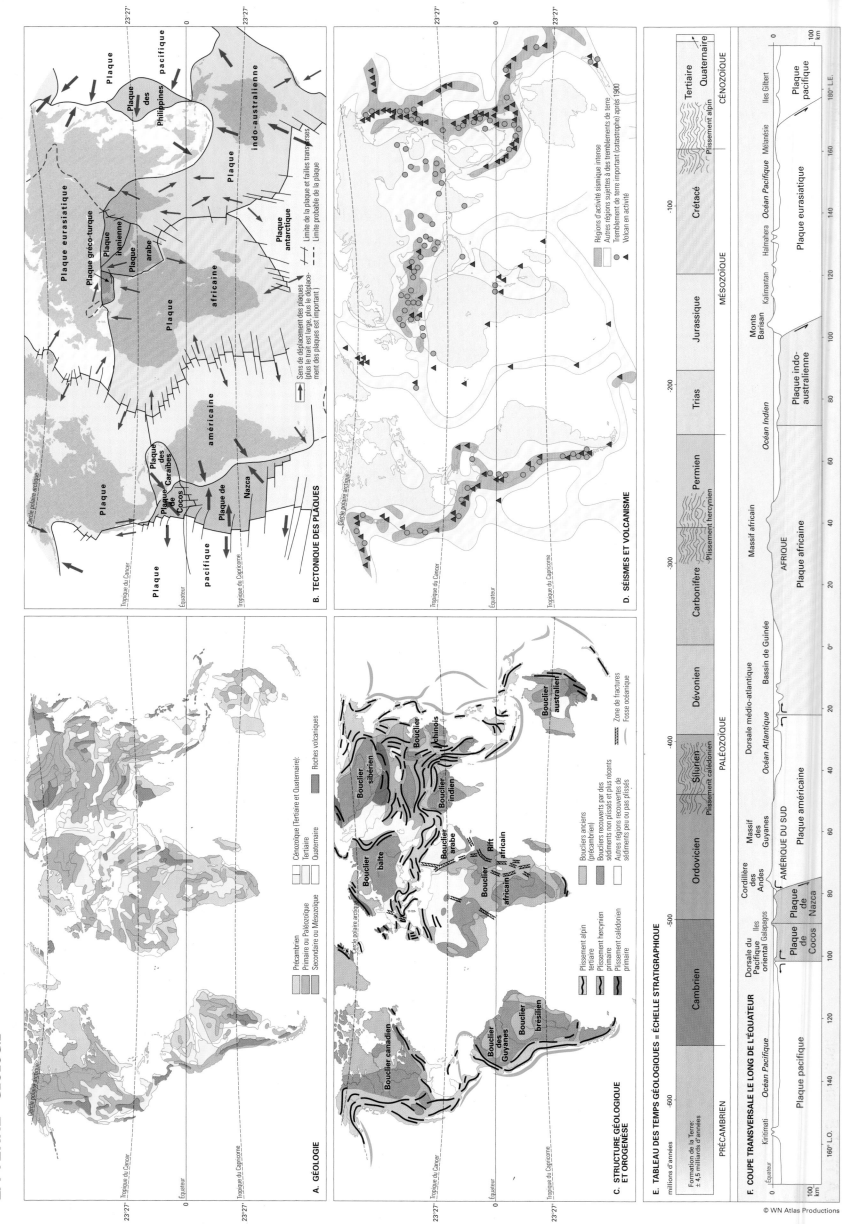

A. GÉOLOGIE

- Précambrien
- Primaire ou Paléozoïque
- Secondaire ou Mésozoïque
- Cénozoïque (Tertiaire et Quaternaire):
  - Tertiaire
  - Quaternaire
- Roches volcaniques

B. TECTONIQUE DES PLAQUES

Plaque pacifique — Plaque des Philippines — Plaque eurasiatique — Plaque gréco-turque — Plaque iranienne — Plaque arabe — Plaque indo-australienne — Plaque africaine — Plaque antarctique — Plaque américaine — Plaque des Caraïbes — Plaque de Cocos — Plaque de Nazca — Plaque pacifique

- Sens de déplacement des plaques (plus le trait est large, plus le déplacement des plaques est important)
- Limite de la plaque et failles transverses
- Limite probable de la plaque

C. STRUCTURE GÉOLOGIQUE ET OROGENÈSE

Bouclier canadien — Bouclier des Guyanes — Bouclier brésilien — Bouclier sibérien — Bouclier balte — Bouclier chinois — Bouclier indien — Bouclier arabe — Bouclier africain — Rift africain — Bouclier australien

- Plissement alpin tertiaire
- Plissement hercynien primaire
- Plissement calédonien primaire
- Boucliers anciens (précambrien)
- Boucliers recouverts par des sédiments non plissés et plus récents
- Autres régions recouvertes de sédiments peu ou pas plissés
- Zone de fractures
- Fosse océanique

D. SÉISMES ET VOLCANISME

- Régions d'activité sismique intense
- Autres régions sujettes à des tremblements de terre
- Tremblement de terre important (catastrophe) après 1900
- Volcan en activité

E. TABLEAU DES TEMPS GÉOLOGIQUES = ÉCHELLE STRATIGRAPHIQUE

millions d'années		-600		-500	-400			-300			-200		-100		
Formation de la Terre: ± 4,5 milliards d'années	PRÉCAMBRIEN	Cambrien	Ordovicien	Silurien	Dévonien	Carbonifère	Permien	Trias	Jurassique	Crétacé	Tertiaire	Quaternaire
					Plissement calédonien	Plissement hercynien	Plissement alpin
		PALÉOZOÏQUE						MÉSOZOÏQUE			CÉNOZOÏQUE	

F. COUPE TRANSVERSALE LE LONG DE L'ÉQUATEUR

160° L.O. — Kiritimati — Dorsale du Pacifique oriental Galapagos — Îles — Plaque de Cocos — Plaque de Nazca — Cordillère des Andes — Massif des Guyanes — Dorsale médio-atlantique — Massif africain — Monts Barisan — Kalimantan — Halmahera — Mélanésie — Îles Gilbert — 180° L.E.

Océan Pacifique — AMÉRIQUE DU SUD — Océan Atlantique — AFRIQUE — Océan Indien — Océan Pacifique

Plaque pacifique — Plaque américaine — Plaque africaine — Plaque indo-australienne — Plaque eurasiatique — Plaque pacifique

LA TERRE GÉOLOGIE

Échelle 1 : 200 000 000

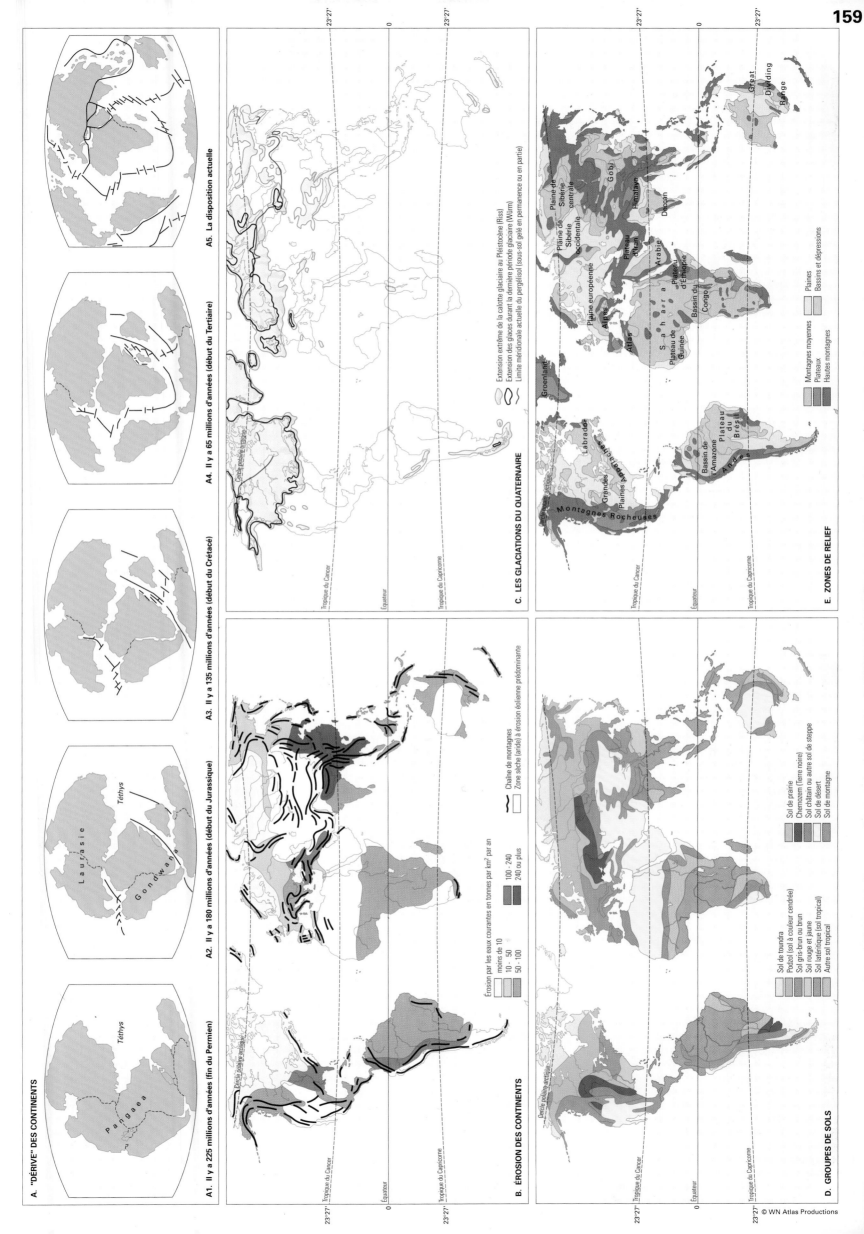

A. "DÉRIVE" DES CONTINENTS

A1. Il y a 225 millions d'années (fin du Permien)

Téthys

Pangaea

A2. Il y a 180 millions d'années (début du Jurassique)

Laurasie

Téthys

Gondwana

A3. Il y a 135 millions d'années (début du Crétacé)

A4. Il y a 65 millions d'années (début du Tertiaire)

A5. La disposition actuelle

B. ÉROSION DES CONTINENTS

Érosion par les eaux courantes en tonnes par km² par an
- moins de 10
- 10 - 50
- 50 - 100
- 100 - 240
- 240 ou plus

Chaîne de montagnes
Zone sèche (aride) à érosion éolienne prédominante

C. LES GLACIATIONS DU QUATERNAIRE

Extension extrême de la calotte glaciaire au Pléistocène (Riss)
Extension des glaces durant la dernière période glaciaire (Würm)
Limite méridionale actuelle du pergélisol (sous-sol gelé en permanence ou en partie)

D. GROUPES DE SOLS

- Sol de toundra
- Podzol (sol à couleur cendrée)
- Sol gris-brun ou brun
- Sol rouge et jaune
- Sol latéritique (sol tropical)
- Autre sol tropical
- Sol de prairie
- Chernozem (Terre noire)
- Sol châtain ou autre sol de steppe
- Sol de désert
- Sol de montagne

E. ZONES DE RELIEF

- Montagnes moyennes
- Plateaux
- Hautes montagnes
- Plaines
- Bassins et dépressions

Groenland
Labrador
Grandes Plaines
Montagnes Rocheuses
Bassin de l'Amazone
Andes
Plateau du Brésil
Plaine de Sibérie occidentale
Plaine de Sibérie centrale
Gobi
Plaine européenne
Alpes
Atlas
Plateau d'Iran
Himalaya
Deccan
Arabie
Sahara
Plateau d'Éthiopie
Plateau de Guinée
Bassin du Congo
Great Dividing Range

Cercle polaire arctique
Tropique du Cancer
Équateur
Tropique du Capricorne
23°27'
0

© WN Atlas Productions

LA TERRE CLIMAT

Échelle 1 : 200 000 000

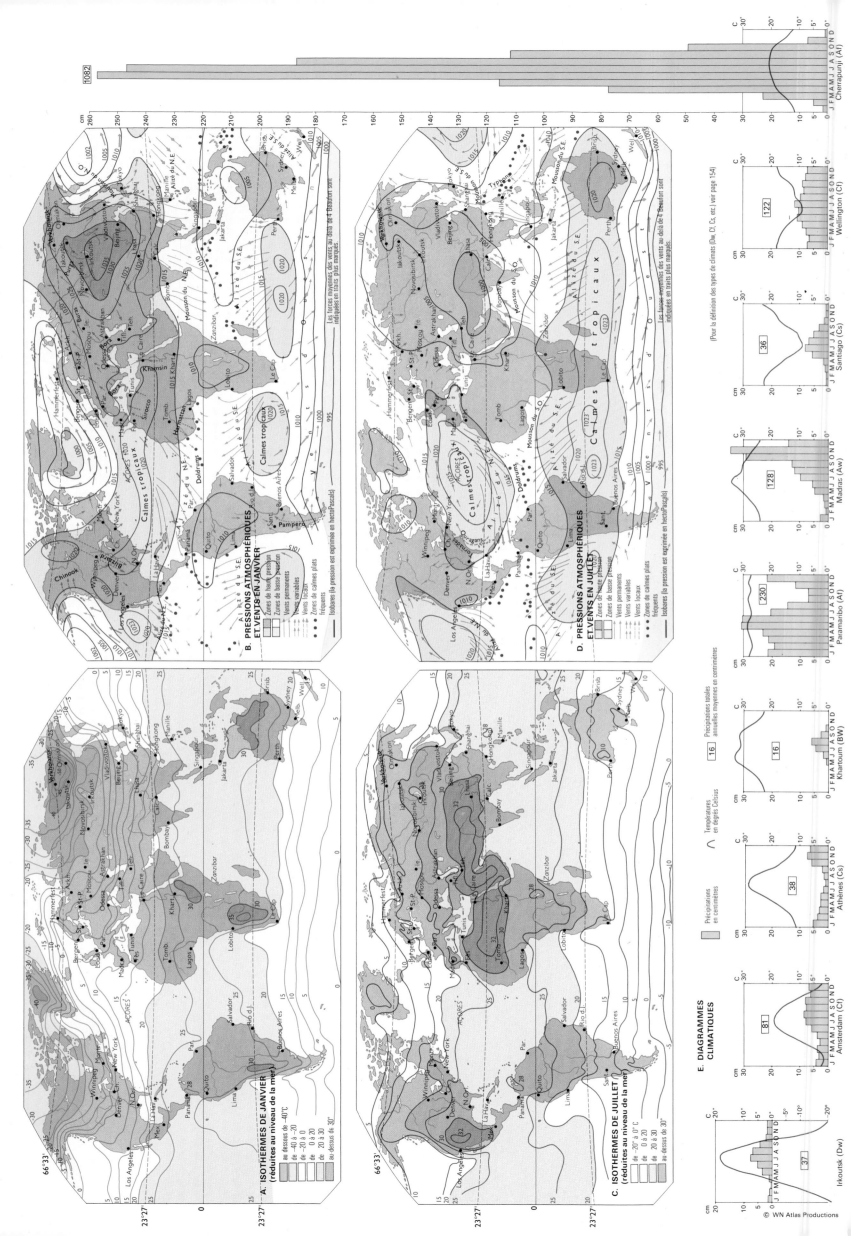

A. ISOTHERMES DE JANVIER (réduites au niveau de la mer)

au dessous de −40°C
de −40 à −20
de −20 à 0
de 0 à 20
de 20 à 30
au dessus de 30°

B. PRESSIONS ATMOSPHÉRIQUES ET VENTS EN JANVIER

Zones de haute pression
Zones de basse pression
Vents permanents
Vents variables
Vents locaux
Zones de calmes plats fréquents
Isobares (la pression est exprimée en hectoPascals)

Les forces moyennes des vents au delà de 4 Beaufort sont indiquées en traits plus marqués.

C. ISOTHERMES DE JUILLET (réduites au niveau de la mer)

de −20 à 0°C
de 0 à 20
de 20 à 30
au dessus de 30°

D. PRESSIONS ATMOSPHÉRIQUES ET VENTS EN JUILLET

Zones de haute pression
Zones de basse pression
Vents permanents
Vents variables
Vents locaux
Zones de calmes plats fréquents
Isobares (la pression est exprimée en hectoPascals)

Les forces moyennes des vents au delà de 4 Beaufort sont indiquées en traits plus marqués.

E. DIAGRAMMES CLIMATIQUES

Précipitations en centimètres

Températures en degrés Celsius

16 Précipitations totales annuelles moyennes en centimètres

(Pour la définition des types de climats (Dw, Cf, Cs, etc.) voir page 154)

Irkoutsk (Dw) 37
Athènes (Cs) 38
Amsterdam (Cf) 81
Khartoum (BW) 16
Paramaribo (Af) 230
Madras (Aw) 128
Santiago (Cs) 36
Wellington (Cf) 122
Cherrapunji (Af) 1082

© WN Atlas Productions

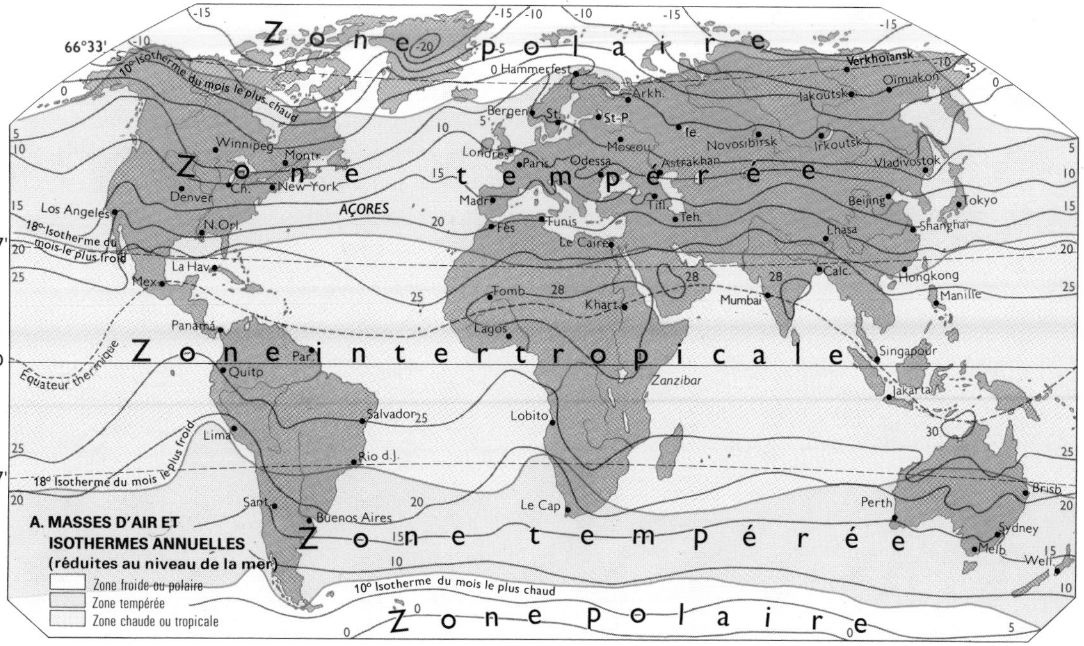

LA TERRE CLIMAT

D. CARTES DU TEMPS

PRESSION ATMOSPHÉRIQUE
- Isobares
- HectoPascals — 1010
- H — Zone de haute pression
- B — Zone de basse pression

VITESSE DU VENT
- Vent faible
- 10 km/heure
- 20 km/heure
- 30 km/heure
- 40 km/heure
- 50 km/heure

DIRECTION DU VENT
- Vent du nord
- Vent du sud
- Vent d'est
- Vent d'ouest

TEMPÉRATURE
- Degrés Celsius — 5

NÉBULOSITÉ
- Ciel complètement dégagé
- Nébulosité 25%
- Nébulosité 50%
- Nébulosité 75%
- Ciel couvert

PRÉCIPITATIONS
- Pluie
- Neige

FRONTS
- Front chaud
- Front froid
- Occlusion

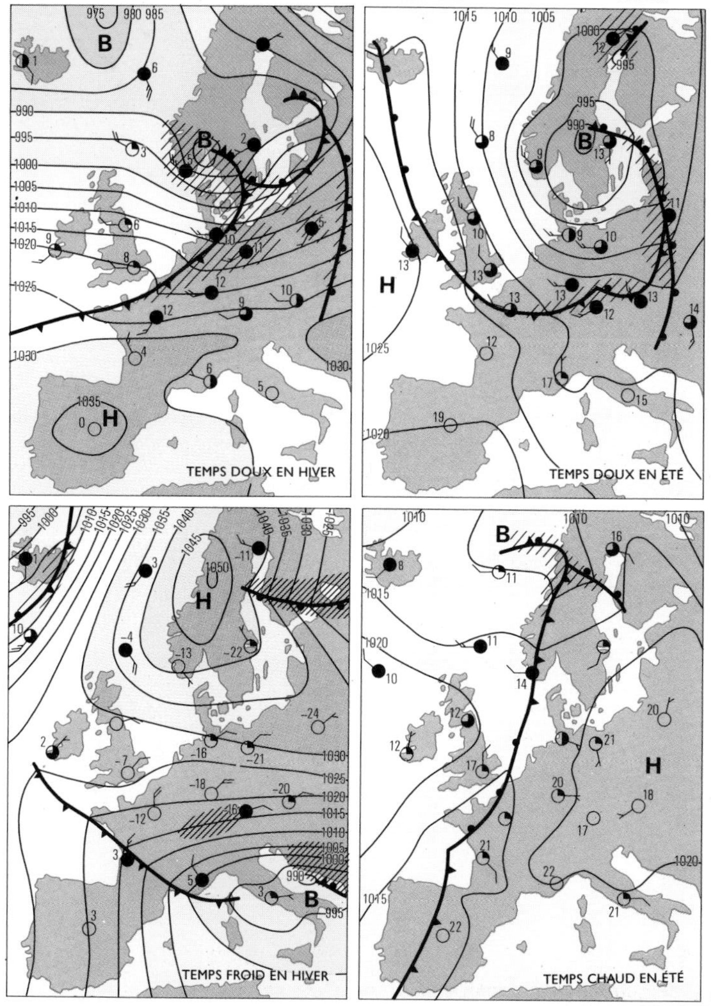

A. MASSES D'AIR ET ISOTHERMES ANNUELLES (réduites au niveau de la mer)

18° isotherme du mois le plus chaud
18° isotherme du mois le plus froid

Zone froide ou polaire
Zone tempérée
Zone chaude ou tropicale

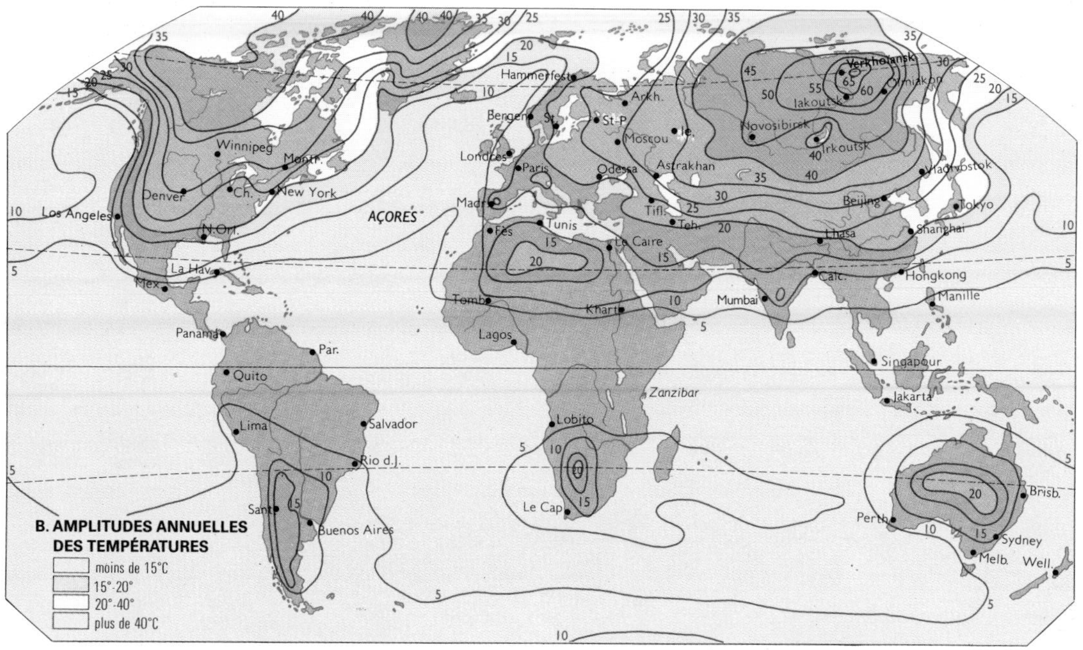

Zone polaire
Zone tempérée
Zone intertropicale
Zone tempérée
Zone polaire

ACORES

B. AMPLITUDES ANNUELLES DES TEMPÉRATURES

moins de 15°C
15°-20°
20°-40°
plus de 40°C

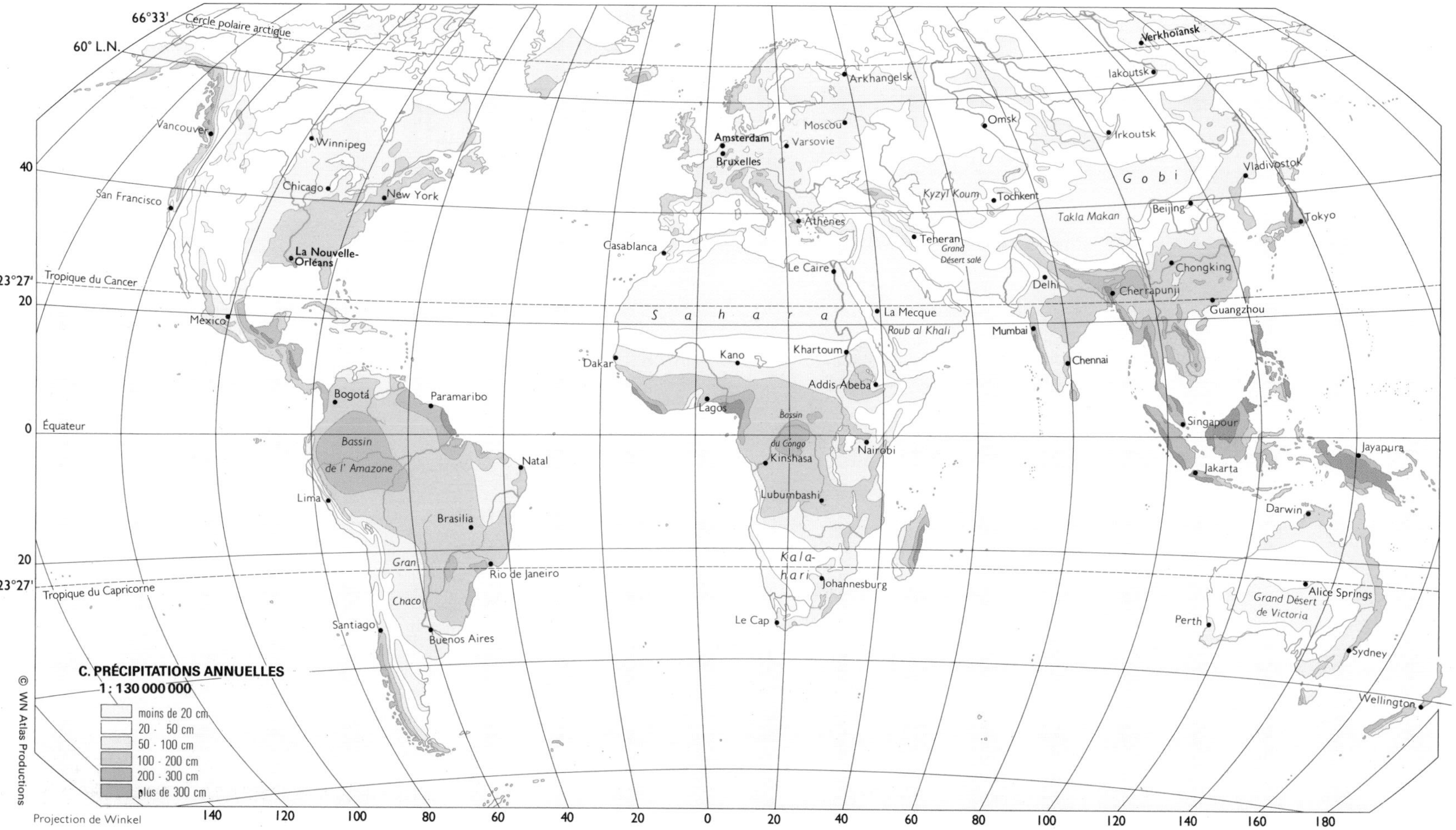

C. PRÉCIPITATIONS ANNUELLES
1 : 130 000 000

moins de 20 cm
20 - 50 cm
50 - 100 cm
100 - 200 cm
200 - 300 cm
plus de 300 cm

Projection de Winkel

TEMPS DOUX EN ÉTÉ
TEMPS CHAUD EN ÉTÉ
TEMPS DOUX EN HIVER
TEMPS FROID EN HIVER
TEMPS FROID EN ÉTÉ
TEMPS CHAUD EN HIVER

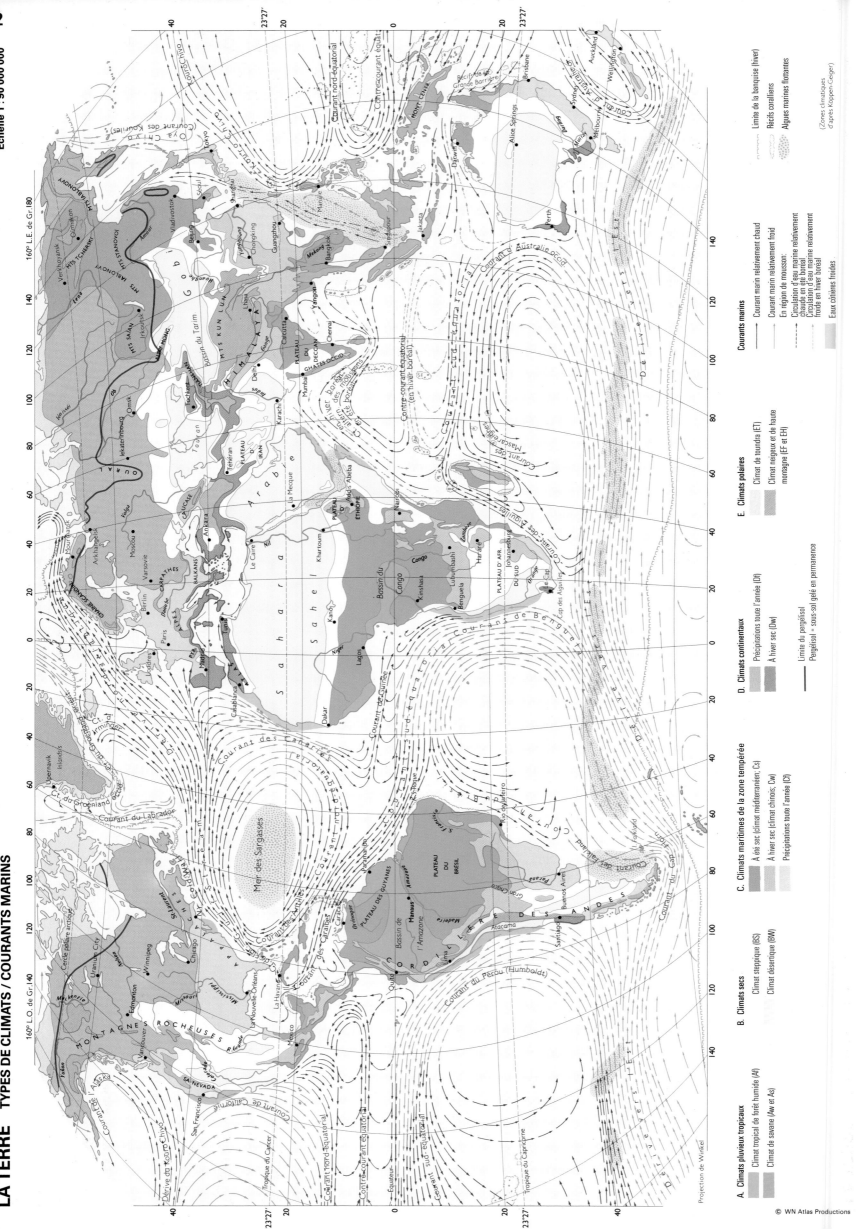

Échelle 1 : 90 000 000

LA TERRE TYPES DE CLIMATS / COURANTS MARINS

Projection de Winkel

© WN Atlas Productions

A. Climats pluvieux tropicaux

Climat tropical de forêt humide (Af)

Climat de savane (Aw et As)

B. Climats secs

Climat steppique (BS)

Climat désertique (BW)

C. Climats maritimes de la zone tempérée

A été sec (climat méditerranéen, Cs)

A hiver sec (climat chinois, Cw)

Précipitations toute l'année (Cf)

D. Climats continentaux

Précipitations toute l'année (Df)

A hiver sec (Dw)

Limite du pergélisol

Pergélisol = sous-sol gelé en permanence

E. Climats polaires

Climat de toundra (ET)

Climat neigeux et de haute montagne (EF et EH)

(Zones climatiques d'après Köppen-Geiger)

Courants marins

Courant marin relativement chaud

Courant marin relativement froid

En région de mousson:

Circulation d'eau marine relativement chaude en été boréal

Circulation d'eau marine relativement froide en hiver boréal

Eaux côtières froides

Limite de la banquise (hiver)

Récifs coralliens

Algues marines flottantes

LA TERRE VÉGÉTATION NATURELLE

Échelle 1 : 90.000.000

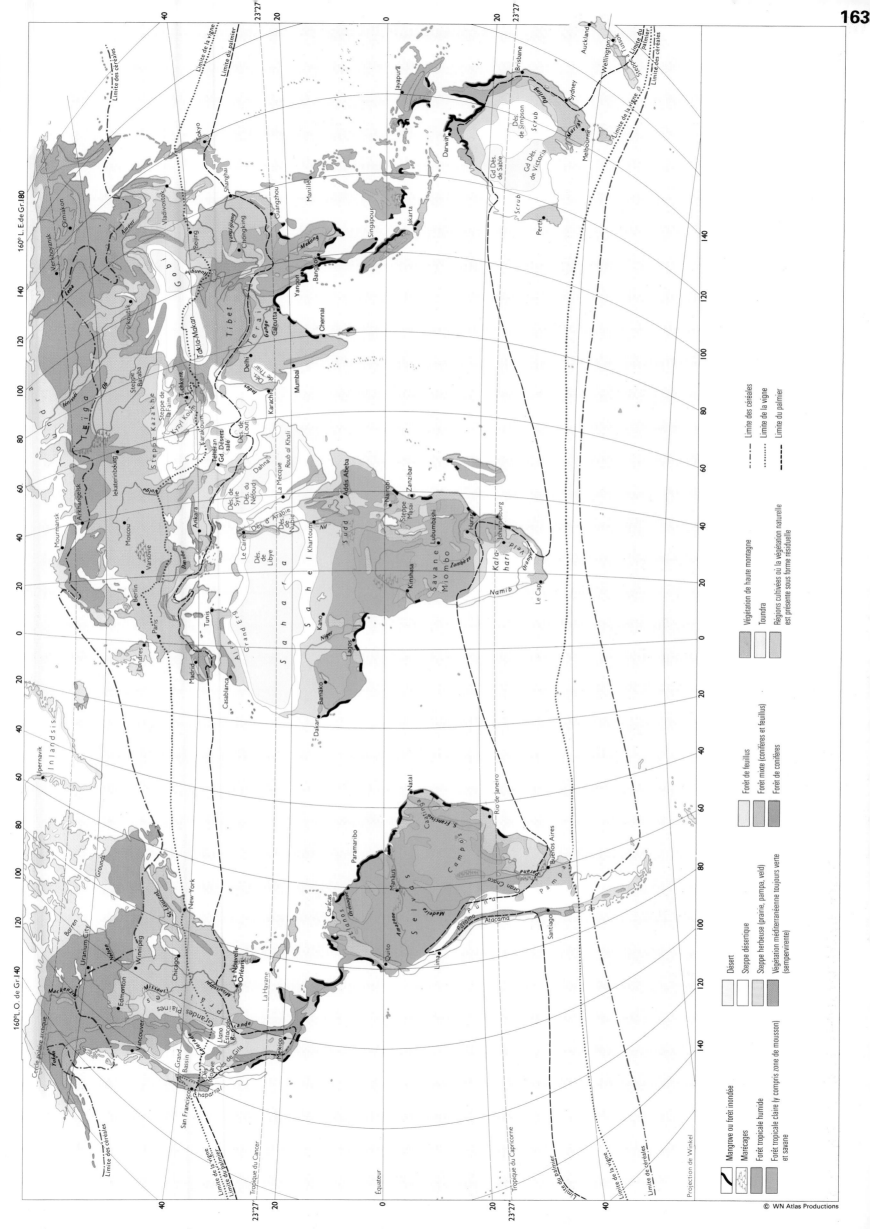

Légende

- Mangrove ou forêt inondée
- Marécages
- Forêt tropicale humide
- Forêt tropicale claire (y compris zone de mousson) et savane
- Désert
- Steppe désertique
- Steppe herbeuse (prairie, pampa, veld)
- Végétation méditerranéenne toujours verte (sempervirente)
- Forêt de feuillus
- Forêt mixte (conifères et feuillus)
- Forêt de conifères
- Végétation de haute montagne
- Toundra
- Régions cultivées où la végétation naturelle est présente sous forme résiduelle

- Limite des céréales
- Limite de la vigne
- Limite du palmier

Projection de Winkel

© WN Atlas Productions

LA TERRE LES ZONES DE CULTURE SUR LE GLOBE

Échelle 1 : 90 000 000

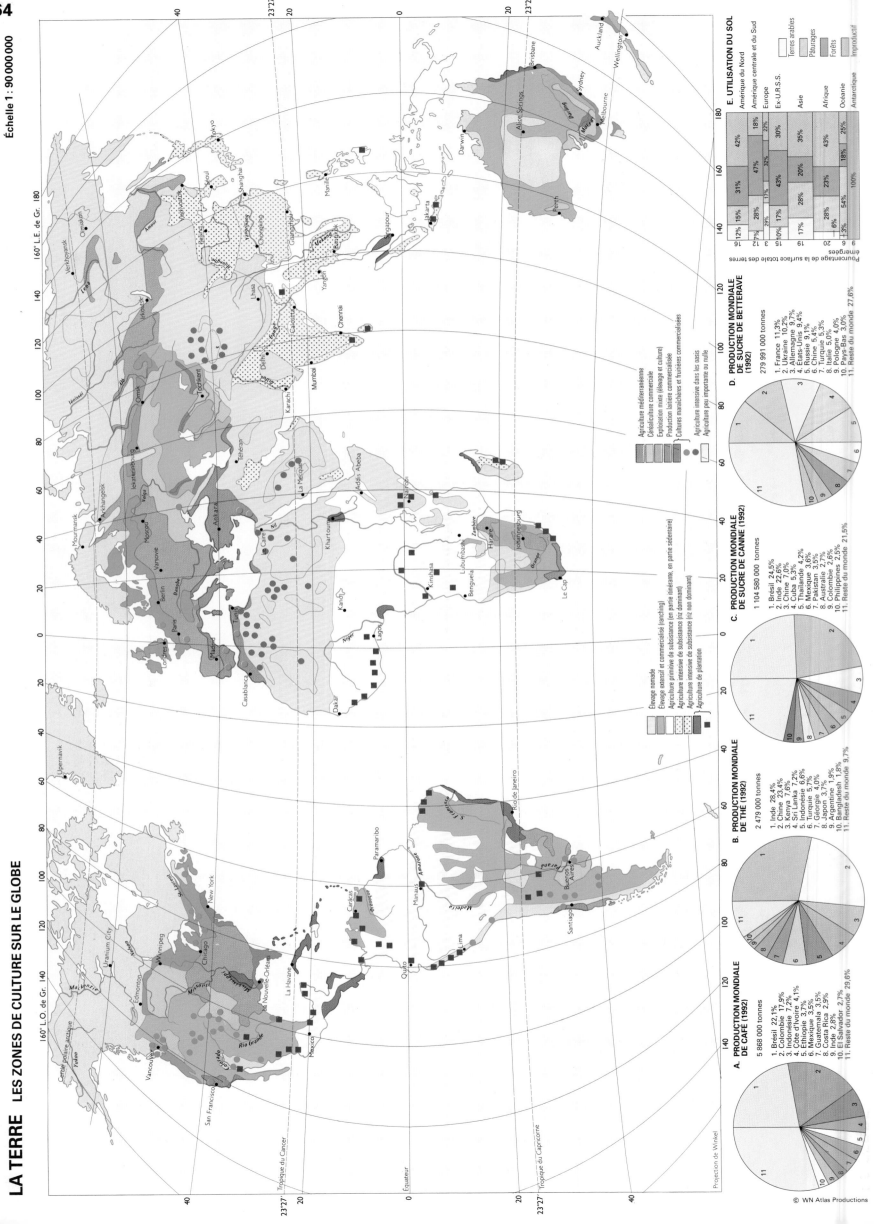

Projection de Winkel

Élevage nomade
Élevage extensif et commercialisé (ranching)
Agriculture primitive de subsistance (en partie itinérante, en partie sédentaire)
Agriculture intensive de subsistance (riz dominant)
Agriculture intensive de subsistance (riz non dominant)
Agriculture de plantation

Agriculture méditerranéenne
Céréaliculture commerciale
Exploitation mixte (élevage et culture)
Production laitière commercialisée
Cultures maraîchères et fruitières commercialisées
Agriculture intensive dans les oasis
Agriculture peu importante ou nulle

A. PRODUCTION MONDIALE DE CAFÉ (1992)
5 868 000 tonnes
1. Brésil 22,1%
2. Colombie 17,9%
3. Indonésie 7,2%
4. Côte d'Ivoire 4,1%
5. Éthiopie 3,7%
6. Mexique 3,5%
7. Guatemala 3,5%
8. Costa Rica 2,9%
9. Inde 2,8%
10. El Salvador 2,7%
11. Reste du monde 29,6%

B. PRODUCTION MONDIALE DE THÉ (1992)
2 479 000 tonnes
1. Inde 28,4%
2. Chine 23,4%
3. Kenya 7,6%
4. Sri Lanka 7,2%
5. Indonésie 6,6%
6. Turquie 5,7%
7. Géorgie 4,0%
8. Japon 3,7%
9. Argentine 1,9%
10. Bangladesh 1,8%
11. Reste du monde 9,7%

C. PRODUCTION MONDIALE DE SUCRE DE CANNE (1992)
1 104 580 000 tonnes
1. Brésil 24,5%
2. Inde 22,6%
3. Chine 5,3%
4. Cuba 5,3%
5. Thaïlande 4,2%
6. Mexique 3,6%
7. Pakistan 3,5%
8. Australie 2,7%
9. Colombie 2,6%
10. Philippines 2,5%
11. Reste du monde 21,5%

D. PRODUCTION MONDIALE DE SUCRE DE BETTERAVE (1992)
279 991 000 tonnes
1. France 11,3%
2. Ukraine 10,2%
3. Allemagne 9,7%
4. États-Unis 9,4%
5. Russie 9,1%
6. Chine 5,4%
7. Turquie 5,3%
8. Italie 5,0%
9. Pologne 4,0%
10. Pays-Bas 3,0%
11. Reste du monde 27,6%

E. UTILISATION DU SOL

	Terres arables	Pâturages	Forêts	Improductif
Amérique du Nord	12%	15%	31%	42%
Amérique centrale et du Sud	7%	28%	47%	18%
Europe	29%	17%	32%	22%
Ex-U.R.S.S.	10%	17%	43%	30%
Asie	17%	28%	20%	35%
Afrique	6%	23%	43%	
Océanie	3%	54%	18%	25%
Antarctique				100%

Pourcentage de la surface totale des terres émergées

© WN Atlas Productions

LA TERRE AGRICULTURE

Échelle 1 : 90 000 000

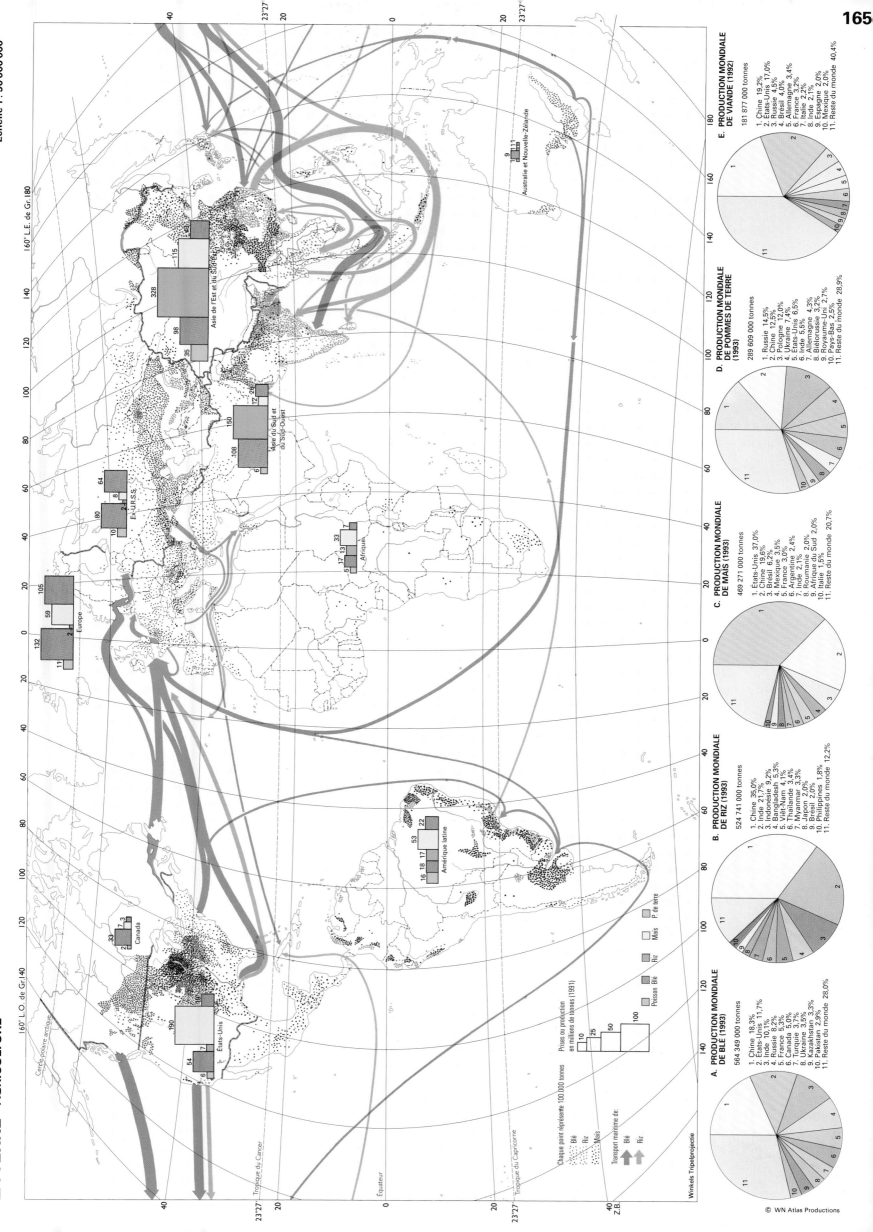

Cercle polaire arctique

Tropique du Cancer

23°27'

Équateur

Tropique du Capricorne

23°27'

Z.B.

Winkels Tripelprojectie

Chaque point représente 100 000 tonnes

- Blé
- Riz
- Maïs

Transport maritime de:
- Blé
- Riz

Prises ou production en millions de tonnes (1991)

10 · 25 · 50 · 100

- Poisson
- Blé
- Riz
- Maïs
- P. de terre

Canada

États-Unis

Amérique latine

Europe

Ex-U.R.S.S.

Afrique

Asie du Sud et du Sud-Ouest

Asie de l'Est et du Sud-Est

Australie et Nouvelle-Zélande

A. PRODUCTION MONDIALE DE BLÉ (1993)
564 349 000 tonnes

1. Chine 18,3%
2. États-Unis 11,7%
3. Inde 10,1%
4. Russie 8,2%
5. France 5,3%
6. Canada 5,0%
7. Ukraine 3,7%
8. Turquie 3,5%
9. Kazakhstan 3,3%
10. Pakistan 2,9%
11. Reste du monde 28,0%

B. PRODUCTION MONDIALE DE RIZ (1993)
524 741 000 tonnes

1. Chine 35,0%
2. Inde 21,7%
3. Indonésie 9,2%
4. Bangladesh 5,3%
5. Viêt-Nam 4,1%
6. Thaïlande 3,4%
7. Myanmar 3,3%
8. Japon 2,0%
9. Brésil 2,0%
10. Philippines 1,8%
11. Reste du monde 12,2%

C. PRODUCTION MONDIALE DE MAÏS (1993)
469 271 000 tonnes

1. États-Unis 37,0%
2. Chine 19,6%
3. Brésil 6,2%
4. Mexique 3,5%
5. France 3,0%
6. Argentine 2,4%
7. Inde 2,1%
8. Roumanie 2,0%
9. Afrique du Sud 2,0%
10. Italie 1,5%
11. Reste du monde 20,7%

D. PRODUCTION MONDIALE DE POMMES DE TERRE (1993)
289 609 000 tonnes

1. Russie 14,5%
2. Chine 12,5%
3. Pologne 12,0%
4. Ukraine 7,4%
5. États-Unis 6,5%
6. Inde 5,5%
7. Allemagne 4,3%
8. Biélorussie 3,2%
9. Royaume-Uni 2,7%
10. Pays-Bas 2,5%
11. Reste du monde 28,9%

E. PRODUCTION MONDIALE DE VIANDE (1992)
181 877 000 tonnes

1. Chine 19,2%
2. États-Unis 17,0%
3. Russie 4,5%
4. Brésil 4,0%
5. Allemagne 2,4%
6. France 3,2%
7. Italie 2,2%
8. Inde 2,1%
9. Espagne 2,0%
10. Mexique 2,0%
11. Reste du monde 40,4%

© WN Atlas Productions

LA TERRE   POPULATION

Échelle 1 : 200 000 000

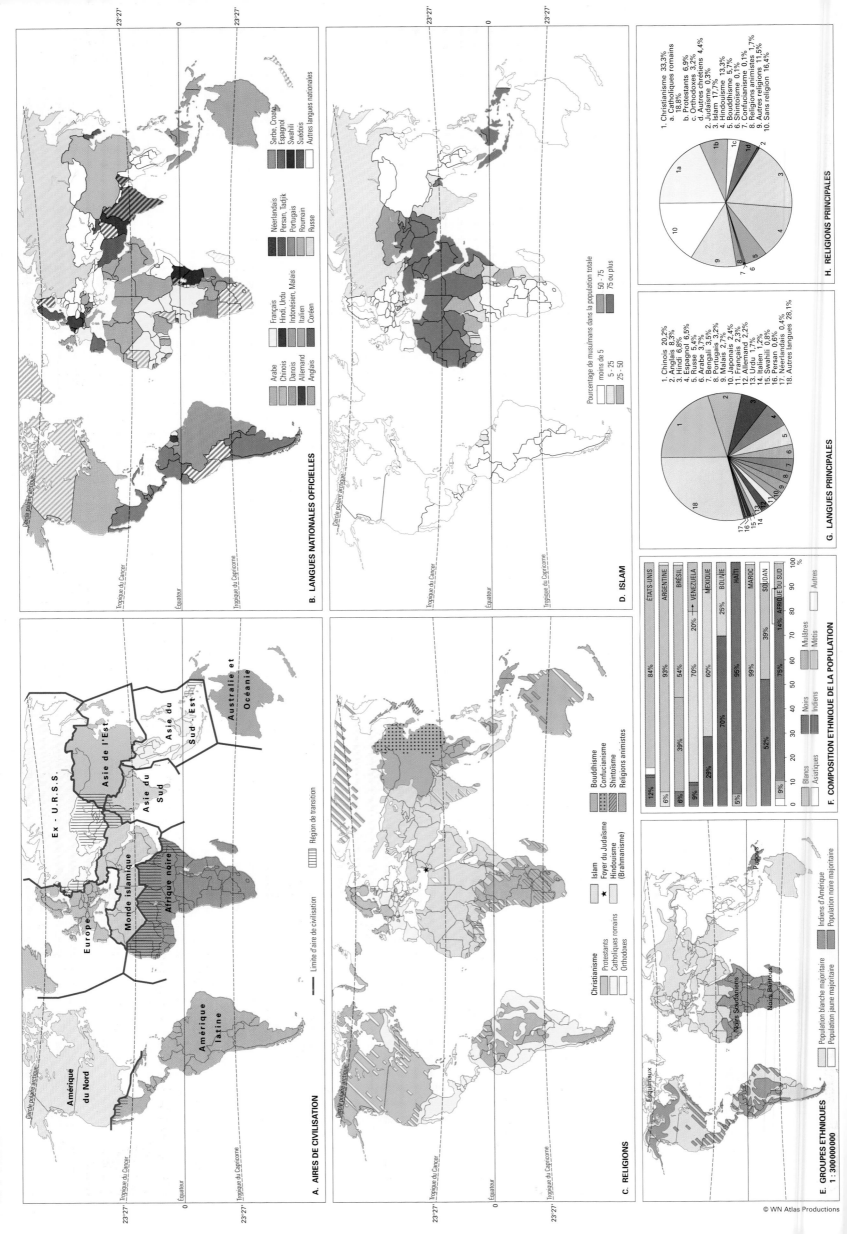

A. AIRES DE CIVILISATION

Amérique du Nord
Amérique latine
Europe
Ex - U.R.S.S.
Monde islamique
Afrique noire
Asie du Sud
Asie du Sud-Est
Asie de l'Est
Australie et Océanie

—— Limite d'aire de civilisation

▦ Région de transition

B. LANGUES NATIONALES OFFICIELLES

Arabe
Chinois
Danois
Allemand
Anglais

Français
Hindi, Urdu
Indonésien, Malais
Italien
Coréen

Néerlandais
Persan, Tadjik
Portugais
Roumain
Russe

Serbe, Croate
Espagnol
Swahili
Suédois
Autres langues nationales

C. RELIGIONS

Christianisme
Protestants
Catholiques romains
Orthodoxes

Islam
★ Foyer du Judaïsme
Hindouisme (Brahmanisme)

Bouddhisme
Confucianisme
Shintoïsme
Religions animistes

D. ISLAM

Pourcentage de musulmans dans la population totale
moins de 5
5 - 25
25 - 50
50 - 75
75 ou plus

E. GROUPES ETHNIQUES
1 : 300 000 000

Esquimaux
Papous
Noirs Soudaniens
Noirs Bantous
Indiens d'Amérique

Population blanche majoritaire
Population jaune majoritaire
Population noire majoritaire

F. COMPOSITION ETHNIQUE DE LA POPULATION

	0	10	20	30	40	50	60	70	80	90	100 %
ÉTATS-UNIS	12%							84%			
ARGENTINE	6%					93%					
BRÉSIL	6%			39%		54%					
VENEZUELA	9%		20% →			70%					
MEXIQUE	29%			60%							
BOLIVIE		70%						25%			
HAÏTI	5%					95%					
MAROC							99%				
SOUDAN	52%					39%			14%		
AFRIQUE DU SUD	9%				75%						

Blancs
Asiatiques
Noirs
Indiens
Mulâtres
Métis
Autres

G. LANGUES PRINCIPALES

1. Chinois 20,2%
2. Anglais 8,3%
3. Hindi 6,5%
4. Espagnol 5,4%
5. Russe 3,7%
6. Arabe 3,7%
7. Bengali 3,5%
8. Portugais 3,2%
9. Japonais 2,7%
10. Malais 2,4%
11. Français 2,3%
12. Allemand 2,2%
13. Italien 1,7%
14. Urdu 1,2%
15. Swahili 0,8%
16. Persan 0,6%
17. Néerlandais 0,4%
18. Autres langues 28,1%

H. RELIGIONS PRINCIPALES

1. Christianisme 33,3%
   a. Catholiques romains 18,8%
   b. Protestants 6,9%
   c. Orthodoxes 3,2%
   d. Autres chrétiens 4,4%
2. Judaïsme 0,3%
3. Islam 17,7%
4. Hindouisme 13,3%
5. Bouddhisme 5,7%
6. Shintoïsme 0,1%
7. Confucianisme 0,1%
8. Religions animistes 1,7%
9. Autres religions 11,5%
10. Sans religion 16,4%

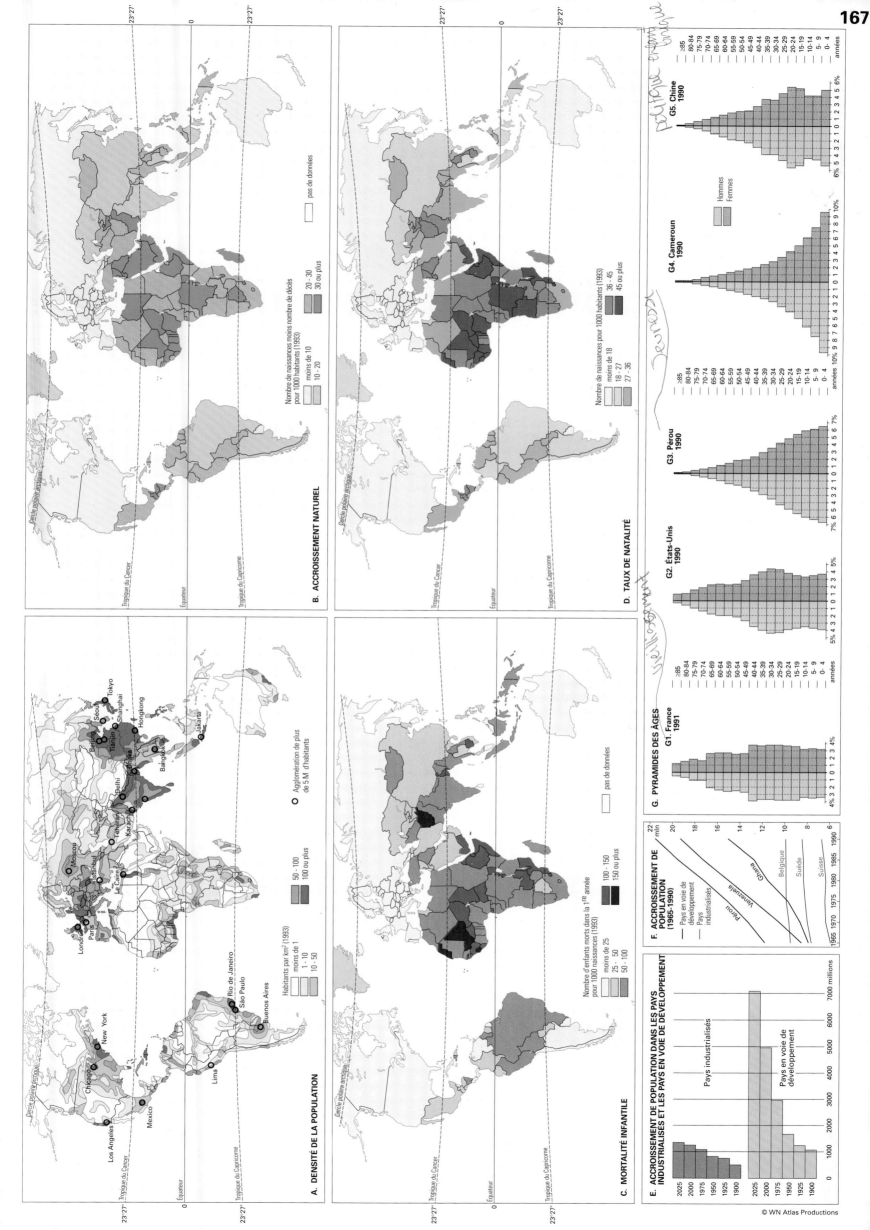

LA TERRE POPULATION

Échelle 1 : 20 000 000

A. DENSITÉ DE LA POPULATION

Habitants par km² (1993)
- moins de 1
- 1 - 10
- 10 - 50
- 50 - 100
- 100 ou plus

○ Agglomération de plus de 5 M d'habitants

Los Angeles, Chicago, New York, Mexico, Lima, Rio de Janeiro, São Paulo, Buenos Aires, Londres, Paris, Moscou, Istanbul, Le Caire, Téhéran, Karachi, Delhi, Calcutta, Bombay, Bangkok, Beijing, Séoul, Tokyo, Tianjin, Shanghai, Hongkong, Jakarta

B. ACCROISSEMENT NATUREL

Nombre de naissances moins nombre de décès pour 1000 habitants (1993)
- moins de 10
- 10 - 20
- 20 - 30
- 30 ou plus
- pas de données

C. MORTALITÉ INFANTILE

Nombre d'enfants morts dans la 1ʳᵉ année pour 1000 naissances (1993)
- moins de 25
- 25 - 50
- 50 - 100
- 100 - 150
- 150 ou plus
- pas de données

D. TAUX DE NATALITÉ

Nombre de naissances pour 1000 habitants (1993)
- moins de 18
- 18 - 27
- 27 - 36
- 36 - 45
- 45 ou plus

E. ACCROISSEMENT DE POPULATION DANS LES PAYS INDUSTRIALISÉS ET LES PAYS EN VOIE DE DÉVELOPPEMENT

Pays industrialisés
Pays en voie de développement

2025, 2000, 1975, 1950, 1925, 1900

0, 1000, 2000, 3000, 4000, 5000, 6000, 7000 millions

F. ACCROISSEMENT DE POPULATION (1965-1990)

Pays en voie de développement
Pays industrialisés

Pérou, Venezuela, Ghana, Belgique, Suède, Suisse

1965, 1970, 1975, 1980, 1985, 1990

22 min, 20, 18, 16, 14, 12, 10, 8, 6

G. PYRAMIDES DES ÂGES

Hommes
Femmes

années: ≥85, 80-84, 75-79, 70-74, 65-69, 60-64, 55-59, 50-54, 45-49, 40-44, 35-39, 30-34, 25-29, 20-24, 15-19, 10-14, 5-9, 0-4

G1. France 1991 — 4% 3 2 1 0 1 2 3 4%

G2. États-Unis 1990 — 5% 4 3 2 1 0 1 2 3 4 5%

G3. Pérou 1990 — 7% 6 5 4 3 2 1 0 1 2 3 4 5 6 7%

G4. Cameroun 1990 — 10% 9 8 7 6 5 4 3 2 1 0 1 2 3 4 5 6 7 8 9 10%

G5. Chine 1990 — 6% 5 4 3 2 1 0 1 2 3 4 5 6%

© WN Atlas Productions

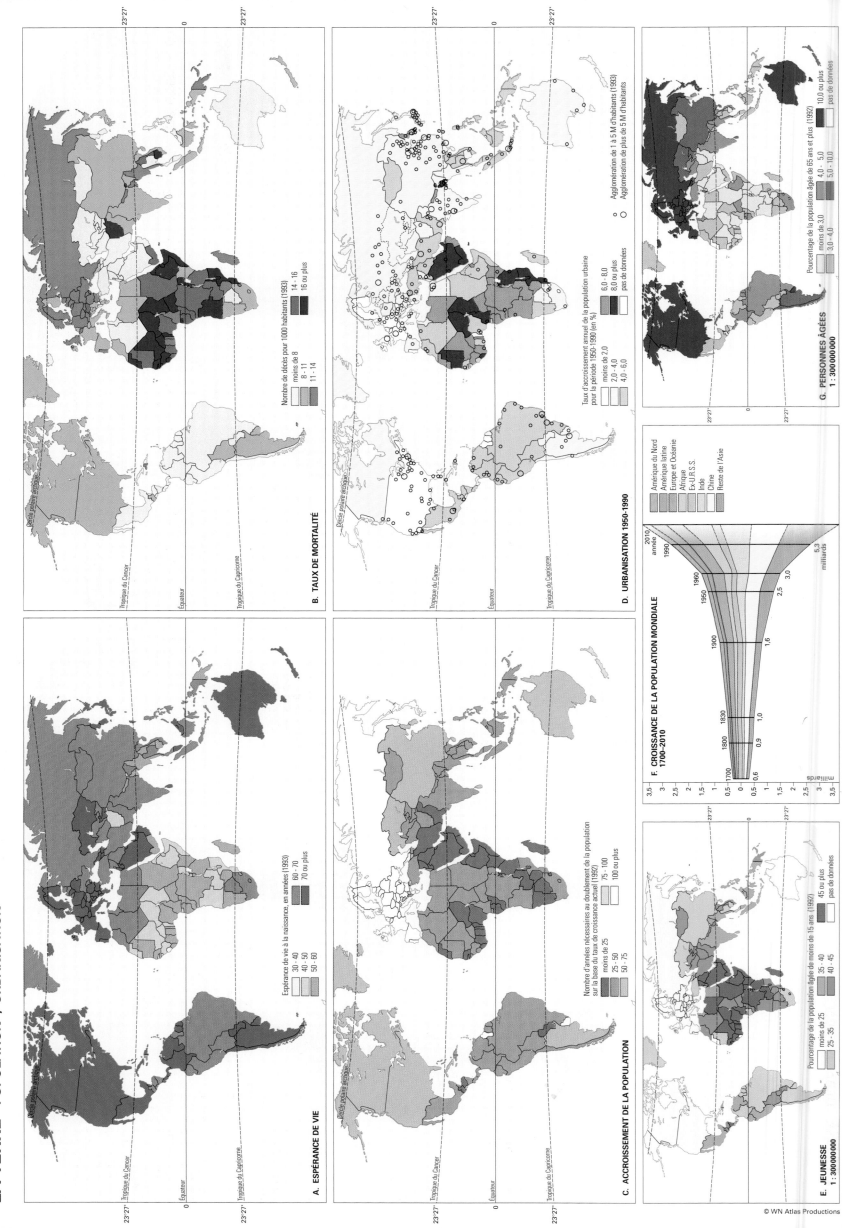

Échelle 1 : 200 000 000

LA TERRE POPULATION / URBANISATION

A. ESPÉRANCE DE VIE

Espérance de vie à la naissance, en années (1993)
- 30 - 40
- 40 - 50
- 50 - 60
- 60 - 70
- 70 ou plus

B. TAUX DE MORTALITÉ

Nombre de décès pour 1000 habitants (1993)
- moins de 8
- 8 - 11
- 11 - 14
- 14 - 16
- 16 ou plus

C. ACCROISSEMENT DE LA POPULATION

Nombre d'années nécessaires au doublement de la population sur la base du taux de croissance actuel (1992)
- moins de 25
- 25 - 50
- 50 - 75
- 75 - 100
- 100 ou plus

D. URBANISATION 1950-1990

Taux d'accroissement annuel de la population urbaine pour la période 1950-1990 (en %)
- moins de 2,0
- 2,0 - 4,0
- 4,0 - 6,0
- 6,0 - 8,0
- 8,0 ou plus
- pas de données

Agglomération de 1 à 5 M d'habitants (1993)
Agglomération de plus de 5 M d'habitants

E. JEUNESSE
1 : 300 000 000

Pourcentage de la population âgée de moins de 15 ans (1992)
- moins de 25
- 25 - 35
- 35 - 40
- 40 - 45
- 45 ou plus
- pas de données

F. CROISSANCE DE LA POPULATION MONDIALE 1700-2010

Amérique du Nord
Amérique latine
Europe et Océanie
Afrique
Ex-U.R.S.S.
Inde
Chine
Reste de l'Asie

G. PERSONNES ÂGÉES
1 : 300 000 000

Pourcentage de la population âgée de 65 ans et plus (1992)
- moins de 3,0
- 3,0 - 4,0
- 4,0 - 5,0
- 5,0 - 10,0
- 10,0 ou plus
- pas de données

© WN Atlas Productions

LA TERRE URBANISATION

Échelle 1 : 200000000

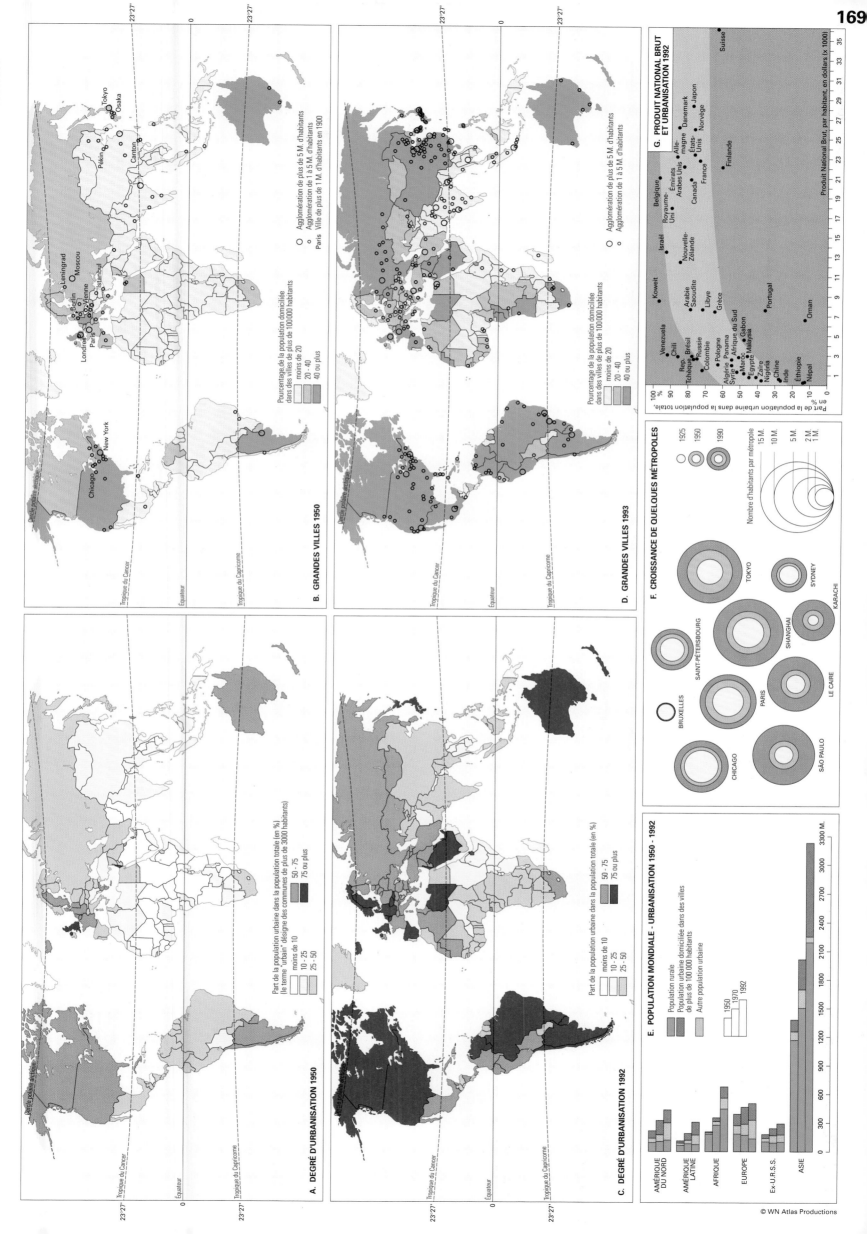

A. DEGRÉ D'URBANISATION 1950

Part de la population urbaine dans la population totale (en %)
(le terme "urbain" désigne des communes de plus de 3000 habitants)

- moins de 10
- 10 - 25
- 25 - 50
- 50 - 75
- 75 ou plus

C. DEGRÉ D'URBANISATION 1992

Part de la population urbaine dans la population totale (en %)

- moins de 10
- 10 - 25
- 25 - 50
- 50 - 75
- 75 ou plus

B. GRANDES VILLES 1950

○ Agglomération de plus de 5 M. d'habitants
○ Agglomération de 1 à 5 M. d'habitants
Paris Ville de plus de 1 M. d'habitants en 1900

Pourcentage de la population domiciliée
dans des villes de plus de 100000 habitants
- moins de 20
- 20 - 40
- 40 ou plus

D. GRANDES VILLES 1993

○ Agglomération de plus de 5 M. d'habitants
○ Agglomération de 1 à 5 M. d'habitants

Pourcentage de la population domiciliée
dans des villes de plus de 100000 habitants
- moins de 20
- 20 - 40
- 40 ou plus

E. POPULATION MONDIALE - URBANISATION 1950 - 1992

- Population rurale
- Population urbaine domiciliée dans des villes de plus de 100 000 habitants
- Autre population urbaine

1950 / 1970 / 1992

AMÉRIQUE DU NORD
AMÉRIQUE LATINE
AFRIQUE
EUROPE
Ex-U.R.S.S.
ASIE

0   300   600   900   1200   1500   1800   2100   2400   2700   3000   3300 M.

F. CROISSANCE DE QUELQUES MÉTROPOLES

1925
1950
1990

Nombre d'habitants par métropole
15 M. / 10 M. / 5 M. / 2 M. / 1 M.

BRUXELLES
CHICAGO
SAINT-PÉTERSBOURG
TOKYO
SYDNEY
SHANGHAI
KARACHI
SÃO PAULO
PARIS
LE CAIRE

G. PRODUIT NATIONAL BRUT ET URBANISATION 1992

Part de la population urbaine dans la population totale, en %

Produit National Brut, par habitant, en dollars (x 1000)

1 3 5 7 9 11 13 15 17 19 21 23 25 27 29 31 33 35

Suisse, Belgique, Royaume-Uni, Émirats Arabes Unis, Alle-magne, Danemark, Japon, Canada, États-Unis, Norvège, France, Finlande, Israël, Nouvelle-Zélande, Koweit, Arabie Saoudite, Libye, Grèce, Portugal, Oman, Venezuela, Chili, Rép. Tchèque, Brésil, Russie, Colombie, Pologne, Algérie, Panama, Syrie, Afrique du Sud, Gabon, Maroc, Malaysia, Égypte, Zaïre, Nigéria, Chine, Inde, Éthiopie, Népal

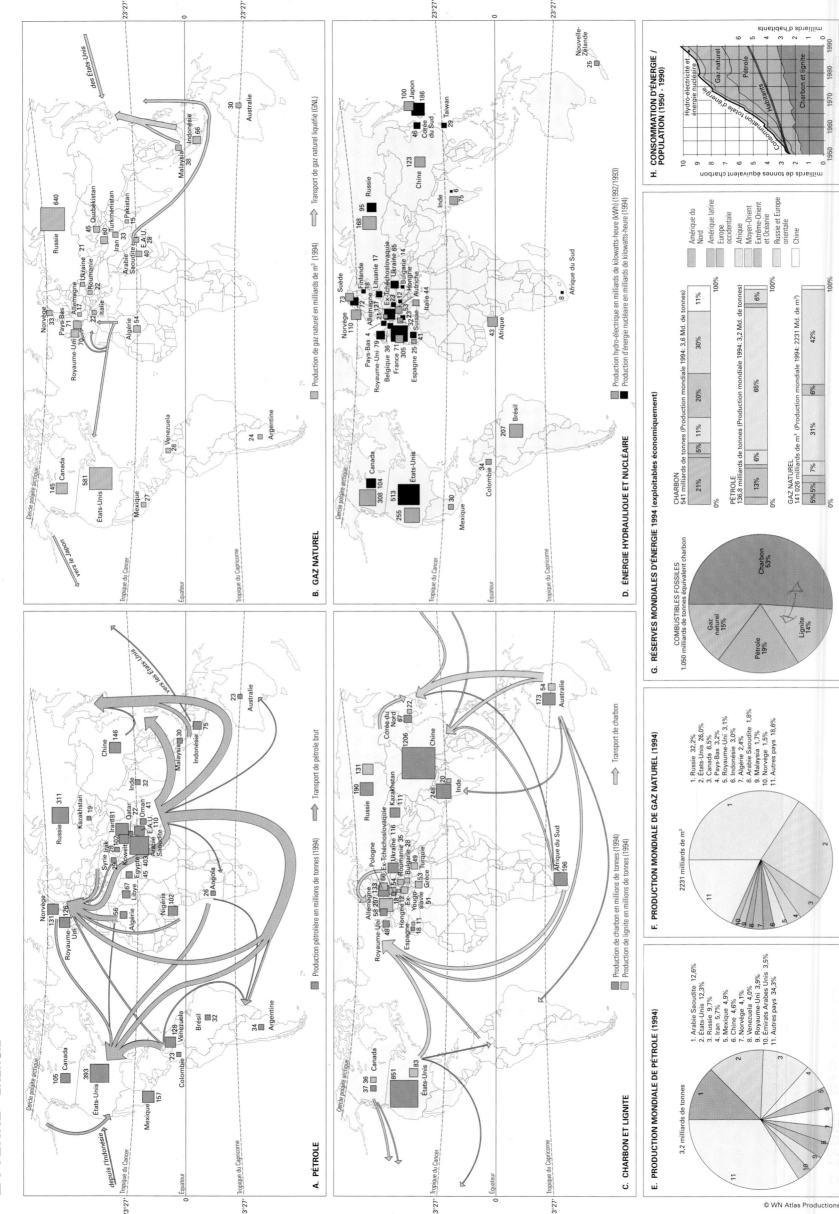

LA TERRE ÉNERGIE

Échelle 1 : 200000000

A. PÉTROLE

■ Production pétrolière en millions de tonnes (1994)

→ Transport de pétrole brut

C. CHARBON ET LIGNITE

■ Production de charbon en millions de tonnes (1994)
■ Production de lignite en millions de tonnes (1994)

→ Transport de charbon

B. GAZ NATUREL

■ Production de gaz naturel en milliards de m³ (1994)

→ Transport de gaz naturel liquéfié (GNL)

D. ÉNERGIE HYDRAULIQUE ET NUCLÉAIRE

■ Production hydro-électrique en milliards de kilowatts-heure (kWh) (1992/1993)
■ Production d'énergie nucléaire en milliards de kilowatts-heure (1994)

E. PRODUCTION MONDIALE DE PÉTROLE (1994)

3,2 milliards de tonnes

1. Arabie Saoudite 12,6%
2. États-Unis 12,3%
3. Russie 9,7%
4. Iran 5,7%
5. Chine 4,6%
6. Mexique 4,9%
7. Norvège 4,1%
8. Venezuela 4,0%
9. Royaume-Uni 3,9%
10. Émirats Arabes Unis 3,5%
11. Autres pays 34,3%

F. PRODUCTION MONDIALE DE GAZ NATUREL (1994)

2231 milliards de m³

1. Russie 32,2%
2. États-Unis 26,0%
3. Canada 6,5%
4. Pays-Bas 3,2%
5. Royaume-Uni 3,1%
6. Indonésie 3,0%
7. Algérie 2,4%
8. Arabie Saoudite 1,8%
9. Malaysia 1,7%
10. Norvège 1,5%
11. Autres pays 18,6%

G. RÉSERVES MONDIALES D'ÉNERGIE 1994 (exploitables économiquement)

CHARBON
541 milliards de tonnes (Production mondiale 1994: 3,6 Md. de tonnes)

0%						100%
21%	5%	11%	20%	30%	11%	

PÉTROLE
136,8 milliards de tonnes (Production mondiale 1994: 3,2 Md. de tonnes)

0%			100%
13%	6%	66%	6%

GAZ NATUREL
141 026 milliards de m³ (Production mondiale 1994: 2231 Md. de m³)

0%				100%
5% 5%	7%	31%	42%	6%

- Amérique du Nord
- Amérique latine
- Europe occidentale
- Afrique
- Moyen-Orient
- Extrême-Orient et Océanie
- Russie et Europe orientale
- Chine

COMBUSTIBLES FOSSILES
1.050 milliards de tonnes équivalent charbon

- Charbon 53%
- Lignite 14%
- Pétrole 19%
- Gaz naturel 15%

H. CONSOMMATION D'ÉNERGIE / POPULATION (1950 - 1990)

Consommation totale d'énergie

- Hydro-électricité et énergie nucléaire
- Gaz naturel
- Pétrole
- Charbon et lignite
- Habitants

milliards d'habitants
milliards de tonnes équivalent charbon

© WN Atlas Productions

170

LA TERRE ÉNERGIE / MINES

Échelle 1 : 200000000

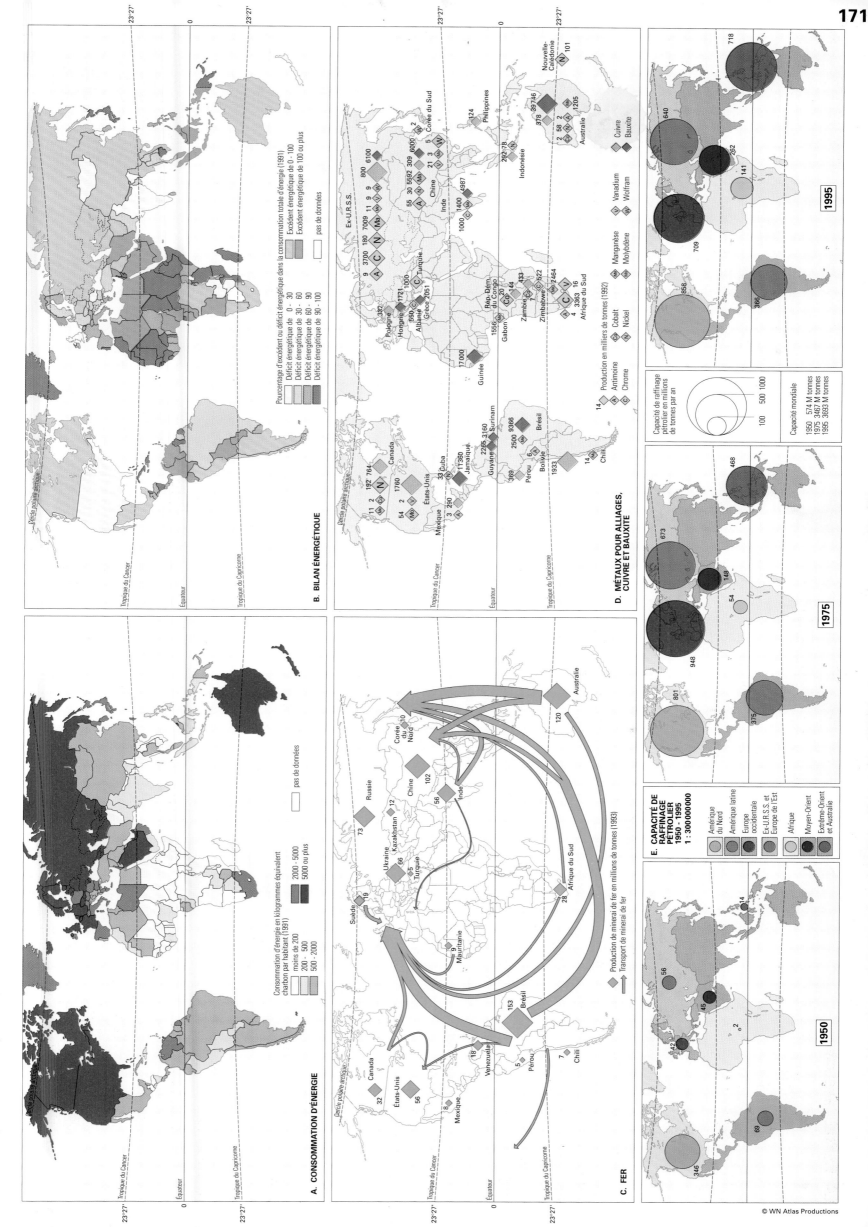

A. CONSOMMATION D'ÉNERGIE

Consommation d'énergie en kilogrammes équivalent charbon par habitant (1991)

- moins de 200
- 200 - 500
- 500 - 2000
- 2000 - 5000
- 5000 ou plus
- pas de données

B. BILAN ÉNERGÉTIQUE

Pourcentage d'excédent ou déficit énergétique dans la consommation totale d'énergie (1991)

- Déficit énergétique de 0 - 30
- Déficit énergétique de 30 - 60
- Déficit énergétique de 60 - 90
- Déficit énergétique de 90 - 100
- Excédent énergétique de 0 - 100
- Excédent énergétique de 100 ou plus
- pas de données

C. FER

- Production de minerai de fer en millions de tonnes (1993)
- Transport de minerai de fer

D. MÉTAUX POUR ALLIAGES, CUIVRE ET BAUXITE

Production en milliers de tonnes (1992)

- Antimoine
- Chrome
- Cobalt
- Nickel
- Manganèse
- Molybdène
- Vanadium
- Wolfram
- Cuivre
- Bauxite

E. CAPACITÉ DE RAFFINAGE PÉTROLIER 1950 - 1995 1 : 300000000

- Amérique du Nord
- Amérique latine
- Europe occidentale
- Ex-U.R.S.S. et Europe de l'Est
- Afrique
- Moyen-Orient
- Extrême-Orient et Australie

Capacité de raffinage pétrolier en millions de tonnes par an

Capacité mondiale
1950 574 M tonnes
1975 3467 M tonnes
1995 3693 M tonnes

1950   1975   1995

© WN Atlas Productions

LA TERRE INDUSTRIES

Échelle 1 : 200 000 000

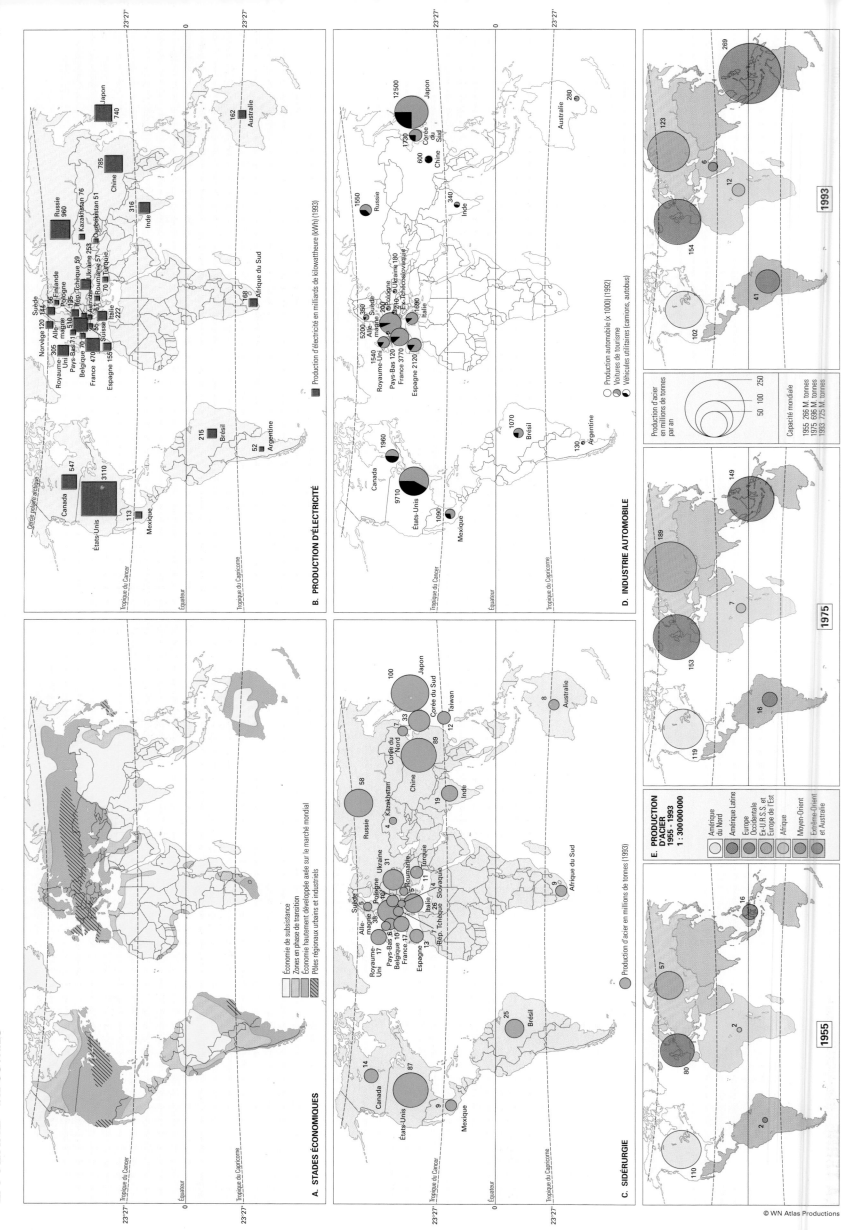

A. STADES ÉCONOMIQUES

Économie de subsistance
Zones en phase de transition
Économie hautement développée axée sur le marché mondial
Pôles régionaux urbains et industriels

B. PRODUCTION D'ÉLECTRICITÉ

■ Production d'électricité en milliards de kilowattheure (kWh) (1993)

C. SIDÉRURGIE

● Production d'acier en millions de tonnes (1993)

D. INDUSTRIE AUTOMOBILE

○ Production automobile (x 1000) (1992)
Voitures de tourisme
Véhicules utilitaires (camions, autobus)

Production d'acier
en millions de tonnes
par an
50 100 250

Capacité mondiale
1955 266 M. tonnes
1975 696 M. tonnes
1993 725 M. tonnes

1993

1975

1955

E. PRODUCTION D'ACIER 1955 - 1993
1 : 300 000 000

Amérique du Nord
Amérique Latine
Europe Occidentale
Ex-U.R.S.S. et Europe de l'Est
Afrique
Moyen-Orient
Extrême-Orient et Australie

© WN Atlas Productions

LA TERRE POLITIQUE

Échelle 1 : 200000000

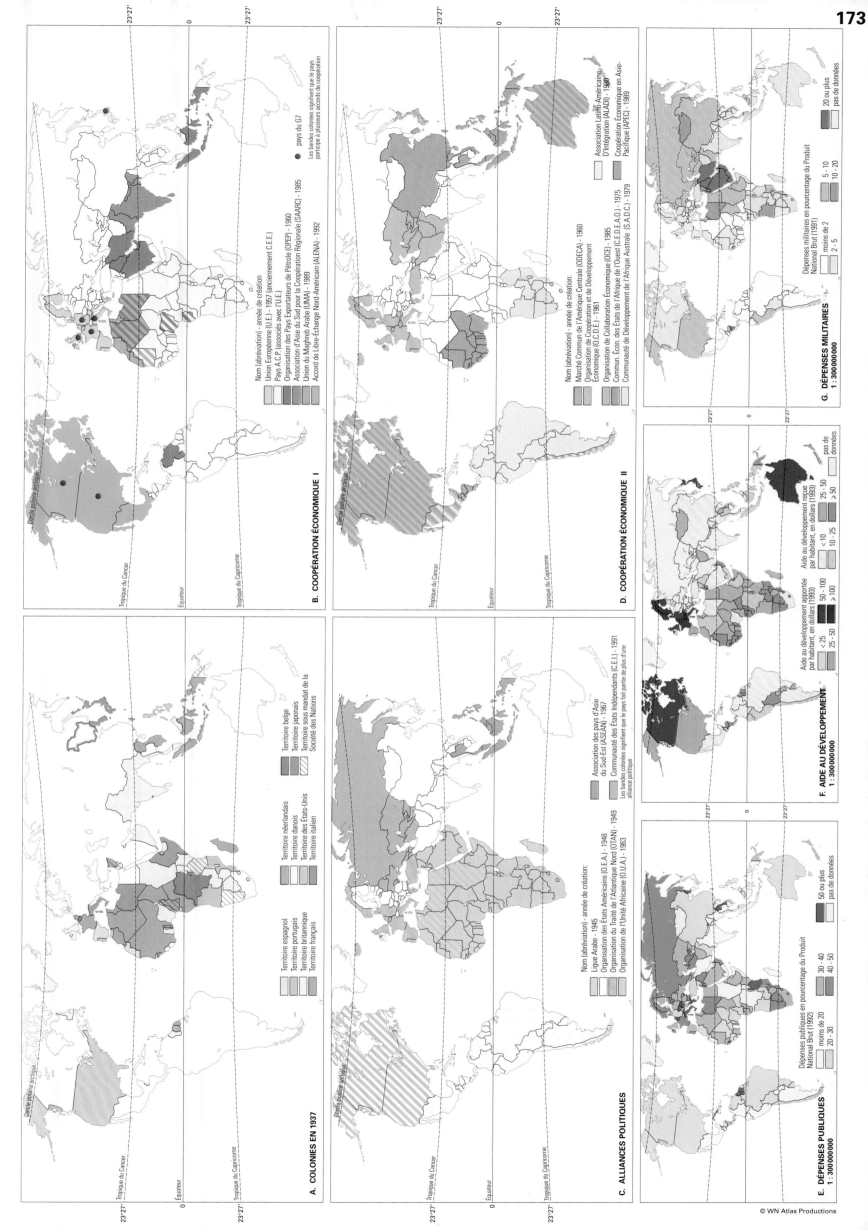

A. COLONIES EN 1937

Territoire espagnol
Territoire portugais
Territoire britannique
Territoire français

Territoire néerlandais
Territoire danois
Territoire des États-Unis
Territoire italien

Territoire belge
Territoire japonais
Territoire sous mandat de la Société des Nations

B. COOPÉRATION ÉCONOMIQUE I

Nom (abréviation) - année de création

Union Européenne (U.E.) - 1957 (anciennement C.E.E.)
Pays A.C.P. (associés avec l'U.E.)
Organisation des Pays Exportateurs de Pétrole (OPEP) - 1960
Association d'Asie du Sud pour la Coopération Régionale (SAARC) - 1985
Union du Maghreb Arabe (UMA) - 1989
Accord de Libre-Échange Nord-Américain (ALENA) - 1992

● pays du G7
Les bandes colorées signifient que le pays participe à plusieurs accords de coopération

C. ALLIANCES POLITIQUES

Nom (abréviation) - année de création:

Ligue Arabe - 1945
Organisation des États Américains (O.E.A.) - 1948
Organisation du Traité de l'Atlantique Nord (OTAN) - 1949
Organisation de l'Unité Africaine (O.U.A.) - 1963

Association des pays d'Asie du Sud-Est (ASEAN) - 1967
Communauté des États Indépendants (C.E.I.) - 1991

Les bandes colorées signifient que le pays fait partie de plus d'une alliance politique

D. COOPÉRATION ÉCONOMIQUE II

Nom (abréviation) - année de création:

Marché Commun de l'Amérique Centrale (ODECA) - 1960
Organisation de Coopération et de Développement Économique (O.C.D.E.) - 1961
Organisation de Collaboration Économique (OCE) - 1985
Commun. Écon. des États de l'Afrique de l'Ouest (C.E.D.E.A.O.) - 1975
Communauté de Développement de l'Afrique Australe (S.A.D.C.) - 1979

Association Latino-Américaine D'Intégration (ALADI) - 1980
Coopération Économique en Asie-Pacifique (APEC) - 1989

E. DÉPENSES PUBLIQUES
1 : 300000000

Dépenses publiques en pourcentage du Produit National Brut (1992)

moins de 20
20 - 30
30 - 40
40 - 50
50 ou plus
pas de données

F. AIDE AU DÉVELOPPEMENT
1 : 300000000

Aide au développement apportée par habitant, en dollars (1993):

<25
25 - 50
50 - 100
>100

Aide au développement reçue par habitant, en dollars (1993):

<10
10 - 25
25 - 50
>50
pas de données

G. DÉPENSES MILITAIRES
1 : 300000000

Dépenses militaires en pourcentage du Produit National Brut (1991)

moins de 2
2 - 5
5 - 10
10 - 20
20 ou plus
pas de données

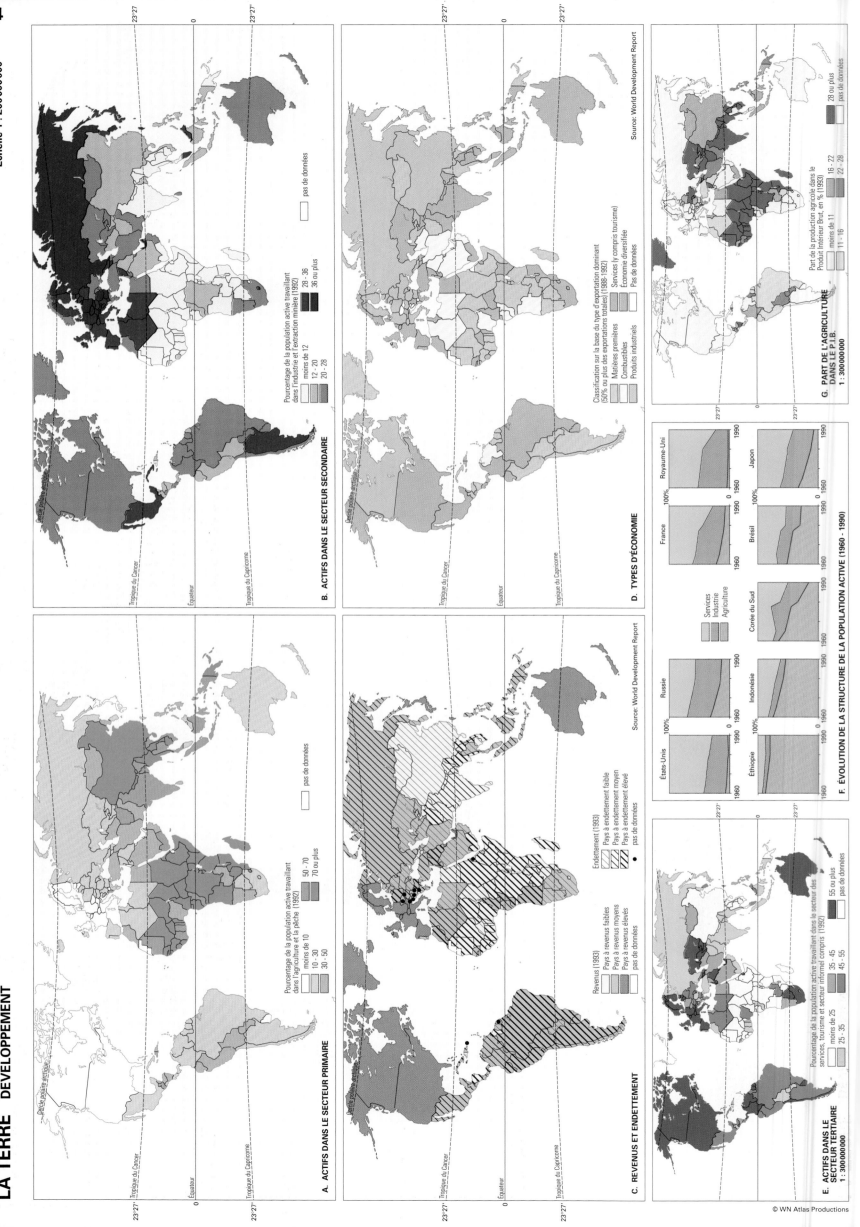

LA TERRE   DÉVELOPPEMENT

Échelle 1 : 200000000

A. ACTIFS DANS LE SECTEUR PRIMAIRE

Pourcentage de la population active travaillant dans l'agriculture et la pêche (1992)
- moins de 10
- 10 - 30
- 30 - 50
- 50 - 70
- 70 ou plus
- pas de données

B. ACTIFS DANS LE SECTEUR SECONDAIRE

Pourcentage de la population active travaillant dans l'industrie et l'extraction minière (1992)
- moins de 12
- 12 - 20
- 20 - 28
- 28 - 36
- 36 ou plus
- pas de données

C. REVENUS ET ENDETTEMENT

Revenus (1993)
- Pays à revenus faibles
- Pays à revenus moyens
- Pays à revenus élevés
- pas de données

Endettement (1993)
- Pays à endettement faible
- Pays à endettement moyen
- Pays à endettement élevé
- pas de données

Source: World Development Report

D. TYPES D'ÉCONOMIE

Classification sur la base du type d'exportation dominant (50% ou plus des exportations totales) (1988-1992)
- Matières premières
- Combustibles
- Produits industriels
- Services (y compris tourisme)
- Économie diversifiée
- Pas de données

Source: World Development Report

E. ACTIFS DANS LE SECTEUR TERTIAIRE
1 : 300000000

Pourcentage de la population active travaillant dans le secteur des services, tourisme et secteur informel compris (1992)
- moins de 25
- 25 - 35
- 35 - 45
- 45 - 55
- 55 ou plus
- pas de données

F. ÉVOLUTION DE LA STRUCTURE DE LA POPULATION ACTIVE (1960 - 1990)

- Services
- Industrie
- Agriculture

États-Unis · Russie · Royaume-Uni · France
Éthiopie · Indonésie · Corée du Sud · Brésil · Japon

G. PART DE L'AGRICULTURE DANS LE P.I.B.
1 : 300000000

Part de la production agricole dans le Produit Intérieur Brut, en % (1993)
- moins de 11
- 11 - 16
- 16 - 22
- 22 - 28
- 28 ou plus
- pas de données

Tropique du Cancer · Équateur · Tropique du Capricorne · Cercle polaire arctique

Échelle 1 : 200000000

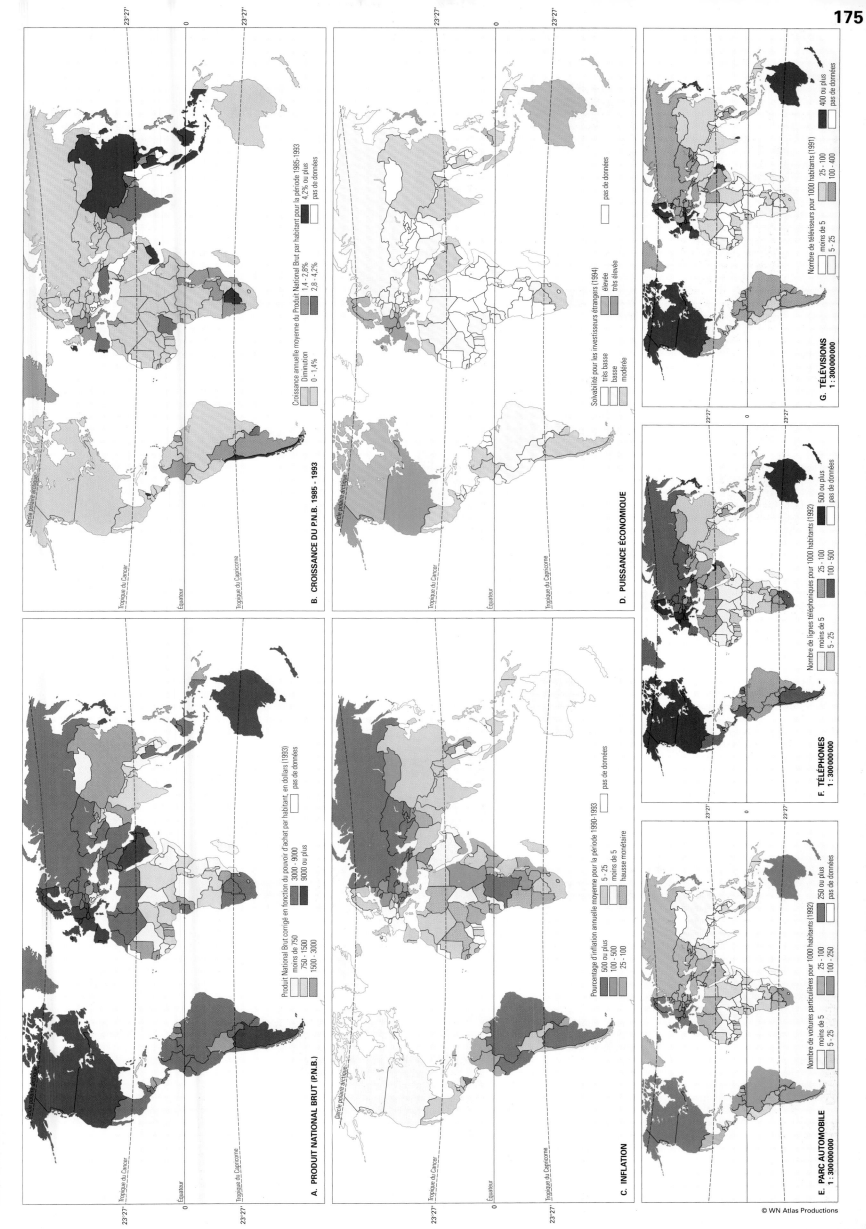

A. PRODUIT NATIONAL BRUT (P.N.B.)

Produit National Brut corrigé en fonction du pouvoir d'achat par habitant, en dollars (1993)

- moins de 750
- 750 - 1500
- 1500 - 3000
- 3000 - 9000
- 9000 ou plus
- pas de données

B. CROISSANCE DU P.N.B. 1985 - 1993

Croissance annuelle moyenne du Produit National Brut par habitant pour la période 1985-1993

- Diminution
- 0 - 1,4%
- 1,4 - 2,8%
- 2,8 - 4,2%
- 4,2% ou plus
- pas de données

C. INFLATION

Pourcentage d'inflation annuelle moyenne pour la période 1990-1993

- 500 ou plus
- 100 - 500
- 25 - 100
- 5 - 25
- moins de 5
- hausse monétaire
- pas de données

D. PUISSANCE ÉCONOMIQUE

Solvabilité pour les investisseurs étrangers (1994)

- très basse
- basse
- modérée
- élevée
- très élevée
- pas de données

E. PARC AUTOMOBILE
1 : 300000000

Nombre de voitures particulières pour 1000 habitants (1992)

- moins de 5
- 5 - 25
- 25 - 100
- 100 - 250
- 250 ou plus
- pas de données

F. TÉLÉPHONES
1 : 300000000

Nombre de lignes téléphoniques pour 1000 habitants (1992)

- moins de 5
- 5 - 25
- 25 - 100
- 100 - 500
- 500 ou plus
- pas de données

G. TÉLÉVISIONS
1 : 300000000

Nombre de téléviseurs pour 1000 habitants (1991)

- moins de 5
- 5 - 25
- 25 - 100
- 100 - 400
- 400 ou plus
- pas de données

LA TERRE DÉVELOPPEMENT

Échelle 1 : 200000000

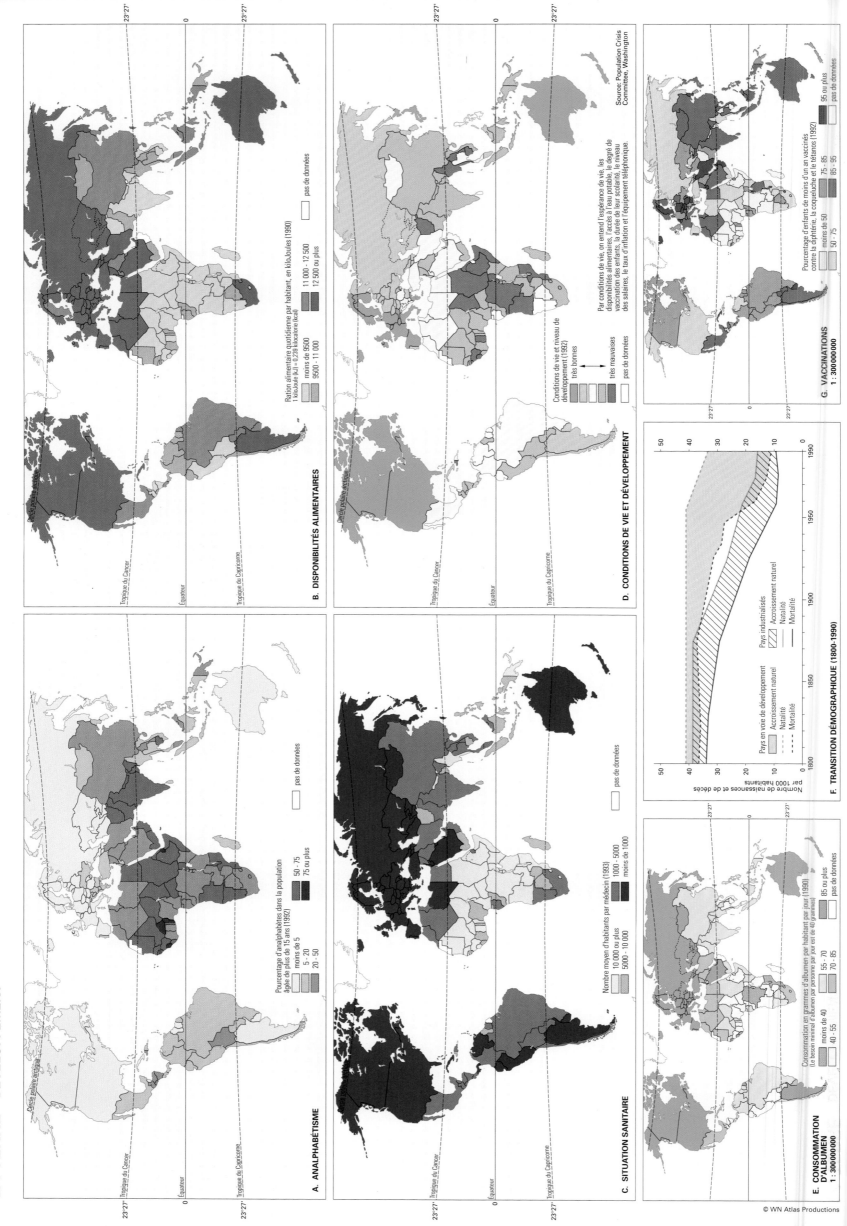

A. ANALPHABÉTISME

Pourcentage d'analphabètes dans la population âgée de plus de 15 ans (1992)
- moins de 5
- 5 - 20
- 20 - 50
- 50 - 75
- 75 ou plus
- pas de données

B. DISPONIBILITÉS ALIMENTAIRES

Ration alimentaire quotidienne par habitant, en kiloJoules (1990)
1 kiloJoule (kJ) = 0,239 kilocalorie (kcal)
- moins de 9500
- 9500 - 11 000
- 11 000 - 12 500
- 12 500 ou plus
- pas de données

C. SITUATION SANITAIRE

Nombre moyen d'habitants par médecin (1993)
- 10 000 ou plus
- 5000 - 10 000
- 1000 - 5000
- moins de 1000
- pas de données

D. CONDITIONS DE VIE ET DÉVELOPPEMENT

Par conditions de vie, on entend l'espérance de vie, les disponibilités alimentaires, l'accès à l'eau potable, le degré de vaccination des enfants, la durée de leur scolarité, le niveau des salaires, le taux d'inflation et l'équipement téléphonique.

Conditions de vie et niveau de développement (1992)
- très bonnes ←→ très mauvaises
- pas de données

Source: Population Crisis Committee, Washington

E. CONSOMMATION D'ALBUMEN
1 : 300000000

Consommation en grammes d'albumen par habitant par jour (1990)
(Le besoin minimal d'albumen par personne par jour est de 40 grammes)
- moins de 40
- 40 - 55
- 55 - 70
- 70 - 85
- 85 ou plus
- pas de données

F. TRANSITION DÉMOGRAPHIQUE (1800-1990)

Nombre de naissances et de décès par 1000 habitants

Pays en voie de développement
- Accroissement naturel
- Natalité
- Mortalité

Pays industrialisés
- Accroissement naturel
- Natalité
- Mortalité

G. VACCINATIONS
1 : 300000000

Pourcentage d'enfants de moins d'un an vaccinés contre la diphtérie, la coqueluche et le tétanos (1992)
- moins de 50
- 50 - 75
- 75 - 85
- 85 - 95
- 95 ou plus
- pas de données

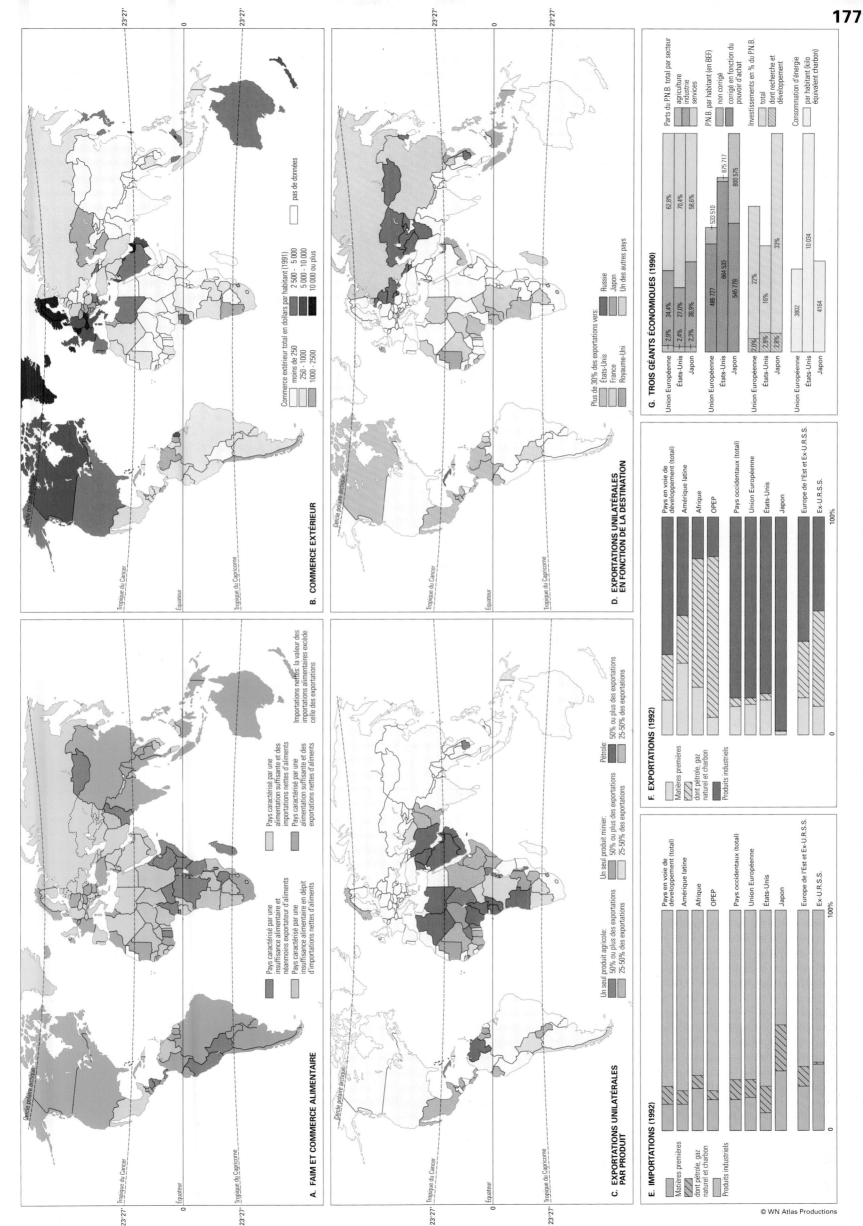

LA TERRE DÉVELOPPEMENT

Échelle 1 : 200 000 000

177

A. FAIM ET COMMERCE ALIMENTAIRE

Pays caractérisé par une insuffisance alimentaire et des importations nettes d'aliments

Pays caractérisé par une insuffisance alimentaire et néanmoins exportateur d'aliments

Pays caractérisé par une alimentation suffisante et en dépit d'importations nettes d'aliments

Pays caractérisé par une alimentation suffisante et des importations nettes d'aliments

Importations nettes: la valeur des importations alimentaires excède celle des exportations

B. COMMERCE EXTÉRIEUR

Commerce extérieur total en dollars par habitant (1991)

moins de 250
250 - 1000
1000 - 2500
2 500 - 5 000
5 000 - 10 000
10 000 ou plus

pas de données

Plus de 30% des exportations vers:

États-Unis — Russie
France — Japon
Royaume-Uni — Un des autres pays

C. EXPORTATIONS UNILATÉRALES PAR PRODUIT

Un seul produit agricole:
50% ou plus des exportations
25-50% des exportations

Un seul produit minier:
50% ou plus des exportations
25-50% des exportations

Pétrole:
50% ou plus des exportations
25-50% des exportations

D. EXPORTATIONS UNILATÉRALES EN FONCTION DE LA DESTINATION

E. IMPORTATIONS (1992)

Pays en voie de développement (total)
Amérique latine
Afrique
OPEP
Pays occidentaux (total)
Union Européenne
États-Unis
Japon
Europe de l'Est et Ex-U.R.S.S.
Ex-U.R.S.S.

Matières premières
dont pétrole, gaz naturel et charbon
Produits industriels

0   100%

F. EXPORTATIONS (1992)

Pays en voie de développement (total)
Amérique latine
Afrique
OPEP
Pays occidentaux (total)
Union Européenne
États-Unis
Japon
Europe de l'Est et Ex-U.R.S.S.
Ex-U.R.S.S.

Matières premières
dont pétrole, gaz naturel et charbon
Produits industriels

0   100%

G. TROIS GÉANTS ÉCONOMIQUES (1990)

Parts du P.N.B. total par secteur

	agriculture	industrie	services
Union Européenne	2,9%	34,4%	62,8%
États-Unis	2,4%	27,0%	70,4%
Japon	2,3%	38,9%	58,6%

P.N.B. par habitant (en BEF)

non corrigé
corrigé en fonction du pouvoir d'achat

	non corrigé	corrigé
Union Européenne	533 510	498 727
États-Unis	675 717	664 533
Japon	800 575	545 779

Investissements en % du P.N.B.

total
dont recherche et développement

	total	recherche
Union Européenne	2,0%	22%
États-Unis	2,8%	16%
Japon	2,8%	33%

Consommation d'énergie
par habitant (kilo équivalent charbon)

Union Européenne	3802
États-Unis	10 034
Japon	4164

© WN Atlas Productions

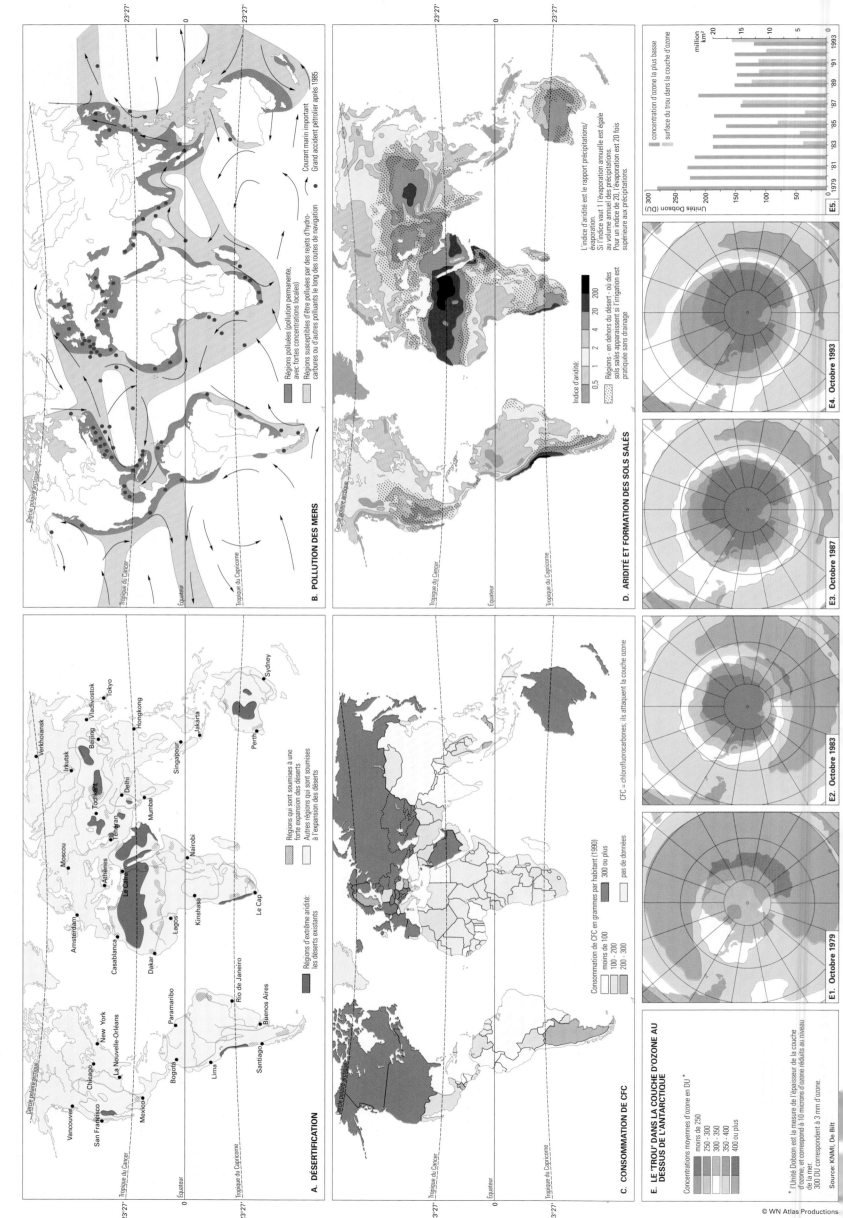

178

LA TERRE ENVIRONNEMENT

Échelle 1 : 200 000 000

A. DÉSERTIFICATION

Régions d'extrême aridité : les déserts existants

Régions qui sont soumises à une forte expansion des déserts

Autres régions qui sont soumises à l'expansion des déserts

B. POLLUTION DES MERS

Régions polluées (pollution permanente, avec fortes concentrations locales)

Régions susceptibles d'être polluées par des rejets d'hydrocarbures ou d'autres polluants le long des routes de navigation

Courant marin important

Grand accident pétrolier après 1985

C. CONSOMMATION DE CFC

Consommation de CFC en grammes par habitant (1990)

moins de 100
100 - 200
200 - 300
300 ou plus
pas de données

CFC = chlorofluorocarbones ; ils attaquent la couche ozone

D. ARIDITÉ ET FORMATION DES SOLS SALÉS

Indice d'aridité :
0,5
1
2
4
20
200

Régions - en dehors du désert - où des sols salés apparaissent si l'irrigation est pratiquée sans drainage

L'indice d'aridité est le rapport précipitations/évaporation.
Si l'indice vaut 1 l'évaporation annuelle est égale au volume annuel des précipitations.
Pour un indice de 20, l'évaporation est 20 fois supérieure aux précipitations.

E. LE 'TROU' DANS LA COUCHE D'OZONE AU DESSUS DE L'ANTARCTIQUE

Concentrations moyennes d'ozone en DU *

moins de 250
250 - 300
300 - 350
350 - 400
400 ou plus

* l'Unité Dobson est la mesure de l'épaisseur de la couche d'ozone, et correspond à 10 microns d'ozone réduits au niveau de la mer.
300 DU correspondent à 3 mm d'ozone.

Source : KNMI, De Bilt

E1. Octobre 1979
E2. Octobre 1983
E3. Octobre 1987
E4. Octobre 1993

E5.
concentration d'ozone la plus basse
surface du trou dans la couche d'ozone

© WN Atlas Productions

LA TERRE ENVIRONNEMENT

Échelle 1 : 200 000 000

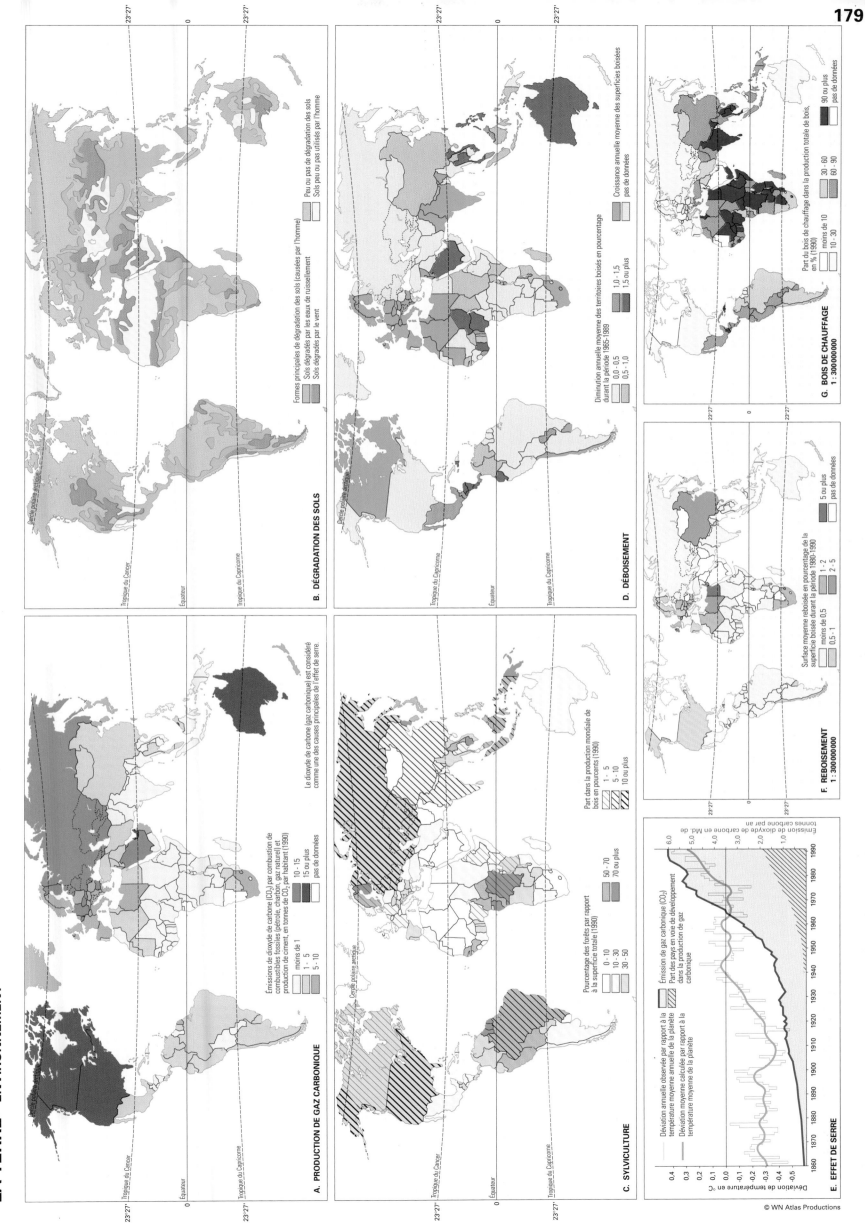

A. PRODUCTION DE GAZ CARBONIQUE

Émissions de dioxyde de carbone (CO_2) par combustion de combustibles fossiles (pétrole, charbon, gaz naturel) et production de ciment, en tonnes de CO_2 par habitant (1990)

moins de 1
1 - 5
5 - 10
10 - 15
15 ou plus
pas de données

Le dioxyde de carbone (gaz carbonique) est considéré comme une des causes principales de l'effet de serre.

B. DÉGRADATION DES SOLS

Formes principales de dégradation des sols (causées par l'homme)

Sols dégradés par les eaux de ruissellement
Sols dégradés par le vent
Peu ou pas de dégradation des sols
Sols peu ou pas utilisés par l'homme

C. SYLVICULTURE

Pourcentage des forêts par rapport à la superficie totale (1990)

0 - 10
10 - 30
30 - 50
50 - 70
70 ou plus

Part dans la production mondiale de bois en pourcents (1990)

1 - 5
5 - 10
10 ou plus

D. DÉBOISEMENT

Diminution annuelle moyenne des territoires boisés en pourcentage durant la période 1965-1989

0,0 - 0,5
0,5 - 1,0
1,0 - 1,5
1,5 ou plus

Croissance annuelle moyenne des superficies boisées
pas de données

E. EFFET DE SERRE

Déviation annuelle observée par rapport à la température moyenne annuelle de la planète
Déviation moyenne calculée par rapport à la température moyenne de la planète

Émission de gaz carbonique (CO_2)
Part des pays en voie de développement dans la production de gaz carbonique

Déviation de température en °C
Émission de dioxyde de carbone en Md. de tonnes carbone par an

F. REBOISEMENT
1 : 300 000 000

Surface moyenne reboisée en pourcentage de la superficie boisée durant la période 1980-1990

moins de 0,5
0,5 - 1
1 - 2
2 - 5
5 ou plus
pas de données

G. BOIS DE CHAUFFAGE
1 : 300 000 000

Part du bois de chauffage dans la production totale de bois, en % (1990)

moins de 10
10 - 30
30 - 60
60 - 90
90 ou plus
pas de données

© WN Atlas Productions

ZONES POLAIRES / FUSEAUX HORAIRES

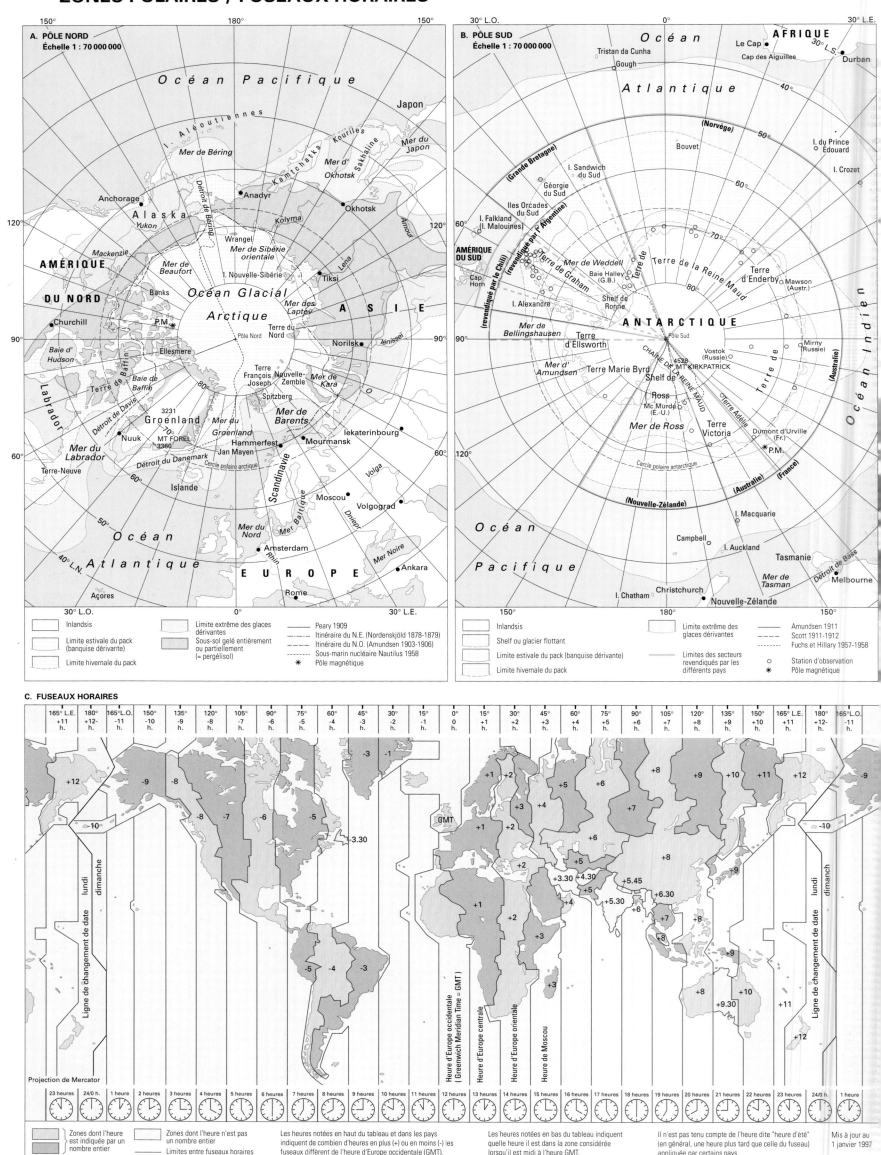

A. PÔLE NORD
Échelle 1 : 70 000 000

B. PÔLE SUD
Échelle 1 : 70 000 000

C. FUSEAUX HORAIRES

Projection de Mercator

		Inlandsis			Limite extrême des glaces dérivantes			Peary 1909
Limite estivale du pack (banquise dérivante)			Sous-sol gelé entièrement ou partiellement (= pergélisol)			Itinéraire du N.E. (Nordenskjöld 1878-1879) Itinéraire du N.O. (Amundsen 1903-1906) Sous-marin nucléaire Nautilus 1958		
Limite hivernale du pack						✳ Pôle magnétique		

	Inlandsis		Limite extrême des glaces dérivantes		Amundsen 1911
Shelf ou glacier flottant					Scott 1911-1912 Fuchs et Hillary 1957-1958
Limite estivale du pack (banquise dérivante)			Limites des secteurs revendiqués par les différents pays		o Station d'observation
Limite hivernale du pack					✳ Pôle magnétique

Zones dont l'heure est indiquée par un nombre entier

Zones dont l'heure n'est pas un nombre entier

Limites entre fuseaux horaires

Les heures notées en haut du tableau et dans les pays indiquent de combien d'heures en plus (+) ou en moins (-) les fuseaux diffèrent de l'heure d'Europe occidentale (GMT).

Les heures notées en bas du tableau indiquent quelle heure il est dans la zone considérée lorsqu'il est midi à l'heure GMT.

Il n'est pas tenu compte de l'heure dite "heure d'été" (en général, une heure plus tard que celle du fuseau) appliquée par certains pays.

Mis à jour au 1 janvier 1997

© WN Atlas Productions

Utilisation de l'index

Dans l'index figurent tous les noms géographiques inscrits sur les cartes d'ensemble physiques et politiques, ainsi que sur un certain nombre de cartons ou cartes-annexes. Le système de renvoi à un quadrilatère donné se trouve expliqué ci-dessous.

Ordre des noms géographiques

Les noms sont rangés par ordre alphabétique. L'alphabétisation se fait lettre par lettre, sans tenir compte de l'espace entre mots et traits d'union. Les articles et prépositions sont placés devant l'appellation principale. Exemples: Den Helder, El Fayoum, La Panne, Le Havre, Los Angeles, The Wash.
Des termes géographiques apparaissent après les noms; une vue d'ensemble de ces termes est donnée à la page 197. Exemples: Everest, mont; Mexique, golfe du; Ness, loch; Grande, rio; Nevada, sierra. Les noms de pays et localités qui contiennent une appellation géographique, sont inscrits en entier, tels qu'on les prononce. Exemples: Sierra Leone, Rio de Janeiro, Mount Goldsworthy.
Quant aux préfixes tels que Fort, Nouveau, Port, Saint, etc., ils subsistent devant le nom principal.
Quand un sujet possède deux noms différents, ces deux appellations figurent dans l'index. C'est le cas d'une traduction française existante, ou d'appellation traditionnelle, ou encore de graphies en plusieurs langues officielles. Exemples: Beijing - Pékin, Aachen - Aix-la-Chapelle, Helsinki - Helsingfors, Bolzano - Bozen.

Pagination

Le premier nombre après le nom géographique se rapporte à la page où apparaît le nom. L'addition d'une lettre A, B, C, D se rapporte à un carton figurant sur la même page. Exemple: Kwazulu-Natal 119E.

Renvoi aux subdivisions cartographiques

Les cartes générales et un certain nombre de cartons représentent les subdivisions. Celles-ci sont déterminées par le canevas des méridiens et parallèles; et les parties de ce canevas sont identifiées par les lettres et chiffres indiqués en rouge autour du cadre de chacune des cartes. Ainsi on trouve Marseille sur la carte de France (pages 54-55) dans le quadrilatère F5. Ces indications se trouvent dans l'index, après le numéro de page et éventuellement après la lettre identifiant un carton. Exemple: Greenwich 50C C3.
Pour les inscriptions longues, c'est-à-dire s'étendant sur plus d'un quadrilatère, on mentionne le premier et le dernier de ces quadrilatères. Exemple: Sahara 106-107 C2 F2. Sur différentes cartes-annexes, ne figure aucun canevas; dans ce cas, on ne mentionne dans l'index que le numéro de page et la lettre de la carte ou du carton.

Anciens noms

Les noms géographiques qui pour une raison - souvent politique - sont remplacés par d'autres ne se trouvent en général plus sur les cartes. Mais ils sont cependant repris dans l'index, qui renvoie alors à l'appellation actuelle.
Exemple: Bombay = Mumbai 92 D4.
(Les changements de noms qui datent d'il y a plus de 10 ans ne sont pas mentionnés.)

C

Gaspésie, péninsule de
128A E4 F4
Gaspésie-Îles de la Madeleine
129A
Gassi Touil 114-115A D1
Gata, cap de 68-69 E5
Gata, sierra de 68-69 C3
Gateshead 48-49 F3
Gâtine, hauteurs de 54-55 C3
Gatineau 129F
Gatineau, parc de la 129F
Gattchina 46-47 I4
Gatun, lac de 137D
Gauja 46-47 H5
Gausta 46-47 D4
Gauteng 119A
Gavarnie 54-55 D5
Gavere 22-23 B2
Gävle 46-47 F4
Gawler, monts 148-149 D5
Gaya 92 E3
Gaza 89 B4
Gazaland 106-107 G7
Gaziantep 74-75 I8
Gbadolite 116A D2
Gbanga 114-115A C4
Gdańsk 58-59 H1
Gdańsk, baie de 58-59 H1
Gdynia 58-59 H1
Géants, chaussée des 48-49 C3
Géants, monts des 58-59 F3
Gebe 98-99 H3
Gebeler 72-73 J5
Gedaref 90 C7
Gedinne 12-13 C3
Gediz (fleuve) 72-73 I5
Gediz (ville) 72-73 J5
Gedser 58-59 D1
Geel 12-13 C1
Geelong 148-149 E5
Geer (localité) 22-23 D2
Geer (rivière) 12-13 D2
Geertruidenberg 52 B3
Geetbets 22-23 D2
Geilenkirchen 12-13 E2
Geilo 46-47 D4
Geislingen 58-59 C4
Gejiu 94-95 D4
Gela 70-71 E6
Gela, golfe de 70-71 E6
Gelbressée 19A
Geldermalsen 52 C3
Geldern 12-13 E1
Geldrop 52 C3
Geleen (rivière) 52 C4
Geleen (ville) 52 C4
Gelibolu 72-73 I4
Gelsenkirchen 58-59 B3
Gembloux 12-13 C2
Gembloux-sur-Orneau 18C
Gèmechènne 13A
Gemena 116A C2
Gemlik 72-73 J4
Gemmi, col de 64-65 B2
Gemünd 12-13 E2
Gemünden 58-59 C3
Genappe 22-23 C2
General Santos 94-95 F6
Gênes 70-71 B2
Gênes, golfe de 70-71 B2 B3
Genève (canton) 65D
Genève (ville) 64-65 A2
Genèvre, col de mont 62-63 C5
Genil 68-69 C4
Génissiat, barrage de
54-55 F3 G3
Genk 12-13 D2
Gennargentu, monts du
70-71 B4 B5
Gennep 52 C3
Gennevilliers 56A C2
Genova 70-71 B2
Gent 22B
Gentbrugge 31B
Gentilly 128D
Géographes, baie des
148-149 B5
George (fleuve) 128A E2 F2
George (localité) 119F
George, lac 106-107 G4
Georgetown (Guyana) 141 E2
Georgetown (Îles Cayman)
145 C3
Georgetown (Malaisie)
98-99 B2 C2
George Washington Bridge
135C C1
Géorgie (Caucase) 74-75 J7 K7
Géorgie (É.-U.) 130-131 J5
Géorgie du Sud 140 G8
Géorgienne, baie (Colombie
Britannique) 124-125 F4 G5
Géorgienne, baie (Ontario)
124-125 J5
Georgina 148-149 D4
Gera 58-59 E3
Geraardsbergen 22B
Geraldton 148-149 B4
Gérardmer 54-55 G2
Gerez, serra do 68-69 B2
Gerin 19A
Gerlakhovsky, pic 58-59 I4
Gerlos 62-63 I2
Gerlos, col de 62-63 I2
Germesir 92 B3 C3
Gérone 68-69 G2
Gerpinnes 12-13 C2
Gers 54-55 D5
Gesgapeglag 129B
Gesves 22-23 D2
Gette 12-13 D2
Geul 52 C4
Gex 64-65 A2
Geylang 101C
Gezhou 96 F3
Gezira 90 B7
Ghaba 90 G5
Ghadames 108-109 D1 E2
Ghaghara 92 E3
Ghaida 90 F6
Ghana 108-109 C4 D4
Ghardaïa 108-109 D1
Gharib, djebel 90 B4
Ghat 108-109 E2
Ghâtes occidentales 92 D4
Ghâtes orientales 92 D4 E3
Ghazal, bahr el 106-107 E3
Ghazaouet 112A E2
Ghazni 92 C2
Gheorghe Gheorghiu-Dej = Liski
72-73 I1
Ghijiga 76-77 R3
Ghudaf 90 D3
Gia Dinh 98-99 D1
Giamama 108-109 H4
Giannutri 70-71 C3
Gibloux, mont 64-65 B2
Gibraltar 68-69 C5
Gibraltar, détroit de 68-69 C5
Gibson, désert de 148-149 C4
Giessen (district) 60C
Giessen (ville) 58-59 C3
Gif 56A B3
Gifu 102B C3
Giglio 70-71 C3
Gijón 68-69 C1
Gila 130-131 D5
Gila, désert 130-131 D5
Gilbert 148-149 E3
Gilbert, îles 152-153 I37 I38
Gileppe 12-13 E2
Gilette 130-131 E3 F3
Gilgit 92 D2
Gilly 12-13 C2
Gimone 54-55 D5
Gingelom 22-23 D2
Gingoog 98-99 G2
Ginir 108-109 H4
Gino, piz di 64-65 D2
Gioumri 74-75 J7
Giovi, col de 70-71 B2
Gippsland 148-149 E5
Giresun 74-75 I7
Giri 116A C2
Gironde 54-55 C4
Gisborne 148-149 H5
Gistel 22-23 A1
Giudicarie 62-63 G4 G3
Giurgiu 72-73 H3
Givet 54-55 F1
Giza 90 B3
Gjirokastër 72-73 F4
Gjoa Haven 124-125 I3
Gjøvik 46-47 D4
Glabbeek 22-23 C2
Glace Bay 128A G4
Glacial Arctique, océan
152-153 A15 A34
Glacier, parc national du
30-131 D2
Gladbeck 61A
Gladstone 148-149 F4
Glaoui, Dar el 113H
Glaris 65D
Glaris, alpes de 62-63 E3 F3
Glärnisch 64-65 C2
Glarus 64-65 D1
Glasgow 48-49 D3
Glazov 74-75 L4
Gleinalm, tunnel du 62-63 L2
Gleiwitz 58-59 H3
Glen Canyon 130-131 D4
Glendale 130-131 C5
Glenmore 48-49 D2
Glenn 51 C2
Glenns Falls 135B
Glen Ridge 135C A2
Glen Rock 135C B1
Gletsch 64-65 C2
Glina 62-63 L4
Gliwice 58-59 H3
Glogau 58-59 G3
Głogów 58-59 G3
Glomma 46-47 D4
Glorieuses, îles 106-107 H6
Glossa, cap 72-73 E4
Gloucester 48-49 E5
Glückstadt 58-59 C2
Gmunden 62-63 J2
Gniezno 58-59 G2
Go 103A B2
Goa 93A
Goat Fell 48-49 D3
Goba 108-109 G4 H4
Gobi 94-95 D2
Godavari 92 D4
Godhavn 124-125 M3
Godinne 13A
Godinne, bois de 13A
Godthåb 122-123 O3
Godwin Austen 76-77 I6
Goéland, réservoir 128C
Goeree 52 A3
Goes 52 A3
Gogama 128A B4
Goiânia 141 F4
Goiás 141 F4
Gökçeada 72-73 H4
Gökova, golfe de 72-73 I6 J6
Golan 90 C3
Golan, hauteurs du 89 C2
Gołdap 58-59 J1
Gold Coast 148-149 F4
Goldene Aue 58-59 D3
Golden Gate 130-131 B4
Golders Green 50C B2
Golfo Aranci 70-71 B4
Golftech 55D
Golija 72-73 F3
Golmud 94-95 C3
Golo 70-71 B3
Golpayegan 90 F3
Goma 116A E3
Gomel 74-75 H5
Gomera 114-115A B2
Gonaïves 145 E3
Gonbad-e Kavus 90 G2
Gondar 90 C7
Gondwana 159A2
Gonesse 56A C1
Gongga Shan 94-95 D4
Gooi 52 C2
Gooik 22-23 C2
Goole 48-49 F4
Goose Bay 124-125 L4 M4
Gopło, lac 58-59 H2
Gopło-Warta, canal 58-59 H2
Göppingen 58-59 C4
Gorakhpur 92 E3
Gordas, arenas 68-69 C4 C5
Gordon 51 C3
Gore 108-109 G4
Gorgan 74-75 L8
Gori 90 D1
Gorinchem 52 B3 C3
Gorizia 70-71 D2
Gorjanci 72-73 C2
Gorki, parc 80F B2
Gorki = Nijni Novgorod
74-75 J4
Görlitz 58-59 F3
Gorlovka = Horlivka 74-75 I6
Gorm 51 D3
Gorno-Altaïsk 76-77 J4
Gorny-Badakhcan =
Badakhchoni-Kouhi 81A
Gorodok = Horodok 58-59 J4
Goroka 148-149 E2
Gorong, îles 98-99 I4
Gorontalo 98-99 G3
Goryn = Horyn 74-75 G6 G5
Gorzów Wielkopolski 58-59 F2
Göschenen 64-65 C2
Goslar 58-59 D3
Gospić 72-73 C2
Gossau 64-65 D1
Gosselies 12-13 C2
Göta 46-47 E4
Götaland 46-47 E4
Göteborg 46-47 D5
Gotha 58-59 D3
Gotland 46-47 F5
Goto, îles 102B A4
Göttingen 58-59 C3
Gottwaldov 58-59 G4
Gouchgy 76-77 H6
Gouda 52 B2 B3
Gough 154-155 N19
Gouin, réservoir 128A D4
Goukovo 74-75 J6
Goulburn 148-149 E5
Gourara 106-107 C2 D2
Gournay-sur-Marne 56A D2
Gousev 58-59 J1
Goussainville 56A C1
Gouvernes 56A D2
Gouverneur, île du 144C
Gouvy 22-23 D2
Gove 148-149 D3
Goverla 72-73 H1
Governador Valadares 141 F4
Gowanus Bay 135C B3
Grâce-Hollogne 22-23 D2
Grächen 64-65 B2
Gracias a Dios, cap 145 C3 C4
Grado 70-71 D2
Grafton 148-149 F4
Graham 124-125 E4
Graham, terre de 180B
Graham Bell 76-77 H1
Graines, côte des 106-107 B4 C4
Grammont 12-13 B2
Grampian, monts 48-49 D2 E2
Granada 145 B4
Granby 128D
Gran Canaria 112A B4
Gran Chaco 140 D5 D4
Grand, lac 128A E4
Grand Bahama 130-131 K6
Grand Balkhan 74-75 L8
Grand Banc de Terre-Neuve
122-123 O5 P5
Grand Barachois 128B
Grand Bassam 108-109 C4
Grand Bassin 130-131 C4
Grand Belt 58-59 D1
Grand Béréby 114-115A C4
Grand-Bigard 27A
Grand Canal 94-95 E3
Grand Canyon, parc national du
130-131 D4
Grand Combin 64-65 B3
Grand Coulee Dam 130-131 C2
Grand Désert salé 90 F3 G3
Grande, bahía 140 D8
Grande, río (Bolivie) 140 D4
Grande, río (Brésil) 140 F5
Grande, río (É.-U.)
130-131 E5 F5
Grande, río (Mexique)
130-131 F7
Grande, río (Nicaragua) 145 C4
Grande Abaco 130-131 K6
Grande Baleine, complexe 128C
Grande Barrière, récif de la
148-149 E3 F4
Grande-Bretagne 34-35 D3 E3
Grande Chartreuse 62-63 B4
Grande-Entrée 128B
Grande Exuma, île 130-131 K7
Grande Gette 12-13 C2 D2
Grande-Ile 128A B3 C3
Grande Inagua 130-131 L7
Grande Miquelon 128B
Grande Nèthe 12-13 C1
Grande Nicobar 98-99 A2
Grande Plaine hongroise
34-35 F4 G4
Grande Prairie 124-125 G4
Grand Erg occidental
106-107 C2 D1
Grand Erg oriental
106-107 D2 D1
Grande rivière de la Baleine
128A C2 D3
Grandes Antilles 145 C2 F3
Grandes Fatras 58-59 H4
Grandes Plaines 122-123 J5 J6
Grandes Rousses 62-63 C4
Grande syrte, golfe de la
106-107 E1
Grande Terre, toundra de la
74-75 M2 N2
Grand Falls 128A G4 H4
Grand Forks 130-131 G2
Grand Island 130-131 G3
Grand Junction 130-131 E4
Grand Karoo 106-107 F8
Grand Khingan 94-95 E2 F1
Grand Lac salé 130-131 D3
Grand-Lac-Victoria 129B
Grand Lieu, lac de 54-55 C3
Grand-Mère 128D
Grand Özen 74-75 K6
Grand Paradis 70-71 A2
Grand Passage 98-99 A2
Grand Pyhrgas 62-63 K2
Grand Rapids 130-131 I3
Grand Rhône 62-63 A6
Grand Saint-Bernard, col du
64-65 B3
Grand Union Canal 50C C2 A2
Grand Veymont 62-63 B5
Grand Zab 90 D2
Grangemouth 48-49 E2
Grängesberg 46-47 E4
Granite, pic 130-131 E2
Granma 137E
Gran Paradiso 62-63 D4
Gran Sasso d'Italia 70-71 D3
Grant, terre de 124-125 J1 K1
Grantham 48-49 F4
Granville 54-55 C2
Grasse 54-55 G5
Grave 52 C3
Grave, pointe de 54-55 C4
Gravelines (centrale nucléaire)
55D
Gravelines (ville) 54-55 D1 E1
Graves 54-55 C4
Gravesend 48-49 G5
Gravesend Bay 135C B3 B4
Gray 62-63 B2
Grays Thurrock 50C D2 D3
Graz 62-63 L2
Great Dividing Range 159E
Great Falls 130-131 D2
Great Fish river 106-107 E7
Great Kill 135C B4
Great Kills 135C A4 B4
Great Neck 135C D2
Great Plains 130-131 F2 G3
Great Yarmouth 48-49 G4
Grèce 72-73 G6 F5
Gréco-turque, plaque 158B
Gredos, sierra de 68-69 C3 D3
Greeley 130-131 F3
Green Bay 130-131 I3
Green Mountains 128D
Greenock 48-49 D3
Green River (rivière)
130-131 E4 E3
Green River (ville) 98-99 K4
Greensboro 130-131 K4
Greenville (É.-U., Caroline
du Sud) 130-131 J4 J5
Greenville (É.-U., Mississippi)
130-131 H5
Greenville (Liberia) 108-109 C4
Greenwich 50C C3
Grées, alpes 62-63 C4 D4
Greifen, lac 64-65 C1
Greifswald 58-59 E1
Greifswald, baie de 58-59 E1
Greiz 58-59 E3
Grenade (État) 145 G4
Grenade (île) 140 D1
Grenade (ville) 68-69 D4
Grenadines 145 G4
Grenchen 64-65 B1
Grenoble 62-63 B4
Grenville, province de 127A
Grésivaudan 62-63 B4 C4
Gretna Green 48-49 E3
Grevelingen, lac de 52 A3 B3
Greven 58-59 B2
Grevená 72-73 F4
Grey, monts 148-149 E4
Greytown 145 C4
Grez-Doiceau 22-23 C2
Grigny 56A C4
Grijalva 130-131 H8
Grimbergen 22-23 C2
Grimsby 48-49 F4
Grimsel, col du 64-65 C2
Grimshaw 124-125 G4
Grindelwald 64-65 C2
Grintavec 62-63 K3
Grise Fjord 124-125 J2
Gris Nez, cap 54-55 D1
Grisons 65D
Grobbendonk 22-23 C1
Grodno 74-75 F5
Groenland (île) 152-153 B15 B18
Groenland (territoire)
124-125 N2 N3
Groenland, mer du
122-123 S1 S2
Groenland du Nord
122-123 P1 Q2
Groenland occidental
122-123 O2 P2
Groenland occidentale,
courant du 162
Groenland oriental 122-123 Q2
Groix 54-55 B3
Gronau 58-59 B2
Grong 46-47 E3
Groningue (province) 52 D1
Groningue (ville) 52 D1
Groote Eylandt 148-149 D3
Grootfontein 108-109 E6
Gros-Cap 128B
Grosne 62-63 A3
Grosse-Île 128B
Grossenbrode 58-59 D1
Grosser Peilstein 62-63 L1
Grosseto 70-71 C3
Grossglockner 62-63 I2
Grossvenediger 62-63 I2
Grou (fleuve) 112A D2
Grozny 74-75 K7
Grudziądz 58-59 H2
Gruissan 54-55 E5
Grünberg 58-59 F3
Gruyère, lac de la 64-65 B2
Gruyères 64-65 B2
Gryon 64-65 B2
Gstaad 64-65 B2
Guadalajara (Espagne) 68-69 D3
Guadalajara (Mexique)
130-131 F7
Guadalcanal 148-149 F3 G3
Guadalete 68-69 C5
Guadalimar 68-69 D4
Guadalope 68-69 F3
Guadalquivir 68-69 C4 D4
Guadalupe (île) 130-131 C6
Guadalupe (localité) 144C
Guadalupe, sierra de 68-69 C3
Guadarrama, sierra de
68-69 D3 D2
Guadeloupe 145 G3
Guadiana 68-69 E4 D3
Guadiana Menor 68-69 D4 E4
Guadiato 68-69 C4
Guadix 68-69 D4
Guaianazes 144D
Guaíra, chute de 140 D4
Guainia 140 D2
Guaíra, chutes de 140 E5
Guajará Mirim 141 D4
Guajira 145 E4
Guam (île) 94-95 H5
Guam (territoire) 146-147 I7
Guanabara, baie de 144C
Guanajuato (province) 136A
Guanajuato (ville) 130-131 F7
Guanare (rivière) 145 F5
Guanare (ville) 145 F5
Guangdong 97A
Guangzhou 94-95 E4
Guantánamo (province) 137E
Guantánamo (ville) 130-131 K7
Guanxi 94-95 D4
Guanxian 96 E3
Guaporé 140 D4
Guaqui 141 D4
Guara, sierra de 68-69 F2
Guarapiranga, réservoir du
144D
Guarda (île) 130-131 D6
Guarda (ville) 68-69 B3
Guardafui, cap 106-107 I3
Guarulhos 144D
Guasave 130-131 E6
Guatemala (département) 137B
Guatemala (État) 145 A3
Guatemala (ville) 145 A4 B4
Guaviare 140 D2
Guayaquil 141 B3 C3
Guayaquil, golfe de 140 B3
Guaymas 130-131 D6
Guban 90 D7 E8
Gubbio 70-71 D3
Gublin 58-59 F3
Güdar, sierra de 68-69 F3
Gudbrandsdal 46-47 D4
Gudrun 51 C2
Guebwiller 62-63 D2
Guebwiller, ballon de 62-63 D2
Gueldre 52 C2 D2
Guéliz 113G
Guelmine 112A C3
Guercif 112A E2
Guéret 54-55 D3
Guernesey 48-49 E6
Guernica 68-69 E1
Guerrero 136A
Gueule 12-13 D2
Guia de Pacobaíba 144C
Guildford 48-49 F5
Guilin 94-95 E4
Guillaume, terre de 122-123 R2
Guillaume Delisle, lac
128A C2 D2
Guimarães 68-69 B2
Guimaras 98-99 G1
Guinée (État) 108-109 B3 C3
Guinée (région) 152-153 I20 K22
Guinée, bassin de 106-107 C5
Guinée, golfe de 106-107 C4 D5
Guinée, plateau de 159E
Guinée-Bissau 108-109 B3
Guinée Équatoriale 108-109 D4
Guingamp 54-55 B2
Guir 112A E3
Guir, hamada du 112A E3
Guiyang 94-95 D4
Guizhou 97A
Gujarat 93A
Gujranwala 92 D2
Gulf Intracoastal Waterway
130-131 G6 I5
Gulf Stream 162
Gulia 76-77 J5
Gullfaks 51 C1
Güllük, golfe de 72-73 I6
Gulpen 12-13 D2
Gulu 108-109 G4
Gumbinnen 58-59 J1
Guna 90 C7
Gunnbjørns fjeld 124-125 P3
Guntur 92 D4 E4
Günz 62-63 G1
Gurguéia 140 F3
Guri, barrage de 141 D2
Gurk 62-63 K3
Gurktal, alpes de 62-63 J3 K3
Gurupi 140 F3
Güstrow 58-59 E2
Gütersloh 58-59 C3
Gutian 96 F4 G4
Gutland 12-13 E3
Guyana 141 D2 E2
Guyane française 141 E2
Guyanes, bassin des
152-153 H15 I16
Guyanes, bouclier des 158C
Guyanes, massif des 140 D2 E2
Guyenne 54-55 C4 E4
Gwadar 92 C3
Gwalior 92 D3
Gwda 58-59 G2
Gwen 51 C2 D2
Gweru 108-109 F6 G6
Gyangtse 92 E3
Gyase 94-95 B4
Gydan, péninsule de 84-85 I3 J2
Gympie 148-149 F4
Gyöngyös 58-59 H5
Györ 72-73 D1
Gythion 72-73 G6
Gyzyl Arvat 90 G2
Gyzyl Atrek 90 F2

H

Haacht 22-23 C2
Haaltert 22-23 B2 C2
Haapiti 147E
Haapsalu 46-47 G4
Haardt 58-59 B4 C4
Haarlem 52 B2
Haarlemmermeer 53
Haasdonk 31C
Habarut 90 F6
Habay 12-13 D3
Habay-la-Neuve 19B
Habay-la-Vieille 19B
Habbaan 90 E7
Habergy 19B
Habomai 102B E2
Hachijo 102B C4
Hachinohe 102B D2
Hachioji 103A D2
Hachy 19B
Hackensack (fleuve) 135C B2
Hackensack (ville) 135C B1
Hackney 50C C2
Hadd, ras al 92 B3 C3
Hadejia 106-107 E3
Hadera 89 B3
Hadibo 90 F7
Hadjar, monts 90 G5
Hadramaout (oued) 106-107 H3
Hadramaout (région) 90 E6 F6
Hafar al Batin 90 E4
Hafun 108-109 I3
Hafun, ras 106-107 I3
Hageland 12-13 C2
Hagen 58-59 B3
Hagerstown 135B
Hagondange 54-55 G2
Hague, cap de la 54-55 C2
Haguenau 54-55 G2
Haidian 97F
Haifa 89 B3
Hai He 95B
Haikou 94-95 E4 E5
Hail 90 D4
Hailar 94-95 E2
Hailuoto 46-47 H3
Haima 90 G6
Hainan (île) 94-95 D5 E5
Hainan (localité) 101B
Hainan, détroit de 94-95 E4
Hainaut 12-13 B2 C2
Haine 12-13 C2
Hainin 90 E6
Haiphong 94-95 D4
Haïti (État) 145 E3
Haïti (île) 145 E3
Haiya 90 C6
Hajja 90 D6
Hakansson, monts 116A D4 E4
Hakodate 102B D2
Haku 102B C3
Hal 12-13 C2
Halaban 90 D5 E5
Halaib 90 C5
Halanzy 12-13 D3
Halba 89 D1
Halberstadt 58-59 D3
Halcon 98-99 G1
Halden 46-47 D4
Haldensleben 58-59 D2
Haleakala 147A
Halicz 58-59 J4
Halifax (Canada) 124-125 L5
Halifax (R.-U.) 48-49 F4
Hall, terre de 122-123 N1 O1
Halland 46-47 E5
Halle (district) 60C
Halle (ville) 58-59 D3
Hallein 62-63 J2
Halley, baie 180B
Hallingdal 46-47 D4
Hall Lake 124-125 J3 K3
Halls Creek 148-149 C3
Hallstatt 62-63 J2
Hallwill, lac de 64-65 C1
Halmahera 98-99 H3
Halmahera, mer de 98-99 H4
Halmstad 46-47 E5
Haltern 61A
Halul 91 F4
Ham 22-23 D1
Hama 90 C2
Hamad 90 C3
Hamada 103A A2 B2
Hamadan 90 E3
Hamamatsu 102B C4
Hamaoka 103A C2 D2
Hamar 46-47 D4
Hamata, djebel 90 B5 C5
Hambourg (État fédéré) 60B
Hambourg (ville) 58-59 C2
Hamda 90 D6
Hämeenlinna 46-47 H4
Hameln 58-59 C2
Hamersley, monts 148-149 B4
Hami 92 F1
Hamilton (Canada) 124-125 K5
Hamilton (Nlle.-Zélande)
148-149 H5
Hamilton (R.-U.) 48-49 D3
Hamilton, anse de 124-125 M4
Hamina 46-47 H4
Hamm 58-59 B3
Hammamet 44A
Hammam Lif 70-71 C6
Hammar, lac d' 90 E3
Hamme 12-13 C1
Hamme-Mille 22B
Hammerfest 46-47 G1
Hammersmith 50C B2
Hamoir 22-23 D2
Hamois 22-23 D2
Hamont 12-13 D1
Hamont-Achel 22-23 D1
Hampstead 50C B2
Hampstead Heath 50C B2
Hampton Court Park 50C A3
Hamra 90 C5
Ham-sur-Heure-Nalinnes
22-23 C2
Han 17A
Hanau 58-59 C3
Hand 90 C4
Handa 103A C2
Handan 94-95 E3
Haneda 103A D2
Hanford 134A
Hangö 46-47 G4
Hangzhou 94-95 E3 F3
Hangzhou, baie de 94-95 F3
Hania 90 E4
Hanko 46-47 G4
Hann, mount 148-149 C3
Hannah, baie 128A B3 C3
Hannibal 130-131 H4
Hannut 12-13 D2
Hanö, baie 46-47 E5
Hanoi 94-95 D4
Hanover 140 C8
Hanovre (district) 60C
Hanovre (ville) 58-59 C2
Han Shui 94-95 E3
Hanstholm 46-47 C5 D5
Han-sur-Lesse 12-13 D2
Hansweert 12-13 C1
Hantes 12-13 C2
Hao 147C
Haouz (localité) 114-115A C1
Haouz (région) 112A C3 D3
Haparanda 46-47 H3
Happy Camp 134A
Haql 90 B4 C4
Haradh 90 E5
Hararé 108-109 F6 G6
Harbin 94-95 F2
Harch, El 113G
Hardangerfjord 46-47 C4
Hardanger Vidde 46-47 C4 D4
Harderwijk 52 C2
Harelbeke 12-13 B2
Harer 108-109 H4
Hargeisa 108-109 H4
Harghita, monts 72-73 H1
Hari 98-99 C4
Harima, mer de 103A B2
Haringvliet 52 B3
Harinxma, canal Van 52 C1
Harirud 84-85 H6
Haris 89 C2
Harlem 135C C2
Harlem River 135C C2 C1
Harlingen 52 C1
Harlow 48-49 G5
Harmignies 17B
Harney, bassin de
130-131 B3 C3
Harney, pic 130-131 F3
Härnösand 46-47 F3
Harra 90 C3
Harricana 128A C3
Harrington 128A G3
Harris 48-49 C2
Harris, détroit de 48-49 C2
Harrisburg 130-131 K3
Harrison, cap 128A G3
Harrogate 48-49 F4
Harrow 50C A2
Harry S. Truman, lac
130-131 G4 H4
Harstad 46-47 F2
Hartel, canal 52 B3
Hart Fell 48-49 E3
Hartford 130-131 L3
Hartland, pointe 48-49 D5
Hartlepool 48-49 F3
Hartley 50C D3
Harwich 48-49 G5
Haryana 93A
Harz 58-59 D3
Hasbani 89 C2
Haskovo 72-73 H4
Haslital 64-65 C2
Hassan Addakhil, barrage
112A D2 D3
Hasselt 12-13 D2
Hassi Messaoud 108-109 D1
Hassi R'Mel 111
Hastière 22-23 C2
Hastings (Nlle.-Zélande)
148-149 H5
Hastings (R.-U.) 48-49 G5
Hatfield 50A
Hatiba, ras 90 C5
Ha Tien 98-99 C1
Hatteras, cap 130-131 K4
Hattiesburg 130-131 I5
Hattingen 61A
Hatvan 58-59 H5
Hat Yai 94-95 C6 D6
Hauenstein, col de 64-65 B1
Haugesund 46-47 C4
Hauki, lac 46-47 I3
Hauraki, golfe de 148-149 H5
Hauran 89 C2 D3
Haurun 66-67 L5
Hausruck 62-63 J1
Haut Atlas 112A D3 E2
Haut-Congo 117C
Haute-Autriche 62-63 J2 K2
Haute-Bavière 60C
Haute-Franconie 60C
Haute Plaine 34-35 D5 E5
Hauterive 128A E4
Hautes Fagnes 12-13 E2
Hautes-Fagnes - Eifel,
parc naturel 25B
Haute-Silésie 42B
Hautes Plaines 68-69 G5
Hautes Tatras 58-59 H4 I4
Hautes Tauern 62-63 I2 J2
Haut-Katanga 117A
Haut-le-Wastia 19A
Hautmont 12-13 B2
Haut-Palatinat 60C
Hauts-de-Seine 56A B2 C2
Hauts Plateaux 112A E2
Haut-Uélé 117A
Haut Veld 106-107 F7
Havant 48-49 F5
Havasu, lake 134A
Havel 58-59 E2
Havel, canal de la 58-59 E2
Havelange 22-23 D2
Haverhill 50A
Havre-Aubert 128B
Havre-aux-Maisons 128B
Hawaï (État) 146-147 O6
Hawaï (île) 147A
Hawaï, crête d' 146-147 M6 O7
Hawaï, îles 146-147 N6
Hawalli 90 E4
Hawick 48-49 E3
Hawke 128A G3 H3
Hawke, baie 148-149 H5
Hawra 90 E7
Hawthorne 135C A1
Hawza 112A C4
Hay (localité) 148-149 E5
Hay (rivière) 148-149 D4
Hayes (Brent) 50C A2
Hayes (Pool) 50C C3
Hayes, presqu'île de 122-123 N2
Hay River 124-125 G3
Hazebrouck 12-13 A2
Hazelton 124-125 F4
Heard, île 154-155 O28
Hearst 124-125 J5
Heather 51 C1
Heathrow 50C A3
Hebei 97A
Hébrides 48-49 C2 C1
Hébron (Canada) 124-125 L4
Hébron (Jourdain) 89 C4
Hécate, détroit d' 124-125 E4
Hechtel 12-13 D1
Hechtel-Eksel 22-23 D1
Hedjaz 90 C4
Hedjaz, djebel al 90 D6
Heemstede 52 B2
Heerenveen 52 C2 D2
Heerhugowaard 52 B2
Heerlen 52 C4
Heers 22-23 D2
Hefei 94-95 E3
Hegang 96 G2
Hegau 62-63 E1
Heide 58-59 C1
Heidelberg 58-59 C4
Heidenheim 58-59 D4
Heihe 76-77 N4
Heilbronn 58-59 C4
Heiligenblut 62-63 I2
Heilong Jiang (fleuve) 76-77 N4
Heilong Jiang (province) 97A
Hei-long-kiang 97A
Heimbach 12-13 E2
Heimdal 51 C2
Heinsberg 12-13 E1
Heinsch 19B
Heinstert 19B
Heist 12-13 B1
Heist-op-den-Berg 12-13 C1
Hekla 34-35 C2
Helagsfjäll 46-47 E3
Helan Shan, désert de 96 E2 E3
Helchin 22B
Helder 51 C3 D3
Hélécine 22-23 C2 D2
Helena 130-131 D2
Héligoland 58-59 B1
Héligoland, baie d' 58-59 C2 C1
Helikon 72-73 G5
Helkijn 22B
Hellendoorn 52 D2
Hellenthal 12-13 E2
Hellin 68-69 E4
Helm 51 D3
Helme 58-59 D3
Helmond 52 C3
Helmsdale 48-49 E1
Helmstedt 58-59 D2
Helpe majeure 12-13 B2 C2
Helpe mineure 12-13 B2
Helsingborg 46-47 E5
Helsingfors 46-47 H4
Helsingør 46-47 E5
Helsinki 46-47 H4
Hemel Hempstead 48-49 F5
Hemiksem 22-23 C1
Hemlo 124-125 J5
Henan 97A
Henares 68-69 E3
Hendaye 54-55 C5
Hengchun 100D A3
Hengelo 52 D2
Hengyang 94-95 E4
Hénin-Liétard 12-13 A2
Hennuyère, région limoneuse
12A
Henriette-Marie, cap 128A B2
Hensies 22-23 B2
Henzada 94-95 C5
Héraklion 72-73 H7
Herat 92 C2
Hérault 54-55 E5
Herberton 148-149 E3
Herbeumont 12-13 D3
Herblay 56A B1
Herck 12-13 D2
Herck-la-Ville 22-23 D2
Herdecke 61A
Hereford 48-49 E4
Hérens, val d' 64-65 B2
Herent 22-23 C2
Herentals 12-13 C1
Herenthout 22-23 C1
Herford 58-59 C2
Herisau 64-65 D1
Hèrleûvaux 13A
Hermeton 12-13 C2
Hermon 89 C2
Hermosillo 130-131 D6
Herne 22-23 C2
Herning 46-47 D5
Héron 12-13 D2
Herons, île aux 129E
Herrera del Duque 68-69 C3
Herselt 22-23 C1
Herstal 12-13 D2
Herstappe 22-23 D2
Herten 61A
Herve 22-23 D2
Herve, pays de 12-13 D2
Herzégovine 72-73 D3 E3
Herzele 22-23 B2
Herzliya 89 B3
Hesbaye 12-13 D2
Hesbaye humide 12A
Hesse 58-59 C3
Hetch-Hetchy, aqueduc 134A
Heure, eau d' 12-13 C2
Heusden 31B
Heusden-Zolder 22-23 D1
Heuvelland 22-23 A2
Heverlee 12-13 C2
Hevros 72-73 I4
Hewett 51 C3
Heysel 27A
Hibak 90 F5
Hibbing 130-131 H2
Hidaka, monts 102B D2
Hidalgo 136A
Hidalgo del Parral 130-131 E6
Hierro 112A A4
Higashi-Osaka 103C
Highlander 51 B2
Highlands du Sud 48-49 D3 E3
High Wycombe 50A
Hiiumaa 46-47 G4
Hijfte 31B
Hild 51 C1
Hildesheim 58-59 C2
Hillegom 52 B2
Hillingdon 50C A2
Hillside 135C A3
Hilmend 92 C2
Hilmend, lac 92 C2
Hilo 147A
Hilonghilong 98-99 H2
Hilversum 52 C2
Himachal Pradesh 93A
Himalaya 92 D2 F3
Himeji 102B B4
Hindoustan 84-85 I7 J7
Hindu Kuch 92 C2 D2
Hinnøy 46-47 E2 F2
Hirakata 103C
Hirosaki 102B D2
Hiroshima 102B B4
Hirschberg 58-59 F3
Hirson 12-13 C3
Hirtshals 46-47 D5
Hisma 90 C4
Hit 36-37 I5
Hitachi 102B D3
Hitiaa 147E
Hitra 46-47 D3
Hiva Oa 147C
Hivernage 113G
Hjälmar, lac 46-47 F4
Hoangho 94-95 C3 E3
Hobart 148-149 E6
Hoboken (Belgique) 12-13 C1
Hoboken (New York) 135C B2
Hochalmspitze 62-63 J2
Hochfeiler 62-63 H3
Hochgall 62-63 I3
Hochgolling 62-63 J2
Hô Chi Minh-Ville 94-95 D5 E5
Hochkönig 62-63 J2
Hochschwab 62-63 L2
Hod 51 C2
Hodeïda 90 D7
Hódmezővásárhely 72-73 F1
Hodna 114-115A D1
Hoegaarden 12-13 C2
Hoeilaart 12-13 C2
Hoekse Waard 52 B3
Hoek van Holland 52 B2 B3
Hoensbroek 12-13 D2 E2
Hoesselt 22-23 D2
Hoevenen 31C
Hof 58-59 D3
Hofu 103A A2
Hoggar, massif du 106-107 D2
Hohes Licht 62-63 G2
Hohe Tauern 72-73 B1
Hohe Warte 62-63 I3
Hohhot 94-95 E2
Hohneck 62-63 D1
Hokitika 148-149 H6
Hokkaido 102B D2
Holguín (province) 137E
Holguín (ville) 130-131 K7
Holland 48-49 F4 G4
Hollande méridionale 52 B2 B3
Hollande septentrionale 52 B2
Hollande septentrionale,
canal de 52 B2
Hollands Diep 52 B3

Holland Tunnel 135C B2
Holman 124-125 G2
Holon 89 B4
Holsbeek 22-23 C2
Holsteinsborg 124-125 M3
Holyhead 48-49 D4
Holzminden 58-59 C3
Homberg 61A
Hombori, monts 106-107 C3
Home, baie 124-125 L3
Homel 74-75 H5
Homer 124-125 C4
Homra, hammada el 106-107 E2
Homs 89 D1
Ho-nan 97A
Hondo 145 B3
Hondsrug 52 D1 D2
Honduras 145 B4
Honduras, golfe du 145 B3
Hønefoss 46-47 D4
Honfleur 54-55 D2
Hong, sông 94-95 D4
Höngen 12-13 E2
Hongkong (île) 101D
Hongkong (territoire) 101A B3 C3
Hongkong (ville) 84-85 M7
Hongkong, île de 101A C3
Hongrie 36-37 F4 G4
Honguedo, détroit d' 128A F4
Hongze, lac 94-95 E3 F3
Honiara 148-149 F2 G2
Honnelles 22-23 B2
Honolulu 147B
Honshu 102B B3 C3
Hood, mont 130-131 B2
Hoogeveen 52 D2
Hoogezand-Sappemeer 52 D1
Hooghly 92 E3
Hooglede 22-23 B2
Hoogstraten 22-23 C1
Hoogvliet 52 B3
Hoorn (champ pétrolier) 51 D3
Hoorn (ville) 52 C2
Hoover Dam 130-131 D4
Hopedale 124-125 L4 M4
Ho-pei 97A
Hopes Advance, cap 128A E1
Horebeke 22-23 B2
Horgen 64-65 C1
Horlivka 74-75 I6
Horn, cap 140 D8
Hornad 58-59 I4
Hornavan 46-47 F2
Hornchurch 50C D2
Hornsey 50C B2
Horodok 58-59 J4
Horsens 46-47 D5
Horsley 50C A4
Horst 12-13 E1
Horten 46-47 D4
Hortobágy 72-73 F1
Horyn 74-75 G6 G5
Hotan 92 E2
Hotan He 92 E2
Hoton 51 C3
Hot Springs 130-131 H5
Hotton 22-23 D2
Houdemont 19B
Houffalize 12-13 D2
Houille 12-13 C2
Houilles 56A B2
Hou Nan 97A
Hound Point 51 B3
Hounslow 50C A3
Hou-pei 97A
Houston 130-131 G6
Houthalen 12-13 D1
Houthalen-Helchteren 22-23 D1
Houthulst 22-23 A2
Houtman, récifs de 148-149 B4
Houx 13A
Houyet 22-23 D2
Hove 22-23 C1
Howe, cap 148-149 E5
Howland 146-147 M8
Howrah 92 E3
Hoy 48-49 A2
Høyanger 46-47 C4
Hoyerswerda 58-59 F3
Hoyoux 12-13 D2
Hradec Králové 58-59 F3
Hranice 58-59 G4
Hrodna 74-75 F5
Hron 58-59 H4
Hsinchu 100D A1
Hsintien 100D B1
Hsinying 100D A2
Hsueh Shan 100D B1
Hua'an 96 F4
Huacho 141 C4
Hua Hin 98-99 B1
Huahiné, îles 147D
Huahiné Iti 147D
Huahiné Nui 147D
Huaibei 96 F3
Huai He 94-95 E3
Huainan 94-95 E3
Hualien 100D B1
Huallaga 140 C3
Huambo 108-109 E6
Huancayo 141 C4
Huang He 94-95 C3 E3
Huang He, ancien estuaire du 94-95 F3
Huangpu 101A A1
Huaráz 141 C3
Huascarán 140 C3
Hubei 97A
Hubli 92 D4
Hückelhoven-Ratheim 12-13 E1
Huddersfield 48-49 F4
Hudiksvall 46-47 F4
Hudson 130-131 L3
Hudson, baie d' 124-125 J3 J4
Hudson, détroit d' 128A C1 D1
Hudson, plate-forme de l' 127A
Hué 94-95 D5
Huebra 68-69 C3
Huedin 58-59 J5
Huehuetenango 137B
Huelva 68-69 B4 C4
Huércal 68-69 E4
Huesca 68-69 F2
Hufra 90 C4
Hughenden 148-149 E4
Huihe 94-95 F2
Huila 140 C2
Huili 96 E4
Huitième degré, passage du 92 D5
Huize 96 E4
Huizen 52 C2
Huizhou 101A C1
Huizingen 27A
Huldenberg 22-23 C2
Hulin He 96 G2
Hull (Canada) 128A C4
Hull (R.-U.) 48-49 F4
Hulshout 22-23 C1
Hulst 52 B3
Hulun Nur 94-95 E2
Hulwan 90 B4
Humaitá 141 D3
Humber 48-49 F4 G4
Humboldt 130-131 C3
Humboldt, courant de 162
Humboldt, glacier de 124-125 L2 M2
Humenné 58-59 I4
Hunedoara 72-73 G2
Hungnam 94-95 F3
Hunsrück 58-59 B4 B3
Hunte 58-59 C2
Hunter 148-149 E5 F5
Huntington 130-131 J4
Huntington Beach 134A
Huntsville (Canada) 128A C4
Huntsville (É.-U.) 130-131 I5
Huon, golfe 148-149 E2
Huron, lac 124-125 J5
Huskvarna 46-47 E5
Husum 58-59 C1
Hutchinson 130-131 G4
Hutte Sauvage, lac de la 128A E2 F2
Hutton 51 C1
Huy 12-13 D2
Hvar 72-73 D3
Hvarski, canal 70-71 F3
Hwange 108-109 F6
Hyde Park 50C B2
Hyderabad (Inde) 92 D4
Hyderabad (Pakistan) 92 C3
Hydra 72-73 G6
Hyères 54-55 G5
Hyères, îles d' 54-55 G5

I

Iablonovy, monts 76-77 L4 M4
Iakoutie 81A
Iakoutsk 76-77 N3
Ialomiţa 72-73 I2
Iamal, péninsule 76-77 H3 I2
Iaman Taou 74-75 M5
Iamara 98-99 K5
Iambourg 76-77 I3
Iana 76-77 O3
Iana, baie de la 76-77 O2
Ianski 76-77 O3
Iaroslavl 74-75 I4
Iar Sale 76-77 I3
Iasenevo 80F B3
Iaşi 72-73 I1
Ibadan 108-109 D4
Ibagué 141 C2
Iban, monts 98-99 E3 F3
Ibar 72-73 F3
Ibb 90 D7
Ibérique, péninsule 34-35 D4 D5
Ibériques, monts 68-69 D2 E3
Iberville, lac d' 128A D2
Ibirapuera 144D
Ibiza (île) 68-69 G4 G3
Ibiza (ville) 68-69 G4
Ibo 108-109 H6
Ibri 90 G5
Içá (rivière) 141 D3
Ica (ville) 141 C4
Ichihara 103B
Ichikawa 103B
Ichim = Esil (rivière) 76-77 H4
Ichim = Esil (ville) 76-77 H4
Ichimbai 74-75 M5
Ichtegem 22-23 B1
Ida, monts 72-73 H7
Idaho 130-131 C3 D3
Idaho Falls 130-131 D3
Idar-Oberstein 58-59 B4
Idiofa 116 C3
Idlewild 135C D3
Idlib 90 C2
Idrija (fleuve) 62-63 J3
Idrija (ville) 72-73 C1
Idriss I, barrage 112A D2
Idro, lac d' 62-63 G4
Ieïsk 74-75 I6
Iekaterinbourg 36-37 K3
Ielets 74-75 I5
Iéna 58-59 D3
Iénisseï 76-77 J3
Iénisseïsk 76-77 K4
Ieper 22B
Iesi 70-71 D3
Ievpatoria 74-75 H6
Ife 114-115A D4
Iforas, adrar des 106-107 D3
Ifrane 112A D2
Igarka 76-77 J3
Igdet 112A C3
Iglésias 70-71 B5
Igli 108-109 C1
Igloolik 124-125 J3 K3
Igma, plateau d' 89 A6 B6
Igny 56A B3
Igor 51 D3
Igoumenitsa 72-73 F5
Iguaçú 140 E5
Iguaçú, chutes de 140 E5
Igualada 68-69 G2
Iguidi, erg 106-107 C2
Iijoki 46-47 H3
Iisalmi 46-47 H3
IJ, lac de l' 52 C2
Ijevsk 74-75 L4
IJmuiden 52 B2
Ijse 27A
IJssel 52 D2
IJssel, lac d' 52 C2
IJssel hollandais 52 B2
Ik 74-75 L5
Ikaría 72-73 H6 I6
Ikata 103A B3
Ilam 90 E3
Ilan 100D B1
Ilanz 64-65 D2
Ile 76-77 I5
Ilebo 108-109 F5
Ile-de-France 54-55 D2 E2
Ilek 74-75 M5
Iles de la Mer de Corail, territoire des 148-149 E3 F3
Ilesha 114-115A D4
Îles Marshall 146-147 K7
Ilford 50C C2 D2
Ilhéus 141 G4
Ili 92 D1
Iliamna, lac 124-125 C4
Iligan 98-99 G2
Iligan, baie de 98-99 G2
Ilitchevsk = Illitchivsk 74-75 H6
Ill (Autriche) 62-63 F2
Ill (France) 54-55 G3
Illampu 140 D4
Illana, baie de 98-99 G2
Iller 58-59 D4
Illimani 140 D4
Illinois (État) 130-131 H3 I3
Illinois (rivière) 130-131 I3
Illitchivsk 74-75 H6
Ilmen, lac 46-47 I4
Ilo 141 C4
Iloilo 94-95 F5
Ilorin 108-109 D4
Ilulissat 124-125 M3 N3
Ilz 58-59 E4
Imabari 103A B2
Imandra, lac 46-47 J2
Imataca, sierra 140 D2
Imatra 46-47 I4
Imini 114-115A C1
Immenstadt 58-59 D5
Immingham 48-49 F4
Imola 70-71 C2
Imperatriz 141 F3
Impéria 62-63 E6
Imperial 134A
Impérial, canal 68-69 E2 F2
Imperialdam 130-131 D5
Impériale, vallée 130-131 C5
Imperial Valley 134A
Imphal 92 F3
In Aménas 108-109 D2 E2
Inanwatan 98-99 I4
Inari 46-47 H2
Inari, lac 46-47 H2 I2
Inca 68-69 G3
Inchon 100A A2
Incourt 22-23 C2
Indalsälv 46-47 F3
Inde (État) 92 D3
Inde (rivière) 12-13 E2
Indefatigable 51 C3
Indiana 130-131 I3 J3
Indianapolis 130-131 I4
Indien, bassin central 152-153 J28 K29
Indien, bouclier 158C
Indien, océan 152-153 I26 K30
Indien-Antarctique, bassin 152-153 O30 O32
Indien-Atlantique, crête 152-153 N20 N24
Indien-Atlantique-Antarctique, bassin 152-153 P20 P24
Indigirka 76-77 P3
Indio 134A
Indjolé 114-115 E4
Indo-australienne, plaque 158F
Indochine 84-85 L8
Indonésie 94-95 D7 G7
Indore 92 D3
Indragiri 98-99 C4
Indramayu 98-99 D5
Indre 54-55 D3
Indus 92 D2 D3
Inebolu 74-75 H7
Inezgane 112A C3
Infiernillo, presa del 130-131 F8
Ingelmunster 12-13 B2
Ingermanland 74-75 G4 H4
Ingoda 76-77 M4
Ingolstadt 58-59 D4
Ingouchie 81B
Inhambane 108-109 G7
Inirida 140 D2
Inlandsis 162
Inn 58-59 C5 E4
Innertkirchen 64-65 C2
Innes 51 C2
Innsbruck 62-63 H2
Innuitiennes 127A
Innviertel 62-63 J1
Inongo 116A C3
Inoucdjouac 128A C2
Inowrocław 58-59 H2
In Salah 108-109 D2
Insterburg 58-59 I1
Inta 74-75 M2
Intérieure, mer 102B B4
Intérieure, plate-forme 127A
Interlaken 64-65 B2
Inubo, cap 103A D2 E2
Inukjuak 128A C2
Inuvik 124-125 E3
Inveraray 48-49 D2
Invercargill 148-149 G6
Inverness 48-49 D2
Inzell 62-63 I2
Ioánnina 72-73 F5
Iochkar-Ola 74-75 K4
Iona 48-49 C2
Ionienne, mer 72-73 E5 E6
Ioniennes, îles 72-73 E5 F6
Ios 72-73 H6
Ioudino 80F A3
Iougo-Zapad 80F B3
Ioujno-Sakhalinsk 76-77 P5
Ioukaghirs, plateau des 76-77 O3
Ioultin 76-77 T3
Iowa 130-131 H3
Ipanema 144C
Ipel 58-59 H4
Ipoh 98-99 C3
Ipswich (Australie) 148-149 F4
Ipswich (R.-U.) 48-49 G4
Iqaluit 124-125 L3
Iquique 141 C5
Iquitos 141 C3
Irajá 144C
Irak 91 D3
Iran 170
Iran, plateau d' 84-85 F6 G6
Iranchahr 92 C3
Iranienne, plaque 158B
Irapuato 130-131 F7
Irbid 89 C3
Irbit 76-77 H4
Irgiz 74-75 K5
Irharhar 106-107 D2
Irian Jaya 98-99 J4
Iringa 108-109 G5
Irkout 76-77 L4
Irkoutsk 76-77 L4
Irkoutsk-Tcheremkhovo 79B
Irlande (État) 48-49 B4 C4
Irlande (île) 34-35 D3
Irlande, mer d' 48-49 D4 E4
Irlande du Nord 48-49 C3
Irminger, courant d' 162
Iro, cap 103A D2
Iron Knob 148-149 D5
Ironside 129F
Irrawaddy 94-95 C5 C4
Irtych 76-77 I4
Irtych noir 92 E1
Irtychsk 76-77 I4
Irún 68-69 E1
Irvine 48-49 D3
Irvington 135C A2
Isabella Lake 134A
Isabellavaart 31A
Isangi 116A D2
Isar 62-63 H2 I1
Isarco 62-63 H3
Ischia 70-71 D4
Ise 103A C2
Ise, baie de 102B C4
Isel 62-63 I3
Iselle 64-65 C2
Iseo 62-63 G4
Iseo, lac d' 62-63 G4
Iseran, col de l' 62-63 D4
Isère 62-63 C4 B4
Isernia 70-71 E4
Ishinomaki 102B D3
Isiro 116A E2
Iskăr 72-73 G3
Iskenderun 74-75 I8
Iskenderun, golfe d' 74-75 I8
Isla de la Juventud 137E
Islamabad 92 D2
Islande (État) 36-37 B2 C2
Islande (île) 34-35 B2 C2
Islande, dorsale d' 34-35 C2 D3
Islay 48-49 C3
Isle 54-55 D4
Isle of Dogs 50C C2
Islington 50C B2 C2
Ismailia 90 B3
Isonzo 70-71 D1
Ispahan 90 F3
Isparta 74-75 H8
Ispra 64-65 C3
Israël 169G
Isset 34-35 K3
Issoire 54-55 E4
Issoudun 54-55 D3
Issyk-Koul 152-153 E28
Issy-les-Moulineaux 56A C2
Istanbul 72-73 J4
Istra 72-73 B2 C2
Istranca, monts 72-73 I4 J4
Istrie 72-73 B2 C2
Itaipu, barrage d' 141 E5
Itaituba 141 E3
Italie 36-37 F4
Itambé 140 F4
Itanagar 93A
Itatiaya 140 F5
Ithaque 72-73 F5
Itimbiri 116A D2
Itouroup 76-77 P5
Itterbeek 27A
Ittoqqortoormiit 122-123 R2 S2
Ittre 22-23 C2
Ituri (district) 117A
Ituri (rivière) 116A E2
Itzehoe 58-59 C2
Ivalo 46-47 H2
Ivalojoki 46-47 H2
Ivano-Frankivsk 74-75 F6
Ivanovo 74-75 J4
Ivdel 74-75 N3
Ivittuut 122-123 P3
Ivoire, côte de l' 106-107 C4
Ivrée 62-63 D4
Ivry-sur-Seine 56A C2 C3
Ivujivik 128A C1
Iwaki 102B D3
Iwakuni 103A B2
Iwate 102B D3
Iwembere, steppe 106-107 G5
Iwo Jima 94-95 H4
Ixelles 27A
Ixtacalco 137A
Ixtapalapa 137A
Ixtlán de Juárez 136F
Izabal 137B
Izegem 12-13 B2
Iziki 113G
Izmaïl 72-73 J2
Izmaïlovo 80F C1
Izmaïlovo, parc d' 80F C2
Izmir 72-73 I5
Izmir, golfe d' 72-73 I5
Izmit 72-73 J4
Izmit, golfe d' 72-73 J4
Iznalloz 68-69 D4
Iznik, lac 72-73 J4
Izu, îles 102B C4
Izu, péninsule d' 103A D2
Izumi 103C

J

Jabalón 68-69 D4
Jabalpur 92 E3
Jabbeke 12-13 B1
Jablonec 58-59 F3
Jablunkovsky, col de 58-59 H4
Jaca 68-69 F2
Jacarepaguá 144C
Jacarepaguá, lagune de 144C
Jáchymow 58-59 E3
Jackson (Mississippi) 130-131 H5
Jackson (Tennessee) 130-131 I4
Jackson Heights 135C C2
Jacksonville 130-131 J5
Jacmel 145 E3
Jacobabad 92 C3
Jacques Cartier, passage de 124-125 L4 L5
Jade, golfe de la 58-59 C2
Jadranska Magistrale 70-71 E2 E3
Jaén 68-69 D4
Jaffna 92 D5 E5
Jafura 90 E5 F5
Jaguaribe 140 G3
Jahra 90 E4
Jahrom 90 F4
Jailolo, détroit de 98-99 H4 H3
Jaipur 92 D3
Jaïyk 74-75 M5 L6
Jajce 72-73 D2
Jakarta 98-99 D5
Jakobshavn 122-123 O2
Jakobstad 46-47 G3
Jalan Kayu 101C B1
Jalapa (province) 137B
Jalapa (ville) 130-131 G8
Jalat Musa 89 D1
Jalhay 22-23 D2
Jalisco 136A
Jalón 68-69 E2
Jaluit 146-147 K8
Jamaica 135C D3
Jamaica Bay 135C C3 D3
Jamaïque 145 D3
Jambes 12-13 C2
Jambes la-Plante 19A
Jambi (province) 98-99 C4
Jambi (ville) 98-99 C4
Jambol 72-73 I3
Jambyl 76-77 I5
James 135B
James, baie 128A B3 C3
James River 130-131 G2
Jammer, baie 46-47 D5
Jammu 92 D2
Jammu et Cachemire 93A
Jamnagar 92 D3
Jamshedpur 92 E3
Jämtland 46-47 E3
Jándula 68-69 D4
Jangakazaly 76-77 H5
Jan Mayen 34-35 D1
Jantra 72-73 H3
Januária 141 F4
Japon 169G
Japon, fosse du 94-95 H3 H4
Japon, mer du 94-95 G2 G3
Japurá 140 D3
Jaques Cartier 128D
Jaques Cartier, passage de 128A F3 F4
Jarama 68-69 D3
Jardines de la Reina 130-131 K7
Jari 140 E2
Jarosh 89 C3
Jarosław 58-59 J3
Jarvis 146-147 N8
Jask 90 G4
Jasło 58-59 I4
Játiva = Xàtiva 68-69 F4
Jaune, mer 94-95 F3
Java 98-99 E5
Java, fosse de 98-99 D5 E6
Java, mer de 98-99 D4 E4
Javalambre 68-69 E3
Jawa 98-99 D5
Jawa Barat 98-99 D5
Jawa Tengah 98-99 D5
Jawa Timur 98-99 E5
Jaya, puncak 98-99 J4
Jayapura 98-99 J4 K4
Jayawijaya, monts 98-99 J4 K5
Jazira 90 D2
Jaz Murrian, lac de 90 G4
Jbilet 112A C3 D3
Jdanov = Marioupil 74-75 I6
Jebba 114-115A D4
Jedrzejów 58-59 I3
Jefferson, mont 130-131 B3
Jefferson City 130-131 H4
Jelanie, cap 76-77 H2
Jelenia Góra 58-59 F3
Jelgava 46-47 G5
Jemaja 98-99 D3
Jemappes 12-13 B2
Jember 98-99 E5
Jembongan 98-99 F2
Jemelle 17B
Jemeppe 12-13 C2
Jemeppe-sur-Sambre 22-23 C2
Jeneponto 98-99 F5
Jenin 89 C3
Jequitinhonha 140 F4
Jerada 112A E2
Jerez de la Frontera 68-69 C5
Jerez de los Caballeros 68-69 C4
Jéricho 89 C4
Jersey 48-49 E6
Jersey City 135C B2 B3
Jérusalem 89 C4
Jervis, baie 148-149 F5
Jesenice 62-63 J3 K3
Jeseniky 58-59 G3
Jesselton 94-95 E6
Jette 27A
Jeumont 12-13 C2
Jezkazghan 76-77 H5
Jhansi 92 D3
Jialing Jiang 94-95 D3
Jiamusi 94-95 G2
Ji'an 96 F4
Jiangmen 101A A2
Jiangsu 97A
Jiangxi 97A
Jiangyou 96 E3
Jianxi 96 F4
Jiaozhuo 96 F3
Jiaxing 96 G3
Jigansk 76-77 N3
Jihlava (rivière) 58-59 G4
Jihlava (ville) 58-59 F4
Jijel 114-115A D1
Jilin (province) 97A
Jilin (ville) 94-95 F2
Jiloca 68-69 E3
Jinan 94-95 E3
Jingdezhen 94-95 E4
Jinghong 94-95 D4
Jining 94-95 E2
Jinja 108-109 G4
Jinsha Jiang 94-95 C3
Jinxi 96 G2 G3
Jinxianqiao 97F
Jinzhou 94-95 F2
Jiouzino 80F B3
Jiparaná (rivière) 140 D3
Ji-Paraná (ville) 141 D4 E4
Jitomir = Jytomyr 74-75 G5
Jiu 72-73 G2
Jiuquan 92 F1
Jixi 94-95 G2
Jizera 58-59 F3
Jizréel, plaine de 89 C3
Joanne 51 C2
João Pessoa 141 G3
Joban 103A D1
Jodhpur 92 D3
Jodoigne 12-13 C2
Joensuu 46-47 I3
Johannesburg 108-109 F7
Johnson, fosse 94-95 F5
Johnson City 130-131 J4
Johnston 146-147 N7
Johor, détroit de 101C
Johor Baharu 98-99 C3
Joinville 141 E5 F5
Joinville-le-Pont 56A C2 D3
Jokkmokk 46-47 F2
Joliet 130-131 I3
Joliette 128A D4
Jolo (île) 94-95 F6
Jolo (ville) 98-99 G2
Jones, détroit de 124-125 J2
Jönköping 46-47 E5
Jonquière 128A D4
Joplin 130-131 G4 H4
Jorat, mont 64-65 A2
Jordanie 91 C3
Jorf Lasfar 114-115A C1
Jos 108-109 D4
Jos, plateau de 106-107 D3
Joseph, lac 128A E3 F3
Joseph Bonaparte, golfe 148-149 C3
Josephine 51 C2
Jostedalsbre 46-47 C4
Jotunheimen 46-47 D4
Jounieh 89 C2
Jourdain 89 C3
Joure 52 C2
Joux, lac de 64-65 A2
Jouy-en-Josas 56A B3
Jouy-le-Moutiers 56A A1 B1
Juan de Fuca, détroit de 130-131 A2 B2
Juan de Nova, île 108-109 H6
Juan Fernandez, dorsale de 140 B5 B6
Juan Fernandez, îles 140 B6 C6
Juazeiro 141 F3
Juazeiro do Norte 144B
Juba 108-109 G4
Jubba 90 D4
Juby, cap 112A B4
Júcar 68-69 E3
Judée 89 B4 C4
Judenburg 62-63 K2
Judio 68-69 D4
Juist 58-59 B2
Juiz de Fora 141 F5
Julia 64-65 D2
Juliana, canal 52 C4 C3
Julianehåb 122-123 P3
Jülich 12-13 E2
Juliennes, alpes 62-63 J3
Juliers, col du 64-65 D2
Jumet 12-13 C2
Jundiaí 141 F5
Juneau 124-125 E4
Jungfrau 64-65 B2
Junglei, canal 106-107 G4
Junín 141 D6
Juprelle 22-23 D2
Jura (canton) 65D
Jura (île) 48-49 C3 D2
Jura (montagne) 62-63 C3 D2
Jura, détroit de 48-49 D3 D2
Jura de Franconie 58-59 D4
Jura Krakowska 58-59 H3
Jura souabe 58-59 C4 D4
Jurbise 22-23 B2
Jurong 101C
Juruá 140 C3
Juruena 140 E3
Jutiapa 137B
Jutland 44A
Juventud 130-131 J7
Juvisy-sur-Orge 56A C3
Juziers 56A A1
Jylland 34-35 E3
Jytomyr 74-75 G5
Jyväskylä 46-47 H3

K

K.XVIII, crête 152-153 M30
Kaakhka 90 G2
Kaala 147B
Ka'amiat 90 E6 F6
Kabaena 98-99 G5
Kabalega, chutes 106-107 G4
Kabalo 116A E4
Kabanjahe 98-99 B3
Kabardie-Balkarie 81A
Kabardino-Balkarie 81B
Kabare 116A E3
Kabinda (district) 117A
Kabinda (ville) 116A D4 E4
Kabompo 106-107 F6
Kabongo 118D
Kaboul (rivière) 92 D2
Kaboul (ville) 92 C2
Kabunda 118D
Kabwe 108-109 F6
Kabylie 114-115A D1
Kachan 90 F3
Kachgar 76-77 I6
Kadan 98-99 B1
Kaduna (rivière) 106-107 D4 D3
Kaduna (ville) 108-109 D3
Kaédi 108-109 B3
Kaergård 51 E3
Kaffa 108-109 G4
Kafue 106-107 F6
Kagera 106-107 G5
Kagoshima 102B B4
Kahayan 98-99 E4
Kahemba 116 C4
Kahnawake 129E
Kahoolawe 147A
Kahramanmaraş 90 C2
Kai, îles 98-99 I5
Kai Besar 98-99 I5
Kaieteur, chute 145 H5 H6
Kaifeng 94-95 E3
Kai Kecil 98-99 I5
Kailua 147B
Kailuan 96 F2
Kaimana 98-99 I4
Kainji, lac 106-107 D3 D4
Kaipopok, baie 128A G2
Kairouan 108-109 D1 E1
Kaiserslautern 58-59 B4
Kaiserstuhl 62-63 D1
Kai Tak, aéroport de 101D
Kaiwi, chenal de 147A
Kajaani 46-47 H3 I3
Kakanda 118D
Kakhovka, réservoir de la 74-75 H6
Kako 103A B2
Kakuma 108-109 G4
Kalabaka 72-73 F5
Kalahari 106-107 F7
Kalahari, désert du 119D
Kalahari, parc national du 119A
Kalámai 72-73 G6
Kalamazoo 130-131 I3
Kalana 114-115A C3
Kalao 98-99 G5
Kalaotoa 98-99 G5
Kalawanken 98-99 E3
Kalat 92 C3
Kalemie 116A E4
Kalevala 46-47 I3
Kalgan 94-95 E2
Kalgoorlie 148-149 C5
Kaliakra, cap 72-73 J3
Kaliba 90 C4
Kalima 116A E3
Kalimantan 98-99 E3 E4
Kalimantan Barat 98-99 E4
Kalimantan Selatan 98-99 F4
Kalimantan Tengah 98-99 E4
Kalimantan Timur 98-99 F3
Kalinin = Tver 74-75 I4
Kaliningrad 46-47 G5
Kalisz 58-59 H3
Kalixälv 46-47 G2
Kall, lac 46-47 E3
Kalla, lac 46-47 H3 I3
Kallo 31C
Kalmar 46-47 F5
Kalmar, détroit de 46-47 F5
Kalmoukie 81B
Kalmthout 12-13 C1
Kalohi, chenal de 147A
Kalomo 108-109 F6
Kalouga 74-75 I5
Kalulushi 118D
Kalymnos 72-73 I6
Kama 74-75 L4
Kama, réservoir de la 74-75 M4
Kamakura 103B
Kamar, baie 90 F6
Kamaran 90 D6
Kambalda 148-149 C5
Kambove 118D
Kamčija 72-73 I3
Kamen 61A
Kamenjak, cap 62-63 J5
Kamenskoïe 76-77 R3
Kamensk-Ouralski 76-77 H4
Kamianka-Boujka 58-59 K3
Kamina 108-109 F5
Kamioka 103A C1
Kamishli 90 D2
Kamloops 124-125 F4 G4
Kamoto-Musonoi 118D
Kampala 108-109 G4
Kampar (fleuve) 98-99 C3
Kampar (localité) 98-99 C3
Kampen 52 C2 D2
Kampenhout 22-23 C2
Kamp-Lintfort 12-13 E1
Kampot 94-95 D5
Kamrau, baie de 98-99 I4
Kamtchatka 76-77 R4 Q4
Kamychin 74-75 J5 K5
Kanaaupscow 128A C3 D3
Kananga 116A D4
Kanazawa 102B C3
Kanchenjunga 92 E3
Kandadji 114-115A D3
Kandahar 92 C2
Kandalakcha 46-47 J2
Kandalakcha, golfe de 46-47 J2
Kandangan 98-99 E4 F4
Kander 64-65 B2
Kandersteg 64-65 B2
Kandi 114-115A D3
Kandla 92 C3
Kandy 92 E5
Kane, bassin de 124-125 K2 L2
Kanem 106-107 E3
Kaneohe 147B
Kanesatake 129B
Kangan 90 F4
Kangaroo 148-149 D5
Kangean, îles 98-99 F5
Kangerlussuaq 124-125 M3 N3
Kangiqsualujjuaq 128A E2
Kangiqsuc 128A D1 E1
Kangiqsujuaq 128A D1
Kangirsuk 129B
Kangnung 100A B2
Kang Xian 96 E3
Kaniama 118D
Kanine, cap 74-75 J2
Kanine, péninsule 74-75 J2 K2
Kankan 108-109 C3
Kano 108-109 D3
Kanpur 92 D3 E3
Kansai, aéroport de 103C
Kansanshi 118D
Kansas (État) 130-131 F4 G4
Kansas (rivière) 130-131 G4
Kansas City 130-131 H4
Kansk 76-77 K4
Kansk-Atchinsk 78F
Kan-sou 97A
Kanto, plaine du 103A D1
Kaohsiung 100D A2
Kaokoveld 106-107 E6 E7
Kaolack 108-109 B3
Kapela, monts 72-73 C2
Kapellen 12-13 C1
Kapelle-op-den-Bos 22-23 C1
Kapfenberg 62-63 L2
Kapit 98-99 E3
Kapos 72-73 E1
Kaposvár 72-73 D1
Kapotnia 80F C3
Kaprijke 22-23 B1
Kaprun 62-63 I2
Kapuas 98-99 E3
Kapuas Hulu, monts 98-99 E3
Kara (fleuve) 74-75 O2
Kara (localité) 74-75 N2 O2
Kara, détroit de 74-75 M1
Kara, mer de 76-77 G2 H2
Kara-Bogaz = Garabogaz 74-75 L7
Karabük 74-75 H7
Karachi 92 C3
Karaganda 76-77 I5
Karaganda-Temirtaou 79B
Karaghandy 76-77 I5
Karaginsk 76-77 R4
Karaj 90 F2
Karakalpakie 81A
Karakelong 98-99 H3
Karakoram 92 D2
Karakoram, col de 92 D2 E2
Karakorum 76-77 L5
Karaköse 90 D2
Kara-Koum 76-77 G6 H6
Kara-Koum, canal du 76-77 H6
Karaman 90 B2
Karamay 76-77 J5
Karas, monts 106-107 E7
Karasjok 46-47 H2
Kara Taou 76-77 H5
Karatchaïevsk 74-75 J7
Karatchaï-Tcherkessie 81B
Karathuri 98-99 B1
Karawanken 62-63 J3 K3
Karbala 90 D3
Karcag 58-59 I5
Karchi 92 C2
Karchy 76-77 H6
Karditsa 72-73 F5
Kărdžali 72-73 H4
Kareima 108-109 G3
Karema 108-109 G5
Karet 112A C5 C4
Kariba, lac 106-107 F6
Karimata, détroit de 98-99 D4
Karimata, îles 98-99 D4
Karimunjawa, îles 98-99 E5
Karin 90 E7
Karkheh 90 E3
Karl-Marx-Stadt = Chemnitz 58-59 E3
Karlobag 62-63 L5
Karlovac 72-73 C2
Karlovy Vary 58-59 E3
Karlshamn 46-47 E5
Karlskoga 46-47 E4
Karlskrona 46-47 E5
Karlsruhe (district) 60C
Karlsruhe (ville) 58-59 C4
Karlstad 46-47 E4
Karmøy 46-47 C4
Karnak 90 B4
Karnataka 93A
Kärnten 62-63 J3 K3
Kárpathos 72-73 I7
Kars 74-75 J7
Karsakpaï 76-77 H5
Karst, plateau du 72-73 C2
Kårstø 46-47 C4
Kartaly 76-77 H4
Karun 90 E3
Karungi 46-47 G2
Karviná 58-59 H4
Karwendel, monts 62-63 H2
Kasaï (région) 117B
Kasaï (rivière) 106-107 F5 E5
Kasaï occidental 116A D3 D4
Kasaï oriental 116A D3 E4
Kasaji 118D
Kasama 108-109 G6
Kasar, ras 90 C6
Kasbah, ras al 89 B7
Kasba Tadla 112A D2
Kasenga 116A E5
Kasese 108-109 G4
Kashba 113G
Kashgar 84-85 I6
Kashi 92 D2
Kashima 103A D2 D1
Kashiwa 103B
Kasiruta 98-99 H4
Kaskinen 46-47 G3
Kaskö 46-47 G3
Kasongo 116A E3
Kásos 72-73 I7
Kasr-e Shirin 90 E3
Kassala 90 C6
Kassandra 72-73 G4 G5
Kassandra, golfe de 72-73 G4 G5
Kassel (district) 60C
Kassel (ville) 58-59 C3
Kasserine 36-37 E5
Kastamonu 90 B1
Kasterlee 12-13 C1
Kastoría 72-73 F4
Kataba 108-109 F6
Katahdin, mont 130-131 M2
Kataka 92 E3
Katanga (province) 116A D4 E4
Katanga oriental 117C
Katchall 98-99 A2
Katchouga 76-77 L4
Katerini 72-73 G4
Katha 94-95 C4
Katharina, djebel 89 A7
Katherine 148-149 D3
Kathiavar 84-85 H7 I7
Katiola 114-115A C4
Katmai, mont 124-125 C4
Katmandou 92 E3
Katorus 108-109 F7
Katoun 76-77 J4
Katowice 58-59 H3
Katrine, loch 48-49 D2
Katrun 108-109 E2
Katschberg, tunnel de 62-63 J2
Katsina 108-109 D3
Kattara, dépression de 106-107 F2
Kattegat 34-35 F3
Katwijk 52 B2
Kau 98-99 H3
Kauai 147A
Kauai, chenal de 147B
Kaufbeuren 58-59 D5
Kaunas 46-47 G5
Kautokeino 46-47 G2
Kavajë 72-73 E4
Kavála 72-73 H4
Kavieng 148-149 F2
Kawagoe 103A D2
Kawaguchi 103B
Kawaihae 147A
Kawambwa 118D
Kawasaki 102B C3
Kawawachikamach et Matimekosh 129B
Kawm Umbu 90 B5
Kaxgar He 92 D2 D1
Kaya 108-109 C3
Kayan 98-99 F3
Kayes 108-109 B3
Kayseri 74-75 I8
Kazakhstan 76-77 G5 I5
Kazakhstan, hauteurs du 76-77 I5
Kazan (khanat) 80A
Kazan (ville) 74-75 K4
Kazanlăk 72-73 H3
Kazatchie 76-77 O2
Kazbek 74-75 J7
Kaz Daği 72-73 I5
Kazerun 90 F4
Kéa 72-73 H6
Kearny 135C A2 B2
Kebaowek 129B
Kebnekaise 46-47 F2
Kecskemét 72-73 E1
Kedia d'Idjil 114-115A B2
Kediri 98-99 E5
Kedzierzyn 58-59 H3
Keerbergen 22-23 C1
Keetmanshoop 108-109 E7
Kefamenanu 98-99 G5
Kehl 58-59 B4
Keitele, lac 46-47 H3
Keith 48-49 E2
Kelang 98-99 C3
Kelasa, détroit de 98-99 D4
Kelibia 70-71 C6
Kelloselkä 46-47 I2

Kelowna 124-125 G5
Keltma méridionale 74-75 M3
Keltma septentrionale 74-75 L3
Keluang 98-99 C3
Kem (fleuve) 46-47 J3
Kem (ville) 46-47 J3
Kemano 124-125 F4
Kemerovo 76-77 J4
Kemi 46-47 H3
Kemi, lac 46-47 H2 I2
Kemijärvi 46-47 H2
Kemijoki 46-47 H2
Kemmel, mont 12-13 A2
Kemmelbeek 12-13 A2
Kempen 12-13 E1
Kempten 58-59 D5
Kenadsa 112A E3
Kendal 48-49 E3
Kendari 98-99 G4
Kendawangan 98-99 D4 E4
Kenge 116A C3
Kengere 118D
Kéniéba 114-115A B3
Kenitra 112A D2
Kenli 96 F3 G3
Kenmare 48-49 B5
Kenmare, baie de 48-49 A5
Kennedy, passage
152-153 B13 B14
Kennedy international airport,
John F. 135C D3
Kennet 48-49 F5
Kenora 124-125 I5
Kenosha 130-131 I3
Kensington 50C B2
Kentucky (État) 130-131 I4 J4
Kentucky (rivière) 130-131 J4
Kenya 108-109 G4 H4
Kenya, mont 106-107 G5
Kerala 93A
Keren 90 C6
Kerguelen, crête des
152-153 O28 O29
Kerguelen, îles 152-153 N28
Kerinci 98-99 C4
Kerkbrugge 31B
Kerkrade 52 D4
Kermadec, fosse des
152-153 M39 L39
Kermadec, îles 152-153 M38 M39
Kerman 90 G3
Kerman, désert de 90 G4
Kermanshah = Bakhtaran
36-37 I5
Kern 134A
Keroulen 76-77 M5
Kerry, cap 48-49 B4
Kerry, monts de 48-49 A5 B5
Kertch 74-75 I6
Kertch, détroit de 74-75 I6
Kesagami, lac 128A B3
Kesch, piz 64-65 D2
Keshm 90 G4
Kessel-Lo 12-13 C2
Keswick 48-49 E3
Keswickdam 134A
Keszthely 72-73 D1
Ket 76-77 J4
Ketapang 98-99 D4
Ketchikan 124-125 E4 F4
Ketel, lac 52 C2
Kettering 48-49 F4
Kettwig 61A
Keweenaw, pointe 130-131 I2
Kew Gardens 50C A3 B3
Keys 90 F4
Key West 130-131 J7
Khabarovsk 76-77 O5
Khabur 90 D2
Khafji 90 E4
Khakassie 81A
Khalkis 72-73 G5
Khamis Muchaït 90 D6
Khamseh 90 E2
Khanaqin 36-37 I5
Khandyga 76-77 O3
Khangaï, monts 76-77 K5 L5
Khanka, lac 94-95 G2
Khanty-Mansiisk 76-77 H3
Kharg 90 E4 F4
Kharkiv 74-75 I5 I6
Kharkov 74-75 I5 I6
Khartoum 90 B6
Khartoum-Nord 90 B6
Khashm el Girba 90 B6 C6
Khasi, monts 92 F3
Khatanga (fleuve) 76-77 L2
Khatanga (localité) 76-77 L2
Khatanga, baie de 76-77 M2
Khaybar 90 C4 D4
Khayelitsha 108-109 E8
Khemis Miliana 68-69 G5
Khemisset 112A D2
Khenifra 112A D2
Kherson 74-75 H6
Kheta 76-77 K2
Khiargas Nur 76-77 K5
Khibiny 46-47 J2
Khimki 80F B1
Khimki-Khovrino 80F B1
Khíos (île) 72-73 H5 I5
Khíos (ville) 72-73 I5
Khirr 90 D3
Khiva (khanat) 80A
Khiva (ville) 76-77 G5 H5
Khmelnytsky 74-75 G6
Khodoriv 58-59 K4
Kholmsk 76-77 P5
Khon Kaen 94-95 D5
Khopior 74-75 J5
Khorasan 90 G3
Khorat, plateau de 94-95 D5
Khorog 92 D2
Khorramabad 90 E3
Khorramchahr 90 E3
Khorugh 76-77 I6
Khouribga 112A D2
Khoust 58-59 J4
Khovd 76-77 K5
Khövsgöl Nur 76-77 L4
Khromtaou 78G
Khufaifia 90 D4
Khulna 92 E3
Khums 114-115A E1
Khungirot 90 G1 H1
Khurais 90 E4 E5
Khuriya Muriya, îles 90 G6
Khurmah 90 D5
Khuzestan 90 E3
Khvoy 90 D2
Khyber, col de 92 D2
Kiakhta 76-77 L4
Kiang-si 97A
Kiang-sou 97A
Kianta, lac 46-47 I3
Kiat 90 D6
Kibali-Ituri 117C
Kibara, monts 116A E4
Kibi 114-115A C4
Kibombo 116A E3
Kičevo 72-73 F4
Kidan 90 F5 G5
Kidderminster 48-49 E4
Kiel 58-59 D1
Kiel, baie de 58-59 D1
Kiel, canal de 58-59 C2 C1
Kielce 58-59 I3
Kieta 148-149 F2
Kiev 74-75 H5
Kiffa 114-115A B3
Kifissos 72-73 G5
Kigali 116A F3
Kigoma 108-109 F5
Kii, détroit de 102B B4 C4
Kii, péninsule de 103A C3 C2
Kikinda 72-73 F2
Kikori 148-149 E2
Kikwit 116A C3
Kilbrannan, détroit de 48-49 D3
Kildin 46-47 J2
Kiliia 72-73 J2
Kilimandjaro 106-107 G5
Ki-lin (province) 97A
Ki-lin (ville) 94-95 F2
Kilis 90 C2
Kilkenny (localité) 48-49 C4
Kilkís 72-73 G4
Killarney 48-49 B4
Killingholme 51 B3
Killiniq 128A F1
Killybegs 48-49 B3
Kilmarnock 48-49 D3
Kilo 108-109 G4
Kilwa 108-109 G5
Kimberley (Afrique du Sud)
108-109 F7
Kimberley (Canada) 124-125 G5
Kimberley, plateau de
148-149 C3
Kimchak 94-95 F2
Kimchon 100A A2 B2
Kimito 46-47 G4
Kimitsu 103B
Kimmirut 124-125 L3
Kinabalu 98-99 F2
Kinabatangan 98-99 F2
Kindia 114-115A B3
Kindu 116A E3
Kinechma 74-75 J4
King 148-149 E5 E6
King, détroit de 148-149 C3
King George's Reservoir 50C C1
Kings 134A
Kings, pics 130-131 D3 E3
Kings Canyon, parc national
134A
King's Lynn 48-49 G4
Kingston (Australie) 148-149 D5
Kingston (Canada) 124-125 K5
Kingston (Jamaïque) 145 D3
Kingston upon Hull 48-49 F4
Kingston-upon-Thames
50C A3 B3
Kingstown 145 G4
Kinguele 114-115A E4
Kinkempois 30D
Kinkole 117E
Kinlochleven 48-49 D2
Kinnaird, cap 48-49 E2
Kinneret, lac de 89 C3
Kinrooi 22-23 D1
Kinshasa (province) 117A
Kinshasa (ville) 116A C3
Kintyre 48-49 D3
Kinu 103A D1
Kinzig 58-59 C4
Kiousiour 76-77 N2
Kipushi 116A E5
Kirchberg 62-63 I2
Kirensk 76-77 L4
Kirghizie 81A
Kirghizistan 76-77 I5
Kirgiz Nur 76-77 K5
Kiribati 146-147 M9
Kirikkale 74-75 H8
Kirishima 102B B4
Kirisji 42A
Kiritimati 146-147 O8
Kirkcaldy 48-49 E2
Kirkenes 46-47 I2
Kirkland Lake 124-125 J5
Kirklareli 72-73 I4
Kirkpatrick, Mount 180B
Kirkuk 90 D2
Kirkwall 48-49 a2
Kirov = Viatka (ville) 74-75 K4
Kirovabad = Gäncä 74-75 K7
Kirovakan = Vanadzor 74-75 J7
Kirovohrad 74-75 H6
Kirovsk 46-47 J2
Kirşehir 74-75 H8
Kirthar, monts 92 C3
Kiruna 46-47 G2
Kiryu 103A D1
Kisalföld 72-73 D1
Kisangani 116A E2
Kisarazu 103B
Kisenge 118D
Kishiwada 103C
Kishn 90 F6
Kishon 89 C3
Kiskörei, lac 58-59 I5
Kiskunhalas 72-73 E1
Kismayou 108-109 H5
Kiso 102B C3
Kisumu 108-109 G4 G5
Kita-Kyushu 102B B4
Kitale 108-109 G4
Kitami 102B D2
Kitchener 124-125 J5
Kitega 116A F3
Kitimat 124-125 F4
Kittiwake 51 C2
Kitwe-Nkana 108-109 F6
Kitzbühel 62-63 I2
Kitzingen 58-59 D4
Kiunga 98-99 K5
Kivu 117B
Kivu, lac 116A E3
Kivu central 117C
Kizel 74-75 M4
Kizil Irmak 74-75 H7
Kizil Uzen 74-75 K8
Kizliar 74-75 K7
Kjustendil 72-73 G3
Kladno 58-59 F3
Klagenfurt 62-63 K3
Klaipėda 46-47 G5
Klamath 134A
Klamath Falls 130-131 B3
Klamono 98-99 I4
Klarälv 46-47 E4
Klausen, col de 64-65 C2
Klein-Bijgaarden 27A
Klettgau 64-65 C1
Kliazma 74-75 I4
Klin 74-75 I4
Klinovec 58-59 E3
Klintsy 74-75 H5
Klioutchev, volcan 76-77 R4
Kłodzko 58-59 G3
Klosters 64-65 D2
Kloten 64-65 C1
Klotz, lac 128A D1
Kluane, lac 124-125 E3
Kluczbork 58-59 H3
Kluisbergen 22-23 B2
Knesselare 22-23 B1
Knin 72-73 D2
Knittelfeld 62-63 K2
Knokke 12-13 B1
Knokke-Heist 22-23 B1
Knoxville 130-131 J4
Knud-Rasmussen, terre de
122-123 P1 N2
Kobbegem 27A
Kobdo 76-77 K5
Kobe 102B C4
Kobroor 98-99 I5
Kobryn 58-59 K2
Kočevje 62-63 K4
Kodiak (île) 122-123 E4
Kodiak (localité) 124-125 C4
Kodok 108-109 G3 G4
Koekelare 22-23 A1
Koekelberg 27A
Köflach 62-63 L2
Kofu 102B C3
Kogaluc 128A C2
Kogaluk 128A F2
Køge, baie 122-123 P3 Q3
Koh-i-Baba 92 C2
Kohima 93A
Kohtla-Järve 46-47 H4
Kokand = Kukon 76-77 H5 I5
Kökchetaou 76-77 H4
Kokemäki 46-47 G4
Kokkola 46-47 G3
Kokonau 98-99 J4
Koksoak 128A E2
Kokchetav = Kökchetaou
76-77 H4
Kola 46-47 J2
Kola, baie de 46-47 J2
Kola, péninsule de 46-47 J2 K2
Kolaka 98-99 G4
Kolar 92 D4
Kolarovgrad 72-73 I3
Kolberg 58-59 F1
Kolepom 94-95 G7
Kolgouïev 74-75 K2
Kolhapur 92 D4
Kolín 58-59 F3
Kolkasrags 46-47 G5
Köln 58-59 B3
Kołobrzeg 58-59 F1
Kolomenskoïe 80F C3
Kolomna 74-75 I4
Kolonodale 98-99 G4
Kolpa 72-73 C2
Kolpachevo 76-77 I4 J4
Kolpino 46-47 I4
Kolva 74-75 M3
Kolwezi (district) 117A
Kolwezi (ville) 116A D5 E5
Kolyma 76-77 Q3
Kolyma, monts de la
76-77 Q3 R3
Kolyma, plaine de la 84-85 Q3
Komárno 58-59 H5
Komatsu 103A C1
Komen 22B
Komi 81A
Komló 72-73 E1
Komodo 98-99 F5
Komotiní 72-73 H4
Komovi 72-73 E3
Kompasberge 106-107 F8
Kompong Cham 98-99 D1
Kompong Chhnang 98-99 C1
Kompong Som 98-99 C1
Komsomolets 76-77 K1
Komsomolsk 76-77 O4
Kondopogaz 74-75 H3
Kongolo 116A E4
Kongsberg 46-47 D4
Kongsvinger 46-47 E4
Kongur Shan 92 D2
König, lac 62-63 J2
Königsberg 58-59 I1
Konin 58-59 H2
Köniz 64-65 B2
Konkouré 114-115A B3
Konocha 74-75 J3
Konotip 74-75 H5
Kontich 22-23 C1
Konya 74-75 H8
Konzhakovskyi Kamen 74-75 M4
Kootenay 130-131 C2
Kootenay, lac 124-125 G5
Kopaonik 72-73 F3
Koper 72-73 B2
Kopet Dag 90 G2
Koralpe 62-63 K3 L3
Korana 62-63 L4
Korçë 72-73 F4
Korčula 72-73 D3
Korčulanski, canal 70-71 F3
Kordofan 106-107 F3 G3
Korf 76-77 R3
Korhogo 108-109 C4
Koriatski, monts 76-77 R3 S3
Kórinthos 72-73 G6
Koriyama 102B D3
Korla 96 C2
Koroc 128A E2 F2
Koronadal 98-99 G2
Koróni 72-73 F6
Koror 98-99 I2
Körös 72-73 F1
Körös rapide 72-73 F1
Korosten 74-75 G5
Korsakov 76-77 P5
Korsør 46-47 D5
Kortemark 22-23 B1
Kortenaken 22-23 D2
Kortenberg 22-23 C2
Kortessem 22-23 D2
Kortrijk 22B
Kos 72-73 I6
Kosciusko, mont 148-149 E5
Koshigaya 103B
Košice 58-59 I4
Kosino 80F C3
Köslin 58-59 G1
Kosmet 72-73 F3
Kosovo Polje 72-73 F3
Kosovska Mitrovica 72-73 F3
Kossou 114-115A C4
Kostanaï 36-37 K3
Kostchagyl 74-75 L6
Kosti 90 B7
Kostomukcha 46-47 H3
Kostroma 74-75 J4
Kostrzyn 58-59 F2
Koszalin 58-59 G1
Kota 92 D3
Kota Baharu 98-99 C2
Kotabaru 98-99 F4
Kotabumi 98-99 C4
Kotadabok 98-99 C4 D4
Kota Kinabalu 98-99 E2 F2
Kotchi 102B B4
Kotelnitch 74-75 K4
Kotelny 76-77 O2 P2
Kotka 46-47 H4
Kotlas 74-75 K3
Kotor 72-73 E3
Kotor, bouches de 72-73 E3
Kotouï 76-77 L2
Kotte 92 E5
Kotter 51 C3 D3
Kotzebue, baie de 122-123 D3
Kouang-si 94-95 D4
Kouang-tong 97A
Kouban 74-75 I6
Kouchka = Gouchgy 76-77 H6
Koudiat 113G
Koudougou 114-115A C3
Koudymkar 74-75 L4
Koueï-tcheou 97A
Koueï-Yang 94-95 D4
Koufra, oasis de 106-107 F2
Kouïbychev = Samara (ville)
36-37 J3
Kouito, lac 46-47 I3
Koulikoro 108-109 C3
Koulounda, steppe 76-77 I4 J4
Koulsari 76-77 G5
Kouma 74-75 K7
Koumajri = Gioumri 74-75 J7
Kounachir 76-77 P5
Koungour 74-75 M4
Koungrad = Kunghirot 76-77 G5
Kountsevo 80F B2
Koupéla 114-115A D3
Koura = Kür 74-75 K7 K8
Kourgan 36-37 K3
Kouriles 76-77 Q5 P5
Kouriles, détroit des 76-77 Q4
Kouriles, fosse des
152-153 E35 D37
Kouro Chivo, dérive du 162
Kouroussa 108-109 B3 C3
Koursk 74-75 I5
Kourski Zalev 46-47 G5
Kousseri 114-115A E3
Koustanaï = Kostanaï 36-37 K3
Koutaïsi 74-75 J7
Koutoubia 113H
Koutoubia, Trick el 113H
Kouvola 46-47 H4
Kouzbass 78F
Kouzbass-Novosibirsk 79B
Kouznetsk 74-75 K5
Kovda, lac 46-47 I2 J2
Kovel 74-75 F5
Kovic 128A C1
Kovic, baie 128A C1
Kovrov 74-75 J4
Koweït (État) 169G
Koweït (ville) 90 E4
Kowloon 101A C3
Koyukuk 122-123 E3
Kozáni 72-73 F4
Kozhikode 92 D4
Kpong 114-115A D4
Kra, isthme de 94-95 C5 C6
Kraainem 22-23 C2
Kragerø 46-47 D4
Kragujevac 72-73 F2
Krakatau 98-99 C5 D5
Kraków 58-59 H3
Kramatorsk 74-75 I6
Kramfors 46-47 F3
Krammer 12-13 C1
Kranj 72-73 C1
Kranji 101C A1
Kraśnik 58-59 J3
Krasnodar 74-75 I6 I7
Krasnogorsk 80F A1
Krasnoiarsk 76-77 K4
Krasnokamsk 74-75 M4
Krasnoouralsk 74-75 N4
Krasnotouriinsk 74-75 M3
Krasnovodsk = Türkmenbachy
92 B1 B2
Kratie 98-99 D1
Krefeld 58-59 B3
Krementchuk 74-75 H6
Kremlin 80F
Kremnica 58-59 H4
Krems 58-59 F4
Kresta, baie 76-77 T3
Krestovyi, col de 74-75 J7
Kreuzlingen 64-65 D1
Kribi 108-109 D4 E4
Kriens 64-65 C1
Kriós, cap 72-73 G7
Krishna 92 D4
Kristiansand 46-47 C4 D4
Kristianstad 46-47 E5
Kristiansund 46-47 C3
Kristiinankaupunki 46-47 G3
Kristinestad 46-47 G3
Krivoï Rog 74-75 H6
Krk 72-73 C2
Krka (Croatie) 62-63 L6
Krka (Slovénie) 62-63 L4
Krnov 58-59 G3
Kronchtadt 46-47 I4
Krong 98-99 D1
Krong Koh Kong 98-99 C1
Kronstadt 46-47 I4
Kropotkin 74-75 J6
Krosno 58-59 I4
Krško 62-63 L4
Kruger, parc national 119A
Krui 98-99 C4 C5
Kruibeke 22-23 C1
Kruibeke, fort de 31C
Kruiningen 52 A3 B3
Kruishoutem 12-13 B2
Kruja 72-73 E4
Kruševac 72-73 F3
Krylatskoïé 80F B2
Kryvy Rih 74-75 H6
Krzna 58-59 J2
Krzyż 58-59 F2
Ksar Chellala 68-69 G5
Ksar el Boukhari 68-69 G5
Ksar el Kebir 112A D2
Kuala Dungun 98-99 C3
Kualakapuas 98-99 E4
Kuala Lipis 98-99 C3
Kuala Lumpur 98-99 C3
Kualamanjual 98-99 E4
Kuala Rompin 98-99 C3
Kuala Terengganu 98-99 C2
Kualatungkal 98-99 C4
Kuandang 98-99 G3
Kuantan 98-99 C3
Kuben, lac de 74-75 I4
Kubumesaaï 98-99 E3 F3
Kuching 98-99 E3
Kudat 98-99 F2
Kudus 98-99 E5
Kufstein 62-63 H2 I2
Kugluktuk 124-125 G3
Kuh, ras al 90 G4
Kuh-e-Dinar 90 F3
Kuh-e Hazaran 90 G4
Kuh-e Karkas 90 F3
Kuh-e Kuhran 90 G4
Kuh-i-Dena 92 B2
Kuhrud, monts 90 F3 G4
Kuito 108-109 E6
Kukawa 108-109 E3
Kukës 72-73 F3
Kukon 76-77 H5 I5
Kuku Nur 94-95 C3 D3
Kull, Kill van 135C B3
Kulmbach 58-59 D3
Kum 100A A2
Kumagaya 103A D1
Kumamoto 102B B4
Kumanovo 72-73 F3
Kumasi 108-109 C4
Kumba 108-109 D4
Kumzar 90 G4
Kundelungu, monts 116A E5 E4
Kunduz 92 C2
Kunghirot 76-77 G5
Kungsbacka 46-47 E5
Kunlun, monts 84-85 J6 K6
Kunlun Shan 92 D2 F2
Kunming 94-95 D4
Kunming, lac 97F
Kunsan 100A A2
Kununurra 148-149 C3
Kuopio 46-47 H3
Kupang 98-99 G6
Kuqa 92 E1
Kür 74-75 K7 K8
Kurashiki 102B B4
Kurdistan 74-75 J8
Kurdistan, monts du 34-35 I5
Kure 102B B4
Kuressaare 46-47 G4
Kurmuk 90 B7
Kurnool 92 D4
Kurume 102B A4 B4
Kuşadasi 72-73 I6
Kuşadasi, golfe de 72-73 I6
Kushiro 102B D2
Kuskokwim 122-123 D3 E3
Küssnacht 64-65 C1
Küstrin 58-59 F2
Kütahya 74-75 G8 H8
Kutch, golfe de 92 C4
Kutno 58-59 H2
Kutu 116A C3
Kuujjuaq 128A E2
Kuujjuaraapik 128A C2
Kuujjuaraapik et Whapmagoostui
129B
Kuurne 22-23 B2
Kvaløy 46-47 F2
Kvarken 74-75 F3
Kvarner 72-73 C2
Kvarnerić 62-63 K5
Kwa 116A C3
Kwajalein 146-147 K8
Kwangju 100A A2
Kwango (district) 117A
Kwango (rivière) 116A C4
Kwango, plateau 116C
Kwazulu-Natal 119A
Kwekwe 108-109 F6 G6
Kwidzyn 58-59 H2
Kwilu (district) 117A
Kwilu (rivière) 116A C4
Kwoka 98-99 I4
Kyiv 74-75 H5
Kyle of Lochalsh 48-49 C2 D2
Kyll 58-59 B3 B4
Kyllíni 72-73 G5 G6
Kyoga, lac 106-107 G4
Kyoto 102B C3
Kyparissía 72-73 F6
Kyparissía, golfe de 72-73 F6
Kythnos 72-73 H6
Kyushu 102B B4
Kyzyl 76-77 K4
Kyzyliar 76-77 H4
Kyzyl-Koum 76-77 H5
Kyzylorda 76-77 H5
Kzyl-Orda = Kyzylorda 76-77 H5
Kzyl Orda = Kyzylorda 92 C1
K2, mont 92 D2

L

Laakdal 22-23 C1
La Alcárria 68-69 E3
Laarab 113G
Laarne 22-23 B1
Laâyoune 112A B4
La Baie 128B
La Baie, îles de 145 B3
La Baleine 128A E2
La Bassée 12-13 A2
La Baule 54-55 B3
Labe (fleuve) 58-59 F3 D2
Labé (ville) 108-109 B3
La Berra 64-65 B2
Labota 98-99 G4
La Bourboule 54-55 E4
Labouret, col de 62-63 C5
Labrador 124-125 L4 M4
Labrador, bassin du
122-123 O4 Q4
Labrador, courant du 162
Labrador, mer du 122-123 O4 P4
Labrador City 124-125 L4
La Brévine 64-65 A2
La Bruyère 22-23 C2
Labuan 98-99 E2 F2
Labuha 98-99 H4
Labuk, baie de 98-99 F2
Labytnangi 76-77 H3
La Calamine 22-23 E2
La Campiña 68-69 D4
Lacanau, étang de 54-55 C4
La Canée 72-73 G7 H7
La Carlota 98-99 G1
La Carolina 68-69 D4
Lacaune, monts de 54-55 E5
La Ceiba 145 B3
La Celle-Saint-Cloud 56A B2
La Cerdaña 68-69 G2
La Chaux-de-Fonds 64-65 A1
Lachen 64-65 C1
Lachine 129E
Lachlan 148-149 E5
Lachute 128D
La Ciotat 54-55 F5
Lac Léopold II 117C
Laconie, golfe de 72-73 G6
La Corniche 27A
La Corogne 68-69 B1
La Côte 64-65 A2
La Courneuve 56A C2
La Courtine 54-55 E4
Lacq 54-55 C5
Lac Rapide 129B
La Crosse 130-131 H3
Lac-Simon 129B
Lac Supérieur, parc du
130-131 J2
Lac Supérieur, province du
127A
Ladoga, lac 46-47 I4 J4
La Dôle 64-65 A2
Lady Franklin Point 124-125 G3
Lae 148-149 E2
Laeken 27A
Laesø 46-47 D5
La Estrada = A Estrada 68-69 B2
Lafnitz 62-63 M2
La Galite 70-71 B6
Lagan 46-47 E5
La Garenne-Colombes
56A B2 C2
Lagdo, barrage de 106-107 E4
Lågen 46-47 D4
Lägern 64-65 C1
Laghouat 108-109 D1
Lagny-sur-Marne 56A D2
La Gomera 112A A3
Lagos (Nigéria) 108-109 D4
Lagos (Portugal) 68-69 B4
Lagouira 114-115A B2
La Goulette 70-71 C6
La Grande, complexe 128C
La Grande Baleine, réservoir
128C
La Grande 2 128A C3
La Grande 3 128A C3
La Grande 4 128A D3
La Gran Sabana 145 G5
La Grave 62-63 C4
La Guaira 141 D1
La Guardia 135C C2
Lagunadam 134A
Lagunillas 145 E5
Lahad Datu 98-99 F2
Lahat 98-99 C4
La Havane (province) 137E
La Havane (ville) 130-131 J7
La Haye 52 B2
Lahcen 114-115A C1
Lahewa 98-99 B3
Lahij 90 D7
Lahijan 90 F2
Lahn 58-59 C3
Lahore 92 D2
Lahr 58-59 B4
Lahti 46-47 H4
La Hulpe 22-23 C2
L'Aigle, rivière de 128A G3
Laila 90 E5
Lajes 141 E5 F5
Lake Charles 130-131 H5
Lake District 48-49 E3
Lake Harbour = Kimmirut
124-125 L3
Lakeland 130-131 J6
Lake River 128A B3
Lakeview 129F
Laksefjord 46-47 H1
Lakshadweep 93A
La Línea 68-69 C5
La Louvière 12-13 C2
L'Alpe-d'Huez 62-63 C4
La Maiella 70-71 E3
La Maire, détroit de 140 D8
La Martre, lac 124-125 G3
Lambaréné 108-109 E5
Lambeth 50C B2
Lambro 62-63 F4
La Mecque 90 C5 D5
Lamego 68-69 B2
La Meije 62-63 C4 C5
Lamèque 128A F4
La Meta 70-71 D4
Lamezia Terme 70-71 F5
Lamía 72-73 G5
Lammermuir Hills 48-49 E3
Lamone 62-63 H5
La Montaña 140 C3 C4
Lampang 94-95 C5
Lampung 98-99 C4 D4
Lamu 108-109 H5
Lanai 147A
Lanaken 12-13 D2
Lanark 48-49 E3
Lanaudière 129A
Lanaye 12-13 D2
Lancang Jiang 94-95 C3 C4
Lancaster 48-49 E3
Lancaster, détroit de 124-125 J2
L'Ancienne-Lorette 129C
Lan Dao 101D
Landau 58-59 C4
Landeck 62-63 G2
Landen 12-13 D2
Landerneau 54-55 A2
Landes 54-55 C5 C4
Landquart 64-65 D2
Landsberg (Allemagne)
62-63 G1
Landsberg (Pologne) 58-59 F2
Land's End (Canada) 124-125 F2
Land's End (R.-U.) 48-49 D5
Landshut 58-59 E4
Landwasser 64-65 D2
La Neblina 140 D2
La Neuveville 64-65 B1
Langeland 58-59 D1
Langemark-Poelkapelle
22-23 A2
Langenthal 64-65 B1
Langeoog 58-59 B2
Langkawi 98-99 B2
Langlade 128B
Langlade, isthme de 128B
Langnau 64-65 B2
Langøy 46-47 E2
Langreo 68-69 C1
Langres 54-55 F3
Langres, plateau de 54-55 F3 F2
Langsa 98-99 B3
Lang Son 94-95 D4
Languard, piz 64-65 D2
Languedoc 54-55 D5 F4
Lanín 140 C6
Länkäran 74-75 K8
La Nouvelle-Orléans
130-131 H5 I6
Lansing 130-131 J3
Lan Yu 100D B2
Lanzarote 112A B3
Lanzhou 94-95 D3
Laoag 94-95 F5
Lao Cai 94-95 D4
Laon 54-55 E2
La Oroya 141 C4
Laos 94-95 D4 D5
Lapa, serra da 68-69 B3
La Palma (île) 112A A3
La Palma (ville) 68-69 C4
La Panne 12-13 A1
La Paz (Bolivie) 141 D4
La Paz (Mexique) 130-131 D7
La Pérouse, détroit de 76-77 P5
La Petite Île 30D
La Pinte 22-23 B1 B2
La Plagne 62-63 C4
La Plante 13A
La Plata 141 E6
La Pocatière 128A D4 E4
Laponie 46-47 F2 H2
Lappeenranta 46-47 I4
La Prairie 129E
Laptev, détroit de 76-77 O2 P2
Laptev, mer des 76-77 M2 O2
Łapuş 58-59 J5
Laquédives, îles 92 D4
L'Aquila 70-71 D3
Lar 90 F4
Larache 112A D2
Laramie, monts 130-131 E3
La Rance 55D
Larche, col de 62-63 C5
Larchmont 135C D1
Laredo 130-131 G6
Larestan 90 F4 G4
La Rioja (région) 68-69 E2
La Rioja (ville) 141 D5
Lárissa 72-73 G5
Larissa, Bab 113H
Larnaca 90 B3
Larne 48-49 D3
La Roche-en-Ardenne 12-13 D2
La Rochelle 54-55 C3
La Roche-sur-Yon 54-55 C3
Larochette 12-13 E3
La Romaine 129B
La Ronge 124-125 H4
Larvik 46-47 D4
La Sagra 68-69 E4
Lasalle 129E
Las Alpujarras 68-69 D5 E5
La Sarine 64-65 B2
Las Bárdenas 68-69 E2
Las Cruces 130-131 E5
La Serena (région) 68-69 C4
La Serena (ville) 141 C5
La Seu d'Urgell 68-69 G2
La Seyne 54-55 F5
La Seyne-sur-Mer 62-63 B6
Lashio 94-95 C4
La Sila 70-71 F5
La Skhirra 42A
Las Khoreh 90 E7
Laško 62-63 L3
Las Marismas 68-69 C4
Lasne 22-23 C2
Las Palmas 112A B3
La Spézia 70-71 B2
Lassen, mont 130-131 B3
Lastovo 72-73 D3
Las Tunas (province) 137E
Las Tunas (ville) 145 D2
Las Vegas 130-131 C4
Latina 70-71 D4
Latisana 62-63 I4
Latium 70-71 C3 D4
Latorytcha 58-59 J4
Latour 19B
La Tourette Park 135C A4 B4
Lattaquié 90 C2
La Tuque 128A D4
Laufen 64-65 B1
Laufenburg 64-65 C1
Launceston 148-149 E6
La Unión (El Salvador) 145 B4
La Unión (Espagne) 68-69 F4
Laura 148-149 E3
Lauraisie 159A2
Laurentides (région) 129A
Laurentides, parc des
130-131 L2
Laurion 72-73 H6
Lausanne 64-65 A2
Lausitz 58-59 E3 F3
Laut (Kalimantan Barat)
98-99 D3
Laut (Kalimantan Selatan)
98-99 F4
Lauterbrunnen 64-65 B2
Lauw 22B
Lauwers, lac 52 D1
Lauzon 129C
Laval (Canada) 129A
Laval (France) 54-55 C2
La Valette 36-37 F5
Lavan (île) 90 F4
Lavan (localité) 91 F4
Lavant 62-63 K3
La Vega (région) 68-69 D4
La Vega (ville) 145 E3
Laveno 64-65 C3
Lavéra (localité) 54-55 F5
La Vera (région) 68-69 C3
La Vérendrye, parc 130-131 K2
La Verrière 56A A3
Laverton 148-149 C4
Lavongai 148-149 E2 F2
Lawdar 90 E7
Lawers, ben 48-49 D2
Lawit 98-99 E3
Lawrence 135B
Lawton 130-131 G5
Lawu 98-99 E5
Laysan, île 154-155 G39
Lázaro Cárdenas 130-131 F8
Lea 50C C1 C2
Leatherhead 50C A4
Léau 12-13 D2
Łeba 58-59 G1
Łeba, lac 58-59 G1
Le Barcarès 54-55 E5
Lebbeke 12-13 C1 C2
Le Blanc-Mesnil 56A C2
Lebrija 68-69 C5
Le Caire 90 B3
Le Cap 108-109 E8
Lecce 70-71 G4
Lecco 62-63 F4
Lech (localité) 62-63 G2
Lech (rivière) 58-59 D5
Le Chesnay 56A B2
Lechfeld 58-59 D4
Le Coq 12-13 A1 B1
Le Coudray-Montceaux
56A C4 D4
Le Creusot 54-55 F3
Le Croisic 54-55 B3
Lede (localité) 22-23 B2
Lede (rivière) 31B
Ledeberg 31B
Ledegem 22-23 B2
Leduc 124-125 G4
Lee 48-49 B5
Leeds 48-49 F4
Leer 58-59 B2
Leeuwarden 52 C1
Leeuwin, cap 148-149 B5
Leeuw-Saint-Pierre 22-23 C2
Lefkosia 90 B2
Legaspi 94-95 F5
Léglise 22-23 D3
Legnago 62-63 H4
Legnica 58-59 G3
Leh 92 D2
Le Havre 54-55 D2
Le Haÿ-les-Roses 56A C3
Leibnitz 62-63 L3
Leibstadt 64-65 C1
Leicester 48-49 F4
Leichhardt 148-149 D3
Leiden 52 B2
Leikanger 46-47 C4
Leine 58-59 C2
Leinster 48-49 C4
Leipzig 58-59 E3
Leiria 68-69 B3
Leith 48-49 E3
Leitha 58-59 G5
Leitrim 129F
Lek 52 B3
Le Kremlin-Bicêtre 56A C3
Leksand 46-47 E4
Leksula 98-99 H4
Le Lavandou 54-55 G5
Le Locle 64-65 A1
Lelystad 52 C2
Le Madonie 70-71 E6
Leman 51 C3
Léman, lac 64-65 A2
Le Mans 54-55 D2 D3
Lemberg 62-63 E1
Le Mesnil-le-Roi 56A B2
Lemmer 52 C2
Lemnos 72-73 H5
Le Murge 70-71 F4
Lena 76-77 L4 N3
Lendelede 22-23 B2
Lengeh 90 F4
Lenghu 96 D3
Lénine, monts 80F B2
Lénine, stade 80F B2
Leningrad = Saint-Pétersbourg
46-47 I4
Lenino 80F C3
Leninsk-Kouznetski 76-77 J4
Lenk 64-65 B2
Lenkoran = Länkäran 74-75 K8
Lennik 22-23 C2
Lens 22-23 B2
Lensk 76-77 M3
Lenzburg 64-65 C1
Lenzerheide 64-65 D2
Leoben 62-63 L2
León (Espagne) 68-69 C2
León (Mexique) 130-131 F7
León (Nicaragua) 145 B4
León-Castille 68-69 C2 E2
Leone, mont 64-65 C2
Leonora 148-149 C4
Léopold, canal 31A
Leopoldsburg 22B
Léopoldville (région) 117B
Léopoldville (ville) 117B
Le Pecq 56A B2
Le Perray-en-Yvelines 56A A3
Le Perreux-sur-Marne
56A C2 D2
Le Perthus 54-55 E5
Leping 96 F4
Lepini, monts 70-71 D4
Le Pirée 72-73 G5 G6
Le Plessis-Chenet 56A C4
Le Plessis-Robinson 56A B3
Le Plessis-Trévise 56A D3
Le Port-Marly 56A B2
Le Pré-Saint-Gervais 56A C2
Le Puy 54-55 E4 F4
Le Quesnoy 12-13 B2
Le Raincy 56A D2
Lérida 68-69 F2
Lerma 68-69 D2
Le Roeulx 22-23 C2
Léros 72-73 I6
Leroy, lac 128A D2
Lerwick 48-49 b1
Les Baux 62-63 A6
Les Bons Villers 22-23 C2
Lesbos 72-73 H5 I5
Les Cayes 145 E3
Les Clayes-sous-Bois 56A A2
Les Deux-Alpes 62-63 C5
Les Diablerets 64-65 B2
Les Dormeuses 128A B2
Les Escoumins 129B
Les Essarts-le-Roi 56A A3
Les Fens 48-49 F4 G4
Les Gets 62-63 C3
Lésima, mont 62-63 F5
Lésina, lac de 70-71 E4
Les Jumelles 128A B3
Leskovac 72-73 F3
Leslie 128B
Les Lilas 56A C2
Les Mureaux 56A A1
Lesosibirsk 76-77 J4 K4
Lesotho 108-109 F7
Les Ponts-de-Martel 64-65 A1
Les Sables-d'Olonne
54-55 B3 C3
Lesse 16
Lessines 12-13 B2
Lessini, monts 62-63 H4
Les Ulis 56A B3
Leszno 58-59 G3
L'étang du Nord 128B

Tarragone 68-69 G2
Tarrasa = Terrassa 68-69 G2
Tarsus 74-75 H8
Tartan 51 C2
Tártaro 62-63 G4
Tartu 46-47 H4
Tartus 90 C3
Tarutung 98-99 B3
Tarvisio 62-63 J3
Tasiilaq 122-123 Q3
Tasikmalaya 98-99 D5
Tasiujaq 129B
Tasman, mer de 148-149 F5 G5
Tasman, pays de 148-149 C3
Tasmanie (île) 152-153 N35 N36
Tasmanie (province) 148-149 E6
Tasmanie, bassin de
148-149 F5 G6
Tasmanie, crête de 152-153 N35
Tasmanie, plateau de
148-149 E6
Tassialouc, lac 128A D2
Tata 112A C3 D3
Tatabánya 72-73 E1
Tatarovo 80F B2
Tatars, détroit des 76-77 P4 P5
Tatarsk 76-77 I4
Tatarstan 81A
Tatra 34-35 G4
Tatsfield 50C C4
Tatvan 74-75 J8
Tauber 58-59 C4
Tauern, col des 62-63 J2
Taunggyi 94-95 C4
Taunton 48-49 E5
Taunus 58-59 C3
Taupo, lac 148-149 H5
Tauranga 148-149 H5
Taurus 84-85 E6 F6
Taurus, monts 74-75 H8 J8
Tautira 147E
Tavannes 64-65 B1
Tavda 34-35 K3
Taverny 56A B1
Tavignano 70-71 B3
Tavira 68-69 B4
Tavoliere 70-71 E4
Tavoy 94-95 C5
Tavoy, cap 98-99 B1
Tavşanli 72-73 J5
Taw 48-49 E5
Tawau 98-99 F3
Tawitawi 98-99 F2 G2
Taxco 130-131 G8
Tay 48-49 E2
Tay, firth of 48-49 E2
Taygète 72-73 G6
Taysiyah 90 D4
Taz (fleuve) 76-77 J3
Taz (région) 76-77 I3
Taz, estuaire du 76-77 I3
Taza 112A D2 E2
Tazarka 114-115A E1
Tazenakht 112A D3
Tazovskoïe 76-77 I3
Tbilissi 74-75 J7
Tchad 108-109 E3 F3
Tchad, bassin du 106-107 E3
Tchad, lac 106-107 E3
Tchaoun, baie de la 76-77 R2 R3
Tchara 76-77 M4
Tchardjoou 92 C2
Tchardjoou = Tchärjew 76-77 H6
Tchärjew 76-77 H6
Tcheboksary 74-75 K4
Tchelagski, cap 76-77 S2
Tcheliabinsk 36-37 K3
Tchéliouskine, cap 76-77 L2
Tcheng-Tou 94-95 D3
Tchèque, République 169G
Tcheremkhovo 76-77 K4 L4
Tchérémouchki 80F B3 C3
Tcherepovets 74-75 I4
Tcherkasy 74-75 H6
Tcherkessk 74-75 J7
Tcherkisovo 80F C1
Tcherniakhovsk 46-47 G5
Tchernihiv 74-75 H5
Tchernivtsi 74-75 G6
Tchertanovo 80F B3 C3
Tchêtchénie 81B
Tchibanga 114-115A E5
Tchimbele 114-115A E4
Tchimkent 92 C1 D1
Tchimkent = Chymkent 76-77 H5
Tchistopol 74-75 L4
Tchita 76-77 M4
Tchocha, baie de la 74-75 K2
Tchoibalsan 76-77 M5
Tchoke, monts 90 C7
Tchô-kiang 97A
Tchokourdakh 76-77 P2
Tch'ong K'ing 94-95 D4
Tchorski 76-77 O3 R3
Tchorski, monts 76-77 O3 P3
Tchou (rivière) 92 D1
Tchou (ville) 92 D1
Tchou = Chou (rivière)
76-77 H5 I5
Tchou = Chou (ville) 76-77 I5
Tchoudes, lac des 46-47 H4
Tchouktches (péninsule)
76-77 T3
Tchouktches, mer des
152-153 B39 C40
Tchoulkovo 76-77 J3
Tchoulman 76-77 N4
Tchoulym 76-77 J4
Tchouna 76-77 K4
Tchousovaïa 74-75 M4
Tchousovoï 74-75 M4
Tchouvachie 81A
Tczew 58-59 H1
Téahupoo 147E
Teaneck 135C B1
Tébessa 36-37 E5
Tebingtinggi (île) 98-99 C3
Tebingtinggi (ville) 98-99 B3
Tecate 135A
Teddington 50C A3
Tees 48-49 F3
Teesport 51 B3
Tefé 141 D3
Tegal 98-99 D5
Tegelen 12-13 E1
Tegern, lac 62-63 H2
Tegucigalpa 145 B4
Tehachapi Mountains 134A
Tehama Colusa Canal 134A
Téhéran 90 F2
Tehuantepec 130-131 G8
Tehuantepec, golfe de
130-131 G8 H8
Tehuantepec, isthme de
130-131 H8
Teide, pico de 112A A3
Teifi 48-49 D4
Tejo 68-69 B3
Tekeze 90 C7
Tekir Dağ (montagne) 72-73 I4
Tekirdağ (ville) 72-73 I4
Tekong 101C
Tekstilchtchiki 80F C2
Telanaipura = Jambi 98-99 C4
Tel Aviv 89 B3
Tel Aviv-Jaffa 90 B3
Telefomin 98-99 K5
Telemark 46-47 C4 D4
Telen 98-99 F3
Teles Pires, rio 140 E3 E4
Telford 48-49 E4
Teller 124-125 B3
Tellin 22-23 D2
Telok Anson 98-99 C3
Telposiz 74-75 M3
Telukdalem 98-99 B3
Tema 108-109 C4 D4
Temagami, lac 128A B4
Temara 112A D2
Tembilahan 98-99 C4
Teme 48-49 E4
Temerloh 98-99 C3
Temirtaou 76-77 I4
Témiscamingue 129B
Temple 130-131 G5
Templeton 129F
Temuco 141 C6
Tenafly 135C C1
Ténare, cap 72-73 G6
Tenasserim (fleuve) 98-99 B1
Tenasserim (localité) 94-95 C5
Tenasserim (région) 94-95 C5
Tendaho 90 D7
Tende, col de 62-63 D5
Tendrara 112A E2
Tendre, mont 64-65 A2
Tenedos 72-73 H5 I5
Ténéré 106-107 E2 E3
Tenerife 112A A3 A4
Ténès 68-69 G5
Tenggara, nusa 94-95 E7 F7
Tenggarong 98-99 F4
Tenghiz, lac 76-77 H4
Tenke 108-109 F6
Tenna 62-63 J6
Tennant Creek 148-149 D3
Tennessee (État) 130-131 I4 J4
Tennessee (rivière) 130-131 I5
Tenneville 22-23 D2
Tenochtitlan 137A
Tenryu 103A C2
Tensift 112A C3
Teófilo Otôni 141 F4
Tepic 130-131 F7
Teplice 58-59 E3
Ter 68-69 G2
Teraina 146-147 O8
Teramo 70-71 D3
Ter Apel 52 E2
Terek 74-75 K7
Terek, col de 92 D2
Teresina 141 F3
Terespol 58-59 J2
Terím 90 E6
Termes 19B
Termez 92 C2
Termini 70-71 D5 D6
Términos, laguna de
130-131 H8
Termiz 76-77 H6
Termoli 70-71 E3 E4
Termonde 12-13 B1 C1
Tern 51 C1
Ternaaien 12-13 D2
Ternat 22-23 C2
Ternate 98-99 H3
Terneuzen 52 A3
Terni 70-71 D3
Ternopil 74-75 G6
Terracina 70-71 D4
Terrassa 68-69 G2
Terre Haute 130-131 I4
Terre-Neuve (île) 124-125 M5
Terre-Neuve (province)
124-125 M4
Terre-Neuve, grand banc de
122-123 O5 P5
Terri, mont 64-65 B1
Terschelling 52 C1
Teruel 68-69 E3
Tervuren 12-13 C2
Teseney 90 C6
Tessaout 112A D3
Tessenderlo 12-13 D1
Tessin (canton) 65D
Tessin (rivière) 64-65 C2
Tessin, alpes du 64-65 C2
Test 48-49 F5
Têt 54-55 E5
Tete 108-109 G6
Tête d'Oiseau 98-99 I4
Tête-Jaune, col de
124-125 F4 G4
Teterboro airport 135C B1
Téthys 159A
Tétiaroa, îles 147D
Tetica 68-69 E4
Teton, mont 130-131 D3
Tétouan 112A D2
Teulada, cap 70-71 B5
Teutoburger Wald 58-59 B2 C3
Tevere 70-71 D3
Texarkana 130-131 G5 H5
Texas 130-131 F5 G5
Texel 52 B1
Thabanshonyana 106-107 F7
Thaïlande 94-95 C6 D5
Thaïlande, golfe de 94-95 D5 D6
Thamarit 90 F6
Thames 51 C3
Thamud 90 E6 F6
Thanjavur 92 D4
Thar, désert de 92 D3
Tharsis 68-69 B4
Tharthar 90 D3
Tharthar, lac 90 D3
Thássos 72-73 H4
Thaya 58-59 F4
Thayetmyo 94-95 C5
Thebe 90 B4
Thèbes 72-73 G5
The Brothers 90 F7
Theddlethorpe 51 C3
The Granites 148-149 D4
Theiss 72-73 G1 F1
Thelma 51 C2
Thelon 124-125 H3
The Narrows 135C B3
The Pas 124-125 H4
The Peak 48-49 F4
The Potteries 48-49 E4
Théra 72-73 H6
The Raunt 135C C3
The Solent 48-49 F5
Thessalie 72-73 F5 G5
Thessalonique 72-73 G4
Thessalonique, golfe de
72-73 G4 G5
Thetford 50A
Thetford Mines 128A D4 E4
Theux 12-13 D2
The Wash 48-49 G4
The Weald 48-49 F5 G5
Theydon Bois 50C C1 D1
Thiais 56A C3
Thiaumont 19B
Thièle 64-65 A2
Thiers 54-55 E4
Thiès 108-109 B3
Thimister-Clermont 22-23 D2
Thimphu 92 E3
Thionville 54-55 F2 G2
Thistle 51 C1
Thoiry 56A A2
Tholen (localité) 12-13 C1
Tholen (région) 52 B3
Thommen 22B
Thompson (localité) 124-125 I4
Thompson (rivière) 124-125 G4
Thomson (localité) 101C
Thomson (rivière) 148-149 E4
Thon Buri 94-95 D5
Thong Hoe 101C
Thonon-les-Bains 62-63 C3
Thornwood Common 50C C1
Thorshavn 36-37 D2
Thoune 64-65 B2
Thoune, lac de 64-65 B2
Thrace 72-73 H4 I4
Three Kings, îles 148-149 H5
Thuin 12-13 C2
Thule 122-123 M2 N2
Thulé, base aérienne de
152-153 B14
Thunder Bay 124-125 I5 J5
Thung Song 98-99 B2 C2
Thur 64-65 D1 C1
Thurgovie 65D
Thuringe (État fédéré) 60C
Thuringe (région) 58-59 D3
Thuringe, forêt de 58-59 D3
Thurn, col de 62-63 I2
Thurrock 48-49 G5
Thursday 148-149 E3
Thurso (fleuve) 48-49 E1
Thurso (localité) 48-49 E1
Thusis 64-65 D2
Tianjin 94-95 E3
Tianjin Shi 97A
Tian Shan 76-77 I5 J5
Tianshui 94-95 D3
Tiarei 147E
Tiaret 68-69 G5
Tibati 114-115A E4
Tibériade 89 C3
Tibériade, lac de 89 C3
Tibesti 106-107 E2 E3
Tibesti, serír 106-107 E2
Tibet 92 E2
Tibet, plateau du 84-85 J6
Tibétain, haut-plateau 96 C3
Tibre 70-71 D3
Tiburón 130-131 D6
Tidikelt 106-107 D2
Tidirhine 112A D2
Tidjikdja 108-109 B3
Tidore 98-99 H3
Tiefencastel 64-65 D2
Tiel 52 C3
Tielt 12-13 B1
Tielt-Winge 22-23 C2
Tienen 22B
Tien-tsin 97A
Tiétar 68-69 C3
Tietê 140 E5
Tiflis 74-75 J7
Tigéry 56A D4
Tighina 72-73 J1
Tignes 62-63 C4 D4
Tigre (Mésopotamie) 84-85 F6
Tigre (Pérou) 140 C3
Tiguentourine 114-115A D2
Tih 90 B4
Tih, désert du 89 A5 B5
Tih, plateau du 89 A6 B6
Tihama 106-107 H2 H3
Tihamat ash Sham 90 D5 D6
Tijuana 130-131 C5
Tijuca 144C
Tijuca, lagune de 144C
Tijuca, parc national de 144C
Tikal 130-131 I8
Tikhoretsk 74-75 J6
Tikhvin 74-75 H4
Tikopia 148-149 G3
Tikrit 90 D3
Tiksi 76-77 N2
Tilburg 52 B3 C3
Tilemsi 114-115A D3
Tillabéry 114-115A D3
Tilos 72-73 I6
Tima 90 B4
Timan, côte de 74-75 K2 L2
Timan, hauteurs de 74-75 K2 L3
Timaru 148-149 H6
Timfristós 72-73 F5
Timia 114-115A D3
Timimoun 108-109 D2
Timiş 72-73 F2
Timişoara 72-73 F2
Timmins 124-125 J5
Timna 89 B6
Timok 72-73 G3
Timor 98-99 H5
Timor, mer de 148-149 C3
Timor Timur 98-99 H5
Tinaca, pointe 98-99 G2 H2
Tindouf 108-109 C2
Tineo 68-69 C1
Tinerhir 112A D3
Tin Fouye 114-115A D2
Tinlot 22-23 D2
Tinos 72-73 H6
Tinrhert, hammada du
106-107 D2
Tintange 22B
Tintigny 22-23 D3
Tinto, rio 68-69 C4
Tiopły Stan 80F B3
Tioumen 36-37 K3
Tipperary 48-49 B4
Tiran 89 B7
Tiran, détroit de 89 B8 B7
Tirana 72-73 E4
Tiranë 72-73 E4
Tiraspol 74-75 G6
Tiree 48-49 C2
Tîrgovişte = Târgovişte
(Roumanie) 72-73 H2
Tîrgu Jiu = Târgu Jiu 72-73 G2
Tîrgu Mureş = Târgu Mureş
72-73 H1
Tirlemont 12-13 C2 D2
Tirol 44A
Tirso 70-71 B4
Tiruchchirappalli 92 D4
Tisza 72-73 G1 F1
Titicaca, lac 140 D4
Titlis 64-65 C2
Tit-Mellil 113B
Titule 116A E2
Tivoli 70-71 D4
Tizi-n-Tichka 112A D3
Tiznit 112A C3
Tlalnepantla 137A
Tlalpan 137A
Tlaxcala (province) 136A
Tlaxcala (ville) 130-131 G8
Tlemcen 112A E2
Toamasina 108-109 H6 I6
Toa Payoh 101C B2
Toba, lac 98-99 B3
Tobago 145 G4
Tobermory 48-49 C2
Toblach 62-63 I3
Toboali 98-99 D4
Tobol 34-35 K3
Tobolsk 36-37 K3
Tobrouk 108-109 F1
Tocantins (province) 144A
Tocantins (rivière) 140 F3
Toce 62-63 E3
Tochkent 76-77 H5
Tocopilla 141 C5
Tödi 64-65 C2
Toernich 19B
Tofana 62-63 I3
Toggenburg 64-65 D1
Togian, îles 98-99 G4
Togliatti 74-75 K5
Togo 108-109 D4
Togo, monts 106-107 D4 D3
Tohivéa 147E
Tokaj 72-73 F1
Tokar 90 C6
Tokat 74-75 I7
Tokelau 146-147 M9 N9
Tokorozawa 103B
Tokushima 102B B4
Tokuyama 103A A3 B2
Tokyo 102B C3
Tokyo, baie de 103B
Tokyo-Haneda, aéroport
international de 103B
Tola 76-77 L5
Tolboukhin = Dobrič 72-73 I3
Tolède 68-69 D3
Tolède, monts de 68-69 D3
Toledo 130-131 J3
Toliara 108-109 H7
Tolitoli 98-99 G3
Tolmezzo 62-63 J3
Tolo, golfe de 98-99 G4
Tolstoï, cap 76-77 Q4
Toluca 130-131 G8
Tom 76-77 J4
Tomakomai 102B D2
Tomar 68-69 B3
Tomaszów Mazowiecki 58-59 H3
Tombigbee 130-131 I5
Tombouctou 108-109 C3
Tomelloso 68-69 E3
Tomilino 80F D3
Tomini 98-99 F3 G3
Tomini, golfe de 98-99 G3 G4
Tommot 76-77 N4
Tomorr 72-73 F4
Tomsk 76-77 J4
Tomtabacken 46-47 E5
Ton 12-13 D3
Tonale, col de 62-63 G3
Tondabayashi 103C
Tønder 58-59 C1
Tone 102B C3
Tonga 146-147 M10
Tonga, fosse des 152-153 L39
Tongatapu 146-147 M11
Tongchuan 96 E3
Tongelreep 12-13 D1
Tongeren 22B
Tonghua 96 G2
Tongjiang 96 H2
Tongliao 96 G2
Tongling 96 F3
Tongres 12-13 D2
Tonkin 94-95 D4
Tonkin, golfe du 94-95 D5 D4
Tonlé Sap 94-95 D5
Tonnay-Charente 54-55 C4
Tönning 58-59 C1
Tønsberg 46-47 D4
Toowoomba 148-149 F4
Top, lac 46-47 I3 J3
Topeka 130-131 G4
Tor 51 C2
Torbat-e Heydariyeh 90 G2 H2
Torbay 48-49 E5
Torcy (Seine-et-Marne) 56A D2
Tordesillas 68-69 D2
Torenberg 52 C2
Torgau 58-59 E3
Torghaï 76-77 H5
Torghaï, plateau de 84-85 G5 H5
Torhout 12-13 B1
Toride 103B
Torino 70-71 A2
Tormes 68-69 C2
Torne, lac 46-47 G2
Torneälv 46-47 G2
Torngat, monts 124-125 L4
Tornio 46-47 H3
Toronto 124-125 J5 K5
Torre 68-69 B3
Torrecilla 68-69 D5
Torrelavega 68-69 D1
Torremolinos 68-69 D5
Torrens, lac 148-149 D5
Torreón 130-131 F6
Torres, détroit de 148-149 E2
Torrevieja 68-69 F4
Tortola 145 F3 G3
Tortoli 70-71 B5
Tortona 62-63 E5
Tortosa 68-69 F3
Tortosa, cap de 68-69 F3
Tortue 145 E2
Tortuga 140 D1
Toruń 58-59 H2
Tory 48-49 B3
Tosa, baie de 102B B4
Toscan, archipel 70-71 B3 C3
Toscane 70-71 C3
Töss 64-65 C1
Tosya 88B
Totonicapán 137B
Totowa 135C A1
Tottenham 50C B2 C2
Tottenville 135C A4
Tottori 102B B3
Touapse 74-75 I7
Touat 106-107 D2
Toubkal 112A C3 D3
Touggourt 108-109 D1
Toul 54-55 F2
Toula 74-75 I5
Touliu 100D A2
Touloma 46-47 I2 J2
Toulon 54-55 F5
Touloun 76-77 L4
Toulouse 54-55 D5
Toummo 108-109 E2
Tounassine, hamada 112A D3
Toungouska 78F
Toungouska inférieure 76-77 K3
Toungouska pierreuse 76-77 K3
Touques 54-55 D2
Toura (localité) 76-77 L3
Toura (rivière) 34-35 K3
Touraine (localité) 129F
Touraine (région) 54-55 D3
Touran, dépression du
84-85 G5 H5
Tourcoing 12-13 B2
Tourgaï 92 C1
Tourgaï = Torghaï 76-77 H5
Tourkestan 92 C1
Tourkestan = Turkistan 76-77 H5
Tournai 12-13 B2
Touroukhansk 76-77 J3
Tours 54-55 D3
Tous les Saints, baie de 140 G4
Toussidé, pic 106-107 E2
Touva 76-77 K4
Tower 50C
Townsville 148-149 E3
Towuti, lac 98-99 G4
Towy 48-49 E5
Toyama 102B C3
Toyama, baie de 102B C3
Toyohashi 102B C4
Toyonaka 103C
Toyota 103A C2
Tozeur 36-37 E5
Trabzon 74-75 I7
Tracy (Canada) 128D
Tracy (É.-U.) 134A
Trafalgar, cap 68-69 C5
Trail 124-125 G5
Traisen 62-63 L1
Trajan, porte de 72-73 G3
Tralee 48-49 B4
Tralee, baie de 48-49 A4 B4
Trang 98-99 B2
Trangan 98-99 I5
Trani 70-71 F4
Transamazonienne, route
141 E3
Transcanadienne, autoroute
122-123 I4 J4
Transcaucasie 79B
Trans-Himalaya 92 E2 E3
Transylvanie 72-73 G1 H1
Transylvanie, alpes de
72-73 G2 H2
Trápani 70-71 D5
Trappes 56A A3
Trasimène, lac 70-71 D3
Trás os Montes 68-69 B2 C2
Trat 98-99 C1
Traun 62-63 J1
Traun, lac de 62-63 J2
Traunstein 58-59 E5
Trave 58-59 D2
Travemünde 58-59 D2
Travers 64-65 A2
Travnik 72-73 D2
Trbovlje 62-63 K3 L3
Trébbia 70-71 B2
Trebinje 72-73 E3
Treignes 30B
Trelleborg 46-47 E5
Trélon 12-13 C2
Tremadoc, baie de 48-49 D4
Tremblay-lès-Gonesse 56A D1
Tremelo 22-23 C2
Trémiti, îles 70-71 E3
Trenčín 58-59 H4
Trent 48-49 E4
Trente 62-63 H3
Trentin-Haut-Adige 70-71 C1
Trenton 130-131 L3
Trent Park 50C B1
Tresa 64-65 C3
Tres Arroyos 141 D6
Tres Forcas, cap 112A E2
Tres Lagoas 141 E5
Tres Marías 130-131 E7
Tres Puntas, cap 140 D7
Trèves (district) 60C
Trèves (ville) 58-59 B4
Trévise 70-71 D2
Tricastin 55D
Triel-sur-Seine 56A A1 B1
Trieste 70-71 D2
Trieste, golfe de 70-71 D2
Triglav 72-73 B1
Trikkala 72-73 F5
Trincomalee 92 E5
Třinec 58-59 H4
Trinidad (île) 145 G4
Trinidad (ville, Bolivie) 141 D4
Trinidad (ville, Cuba) 130-131 K7
Trinidad et Tobago 145 G4
Trinité, baie de la 124-125 M5
Trinity 130-131 G5
Trinity Dam 134A
Tripoli (Liban) 89 C1
Tripoli (Libye) 108-109 E1
Tripolis 72-73 G6
Tripura 93A
Tristan da Cunha 152-153 M19
Trivandrum 92 D5
Trnava 58-59 G4
Trobriand, îles 148-149 F2
Troglav 72-73 D3
Troie 72-73 I5
Trois Pointes, cap des
106-107 C4
Trois-Ponts 12-13 D2
Trois-Rivières 128A D4
Trois-Vierges 12-13 E2
Troitse Lykovo 80F B2
Troitsk 76-77 H4
Troje 88D
Troll 51 C1
Trollhättan 46-47 E4
Trombetas 140 E3 E2
Tromelin, île 154-155 K26
Tromsø 46-47 F2
Tronador 140 C7
Trøndelag 46-47 D3 E3
Trondheim 46-47 D3
Trondheims fjord 46-47 D3
Tronquoi 13A
Tronto 70-71 D3
Trooz 22-23 D2
Trouville 54-55 D2
Troyes 54-55 E2 F2
Trujillo (Espagne) 68-69 C3
Trujillo (Honduras) 145 B3
Trujillo (Pérou) 141 C3
Trujillo (Venezuela) 145 E5 F5
Truk, îles 146-147 J8
Truman, lac Harry S.
130-131 G4 H4
Truro (Canada) 128A F4
Truro (R.-U.) 48-49 D5
Trutnov 58-59 F3
Truyère 54-55 E4
Tsaidam 92 F2
Tsaratanana (mont) 106-107 H6
Tsaritsyn 80A
Tselinograd = Akmola 76-77 I4
Tsetserleg 76-77 L5
Tshela 116A B3
Tshikapa 116A D4
Tshilenge 117A
Tshinsenda 118D
Tshopo 117A
Tshuapa (district) 117A
Tshuapa (rivière) 116A D3
Tsimliansk, réservoir de
74-75 J6
Tsing 101D
Ts'ing-haï 97A
Tsjoké, monts 106-107 G3
Tskhinvali 74-75 J7
Tsna 74-75 J5
Tsokai 102B D3
Tsu (île) 102B A4
Tsu (ville) 103A C2
Tsuen Wan 101A C3
Tsugaru, détroit de 102B D2
Tsukuba, universités de
103A D1
Tsumeb 108-109 E6
Tsuruga 103A C2
Tsushima 100A B2
Tsushima, détroit de 102B A4
Tsuyama 103A B2
Tua 68-69 B2
Tual 98-99 I5
Tuamotu, archipel des 147C
Tuaran 98-99 F2
Tuas 101C
Tuban 98-99 E5
Tubayq 90 C4
Tubbergen 52 D2
Tübingen (district) 60C
Tübingen (ville) 58-59 C4
Tubize 12-13 C2
Tubuaï 147C
Tubuaï, îles 147C
Tuchola 58-59 G2
Tuchola, lande de 58-59 G2 H2
Tucson 130-131 D5
Tucupita 145 G5
Tudela 68-69 E2
Tudía, sierra de 68-69 C4
Tudmur 90 C3
Tudor, lac 128A E2
Tuen Mun 101D
Tui 68-69 B2
Tukangbesi, îles 98-99 G5
Tukarak 128A C2
Tuktoyaktuk 124-125 E3
Tulare 134A
Tulare Lake 134A
Tulcea 72-73 J2
Tulida 124-125 F3
Tulkarm 89 C3
Tulle 54-55 D4
Tulln 58-59 G4
Tulsa 130-131 G4
Tulsa 145 D6
Tulum 130-131 I7
Tumaco 141 C2
Tumba, lac 116A C3
Tundža 72-73 I3
Tung Chung 101D
Tunis 108-109 E1
Tunis, golfe de 70-71 C6
Tunisie 108-109 D1 E1
Tunja 145 E5
Tunungayualok 128A F2 G2
Tupai, îles 147D
Tupungato 140 D6
Turabah 90 D5
Turbo 145 D5
Turda 72-73 G1
Turgutlu 72-73 I5
Turia 68-69 F3
Turin 70-71 A2
Turkana, lac 106-107 G4
Turkestan 80A
Turkistan 76-77 H5
Türkmenbachy 74-75 L7 L8
Turkménistan 76-77 G6 H6
Turks et Caïcos, îles 145 E2
Turku 46-47 G4
Turlock 134A
Turneffe 145 B3
Turnhout 12-13 C1
Turnhout, canal de 12-13 C1
Turnu Măgurele 72-73 H3
Turpan 92 E1 F1
Turquie 74-75 H7 J7
Turumiquire 145 G4
Tuscaloosa 130-131 I5
Tutai 96 E4
Tuticorin 92 D5
Tuttlingen 58-59 C5
Tutuala 98-99 H5
Tuvalu (État) 146-147 L9
Tuvalu (îles) 152-153 J38
Tuwaiq, djebel 90 E5
Tuxpan 130-131 G7
Tuxtla Gutiérrez 130-131 H8
Tuz, lac 74-75 H8
Tuzla 72-73 E2
Tver 74-75 I4
Tviertsa 74-75 H4
Tweed 48-49 E3
Twelve Pins 48-49 B4
Twente 52 D2
Twente, canal de la 52 D2
Twickenham 50C A3
Twin Falls 130-131 D3
Tychy 58-59 H3
Tymbakion 72-73 H7
Tynda 76-77 N4
Tyne 48-49 F3
Tynemouth 48-49 F3
Tyr 89 C2
Tyra 51 D3
Tyrifjord 46-47 D4
Tyrol 58-59 D5
Tyrol du Nord, alpes du
62-63 G2 H2
Tyrrhénienne, mer 70-71 C4 D5
Tysa 58-59 J4 I5

U

Ua Pou 147C
Uashat et Maliotenam 129B
Uatumã 140 E3
Uaupés 141 D2
Übach-Palenberg 12-13 E2
Ubangi 116A C2
Ubangui 117C
Ubar 90 F6
Ubaye 62-63 C5
Ube 102B B4
Úbeda 68-69 D4
Uberaba 141 F4
Uberlândia 141 E4 F4
Überlingen 64-65 D1
Ubin 101C
Ubiña, peña 68-69 C1
Ubon 94-95 D5
Ubundu 116A D3 E3
Ucayali 140 C3
Uccle 12-13 C2
Uchiura, baie d' 102B D2
Ucka 62-63 K4
Udaipur 92 D3
Uddevalla 46-47 D4
Udi 114-115A D4
Udine 70-71 D1
Uebonti 98-99 G4
Uecker 58-59 E2
Ueda 103A D1
Uélé 116A E2
Uélés 117C
Uelzen 58-59 D2
Ugalla 106-107 G5
Ugljan 62-63 L5
Ugoma, monts 116A E3
Uige 108-109 E5
Uinta, monts 130-131 D3 E3
Uist Nord, île 48-49 C2
Uist Sud, île 48-49 C2
Uithuizen 51 D3
Ujung Pandang 98-99 F5
Ukiah 134A
Ukmergė 46-47 H5
Ukraine 36-37 G4 H4
Ula 51 C2
Ulaan Baatar 84-85 L5
Ulcinj 72-73 E4
Ulhasnagar 92 D4
Ulithi, îles 98-99 J1 K1
Ulla 68-69 B2
Ullapool 48-49 D2
Ulm 58-59 C4 D4
Ulsan 100A B2
Ulster 48-49 B3 C3
Ulúa 145 B3
Ulu Bedok 101C
Ulu Dağ 72-73 J4
Ulundi 119A
Ulungur He 94-95 B2
Umanak 122-123 O2
Umeå 46-47 G3
Umeälv 46-47 F3
Umiujaq 129B
Umm al Qaiwain 90 F4 G4
Umm Lajj 90 C4
Umm Said 90 F4
Una 72-73 D2
Unaizah 90 D4
Unaizah, djebel 90 C3 D3
Unalaska 122-123 D4
Ungava, baie d' 128A E2
Ungava, péninsule d'
128A C1 D1
Unimak 122-123 D4
Union 135C A3
Union City 135C B2
Unité kasaienne 117C
Unna 61A
Unst 48-49 b1
Unstrut 58-59 D3
Unterwalden 65D
Upemba, lac 116A E4
Upernavik 122-123 O2
Upper Bay 135C B3
Uppsala 46-47 F4
Ur 90 E3
Urabá, golfe d' 145 D5
Uranium City 124-125 H4
Uraricuera 145 G6
Urawa 103B
Urbino 70-71 D3
Urbión 68-69 E2
Ure 48-49 F3
Urfa = Şanliurfa 74-75 I8
Urft 12-13 E2
Urgell, planes d' 68-69 F2
Urghada 90 B4
Uri 65D
Urirotstock 64-65 C2
Urk 52 C2
Urmia 74-75 K8
Urmia, lac d' 74-75 K8
Uruapan 130-131 F8
Uruguaiana 141 E5 E6
Uruguay (État) 141 E6
Uruguay (fleuve) 140 E5
Ürümqi 92 E1
Uşak 72-73 J5
Usedom 58-59 F1
Ushuaia 141 D8
Usk 48-49 E5
Üsküdar 72-73 J4
Uster 64-65 C1
Usti 58-59 F3
Ustica 70-71 D5
Usu 96 C2
Usumacinta 130-131 H8
Utah 130-131 D4
Utah, lac 130-131 D3
Utica 130-131 K3
Utica-Rome 135B
Utiel 68-69 E3
Utrecht (province) 52 C2
Utrecht (ville) 52 C2
Utrera 68-69 C4
Utsjoki 46-47 H2
Utsunomiya 102B C3
Uttar Pradesh 93A
Uturoa 147D
Uummannaq, fjord d'
124-125 M2
Uusikaupunki 46-47 G4
Uvs Nur 76-77 K4
Uwajima 103A B3
Uweinat, djebel 106-107 F2
Uxbridge 50C A2
Uxmal 130-131 I7
Uygur 92 E1
Uygurie 92 E1
Uyuni 141 D5
Uyuni, salar de 140 D4 D5
Užice 72-73 E3

V

Vaal 106-107 F7
Vaal, barrage de 119D
Vaals 52 C4
Vaalserberg 52 C4
Vaasa 46-47 G3
Vác 72-73 E1
Vaccarès, étang de 62-63 A6
Vachka 74-75 K3
Vadodara 92 D3
Vadsø 46-47 I1
Vaduz 64-65 D1
Vaga 74-75 J3
Vaganjski 62-63 L5
Váh 58-59 G4
Vaïaau 147D
Vaïgatch 74-75 M1 N2
Vaihiria, lac 147E
Vairao 147E
Vaires-sur-Marne 56A D2
Vaïtape 147D
Vaïtoare 147D
Vakhch 76-77 H6
Valachie 72-73 G2 I2
Valais 65D
Valais, alpes du 62-63 D4 D3
Valdaï 74-75 H4
Valdaï, plateau du 74-75 H4
Val d'Aoste 62-63 D4
Val-de-Marne 56A C3 D3
Valdepeñas 68-69 D4
Valdés 140 D7
Valdez 124-125 D3
Val-d'Isère 62-63 C4
Valdivia 141 C6
Val-d'Oise 56A B1 C1
Val d'Or 128A C4
Valdres 46-47 D4
Valence (région) 68-69 F4 F3
Valence (ville, Espagne)
68-69 F3
Valence (ville, France) 54-55 F4
Valencia 141 D1
Valenciennes 54-55 E1
Valentia 48-49 A5
Valera 145 E5
Valga 46-47 H5
Valhall 51 C2
Valiant 51 C3
Valjevo 72-73 E2
Valkenburg 12-13 D2
Valkenswaard 52 C3
Valladolid (Espagne) 68-69 D2
Valladolid (Mexique) 130-131 I7
Valle de la Pascua 145 F5
Valledupar 145 E4
Vallée de l'Attert, parc naturel
25B
Vallées de la Burdinale et de la
Méhaigne, parc naturel 25B
Vallejo 134A
Valleyfield 128A D4
Valley Stream 135C D3
Vallgrund 46-47 G3
Vallorbe 64-65 A2
Valmiera 46-47 H5
Valnera 68-69 D1
Valois 54-55 E2
Valparaíso 141 C6
Vals 64-65 D2
Vals, cap 98-99 J5
Valteline 62-63 F3 G3
Van 74-75 J8
Van, lac de 74-75 J8
Vanadzor 74-75 J7
Vanavara 76-77 L3
Vance 19B
Van Cortland Park 135C C1
Vancouver 124-125 F4
Vancouver, île de 124-125 F4 G5
Vanda 46-47 H4
VanderKloof, barrage 119D
Van Diemen, détroit de 102B B4
Väner, lac 46-47 E4
Vänersborg 46-47 E4
Vanier 129C
Vanimo 98-99 K4
Vanino 76-77 O5 P5
Vannes 54-55 B3
Vanoise 62-63 C4
Van Rees, monts 98-99 J4
Vantaa 46-47 H4
Vanua Levu 146-147 M10
Vanuatu 148-149 G3
Vanves 56A C2
Var 54-55 G5
Varanasi 92 E3
Varanger 46-47 I1
Varangerfjord 46-47 I2
Varano, lac de 70-71 E4
Varaždin 72-73 D1
Varazze 62-63 E5
Varberg 46-47 E5
Vardar 72-73 G4
Vardø 46-47 I1
Varéna 58-59 K1
Varennes 128D
Varèse 62-63 E4
Varèse, lac de 64-65 C3
Varkaus 46-47 H3
Värmland 46-47 E4
Varna 72-73 I3
Värnamo 46-47 E5
Vars 62-63 C5
Varsovie 58-59 I2
Varsseveld 52 D3
Vasa 46-47 G3
Vaslui 72-73 I1
Västerås 46-47 F4
Västerdalälv 46-47 E4
Västervik 46-47 F5
Vasto 70-71 E3
Vathy 72-73 I6
Vatican, cité du 70-71 D4
Vatnajökull 34-35 C2
Vätter, lac 46-47 E4
Vaucelles 18C
Vaucresson 56A B2

Termes géographiques

Adrar [Ber.]	colline, montagne
Aïn [Ar.]	source
Alföld [Hong.]	plaine
Anger [Norv.]	baie étroite
Arena [Esp.]	sable, plage
Bab [Ar.]	détroit
Bad [Hin.]	ville
Bahía [Esp., Port.]	baie
Bahr [Ar.]	rivière, lac, baie
Balkan [Bl.]	montagne
Bandar [Per., Ar.]	port
Banja [Sc.]	bain
Banská [Tch.]	mont
Bărăgan [Roum.]	steppe, plaine
Beach [Angl.]	plage
Ben [Gaél.]	mont
Bir [Ar.]	source
Boca [Port., Esp.]	embouchure
Bog [Angl.]	marais
Bolsón [Esp.]	bassin
Börde [All.]	plaine fertile
Borough [Angl.]	village, ville
Bre [Norv.]	glacier
Buri [Th.]	ville
By [Dan., Norv., Su.]	ville, village
Caatinga [Bré.]	bois
Cabeza [Esp.]	montagne, sommet
Cabo [Port., Esp.]	cap
Campagna [It.]	champ, région, pays
Campo [Port., Esp., It.]	champ
Cañada [Esp.]	col, vallée
Cerro [Esp.]	colline, hauteur escarpée
Chaco [Esp.]	plaine
Channel [Angl.]	canal, bras de mer
Chapada [Port.]	plateau
Chatt [Ar.]	rivière
Chiang [Th.]	ville
Chott [Ar.]	lac salé
Cima [Port., Esp., It.]	sommet
Cîmp [Roum.]	plaine, champ
Città [It.]	ville
Ciudad [Esp.]	ville
Coast [Angl.]	côte
Colle [It.]	col, colline
Colorado [Esp.]	coloré
Cordillera [Esp.]	chaîne de montagne
Costa [Esp.]	côte, rivage
Cuchilla [Esp.]	chaîne de montagne
Dağ [Tu.]	montagne
Dar [Ar.]	région
Daria [Turk.]	rivière
Debra [Amh.]	colline
Desh [Hin., Ou.]	pays
Djebel [Ar.]	montagne
Edeyen [Ber.]	désert de sable
Embalse [Esp.]	lac de barrage
Erg [Ar.]	désert de sable
Fall [Angl.]	chute, cataracte
Fell [Isl.]	montagne
Firth [Angl.]	bras de mer, baie
Fjäll [Su.]	mont, montagne
Fjord [Dan., Norv., Su.]	bras de mer, baie
Fjördhur [Isl.]	bras de mer, baie
Fonn [Norv.]	glacier
Förde [All.]	golfe
Foreland [Angl.]	langue de terre, cap
Fors [Su.]	chute d'eau
Gaissa [Lapon]	sommet de montagne
Gate [Angl.]	porte
Gavan [Rs.]	port
Ghât [Hin., Ou.]	col, gravins
Ghor [Ar.]	dépression, plaine
Gobi [Mon.]	désert
Gora [Bl., Sc., Rs.]	montagne
Gorod [Rs.]	ville
Gorsk [Rs.]	ville
Góry [Pol.]	montagne
Grad [Bl., Sc., Rs.]	ville
Gunung [Ind.]	montagne

Hai [Ch.]	baie, golfe
Haff [All.]	lagune
Hammada [Ar.]	plateau (dans les déserts)
Hamn [Norv., Su.]	port
Harbour [Angl.]	port
Hassi [Ar.]	source
He [Ch.]	rivière
Heights [Angl.]	hauteurs
Hetta [Norv.]	mont
Highway [Angl.]	autoroute
Höfn [Isl.]	port
Holm [Dan., Norv.]	île
Horn [All.]	sommet
Huk [Dan., Norv., Su.]	point
Huta [Pol.]	haut-fourneau, fonderie
Inlet [Angl.]	anse, crique
Irmak [Tu.]	fleuve
Isla [Esp.]	île
Island [Angl.]	île
Isle [Angl.]	île
Järvi [Fin.]	lac
Jiang [Ch.]	rivière
Joki [Fin.]	rivière
Jökull [Isl.]	glacier
Kaise [Lapon]	mont
Kanat [Per.]	canal d'irrigation souterrain
Kaupunki [Fin.]	ville
Khangaï [Mon.]	région boisée
Khoi [Rs.]	toundra
Kita [Jap.]	nord
Klint [Dan., Norv., Su.]	falaise
Köbing [Dan.]	petite localité
Koul [Tdj.]	lac
Koum [Turk.]	désert sableux
Koh [Hin., Ou.]	mont
Kong [Th.]	rivière
Koog [All.]	polder
Köping [Su.]	marché, village
Koski [Fin.]	chute d'eau
Kota [Ind., Ml.]	ville
Krasno [Rs.]	rouge
Kuala [Ind., Ml.]	embouchure
Kuh [Per.]	mont, montagne
Kumpu [Fin.]	colline
Lago [It., Port., Esp.]	lac
Lagoa [Port.]	lac
Ling [Ch.]	chaîne de montagne
Linna [Fin.]	château
Llano [Esp.]	plaine, steppe
Loch, Lough [Gaél.]	lac, baie
Mar [Esp., Port.]	mer
Mark [Dan., Norv., Su.]	région, pays
Marsa [Ar.]	baie, port
Marschen [All.]	marais
Mato [Port.]	bois, buissons épais
Monte[s] [Esp., Port.]	mont, montagne
Moor [Angl.]	lande, marais
Moos [Angl.]	marais, fagnes
Most [Tch.]	pont
Mount [Angl.]	sommet, mont
Nagar [Hin., Ou.]	ville
Nakhon [Th.]	ville
Nam [Th.]	rivière
Nefoud [Ar.]	désert de sable
Nes [Isl., Norv.]	langue de terre
Nevada [Esp.]	enneigé
Nur [Mon.]	lac
Nusa [Hin., Ou.]	île
Oust [Rs.]	embouchure
Oros [Gr.]	montagne
Ostrov [Bl., Tch., Rs.]	île
Otok [Sc.]	île
Øy [Norv.]	île
Øya [Norv.]	île
Pais [Port.]	pays, région
Pampa [Esp.]	plaine herbeuse
Pantanal [Port.]	marais
Pantano [Esp.]	marais, lac de barrage

Parbat [Hin., Ou.]	mont, montagne
Peak [Angl.]	sommet, pic
Peña [Esp.]	rocher, falaise
Phnom [Kh.]	mont
Pico [Esp., Port.]	mont, sommet
Piz [It.]	mont, sommet
Pizzo [It.]	mont, sommet
Plain [Angl.]	plaine
Planina [Sc., Bl.]	montagne
Plata [Esp.]	argent
Playa [Esp.]	côte, plage
Point [Angl.]	cap, langue de terre
Polis [Gr.]	ville
Polje [Sc.]	plaine, dépression, bassin
Pool [Angl.]	lac, étang
Porto [It.]	port
Pôrto [Port.]	port
Pradesh [Hin.]	État
Pueblo [Esp.]	village, ville
Puerto [Esp.]	port
Puig [Cat.]	sommet, pic
Punta [Esp., It.]	cap, isthme
Pur [Hin., Ou.]	ville
Range [Angl.]	chaîne de montagne
Ras [Ar., Per.]	cap
Reef [Angl.]	récif
Ria [Esp., Port.]	embouchure, golfe, baie
Rio [Esp., It., Port.]	rivière
Riviera [It.]	côte
Salar [Esp.]	marais salé, plaine salée
Salina [Esp.]	marais salé, plaine salée
Sap [Kh.]	eau douce, lac
Sasso [It.]	sommet, mont
Sebkra [Ar.]	marais salé
Sehir [Tu.]	ville
Selkä [Fin.]	montagne
Selva [Esp.]	forêt, bois
Serir [Ar.]	désert de cailloux
Serra [Port.]	chaîne de montagne
Serrania [Esp.]	chaîne de montagne
Shan [Ch.]	chaîne de montagne
Shima [Jap.]	île
Shire [Angl.]	comté
Shui [Ch.]	rivière
Sierra [Esp.]	mont, chaîne de montagne
Skog [Norv., Su.]	bois
Sông [Ann.]	rivière
Sound [Angl.]	détroit
Spitze [All.]	sommet, pic
Stadhur [Isl.]	ville
Sund [Dan., Norv., Su.]	détroit
Tag [Turk.]	mont, montagne
Tassili [Ber.]	plateau
Temir [Tu.]	fer
Tenggara [Ind.]	sud-est
Tierra [Esp.]	pays
Tîrg [Roum.]	marché, ville
Tjåkko [Lapon]	mont
Tonlé [Kh.]	lac
Tsaidam [Mon.]	marais salé
Tunturi [Fin.]	mont
Ujung [Hin., Ml.]	cap
Umm [Ar.]	source
Vaara [Fin.]	colline, mont
Varos [Hong.]	ville
Vidda [Norv.]	plateau
Vik [Isl., Su.]	baie
Vila [Port.]	ville
Villa [It., Esp.]	ville, village
Wadi [Ar.]	lit de rivière à sec
Wald [All.]	forêt
Windward [Angl.]	côté du vent
Wold [Angl.]	lande, colline
Yama [Jap.]	mont
Zemlia [Rs.]	terre, région
Zhuang [Ch.]	village

Abréviations des langues

[All.]	Allemand	[Gaél.]	Gaélique	[Ou.]	Ourdou
[Amh.]	Amharique	[Gr.]	Grec	[Per.]	Perse
[Angl.]	Anglais	[Hin.]	Hindou	[Pol.]	Polonais
[Ann.]	Annamite	[Hong.]	Hongrois	[Port.]	Portugais
[Ar.]	Arabe	[Ind.]	Indonésien	[Roum.]	Roumain
[Ber.]	Berbère	[Isl.]	Islandais	[Rs.]	Russe
[Bl.]	Bulgare	[It.]	Italien	[Sc.]	Serbo-croate
[Bré.]	Brésilien	[Jap.]	Japonais	[Su.]	Suédois
[Cat.]	Catalan	[Kh.]	Khmer	[Tch.]	Tchécoslovaque
[Ch.]	Chinois	[Lapon]	Lapon	[Tdj.]	Tadjik
[Dan.]	Danois	[Ml.]	Malais	[Th.]	Thaï
[Esp.]	Espagnol	[Mon.]	Mongol	[Turk.]	Turkmène
[Fin.]	Finnois	[Norv.]	Norvégien	[Tu.]	Turc

Coordonnées géographiques

A

Abadan	30.20 N	48.16 E
Abidjan	5.19 N	4.01 O
Abou Dhabi	24.28 N	54.22 E
Abuja	9.10 N	7.06 E
Acapulco	16.51 N	99.55 O
Accra	5.33 N	0.15 O
Achgabat	37.57 N	58.23 E
Aconcagua, mont	32.38 S	70.00 O
Adana	37.05 N	35.20 E
Addis Abeba	9.03 N	38.50 E
Adélaïde	34.56 S	138.36 E
Aden	12.48 N	45.00 E
Agra	27.18 N	78.00 E
Ahmadabad	23.04 N	72.38 E
Aix-la-Chapelle	50.47 N	6.05 E
Ajaccio	41.55 N	8.43 E
Albany	42.40 N	73.50 O
Alep	36.10 N	37.18 E
Alexandrie	31.13 N	29.55 E
Alger	36.50 N	3.00 E
Alicante	38.21 N	0.29 O
Alice Springs	23.42 S	133.52 E
Allahabad	25.32 N	81.53 E
Almaty	43.15 N	76.57 E
Alost	50.56 N	4.02 E
Amboine	3.45 S	128.17 E
Amman	31.57 N	35.57 E
Amritsar	31.43 N	74.52 E
Amsterdam	52.21 N	4.54 E
Anchorage	61.12 N	149.48 O
Andorre	42.30 N	1.32 E
Angkor, ruines	13.52 N	103.50 E
Ankara	39.55 N	32.50 E
Annapurna, mont	28.34 N	83.50 E
Anshan	41.00 N	123.00 E
Antananarivo	18.52 S	47.30 E
Antofagasta	23.32 N	70.21 O
Anvers	51.13 N	4.25 E
Apia	13.48 S	171.45 O
Aqaba	29.31 N	35.00 E
Ararat, mont	39.50 N	44.20 E
Århus	56.10 N	10.13 E
Arlon	49.34 N	5.32 E
Ascencion	8.00 S	14.15 O
Asmara	15.20 N	38.53 E
Assouan	24.05 N	32.53 E
Asunción	25.25 S	57.30 O
Athènes	38.00 N	23.44 E
Atlanta	33.45 N	84.23 O
Auckland	36.52 S	174.46 E
Austin	30.15 N	97.42 O

B

Bagdad	33.14 N	44.2 E
Baguio	16.24 N	120.36 E
Bakou	40.22 N	49.53 E
Bâle	47.33 N	7.36 E
Baltimore	39.20 N	76.38 O
Bamako	13.28 N	7.59 O
Banda Aceh	5.10 N	95.10 E
Bandar Seri Begawan	5.00 N	114.59 E
Bandung	7.00 S	107.22 E
Bangalore	13.03 N	77.39 E
Bangkok	13.50 N	100.29 E
Bangui	4.23 N	18.37 E
Banjarmasin	3.18 S	114.32 E
Banjul	13.28 N	16.39 O
Baotou	40.28 N	110.10 E
Barcelone	41.25 N	2.10 E
Bari	41.07 N	16.52 E
Basilan	6.37 N	122.07 E
Basra	30.30 N	47.47 E
Bassein	16.46 N	94.47 E
Bastia	42.41 N	9.26 E
Bastogne	50.00 N	5.43 E
Bata	1.51 N	9.46 E
Batangas	13.45 N	121.04 E
Battambang	13.14 N	103.15 E
Beijing	39.55 N	116.23 E
Beira	19.49 S	34.52 E
Belém	1.18 S	48.27 O
Belfast	54.35 N	5.56 O
Belgrade	44.50 N	20.30 E
Belmopan	17.15 N	88.47 O
Belo Horizonte	19.54 S	43.56 O
Benghazi	32.07 N	20.04 E
Bengkulu	3.46 S	102.18 E
Bergen	60.23 N	5.20 E
Berlin	52.32 N	13.25 E
Berne	46.57 N	7.26 E
Bhamo	24.00 N	96.15 E
Bhopal	23.20 N	77.25 E
Bichkek	42.54 N	74.36 E
Bilbao	43.15 N	2.56 O
Birmingham	52.30 N	1.50 O
Bissau	11.52 N	15.39 O
Blanc, mont	45.50 N	6.52 E
Blankenberge	51.19 N	3.08 E
Blantyre	15.46 S	35.00 E
Bobo-Dioulasso	11.11 N	4.18 O
Bogor	6.45 S	106.45 E
Bogotà	4.38 N	74.06 O
Bologne	44.30 N	11.20 E
Bombay	18.58 N	72.50 E
Bonn	50.44 N	7.06 E
Bordeaux	44.50 N	0.34 O
Bosphore, détroit du	41.06 N	29.04 E
Boston	42.15 N	71.07 O
Bouaké	7.42 N	5.00 O
Brasília	15.49 S	47.39 O
Bratislava	48.10 N	17.10 E
Brazzaville	4.14 S	15.14 E
Brême	53.05 N	8.48 E
Brenner, col du	47.00 N	11.30 E
Brest	48.24 N	4.29 O
Brisbane	27.30 S	153.00 E
Bristol	51.27 N	2.35 O
Brno	49.13 N	16.40 E
Bruges	51.13 N	3.14 E
Bruxelles	50.50 N	4.21 E
Bucarest	44.25 N	26.07 E
Budapest	47.30 N	19.03 E
Buenos Aires	34.20 S	58.30 O
Buffalo	42.54 N	78.51 O
Bujumbura	3.22 S	29.19 E
Bukavu	2.30 S	28.50 E

C

Caen	49.11 N	0.21 O
Cagayan de Oro	8.13 N	124.30 E
Cágliari	39.13 N	9.07 E
Cairns	16.51 S	145.43 E
Calais	50.57 N	1.50 E
Calbayog	12.04 N	124.36 E
Calcutta	22.32 N	88.22 E
Calgary	51.03 N	114.05 O
Cali	3.26 N	76.30 O
Cam Ranh	11.54 N	109.09 E
Camagüey	21.23 N	77.55 O
Cameroun, mont	4.12 N	9.11 E
Canberra	35.18 S	149.08 E
Can Tho	10.02 N	105.47 E
Canton	40.50 N	81.23 O
Caracas	10.30 N	66.58 O
Cardiff	51.29 N	3.13 O
Casablanca	33.39 N	7.35 O
Catane	37.31 N	15.04 E
Cayenne	4.56 N	52.18 O
Cebu	10.22 N	123.49 E
Cervin, mont	45.59 N	7.39 E
Chandigarh	30.51 N	77.13 E
Changchun	43.55 N	125.25 E
Charleroi	50.25 N	4.27 E
Charlottetown	46.14 N	63.08 O
Chengdu	30.30 N	104.10 E
Chiang Mai	18.38 N	98.44 E
Chicago	41.49 N	87.37 O
Chicoutimi	48.26 N	71.04 O
Chiraz	29.32 N	52.27 E
Chişinău	47.00 N	28.50 E
Chittagong	22.26 N	90.51 E
Chongqing	29.38 N	107.30 E
Christchurch	43.33 S	172.40 E
Churchill	58.47 N	94.12 O
Cincinnati	39.08 N	84.30 O
Cirebon	6.50 S	108.33 E
Ciudad Juárez	31.44 N	106.28 O
Clermont-Ferrand	45.47 N	3.05 E
Cleveland	41.30 N	81.42 O
Cochin	9.58 N	76.19 E
Coimbatore	11.03 N	76.56 E
Cologne	50.56 N	6.55 E
Colombo	6.58 N	79.52 O
Columbus	40.00 N	83.00 O
Conakry	9.31 N	13.43 O
Concepción	36.51 S	72.59 O
Constanţa	44.12 N	28.40 E
Constantine	36.22 N	6.40 E
Cook, mont	43.37 S	170.08 E
Copenhague	55.40 N	12.35 E
Córdoba	30.20 S	64.03 O
Cork	51.54 N	8.28 O
Cotonou	6.24 N	2.31 E
Courtrai	50.50 N	3.17 E
Cracovie	50.03 N	19.55 E
Curitiba	25.20 S	49.15 O
Cuzco	13.36 S	71.52 O

D

Da Lat	11.56 N	108.25 E
Da Nang	16.08 N	108.22 E
Dakar	14.38 N	17.27 O
Dallas	32.45 N	96.48 O
Damas	33.31 N	36.18 E
Damavand, mont	36.05 N	52.05 E
Dammaam	26.27 N	49.59 E
Dardanelles, détroit des	40.05 N	25.50 E
Dar-es-Salam	6.51 S	39.18 E
Darwin	12.28 S	130.50 E
Davao	7.05 N	125.30 E
Debrecen	47.30 N	21.37 E
Delhi	28.54 N	77.13 E
Denpasar	8.35 S	115.10 E
Denver	39.44 N	104.59 O
Detroit	42.22 N	83.10 O
Dhaka	23.45 N	90.29 E
Dhaulagiri, mont	28.42 N	83.31 E
Díen Bien Phu	21.38 N	102.49 E
Dijon	47.19 N	5.01 E
Dili	8.35 S	125.35 E
Djedda	21.30 N	39.15 E
Djerba	33.52 N	10.51 E
Djibouti	11.36 N	43.09 E
Dniepropetrovsk	48.27 N	34.59 E
Dodoma	6.10 S	35.40 E
Doha	25.02 N	51.28 E
Donetsk	48.00 N	37.48 E
Dortmund	51.32 N	7.27 E
Douala	4.04 N	9.43 E
Douchanbe	38.38 N	68.51 E
Douglas	54.09 N	4.28 O
Dresde	51.03 N	13.45 E
Dublin	53.20 N	6.15 O
Dubrovnik	42.40 N	18.07 E
Duisbourg	51.25 N	6.46 E
Duluth	46.50 N	92.07 O
Dunedin	45.52 S	170.30 E
Dunkerque	51.03 N	2.22 E
Durban	29.53 S	31.00 E
Düsseldorf	51.13 N	6.47 E

E

Édimbourg	55.57 N	3.12 O
Edmonton	53.33 N	113.28 O
Eilat	29.34 N	34.57 E
Eindhoven	51.26 N	5.30 E
Elbrouz, mont	36.00 N	52.00 E
Elgon, mont	1.08 N	34.3 E
El Paso	31.47 N	106.27 O
Erevan	40.11 N	44.30 E
Esch	49.32 N	6.00 E
Essen	51.26 N	6.59 E
Etna, volcan	37.45 N	15.00 E
Ettelbruck	49.52 N	6.05 E
Eureka	80.15 N	85.00 O
Éverest, mont	28.00 N	86.57 E

F

Fairbanks	64.50 N	147.50 O
Faisalabad	31.29 N	73.06 E
Faro	37.01 N	7.56 O
Florence	43.47 N	11.15 E
Fortaleza	3.35 S	38.31 O
Fort-de-France	14.37 N	61.06 O
Fort Lauderdale	26.07 N	80.09 O
Francfort	50.06 N	8.41 E
Fredericton	45.57 N	66.40 O
Freetown	8.30 N	13.17 O
Fuji, mont	35.23 N	138.44 E
Funchal	32.38 N	16.54 O
Fushun	41.50 N	124.00 E
Fuzhou	26.02 N	119.18 E

G

Gaborone	24.45 S	25.55 E
Gand	51.02 N	3.42 E
Gaoxiong	22.35 N	120.25 E
Gaspé	48.50 N	64.29 O
Gaza	31.30 N	34.29 E
Gdańsk	54.22 N	18.41 E
General Santos	6.07 N	125.11 E
Gênes	44.24 N	8.56 E
Genève	46.13 N	6.09 E
Genk	50.58 N	5.30 E
Georgetown (Guyana)	7.45 N	58.04 O
Georgetown (îles Cayman)	19.18 N	81.23 E
Gibraltar	36.08 N	5.22 O
Glasgow	53.52 N	4.14 O
Göteborg	57.45 N	12.00 E
Graz	47.05 N	15.22 E
Grenoble	45.10 N	5.43 E
Griz Nez, cap	50.52 N	1.35 E
Groningue	53.13 N	6.35 E
Guadalajara	20.41 N	103.21 O
Guaíra, chutes	24.03 S	44.02 O
Guangzhou	23.07 N	113.15 E
Guantánamo	20.10 N	75.10 O
Guatemala	14.37 N	90.32 O
Guayaquil	2.16 S	79.53 O
Gwadar	25.15 N	62.29 E

H

Haïderabad (Inde)	17.29 N	79.28 E
Haïderabad (Pakistan)	25.29 N	68.28 E
Haifa	32.48 N	35.00 E
Haikou	20.00 N	110.20 E
Haiphong	20.52 N	106.40 E
Halifax	44.39 N	63.36 O
Hambourg	53.33 N	10.00 E
Hamilton	43.15 N	79.52 O
Hangzhou	30.17 N	120.12 E
Hanoi	21.04 N	105.50 E
Hanovre	52.24 N	9.44 E
Harare	17.50 S	31.03 E
Harbin	45.40 N	126.30 E
Hasselt	50.56 N	5.20 E
Hatteras, cap	35.14 N	75.31 O
Héligoland	54.09 N	7.52 E
Helsinki	60.08 N	25.00 E
Héraklion	35.20 N	25.12 E
Herat	34.28 N	62.13 E
Hermon, mont	33.26 N	35.51 E
Hiroshima	34.22 N	132.25 E
Hô Chi Minh-Ville	10.46 N	106.34 E
Homs	34.42 N	36.52 E
Hongkong	21.45 N	115.00 E
Honolulu	21.25 N	157.50 O
Horn, cap	56.00 S	67.00 O
Houston	29.46 N	95.21 O
Howrah	22.33 N	88.20 E
Huascarán, mont	9.05 S	77.50 O
Hué	16.28 N	107.42 E
Hungnam	39.57 N	127.35 E

I

Iakoutsk	62.10 N	129.50 E
Ibadan	7.23 N	3.56 E
Ibiza	38.54 N	1.26 E
Iekaterinbourg	56.50 N	60.30 E
Ilebo	4.19 S	20.35 E
Illimani, mont	16.50 S	67.38 O
Iloilo	10.49 N	112.33 E
Imphal	24.42 N	94.00 E
Indianapolis	39.45 N	86.08 O
Innsbruck	47.17 N	11.25 E
Inuvik	68.40 N	134.10 O
Ipoh	4.45 N	101.05 E
Irkoutsk	52.16 N	104.20 E
Iskenderun	36.45 N	36.15 E
Ispahan	32.38 N	51.30 E
Istanbul	41.02 N	29.00 E
Ivalo	68.40 N	27.40 E
Izmir	38.25 N	27.05 E

J

Jaffna	9.44 N	80.09 E
Jaipur	27.00 N	75.50 E
Jakarta	6.17 S	106.45 E
Jamshedpur	22.52 N	86.11 E
Jéricho	31.51 N	35.28 E
Jérusalem	31.46 N	35.14 E
Jinan	36.40 N	117.01 E
Jodhpur	26.23 N	73.00 E
Johannesburg	26.10 S	28.02 E
Jungfrau, mont	46.33 N	7.58 E

K

K2, mont	36.06 N	76.38 E
Kaboul	34.39 N	69.14 E
Kagoshima	31.35 N	130.31 E
Kalemie	5.56 S	29.12 E
Kaliningrad	54.43 N	20.30 E
Kamina	8.44 S	25.00 E
Kampala	0.20 N	32.35 E
Kampot	10.41 N	104.07 E
Kananga	5.53 S	22.26 E
Kanchenjunga, mont	27.30 N	88.18 E
Kandahar	31.43 N	65.58 E
Kandy	7.18 N	80.42 E
Kanpur	26.00 N	82.45 E
Kansas City	39.06 N	94.39 O
Karachi	24.59 N	68.56 E
Karaghandy	49.50 N	73.10 E
Karakoram, col de	35.35 N	77.45 E
Katmandou	27.49 N	85.21 E
Kazan	55.49 N	49.08 E
Kenya, mont	0.10 S	37.20 E
Kerinci, mont	1.45 S	101.18 E
Key West	24.33 N	81.46 O
Kharkiv	50.00 N	36.15 E
Khartoum	15.33 N	32.32 E
Khon Kaen	16.26 N	102.50 E
Khulna	22.50 N	89.38 E
Khyber, col de	34.28 N	71.18 E
Kiel	54.20 N	10.08 E
Kiev	50.25 N	30.30 E
Kigali	1.56 S	30.04 E
Kikwit	5.02 S	18.51 E
Kilimandjaro, mont	2.50 S	35.15 E
Kinabalu, mont	5.45 N	115.26 E
Kingston	18.00 N	76.45 O
Kinshasa	4.18 S	15.18 E
Kirkuk	35.28 N	44.22 E
Kisangani	0.33 N	25.14 E
Kismayou	0.22 S	42.31 E
Kisumu	0.08 S	34.47 E
Kitakyushu	34.15 N	130.23 E
Kongur Shan, mont	38.20 N	75.28 E
Kota Kinabalu	5.55 N	116.05 E
Koweit	29.04 N	47.59 E
Krasnoïarsk	56.01 N	92.50 E
Kuala Lumpur	3.08 N	101.42 E
Kuala Terengganu	5.20 N	53.08 E
Kuching	1.30 N	110.26 E
Kunming	25.10 N	102.50 E
Kyoto	35.00 N	135.46 E

L

Lagos	6.27 N	3.28 E
La Havane	23.08 N	82.23 O
La Haye	52.07 N	4.17 E
La Louvière	50.28 N	4.11 E
La Mecque	21.27 N	39.45 E
La Nouvelle-Orléans	30.00 N	90.05 O
Lanzhou	35.55 N	103.55 E
La Paz	16.31 S	68.03 O
La Pérouse, détroit de	45.45 N	141.20 E
La Rochelle	46.10 N	1.10 O
Las Palmas	28.08 N	15.27 O
Las Vegas	36.12 N	115.10 O
La Valette	35.54 N	14.32 E
Lausanne	46.32 N	6.39 E
Le Caire	30.03 N	31.15 E
Le Cap	33.56 S	18.28 E
Leeds	53.50 N	1.35 O
Legaspi	13.09 N	123.44 E
Le Havre	49.30 N	0.06 E
Leipzig	51.20 N	12.25 E
Le Mans	48.00 N	0.12 E
León	21.08 N	101.41 O
Lerwick	60.09 N	1.09 O
Lhasa	29.41 N	91.12 E
Libreville	0.23 N	9.25 E
Liège	50.38 N	5.35 E
Likasi	10.58 S	26.47 E
Lille	50.38 N	3.04 E
Lilongwe	18.58 S	33.49 E
Lima	12.06 S	76.55 O
Limoges	45.50 N	1.16 E
Linz	48.19 N	14.18 E
Lisbonne	38.44 N	9.08 O
Liverpool	53.25 N	2.55 O
Ljubljana	46.04 N	14.30 E
Lobito	12.20 S	13.34 E
Łódź	51.49 N	19.28 E
Logan, mont	60.54 N	140.33 O
Lomé	6.10 N	1.21 E
Londres	51.30 N	0.10 O
Los Angeles	34.00 N	118.15 O
Louvain	50.53 N	4.42 E
Louvain-la-Neuve	50.42 N	4.37 E
Luanda	8.50 S	13.15 E
Luang Prabang	19.47 N	102.15 E
Lubumbashi	11.41 S	27.29 E

Lucknow	26.54 N	80.58 E
Lüda	38.54 N	121.35 E
Lusaka	15.28 S	28.16 E
Luxembourg	49.36 N	6.09 E
Luxor	25.41 N	32.39 E
Lyon	45.46 N	4.50 E

M

Maastricht	50.52 N	5.43 E
Macao	22.00 N	113.00 E
Madras	13.08 N	80.15 E
Madrid	40.25 N	3.43 O
Madurai	9.57 N	78.04 E
Magdebourg	52.08 N	11.37 E
Magellan, détroit de	52.30 S	68.45 O
Malacca	2.11 N	102.15 E
Málaga	36.43 N	4.25 O
Malang	8.06 S	112.50 E
Malé	4.10 N	73.30 E
Malines	51.02 N	4.29 E
Malmö	55.35 N	13.00 E
Managua	12.10 N	86.16 O
Manamah	26.01 N	50.33 E
Manaus	3.01 S	60.00 O
Manchester	53.30 N	2.15 O
Mandalay	22.00 N	96.08 E
Mangalore	12.53 N	74.52 E
Manille	14.37 N	121.00 E
Mannheim	49.29 N	8.29 E
Maputo	25.58 S	32.35 E
Maracaibo	10.38 N	71.45 O
Mariehamn	58.51 N	15.09 E
Marrakech	31.38 N	8.00 O
Marseille	43.18 N	5.22 E
Mascate	23.23 N	58.30 E
Maseru	29.19 S	27.29 E
Matadi	5.50 S	13.32 E
Mazar-i-Charif	36.48 N	67.12 E
Mbabane	26.20 S	31.08 E
Mbandaka	0.03 N	18.16 E
Mbuji-Mayi	6.10 S	23.39 E
McKinley, mont	63.00 N	151.02 O
Meched	36.17 N	59.30 E
Medan	3.35 N	98.35 E
Medellín	6.15 N	75.34 O
Médine	24.26 N	39.42 E
Melbourne	37.45 S	144.58 E
Memphis	35.07 N	90.03 O
Mendoza	32.48 S	68.45 O
Mérida (Mexique)	20.58 N	89.37 O
Mérida (Venezuela)	8.30 N	71.15 O
Messine	38.11 N	15.33 E
Metz	49.08 N	6.10 E
Mexico	19.28 N	99.09 O
Miami	25.45 N	80.11 O
Milan	45.28 N	9.12 E
Milwaukee	430.3 N	87.55 O
Minneapolis	44.58 N	93.15 O
Minsk	53.51 N	27.30 E
Mogadiscio	2.02 N	45.21 E
Mombassa	4.04 S	39.40 E
Monaco	43.45 N	7.25 E
Moncton	46.07 N	64.51 O
Monrovia	6.20 N	10.46 O
Mons	50.28 N	3.58 E
Monterrey	25.43 N	100.19 O
Montevideo	34.50 S	56.10 O
Montpellier	43.36 N	3.53 E
Montréal	45.30 N	73.35 O
Moroni	11.40 S	43.16 E
Moscou	55.45 N	37.42 E
Mossoul	36.00 N	42.53 E
Mostar	43.20 N	17.49 E
Moulmein	16.30 N	97.39 E
Mourmansk	68.58 N	33.05 E
Mulhouse	47.45 N	7.20 E
Munich	48.08 N	11.33 E

N

Nagasaki	32.48 N	129.53 E
Nagoya	35.09 N	136.53 E
Nagpur	21.12 N	79.09 E
Naha	26.02 N	127.43 E
Nairobi	1.17 S	36.50 E
Nampula	15.07 S	39.15 E
Namur	50.28 N	4.52 E
Nancy	48.41 N	6.12 E
Nanga Parbat, mont	35.20 N	74.35 E
Nanjing	32.04 N	118.46 E
Nanning	22.56 N	108.10 E
Nantes	47.14 N	1.35 O
Naples	40.50 N	14.15 E
Naplouse	32.13 N	35.16 E
Nassau	25.05 N	77.20 O
Ndjamena	12.10 N	14.59 E
New Delhi	28.48 N	77.18 E
New York	40.40 N	73.58 O
Niagara, chutes du	43.06 N	79.04 O
Niamey	13.32 N	2.05 E
Nice	43.42 N	7.16 E
Nicosie	35.10 N	33.22 E
Nieuport	51.09 N	2.43 E
Nijni Novgorod	56.20 N	44.00 E
Nord, cap	71.11 N	25.40 E
Norfolk	36.55 N	76.15 O
Norman Wells	65.26 N	127.00 O
Nouadhibou	20.54 N	17.01 O
Nouakchott	18.09 N	15.58 O
Nova Goa	15.33 N	73.52 E
Nova Iguaçu	22.45 S	43.27 O
Novi Sad	45.15 N	19.51 E
Novosibirsk	55.04 N	83.05 E
Nuremberg	49.27 N	11.04 E

O

Oaxaca	17.03 N	96.42 O
Odessa	46.28 N	30.44 E
Okinawa	26.50 N	127.25 E
Olympe, mont	40.06 N	22.23 E
Omaha	41.18 N	95.57 O
Omsk	55.00 N	73.24 E
Oran	35.45 N	0.38 O
Orizaba, mont	18.52 N	97.05 E
Orlando	28.30 N	81.25 O
Osaka	34.40 N	135.27 E
Oslo	59.55 N	10.45 E
Ostende	51.13 N	2.55 E
Ottawa	45.25 N	75.43 O
Ouagadougou	12.20 N	1.40 O
Oufa	54.44 N	55.56 E
Oulan-Bator	47.56 N	107.00 E

P

Padang	1.01 S	100.28 E
Palembang	2.57 S	104.40 E
Palerme	38.08 N	13.23 E
Palk, détroit de	10.00 N	79.23 E
Palma	39.35 N	2.39 E
Panaji	15.33 N	73.52 E
Panamá	30.08 N	85.39 O
Paramaribo	5.50 N	55.15 O
Paris	48.52 N	4.50 E
Patan	27.23 N	85.24 E
Pegu	17.17 N	96.29 E
Perm	58.00 N	56.15 E
Perth	31.57 S	115.52 E
Peshawar	34.01 N	71.34 E
Philadelphie	40.00 N	75.13 O
Phnom Phen	11.39 N	104.53 E
Phoenix	33.30 N	112.00 O
Pinang	5.21 N	100.09 E
Pittsburgh	40.26 N	80.01 O
Plzeň	49.45 N	13.25 E
Podgorica	42.28 N	19.17 E
Pointe-à-Pitre	16.15 N	61.32 O
Pointe-Noire	4.46 S	11.53 E
Poitiers	46.35 N	0.20 E
Pondichéry	11.58 N	79.48 E
Popocatepetl, mont	19.01 N	98.38 O
Port-au-Prince	18.35 N	72.20 O
Port Elizabeth	33.58 S	25.36 E
Port-Gentil	0.40 S	8.50 E
Portland	45.31 N	123.41 O
Port Louis	20.10 S	57.30 E
Porto	41.09 N	8.37 O
Pôrto Alegre	29.58 S	51.11 O
Port of Spain	10.44 N	61.24 O
Porto-Novo	6.30 N	2.47 E
Potosí	19.42 S	65.42 O
Poznan	52.25 N	16.53 E
Prague	50.06 N	14.26 E
Praia	14.55 N	23.30 O
Pretoria	25.45 S	28.12 E
Prince George	53.55 N	122.50 O
Prince Rupert	54.20 N	130.20 O
Priština	42.39 N	21.10 E
Prudhoe Bay	70.40 N	147.25 O
Puna	18.38 N	73.53 E
Puncak Jaya, mont	4.00 S	131.15 E
Pusan	35.08 N	129.05 E
Pyongyang	39.03 N	125.48 E

Q

Qingdao	36.05 N	120.10 E
Qom	34.28 N	50.53 E
Québec	46.49 N	71.13 O
Quetta	30.19 N	67.01 E
Qui Nhon	13.51 N	109.03 E
Quito	0.17 S	78.32 O

R

Rabat	34.02 N	6.51 O
Rainier, mont	46.52 N	121.45 O
Rangpur	25.48 N	89.19 E
Ratisbonne	49.01 N	12.06 E
Rawalpindi	33.40 N	73.10 E
Recife	8.09 S	34.59 O
Reggio di Calábria	38.07 N	15.39 E
Regina	50.25 N	104.39 O
Reims	49.15 N	4.02 E
Rennes	48.05 N	1.41 O
Reykjavík	64.09 N	21.58 O
Rhodes	36.26 N	28.13 E
Riga	56.57 N	24.06 E
Rio de Janeiro	22.50 S	43.20 O
Riyad	24.31 N	46.47 E
Robson, mont	53.07 N	119.09 O
Rome	41.53 N	12.30 E
Rostov	47.15 N	39.45 E
Rotterdam	51.55 N	4.29 E
Rouen	49.26 N	1.05 E
Roulers	50.57 N	3.08 E
Rovaniemi	66.34 N	25.48 E

S

Sacramento	38.35 N	121.30 O
Saint-Domingue	18.30 N	69.55 O
Sainte-Hélène	15.55 S	18.10 E
Saint-Étienne	45.26 N	4.23 E
Saint John	45.16 N	66.03 O
Saint John's	47.34 N	52.43 O
Saint Louis (États-Unis)	38.39 N	90.15 O
Saint-Louis (Sénégal)	16.01 N	16.30 O
Saint-Marin	43.55 N	12.28 E
Saint-Nicolas	51.10 N	4.08 E
Saint-Pétersbourg	59.55 N	30.20 E
Salt Lake City	40.45 N	111.52 O
Salvador	12.59 S	38.27 O
Salzbourg	47.48 N	13.03 E
Samara	53.10 N	50.10 E
Samarkand	39.40 N	66.48 E
Sanaa	15.17 N	44.05 E
San Antonio)	29.25 N	98.30 O
San Diego	32.43 N	117.10 O
San Francisco	37.45 N	122.26
San Jose	9.57 N	84.05 O
San Juan	18.30 N	66.10 O
San Pedro	4.44 N	6.37 O
San Salvador	13.45 N	89.11 O
Santa Cruz (Tenerife)	28.27 N	16.14 O
Santiago	33.26 S	70.40 O
Santiago de Cuba	20.00 N	75.50 O
São Paulo	23.34 S	46.38 O
São Tomé	0.20 N	6.44 E
Sapporo	43.02 N	141.29 E
Saragosse	41.39 N	0.54 O
Sarajevo	43.52 N	18.26 E
Saratov	51.34 N	46.02 E
Saskatoon	52.07 N	106.38 O
Sault Ste. Marie	46.30 N	84.20 O
Savannakhet	16.33 N	104.45 E
Schefferville	54.52 N	67.01 O
Seattle	47.36 N	122.20 O
Sébastopol	44.36 N	33.32 E
Sekondi-Takoradi	4.59 N	1.43 O
Semarang	7.03 S	110.27 E
Semeru, mont	8.06 S	112.55 E
Sendai	38.18 N	141.02 E
Séoul	37.35 N	127.03 E
Sept-Îles	50.06 N	66.23 O
Séville	37.23 N	6.00 O
Shanghai	31.14 N	121.27 E
Shantou	23.20 N	116.40 E
Sheffield	53.23 N	1.30 O
Shenyang	41.45 N	123.22 E
Sherbrooke	45.25 N	71.54 O
Singapour	1.18 N	103.52 E
Sittwe	20.09 N	92.54 E
Skopje	42.00 N	21.28 E
Sofia	42.40 N	23.18 E
Songkhla	7.09 N	100.34 E
Split	43.31 N	16.28 E
Srinagar	34.11 N	74.49 E
Stanley	51.46 S	57.59 O
Stockholm	59.20 N	18.05 E
Strasbourg	48.35 N	7.45 E
Stuttgart	48.47 N	9.12 E
Sucre	19.06 S	65.16 O
Sudbury	46.28 N	81.00 O
Suez	29.59 N	32.33 E
Surabaya	7.23 S	112.45 E
Surakarta	7.35 S	110.45 E
Surat	21.08 N	73.22 E
Suzhou	31.19 N	120.37 E
Sydney	33.53 S	151.10 E

T

Tabriz	38.00 N	46.13 E
Taegu	35.49 N	128.41 E
Taichung	24.10 N	120.42 E
Tainan	23.08 N	120.18 E
Taipei	25.02 N	121.38 E
Taiyuan	37.32 N	112.38 E
Tallinn	59.25 N	24.45 E
Tampa	27.57 N	82.25 O
Tampere	61.32 N	23.45 E
Tampico	22.14 N	97.51 O
Tangshan	39.38 N	118.11 E
Tarente	40.28 N	17.15 E
Tbilissi	41.13 N	44.49 E
Tcheliabinsk	55.10 N	61.24 E
Tegucigalpa	14.08 N	87.15 O
Téhéran	35.45 N	51.30 E
Tel Aviv	32.03 N	34.46 E
Thessalonique	40.38 N	22.58 E
Thunder Bay	48.28 N	89.12 O
Tianjin	39.08 N	117.14 E
Tijuana	32.29 N	117.01 O
Tirana	41.20 N	19.49 E
Toamasina	18.10 S	49.23 E
Tochkent	41.16 N	69.13 E
Tokyo	35.41 N	139.44 E
Tombouctou	16.49 N	2.59 O
Toronto	43.40 N	79.23 O
Toulon	43.07 N	5.56 E
Toulouse	43.37 N	1.27 E
Tournai	50.36 N	3.23 E
Trieste	45.40 N	13.46 E
Trincomalee	8.39 N	81.12 E
Tripoli (Liban)	34.25 N	35.50 E
Tripoli (Libye)	32.49 N	13.07 E
Trivandrum	8.34 N	76.58 E
Trois-Rivières	46.21 N	72.35 O
Tsugaru, détroit de	41.25 N	140.20 E
Tunis	36.50 N	10.13 E
Tupungato, mont	33.22 S	69.47 O
Turin	45.04 N	7.40 E
Turku	60.27 N	22.15 E
Turnhout	51.19 N	4.57 E

U

Ujung Pandang	5.08 S	119.28 E
Uranium City	59.34 N	108.59 O
Ürümqi	43.49 N	87.43 E
Utrecht	52.06 N	5.07 E

V

Vaduz	47.09 N	9.31 E
Valence	39.28 N	0.22 O
Valparaíso	33.02 S	71.32 O
Vancouver	49.16 N	123.06 O
Varanasi	25.25 N	83.00 E
Varsovie	52.15 N	21.00 E
Vatican, cité du	41.54 N	12.27 E
Venise	45.26 N	12.20 E
Ventoux, mont	44.10 N	5.17 E
Veracruz	19.13 N	96.07 O
Verkhoïansk	67.35 N	133.25 E
Vérone	45.27 N	11.00 E
Verviers	50.35 N	5.52 E
Vésuve, volcan	40.50 N	14.22 E
Victoria (Seychelles)	4.38 S	55.28 E
Victoria (Canada)	48.26 N	123.23 O
Victoria, chutes	17.58 S	25.52 E
Vienne	48.13 N	16.22 E
Vientiane	18.07 N	102.33 E
Vilnius	54.41 N	25.19 E
Vladivostok	43.10 N	131.56 E
Volgograd	48.44 N	44.25 E
Voronej	51.40 N	39.10 E

W

Walvis Bay	23.00 S	14.28 E
Washington	38.50 N	77.00 O
Wellington	41.17 S	174.47 E
Whitehorse	60.39 N	135.01 O
Whitney, mont	36.34 N	118.18 O
Windhoek	22.34 S	17.06 E
Windsor	42.18 N	83.01 O
Winnipeg	49.53 N	97.09 O
Wrocław	51.05 N	17.00 E
Wuhan	30.30 N	114.15 E

X

Xiamen	24.28 N	118.20 E
Xi'an	34.20 N	109.00 E
Xining	36.52 N	101.36 E

Y

Yamoussoukro	6.49 N	5.17 O
Yangon	16.46 N	96.09 E
Yaoundé	3.51 N	11.31 E
Yellowknife	62.29 N	114.38 O
Yinchuan	38.22 N	106.22 E
Yogyakarta	7.50 S	110.20 E
Yokohama	35.37 N	139.40 E

Z

Zagreb	45.48 N	15.58 E
Zamboanga	6.58 N	122.02 E
Zanzibar	6.12 S	39.12 E
Zeebrugge	51.19 N	3.12 E
Zermatt	46.01 N	7.45 E
Zhengzhou	34.46 N	113.42 E
Ziguinchor	12.35 N	16.16 O
Zürich	47.23 N	8.33 E

Abréviations

A.	Alpes	Fj.	Fjord	Mex.	Mexique	Pt.	Petit
Afr. du S.	Afrique du Sud	Fr.	France	Mgne	Montagne	Pt.	Port
Alb.	Albanie	Ft.	Fort	Mgnes	Montagnes	Pta.	Punta
Ang.	Angola	G.	Golfe	M.N.	Monument National	Pte.	Pointe
Arch.	Archipel	Gd	Grand, Gran, Great	Mt	Mont, Mount	Pte.	Porte
Austr.	Australie	Gde	Grande	Mte	Monte	Pto.	Porto, Puerto
B.	Baie, Bay	G. Équ.	Guinée Équatoriale	Mti	Monti	Pzo.	Pizzo
Belg.	Belgique	G.F.	Guyane Française	Mts	Monts, Mountains	R.	Range
Bge.	Barrage	GMT	Greenwich Mean Time	MW	Megawatt	R.	Rio
Br.	Britannique	GNL	Gaz naturel liquéfié	N.	Nord, North	Rép.	République
Bulg.	Bulgarie	Gr.	Gros	Nat.	National	Rép. Dom.	République Dominicaine
C.	Cap, Cabo	Gr.	Greenwich	N.H.	New Hampshire	Rés.	Réservoir
C.	Col, Colle	Hond.	Honduras	Nlle.	Nouvelle	R.I.	Rhode Island
Cd.	Ciudad (ville)	Hong.	Hongrie	Norv.	Norvège	Riv.	Rivière, River
CFC	Chlorofluorocarbones	Hs.	Hills (collines)	Nth.	North	S.	San, São
Ch	Chaîne	I.	Ile, Iles, Isle, Island	N.-Z.	Nouvelle-Zélande	S.	Sud, South, Sur
Ch.	Chili	INS	Institut National de Statistique	O.	Ouest	s/	sur
Cl.	Canal	Isr.	Israël	Occid.	Occidental	Sept.	Septentrional
Col.	Colombie	Isth.	Isthme	ONSS	Office National de Sécurité Sociale	Seych.	Seychelles
Conn.	Connecticut	It.	Italie	O.P.E.P.	Organisation des Pays Exporteurs de Pétrole	s/s	sous
Cord.	Cordillère, Cordillera	Jap.	Japon	Or.	Oriental	St.	Saint, Sankt
C.R.	Costa Rica	Jord.	Jordanie	Orient.	Oriental	Sta.	Santa
Cy.	City	km	kilomètre	P.-B.	Pays-Bas	Ste.	Sainte
Dan.	Danemark	KNMI	Service météorologique royal des Pays-Bas	Pco.	Pico (pic)	Stes.	Saintes
D.C.	District of Columbia			Ple.	Péninsule, Presqu'île	Sth.	South
Dépr.	Dépression	L.	Lac, Lago, Lake, Loch, Lough	Pk.	Peak (pic)	Sto.	Santo
Dés.	Désert	Lag.	Lagune, Lagoa, Laguna	Pl.	Plaine	T.	Terre
Dj.	Djebel (montagne)	L.E.	Longitude Est	Plat.	Plateau	Tec.	Tonne équivalent charbon
Dt.	Détroit	Lib.	Liban	P.M.	Pôle Magnétique	Terr.	Territoire
DU	Dobson-unité	L.N.	Latitude Nord	P.N.	Parc National	TGV	Train à Grande Vitesse
E.	Est, East	L.O.	Longitude Ouest	P.N.B.	Produit National Brut	U.E.	Union Européenne
E.A.U.	Émirats Arabes Unis	L.S.	Latitude Sud	Pnt	Point	U.R.S.S.	Union des Républiques Socialistes Soviétiques
Eq.	Équateur	M.	Millions	Port.	Portugal	Ven.	Venezuela
Esp.	Espagne	Mass.	Massachusetts	Pr.	Prince, Princesse	W.	West (Ouest)
Ét.	Étang	Md.	Milliards			Youg.	Yougoslavie
É.-U.	États-Unis	Mérid.	Méridional				

Prononciation

Albanais

gj	dy

Anglais

a, ai, ay	e
a après w	o
c devant e, i, y	s
ch	tch
ee	i
ea	et (dans jet) ou i
e devant r	eu
eu, ew	you
g devant e, i	dj
gh (en fin de syllabe)	muet
i	aill
i devant r	eu
kn	n
oo	ou
ou, ow	aw
ou	eu (court)
ow	o
sh	ch
th	s (en plaçant la langue contre les incisives supérieures)
u	eu (ouvert) ou you
w	muet dans -wich

Annamite

ph	f
x	s

Bulgare

â	e muet
c	ts, aussi devant a, o, u
č	tch
h	h aspiré
š	ch
ž	j

Chinois

c	ts
ch	tch
ei	eille
h	kh
iang	yang
j	kh
jiu	tyow
q	ty
sh	ch
u après j, q, x, y	u, autrement ou
x	s
zh	tch

Danois

å	o (long)
ø	eu
y	u (long)

Espagnol

c devant e et i	th anglais
ch	tch
g devant e et i	r
gu devant a et o	gw
gu devant e et i	g
h	muet
j	r
ll	lj
ñ	gn
qu devant e et i	k
v	b au début du mot, autrement w
x	h aspiré

Finnois

y	u (long)

Hindi

ch	tch
h	h aspiré

Hongrois

c	ts, aussi devant a, o, u
cs	tch
gy	dy
ly	y
ny	gn
s	ch
sz	ss
zs	j

Indonésien et malais

c	tj
j	dj

Islandais

dh	th anglais

Italien

c devant e et i	tch
ch	k
g devant e et i	dj, autrement g
gh	g
gli	lj
z	ts

Norvégien

å	o (long)
æ	è
o	ou
ö	eu
y	u (long)

Polonais

c	ts, aussi devant a, o, u
ć	tch
ck	tsk
cz	tch
l	lj
ł	w
ń	gn
ó	ou
rz	j
ś	ch
ść	chtch
sz	ch
y	é
ź	j

Portugais

ão	a-on
c devant e et i	ss
ç	s
ch devant r	k
ei	eille
g devant e et i	j
gu devant e et i	gw

Roumain

ă	eu (long)
c devant e et i	tch
g devant e et i	dj
gh	g
î	eu (court)
ş	ch
ţ	ts

Serbo-croate

c	ts, aussi devant a, o, u
č	tch
h	h aspiré
š	ch
ž	j

Suédois

å	o (long)
k devant ä, e, i, ö et y	tj
y	u (long)

Tchèque

c	ts, aussi devant a, o, u
č	tch
ě	ye
ň	gn
ř	rj
š	ch
ž	j

Turc

c	dj
ç	tch
ey	é
h	h aspiré
ş	ch

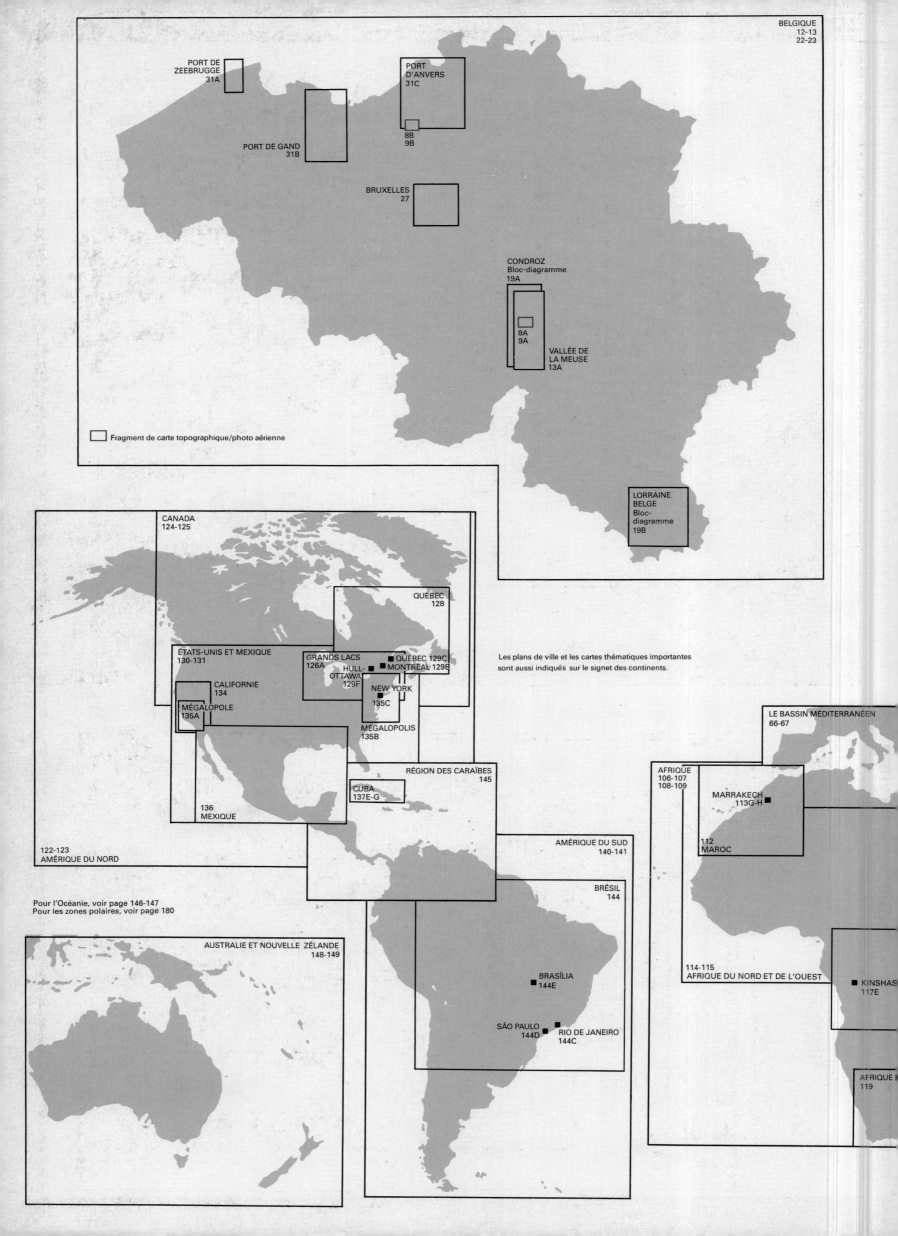

Fragment de carte topographique/photo aérienne

Les plans de ville et les cartes thématiques importantes
sont aussi indiqués sur le signet des continents.

Pour l'Océanie, voir page 146-147
Pour les zones polaires, voir page 180